СИТКА

АЛЯСКА

Ш

С А

С

З В

Ю

Книги МАЙКЛА ШЕЙБОНА,
опубликованные Издательской Группой
«АЗБУКА-АТТИКУС»

Лунный свет

•

Потрясающие приключения
Кавалера & Клея

•

**Союз еврейских
полисменов**

МАЙКЛ
ШЕЙБОН

СОЮЗ ЕВРЕЙСКИХ ПОЛИСМЕНОВ

Издательство «Иностранка»
МОСКВА

УДК 821.111(73)
ББК 84(7Сое)-44
Ш 39

Michael Chabon
THE YIDDISH POLICEMEN'S UNION
Copyright © 2007 by Michael Chabon
Glossary copyright © 2008 by Michael Chabon and Sherryl Mleynek

Перевод с английского Елены Калявиной

Оформление обложки Виктории Манацковой

Издание подготовлено при участии издательства «Азбука».

ISBN 978-5-389-12601-5

Знаете, мой любимый Толкин долгое время занимался литературой лишь для того, чтобы оправдать свою страсть рисовать карты и изобретать новые языки. В «Союзе еврейских полисменов» есть и новые карты, и новый язык.

Майкл Шейбон

Будто закрепляя успех «Кавалера & Клея», Майкл Шейбон строит, творит свой целиком выдуманный мир, убедительный до мельчайших подробностей, такой же живой, каким был воссозданный им Нью-Йорк сороковых в предыдущей книге. Читателя ждет захватывающая история таинственного убийства и обаятельнейшие детективные персонажи со времен Сэма Спейда или Филипа Марло.

New York Times

Читаешь «Союз еврейских полисменов» — и словно наблюдаешь за тем, как даровитый атлет изобрстает новый вид спорта, вовлекая элементы всех уже существующих: мячи, ракетки, шесты, ворота, метательные копья и... саксофоны. Чистейший кругозор, музыка и весомость шейбоновского воображения уникальны, рождены блестящим честолюбивым устремлением, которое нипочем не заметишь, настолько глубока его изощренность... Дух захватывает.

Washington Post Book World

Насыщенный событиями, удивительно смешной и грустный роман о горечи Исхода, душевный и духовный одновременно.

Sun Francisco Chronicle Book Review

Народная сказка длиннее, чем жизнь, в альтернативной версии вселенной настоящего времени, где понятия изгнания, принадлежности, самоидентификации, национальности, свободы и предназначения видятся словно отражения в кривом зеркале — искаженные и в то же время узнаваемые.

Los Angeles Times Book Review

Нет никаких сомнений, что созданный Шейбоном странный, динамичный и невероятный мир — это авторское видение рая. Здесь он, похоже, счастлив, почти окрылен, опьянен свободой творческого воображения — самым драгоценным, что всегда было и остается в его произведениях... Выдуманная Ситка из «Союза еврейских полисменов» ведет тонкую, бесконечно сложную фантастическую игру, и ведет ее на редкость честно: место это настолько живое и явственное, что, переворачивая очередную страницу, хочется и в самом деле надеть парку и закутаться в молитвенное покрывало.

New York Times Book Review

Проза Шейбона бесподобна, невозможно не цитировать ее... Наверное, Шейбон просто не способен написать плохую книгу.

Time

Блистательно — как будто Рэймонд Чандлер и Филип К. Дик раскурили косяк с И. Б. Зингером... Это классическая вещь а-ля Сэм Спейд, Филип Марло, Лью Арчер... Брутальный, добросердечный, дерзкий на язык детектив, последний романтик в гибнущем мире — омлет из Георгия Победоносца, Франциска Ассизского и кисло-сладкого Парсифаля, гриль-ассорти из Галахада и Робин Гуда, бутерброд-подлодка из буревестника и психотерапевта... Все эти яства Шейбон приправил Летучим голландцем и щепоткой Вечного жида, и получилось до того здорово, что нам хочется, чтобы это никогда не кончалось.

New York Review of Books

Грандиозный творческий замысел... Как всегда, язык Шейбона ослепителен, в забойное криминальное чтиво он вкрапляет печальный еврейский мистицизм. Хаим Поток, Дэшил Хэммет и Вуди Аллен в равных долях, «Союз еврейских полисменов» создает новый жанр: «крутой нуар».

Newsweek

Новый детективный роман Шейбона «Союз еврейских полисменов» укрепляет авторскую репутацию виртуозными описаниями, замысловатой трансформацией персонажей и захватывающим сюжетом... Что-то от Беллоу, что-то от Чандлера, что-то от Маркса (который Граучо), а в целом роману удается оттолкнуться от клише и позволить себе громогласную роскошь оригинальности.

Atlanta Journal-Constitution

Душевно и словесно ослепительно.

People

Неудержимый восторг... Филип Рот, может, и стал лауреатом премии ПЕН-центра имени Сола Беллоу этой весной... но именно Шейбон продолжает традиции блестящей стилистики еврейских писателей Америки, он заставляет нас смеяться, лишь чуточку изменив угол или тон высказывания.

Philadelphia Inquirer

Чудесно... Отличный, чрезвычайно умный детектив — насмешка над самим жанром детектива, роман, который заслуживает каждого дюйма своего грядущего ореола славы.

New York Magazine

Роскошно... Огромное наслаждение.

The Oprah Magazine

Блестящее остроумие и изобретательность Шейбона неизменно восхитительны, но игра его более сложна... «Союз еврейских полисменов» не о евреях, ныне живущих или живших когда-то, это один из лучших романов на английском языке, повествующий о том, что значит быть евреем, каково это. На самом деле книга настолько хороша не вопреки тому, что действие происходит в вымышленном мире, а благодаря этому... Поразительная игра воображения.

The Nation

Майкл Шейбон — художник-эскапист: его романы — это изящные и захватывающие цирковые трюки, снова и снова знаменующие радость освобождения от пут современного мира. Его новый роман — самый отважный и невероятный доселе шаг... Непобедимый.

Financial Times

Замысловатый, блестящий еврейский эпос... Восхитительно... Ну как тут не влюбиться?

Entertainment Weekly

Вы здесь ради удовольствия, не только ради электрического заряда, который несет проза мистера Шейбона, но и ради истории, сплетенной куда затейливее, чем все прочие романы, опубликованные в этом году.

The Economist

Мир нового романа Майкла Шейбона «Союз еврейских полисменов» так явственно живет и дышит на каждой странице, что читатели могут удивиться, как это картографы до сих пор до него не добрались... Подлинный талант.

Seattle Times

Шейбон очередной раз демонстрирует... что он входит в когорту самых важных и интересных современных американских писателей-романистов.

Christian Science Monitor

Шейбон касается высочайших литературных струн и исполняет сложную и прекрасную пьесу... Достойный кузен «Заговора против Америки» Филипа Рота... Шейбону, как и Роту, хватило хуцпы и мастерства, чтобы превзойти формулу и самые дерзкие литературные концепции... Странные нынче времена, чтобы быть евреем, что и говорить. Но до чего же славное время, чтобы быть читателем.

Miami Herald

Глубина замысла чрезвычайно усложняет исполнение, но Шейбон может себе это позволить, потому что, описывая Ситку, он великолепно расцвечивает каждую мельчайшую деталь. В этой книге блестящий американский писатель поведал нам новую замечательную историю.

Associated Press

Честолюбивый и доступный, густо засеянный аллюзиями и несущийся на всех парах экшн, роман «Союз еврейских полисменов» — это пример счастливого брака возвышенного и приземленного: литературного ума и популистского сердца.

St. Louis Post-Dispatch

Лучший в стране автор прозы на английском языке и самый интересный писатель своего поколения. Даже читатели, коих ошеломила изобретательность пулицеровского опуса Шейбона «Потрясающие приключения Кавалера & Клея», и те изумятся, на что способно его воображение. Здесь Шейбон творит нечто совершенно невероятное.

The Weekly Standard

Поразительно смелое и прекрасное литературное произведение. Примечателен не только тон каждой фразы — чуть хрипловатый, и возвышенный, и безнадежно влюбленный в то, чего уже не вернешь. Эхо их черной меланхолии превращает нуар в проводник идей... Подлинный литературный самородок.

Forward

Нынче мы наблюдаем целое поветрие на романы, подобные «Союзу еврейских полицейских», — безумные географические оригами, этакие калейдоскопические диаграммы Венна, романы, которые на каком-нибудь креольском повествуют о каких-нибудь дурацких обычаях... Но все прочие книги блекнут перед ним.

New York Sun

Это упоительно щемящий и дерзновенно новаторский роман... Шейбон — писатель зрелищный... чудодей языка, превращающий все вокруг в нечто иное просто из удовольствия поиграть словами... Смачные миронаблюдения Чандлера смотрятся бледновато рядом с богато изукрашенной прозой Шейбона... Пишет он восхитительно, и ты хохочешь вслух, аплодируя его языковым забавам и тому, как он, избрав писательскую задачу, наматывает вокруг нее восторженные круги.

Guardian

Новый блестящий роман Майкла Шейбона начинается с грохота... В нем жужжит юмор. Он фонтанирует приколами... А еще в этом романе непревзойденные образы как на подбор: общее впечатление от чтения — восторг, почти благоговение перед мощью шейбоновского воображения... веселым шутовским водоворотом романа.

Sunday Times

Божественная детективная забава.

Books of the Year

Шейбон сочинил настолько ослепительный, очень личный, гипероткровенный роман, что трудно отыскать того, кто прочел бы его без удовольствия. Если вас не увлечет захватывающий сюжет (а он легко сопоставим с любой детективной историей за последние пять лет), то уж роскошный стиль изложения и полный мешок великолепных острот точно не оставят равнодушными. Каким бы путем вы его ни одолели, «Союз еврейских полисменов» — сущее повествовательное удовольствие, высококлассная вещь от корки до корки. Разве какой-нибудь шмендрик его прохлопает.

Independent on Sunday

В своей восьмой книге Шейбон поражает способностью написать чужедальний, незнакомый пейзаж таким насыщенным, живым и образным, что уже на пятидесятой странице читателю кажется, будто он знает его всю жизнь.

Daily Mail

Изумительное, мастерское возрождение детективного жанра.

Daily Telegraph

Шейбон — писатель для читателя: его фразы окутывают тебя и нежно целуют на ночь.

Chicago Tribune

Уже сейчас Шейбон равен великим мастерам прошлого вроде Апдайка или Беллоу. Каждое его слово стоит на правильном месте, безупречное, как проза Набокова и кадры Уэса Андерсона. Казалось бы, Гекльберри Финн велел плевать таким в суп и ставить подножки, однако Шейбон чудом умудряется быть умным, как Знайка, но своим, как Незнайка.

Афиша/Воздух

Альтернативная история о евреях-беженцах, которые во время войны получили временное место в Ситке, на Аляске, где и живут вместе со своими говорящими на идише попугаями, мамами, детьми, злодеями и праведниками, — так вот, эта альтернативная история изо всех сил подделывалась под «черный» детектив, и в какой-то момент даже пошел слух, что ее будут снимать братья Коэн, — эх, какой бы получился фильм!

Голос омара

Увлекательный, ироничный роман о вымышленной колонии еврейских иммигрантов, которые пытаются обрести Землю обетованную за полярным кругом. Замысел написать такую книгу возник после того, как автор случайно обнаружил в кладовке разговорник для туристов «Как это сказать на идише». Тогда Шейбон и придумал местечко, где все говорят на языке его предков. В центре сюжета — закрученный детектив...

Русский репортер

Американца Майкла Шейбона любят прежде всего за умение создавать новую географию и рассказывать легенды. Его роман «Союз еврейских полисменов» сразу выскочил на второе место в списке бестселлеров *New York Times* и продержался в этом списке шесть достойных недель. Это серьезный труд: не столько детектив, сколько альтернативная история всего европейского еврейства.

Коммерсант Weekend

Романы Шейбона — это взрывная смесь из всего, что мы любим. Тут есть и обаяние идиша, и историческая тяжесть еврейской культуры, но все это сочетается с развлечениями самого верного толка: от детективов в жанре нуар до эскапистских комиксов. Это сочетание оказалось вполне революционно для американской культуры, четко пилящей аудиторию на умных и дураков. В 2001 году автор получил Пулицеровскую премию за свой самый известный роман «Потрясающие приключения Кавалера & Клея», в 2008-м — премии «Хьюго» и «Небьюла» за альтернативно-исторический «Союз еврейских полисменов».

The Village

В романе Шейбона предложена альтернативная история образования независимого еврейского государства: вместо Палестины оно появляется на Аляске. Там говорят на идише, изредка устраивают стычки с соседями-индейцами и ждут окончания 60-летнего срока, отмеренного США для обустройства евреев, убежавших от нацистов в годы Второй мировой войны из Европы. Главные герои романа, написанного в стилистике детективов Рэймонда Чандлера и Дэшила Хэммета, расследуют странное и чреватое неожиданными откровениями убийство шахматиста в дешевой гостинице.

О подготовке экранизации «Союза еврейских полисменов» объявили братья Итан и Джоэл Коэны, лауреаты трех ключевых «Оскаров» 2008 года. Они получили эти награды за фильм «Старикам тут не место» по роману Кормака Маккарти.

Lenta.ru

«Союз еврейских полисменов» в первую очередь — хорошая, мастерски написанная литература. Замечательное смешение жанров: здесь и хорошо скроенный нуар-детектив (вроде Рэймонда Чандлера, которого Шейбон очень любит), политический триллер, любовная история. Здесь смешаны «аиды», ФБР, обделенные индейцы, борющиеся против еврейского засилья, русские штаркеры-криминалы, раввины, мессианские пророчества... Порой непонятно, всерьез все или в шутку — часто жестокую, парадоксальную шутку, далеко не на любой вкус, то ли от Жванецкого, то ли от Кафки.

Booknik

Отчасти в том, что я сочинил детектив, виноват русский писатель Исаак Бабель. Есть некое странное родство между переводами произведений Бабеля и крутыми детективами, например чандлеровскими.

Если говорить о «Союзе полисменов», то я чувствовал, что должен изобрести новый язык целиком, придумать некий диалект. В этом сочинении я дольше всего искал верный голос. Предложения здесь гораздо короче, что для меня не совсем обычно.

Я написал черновик на шестьсот страниц от первого лица и в итоге через год выкинул его в корзину. В нем были те же персонажи: Ландсман, его бывшая жена Бина Гельбфиш, тоже сотрудник полиции, и его двоюродный брат и напарник, полуиндеец по имени Берко Шемец, — но сюжет там совершенно иной. Для меня самого «Союз полисменов» — это сиквел того, первого романа.

Коль скоро я задумал мир, охватывающий многие слои общества, мне понадобился персонаж, который был бы вхож в каждый из них. Ради этого-то авторам и нужны детективы вроде инспектора Баккета в диккенсовском «Холодном доме». Подобные примеры не спасают детективные истории от пренебрежительного отношения современников в целом. Умение хорошо рассказывать — это забытый и недооцененный элемент так называемой настоящей писательской работы. Существует предубеждение против повествования, в котором сюжет выдвигается на первый план.

По-моему, детектив и писатель неразрывно связаны: детектив страдает из-за расследования. Писатели не могут удержаться от взаимных обвинений, снова и снова вытаптывая одну и ту же лужайку.

Раздумья о том, как выглядел бы мир без Государства Израиль, были одним из побудительных импульсов написания этой книги. Какое же безумие, что этот крохотный клочок земли вынужден быть центром глобальных конфликтов. Я неизменно раздираем двойственным чувством по отношению к миру без Израиля. У меня не было и нет ни точки зрения, которую я мог бы отстаивать, ни плана действий.

Майкл Шейбон

От переводчика

Несколько месяцев я провела в промозглой еврейской Ситке, прожила их день за днем вместе с героями романа, занывавшись где-то там, на застекленной лоджии высотки «Днепр», и успев привязаться к этим людям, будто они мне родня. Майклу Шейбону удалось соткать из слов пронзительный и живой мир, тональность романа напоминает девяностые двадцатого века, когда многим из нас пришлось пережить исход, отчуждение, потерю родины. Не могу сказать, что мне по душе альтернативная история, которую предлагает автор, но уж какая есть. Однако символично, что страна евреев, говорящих на идише, обосновалась именно на Аляске — на некогда русской земле. Уверена, что этот роман должен был появиться и прозвучать по-русски. Просто случайный вывих альтернативной истории привел к тому, что написан он на американском (так сам Шейбон называет язык огромной и богатой страны, милостиво приютившей евреев на время, а теперь изгоняющей их куда глаза глядят, ведь в этой богатой стране существует настоящая «черта оседлости») — где-то не там наступили не на ту бабочку, азохен-вей. В русский язык идиш, маме-лошн, врос куда глубже, чем в «американский»; издавна русский, украинский, белорусский языки наполнены идишскими словами, мы веками жили рядом, кровеносные системы наших культур переплелись, сроднились. Шейбон рассказывает историю как бы на идише, вкрапляя «для колорита» идишские слова. Причем если для американца словарь в конце книги необходим, то чи-

тающему этот роман по-русски, скорее всего, он не особенно
нужен. Условно говоря: я не знаю идиш меньше, чем его не
знает автор. Поясню некоторые свои переводческие решения.
Я позволила себе чуть больше слов на идише, надеюсь, автор
и читатель меня не осудят за это. Я слышала эти слова в детстве, помню их всю жизнь, да и прочитанная литература сделала свое дело, поэтому кое-что в этом романе так и просилось
перевести его с американского на идиш. У Шейбона евреи
Аляски называют друг друга «йид» — *yid* (вспоминается бабе-
левское *«вы юде, пане»*). Причем множественное число автор
образует по правилам своего родного языка — *yids*. На идише
правильно было бы *«а ид»* в единственном числе и *«идн»* во
множественном; да, мне это известно. Но я пишу по-русски,
поэтому сознательно беру слово, которое давно вошло в русский, слившись с артиклем, и множественное число от него
образуется по правилам русского языка — аид, аиды. Краси-
вые слова, как по мне, да и страна — выдуманная, чего только
в ней не бывает. Кстати, для желающих словарь прилагается,
мы составили его со всей тщательностью и любовью. Ибо любовь пронизывает все повествование — чистая, звенящая
сквозная тема. Не раз прозвучавшее в адрес «Союза еврейских
полисменов» словцо «нуар», на мой взгляд, не имеет отношения к роману. «Союз полисменов, говорящих на идише» —
я бы именно так перевела название, но выглядит длинновато
и кажется аллюзией к Севеле, которого тут нет и в помине, но
если язык определяет судьбу народа, то идишу в названии самое место. И «забойным» этот роман назвали совершенно бездумно. Роман метафоричен и прекрасен, это песнь уходящему
в небытие. Автор явно читал в переводе не только Бабеля, но
и Набокова и Достоевского. И шейбоновский Мошиах чем-то
неуловимо напоминает князя Мышкина. Впрочем, судите сами. Доброго вам пути, гейт гезунт!

Елена Калявина

СОЮЗ ЕВРЕЙСКИХ ПОЛИСМЕНОВ

Посвящается Эйлет, моей башерт

В решете они в море ушли, в решете.

Эдвард Лир
(Перевод С. Маршака)

1

За те девять месяцев, что Ландсман прокантовался в гостинице «Заменгоф», никого из постояльцев не угораздило стать жертвой убийства. А теперь кто-то вышиб мозги аиду из номера 208, именовавшему себя Эмануэлем Ласкером.

— Он трубку не брал, он дверь не открыл, — оправдывается ночной администратор Тененбойм, поднявший Ландсмана с постели. (Ландсман занимает номер 505 с видом на неоновую вывеску гостиницы по ту сторону улицы Макса Нордау. Это словечко «Блэкпул» частенько является Ландсману в ночных кошмарах.) — Вот я и позволил себе зайти в его номер.

Ночной администратор, в прошлом морпех и героинщик, еще в шестидесятых завязал с наркотой, вернувшись домой после заварухи под названием «Кубинская война». Для заменгофского контингента он как мама родная — ссужает деньгами и считает, что нечего беспокоить жильцов попусту, если те нуждаются в уединении.

— Ты в номере что-нибудь трогал? — интересуется Ландсман.

— Только наличку и камешки.

Ландсман надевает брюки, ботинки, пристегивает подтяжки. Они с Тенебоймом дружно косятся на дверную ручку, где висит галстук — красный в жирную свекольную полоску. Ландсман его со вчера не развязывал, экономя время. Восемь часов осталось до следующего Ландсманова дежурства. Восемь часов безделья в обнимку с бутылкой — точь-в-точь крыса в стеклянном террариуме, усыпанном древесными опилками. Ландсман со вздохом тянется за галстуком, продевает голову в петлю, придвигает узел к верхней пуговице воротника. Влезая в пиджак, он нащупывает в нагрудном кармане бумажник и жетон, похлопывает ладонью по кобуре под мышкой — на месте ли шолем, тридцать девятый «смит-вессон».

— Я бы вас ни в какую не разбудил бы, детсктив, — говорит Тененбойм, — если б не приметил, что вы вроде не так чтобы очень спите.

— Я сплю, — возражает Ландсман. Он берет сувенирную стопку, свою теперешнюю подругу жизни, память о Всемирной выставке 1977 года. — Просто я сплю в трусах и рубашке.

Он поднимает безмолвный тост за тридцатую годовщину Всемирной выставки в Ситке. Переломный, говорят, момент был в истории еврейской цивилизации на севере, и кто он такой, Мейер Ландсман, чтобы это оспаривать? Тем летом ему было четырнадцать, и у него только открылись глаза на прелести еврейских женщин, так что для него 1977-й тоже был своего рода переломным моментом.

— Сплю, сидя в кресле. — Он осушает стопку. — И при шолеме.

Если верить докторам, психотерапевтам и бывшей жене Ландсмана, то его пьянство — это чистое самолечение, то бишь доводка до кондиции хрупких трубочек и кристаллов состояния его души с помощью кувалды крепчайшего сливового бренди. Но правда в том, что у Ландсмана бывает лишь два состояния души: Ландсман работающий и Ландсман мертвый. Мейер Ландсман — самый «титулованный» шамес в округе Ситка, это он распутал убийство красавицы Фромы Лефковиц, совершенное ее мужем-меховщиком, это он схватил «больничного убийцу» Подольски, это его показания упекли Хаймана Чарны пожизненно в федеральную тюрьму — первый и последний случай, когда вербовскому молодчику пришлось-таки ответить в суде за уголовное преступление. У Ландсмана память арестанта, отвага подрывника, а глаз остр, как у взломщика. Случись где преступление, он рыскает по городу, будто у него ракета в штанине. А за кадром словно звучит этакая бравая музычка, да с кастаньетами. Беда поджидает в часы вынужденного безделья, когда Ландсмановы мысли начинает выдувать из распахнутого окна сознания, словно забытые на столе листки бумаги. Порой надобится увесистое пресс-папье, чтобы удержать их.

— Не хотелось прибавлять вам работы, — говорит Тененбойм.

В бытность свою в отделе по борьбе с наркотиками Ландсман пять раз арестовывал Тененбойма. Пожалуй, это единственное основание для дружбы между ними, но его вполне достаточно.

— Это не работа, Тененбойм, — говорит Ландсман, — я делаю это по любви.

— Ну точно как я. Только по любви будешь вкалывать ночным администратором в этом сраном клоповнике.

Ландсман похлопывает Тененбойма по плечу, и они отправляются осматривать покойника, втиснувшись в необитаемый заменгофский лифт, или *ELEVATORO*, как сообщает медная табличка над входом. Пятьдесят лет тому, когда гостиницу только построили, все вывески, указатели и предупреждения были выгравированы на медных табличках на языке эсперанто. Бо́льшая часть их давно сгинула бесследно, став жертвами небрежности, вандализма или пожарной инспекции.

Ни дверь, ни дверной проем номера 208 не свидетельствуют о насильственном вторжении. Ландсман оборачивает

ручку носовым платком и легонько толкает дверь носком
ботинка.

— Я когда его только увидел, у меня такое чудно́е чувство появилось, — говорит Тененбойм, следуя за Ландсманом в открытую дверь. — Помните выражение «сломлен-
ный человек»?

Да, что-то такое Ландсман слышал.

— Большинство людей, которых так называют, совершенно того не заслуживают, — продолжает Тененбойм, —
коль уж на то пошло, в них и ломаться-то нечему. Но вот
этот самый Ласкер... Он вроде тех неоновых палочек — сло-
маешь их, и они светятся. Знаете, да? По нескольку часов
кряду. И слышно, как внутри звякают осколки стекла. Ладно, не обращайте внимания. Просто возникло такое странное ощущение.

— В наши дни у кого только нет странных ощущений, —
говорит Ландсман, занося в черный блокнотик какие-то
заметки об обстановке в номере, впрочем совершенно лиш-
ние, поскольку он редко забывает даже мельчайшие подробности физического описания; все те же доктора, психо-
терапевты и бывшая супруга в один голос пророчили, что
пристрастие к алкоголю скоро погубит уникальную память
Ландсмана, но пока что, к его глубокому сожалению, эти
предсказания не сбываются: картины прошлого, все до единой, остаются при нем как живые. — Нам даже пришлось
выделить линию, чтобы управиться с телефонными звон-
ками от чудаков.

— Странно в нынешние времена быть евреем, — соглашается Тененбойм. — Это уж точно.

На ламинированном туалетном столике лежит небольшая стопка брошюр. На тумбочке у кровати — шахматная
доска. Она выглядит так, словно смерть застала Ласкера в
разгар партии: ровный строй фигур нарушен, черный король под ударом в центре, у белых преимущество в две фи-

гуры. Шахматы дешевенькие — картонная доска, складывающаяся посредине, полые фигуры с пластиковыми заусенцами — привет от формы, в которой их штамповали.

В торшере с тремя абажурами, рядом с телевизором, горит только одна лампочка. Все остальные лампочки в номере, кроме той, что в ванной, перегорели или вывинчены. На подоконнике упаковка популярного безрецептурного слабительного. Окно приоткрыто на максимально возможный дюйм, и каждые пять секунд металлические жалюзи дребезжат от резкого ветра со стороны залива Аляска. Этот ветер несет гниловатый запах древесной трухи, корабельной солярки, лососевой требухи и консервных жестянок для рыбозаготовки. Как поется в песне «Нох амол», которую Ландсман и все аляскинские евреи его поколения выучили еще в начальной школе, запах с залива наполняет каждый еврейский нос надеждой, сулит возможность, великий шанс все начать заново, еще раз. «Нох амол» ведет свою историю со времен Полярных Медведей начала сороковых, и ее предназначением было выразить благодарность за еще одно чудесное спасение, *нох амол* — СНОВА. В наши дни евреи округа Ситка более чутко воспринимают ироническую нотку, изначально звучавшую в этой песне.

— Помнится, я знавал немало аидов-шахматистов, которые герычем баловались.

— Да и я, — кивает Ландсман, глядя сверху на распростертый труп; он вспомнил, что не раз встречал аида в «Заменгофе».

Этакий человек-пичужка. Блестящие глаза, шнобель. Красноватые пятна кое-где на щеках и на шее — розацеа, не иначе. Не рецидивист, не подонок какой, не пропащая душа. Еврей как еврей — вроде самого Ландсмана, разве что лекарство он выбрал другое. Ногти ухоженные. Всегда при шляпе и галстуке. Как-то раз читал книгу, делая пометки на полях. Теперь Ласкер лежит на откидной кровати, лицом к стене, в одних белых подштанниках. Рыжеватые волосы, рыжие веснушки и трехдневная золотистая стерня на щеках. След двойного подбородка, — видимо, в неведомой прошлой жизни, помечает себе Ландсман, покойный был толстым мальчиком. Глаза вылезли из темно-кровянистых орбит. На затылке крошечная обугленная дырка, сгусток крови. Никаких признаков борьбы. Как будто Ласкер не видел и не осознавал, что его убивают. Подушка на кровати отсутствует, отмечает Ландсман.

— Знать бы раньше, так предложил бы ему сыграть партейку-другую.

— А вы играете?

— Шахматист из меня неважнецкий, — признается Ландсман. Рядом с туалетом, на плюшевом коврике приторного желто-зеленого цвета пастилок от кашля, он замечает крошечное белое перышко. Ландсман рывком открывает дверь туалета — вот она, подушка, на полу — ей прострелили сердце, чтобы заглушить звук взорвавшегося в патроне газа. — Нет у меня понимания миттельшпиля.

— По моему опыту, детектив, — говорит Тененбойм, — тут у нас полный миттельшпиль.

— Кто бы сомневался, — кивает Ландсман. И звонит своему напарнику Берко Шемецу. — Детектив Шемец? — говорит он в мобильник «Шойфер АТ», собственность полицейского управления. — Это твой напарник.

— Сто раз я тебя просил больше так не делать, Мейер, — отвечает Берко.

Нет нужды сообщать, что у него тоже осталось восемь часов до следующего дежурства.

— Имеешь полное право сердиться. Только я тут подумал, может, ты не спишь еще.

— Я и не спал.

В отличие от Ландсмана, Шемец не отправил коту под хвост ни свой брак, ни личную жизнь. Все ночи он проводил в объятиях своей безупречной жены, благодарно отвечая взаимностью на безусловно заслуженную любовь, которой та одаривала своего супруга — преданнейшего мужчину, никогда не дававшего ей повода для сожалений или тревог.

— Холера тебе в бок, Мейер, — говорит Берко и усугубляет американским: — Черт тебя дери.

— Я тут прямо у себя в гостинице имею явное убийство, — сообщает Ландсман. — Постоялец. Один выстрел в затылок. Подушка вместо глушителя. Очень чисто.

— В яблочко, значит.

— Я только потому и решил тебя побеспокоить. Необычный способ убийства.

В Ситке, население которой, разместившееся на длинном драном лоскуте муниципального района, составляет три и две десятых миллиона человек, ежегодно регистрируется в среднем семьдесят пять убийств. Часть из них — бандитские разборки: русские штаркеры приканчивают друг друга в вольном стиле. Все прочие убийства в Ситке — это так называемые преступления страсти, как на скорую руку обозвали математический результат, который получается, если алкоголь помножить на огнестрельное оружие. Хладнокровные казни настолько же редки, насколько трудноудаляемы с большой белой доски, куда крепятся ярлыки нераскрытых дел.

— Ты же не при исполнении, Мейер. Звякни в отдел. Отдай жмурика Табачнику и Карпасу.

Табачник и Карпас — еще два детектива, которые вместе с Ландсманом и Шемецем входят в группу «Б» отдела убийств Главного управления полиции округа Ситка; в этом месяце они дежурят в ночную смену. Ландсман не может не признать, что идея сбросить сие голубиное дерьмецо на шляпу сослуживцам не лишена некоторой привлекательности.

— Ну, я бы так и сделал, — говорит он, — но мы с покойником соседи.

— Вы были знакомы? — Голос у Берко смягчается.

— Нет, — отвечает Ландсман. — Не знал я его, аида этого.

Он отводит взгляд от бледного веснушчатого бесформенного тела, распростертого на откидной кровати. Иногда Ландсман невольно жалеет этих бедолаг, но как бы это не вошло в привычку.

— Слушай, — говорит он, — ложись-ка ты спать. Завтра обсудим. Прости, что потревожил. Спокойной ночи. Извинись за меня перед Эстер-Малке.

— Что-то голос у тебя малость того, Мейер, — говорит Берко. — Ты как там?

За последние месяцы Мейер множество раз звонил своему напарнику в самые неподходящие часы посреди ночи, разглагольствуя гневно или же бессвязно изливая горе на алкогольном диалекте. Два года назад Ландсман катапультировался из терпящего бедствие самолета своего брака, а в апреле прошлого года его младшая сестра разбилась на двухместном поршневом «пайпер-суперкабе», врезавшись в поросший кустарником склон сопки Дункельблюм. Но не о гибели Наоми думает сейчас Ландсман, не о разводе сожалеет. Его захватывает видение: он сидит на грязно-белом диване в неопрятном фойе гостиницы «Заменгоф» и играет в шахматы с Эмануэлем Ласкером, или как там его звали на самом деле. Они озаряют друг друга угасающим сиянием, вслушиваясь в дребезжание осколков стекла внутри. И пусть Ландсман не выносит шахматы, картина от этого не становится менее щемящей.

— Этот парень был шахматистом. А я и не догадывался. Вот и все.

— Мейер, пожалуйста, — просит Берко, — пожалуйста, умоляю тебя, Мейер, только не рыдай.

— Я в порядке, — успокаивает его Ландсман. — Спокойной ночи.

Ландсман звонит диспетчеру, чтобы записать на себя расследование дела Ласкера. Еще одно паршивенькое убийство никак не запятнает его безупречной раскрываемости. Подумаешь — глухарь. Первого января весь суверенный федеральный округ Ситка, вся эта фигурная скобка каменистого побережья, протянувшегося вдоль западных оконечностей островов Баранова и Чичагова, снова перейдет под юрисдикцию штата Аляска. Окружное управление полиции, которому Ландсман предан телом и душой и в котором прослужил верой и правдой двадцать лет, будет расформировано. И совершенно неясно, сохранят ли свою работу Ландсман, или Шемец, или кто-то другой из сослуживцев. Все в тумане и насчет грядущего Возвращения, вот потому-то и странно по нынешним временам быть евреем.

2

Ожидая патрульного латке, Ландсман стучится в двери. Большинство постояльцев «Заменгофа» этой ночью отсутствовали, телом или душой, а все, что Ландсман мог получить с остальных, — так с тем же успехом можно ломиться в дверь школы для глухонемых Гиршковица. В большинстве своем дерганая, бестолковая, гнусная кучка аидов с прибабахами — вот кто они, постояльцы гостиницы «Заменгоф», но никто из них этой ночью вроде бы не дергался больше обычного. И ни в одном из них Ландсман не усматривает типа, способного вдавить крупнокалиберный ствол человеку в затылок и хладнокровно пристрелить его.

— Зря я трачу время на телков этих, — говорит Ландсман Тененбойму. — А ты точно уверен, что ничего и никого необычного не заметил?

— Извините, детектив.

— Ты тоже телок, Тененбойм.

— Я не оспариваю обвинение.

— Служебный выход?

— Дилеры через него шастали, — отвечает Тененбойм. — Нам пришлось поставить сигнализацию. Я бы услышал.

Ландсман велит Тененбойму дозвониться дневному администратору и тому, кто его замещает по выходным, и выдернуть их из постелей. Оба джентльмена согласны с Тененбоймом в том, что, насколько им известно, никто покойным не интересовался и не звонил ему. Никогда. По крайней мере, пока он жил в «Заменгофе». Ни посетителей, ни друзей, ни даже мальчишки-посыльного из «Жемчужины Манилы». Так что, полагает Ландсман, в этом и состоит разница между ним и Ласкером — ему, Ландсману, время от времени приносили из «Ромеля» коричневый пакет с лумпией.

— Пойду проверю крышу, — говорит Ландсман. — Никого не выпускай и дай мне знать, когда латке соизволит явиться.

Ландсман поднимается *elevatoro* на восьмой этаж, а потом, грохоча, пешком преодолевает еще один пролет с обитыми железом бетонными ступеньками, ведущими на крышу «Заменгофа». Он обходит периметр, видит улицу Макса Нордау до самой крыши «Блэкпула». Он вглядывается в пропасти, лежащие за северным, восточным и южным карнизами, в приземистые строения шестью-семью этажами ниже. Ночь — оранжевое липкое пятно над Ситкой, смесь тумана и натриевых фонарей. Она похожа на прозрачный лук, обжаренный в курином жире. Фонари еврейской территории тянутся от склона вулкана Эджком на западе, над семьюдесятью двумя пустынными островами к югу, через Шварцер-Ям, мыс Палтуса, Южную Ситку и далее через Нахтазиль, Гаркави и Унтерштат, пока не теряются на востоке за грядой Баранова. На острове Ойштелюнг, на кончике Английской Булавки, — маяк, этот единственный последыш Всемирной выставки, остерегающе подмигивает то ли самолетам, то ли евреям. В ноздри Ландсману шибает смрад рыбной требухи с консервных заводов, жира с жаровен «Жемчужины Манилы», выхлопы такси, ядовитый букет свежевыделанных шляп с фетровой фабрики Гринспуна в двух кварталах от гостиницы.

— Хорошо там, наверху, — говорит Ландсман, спустившись в вестибюль с его очарованием пепельниц, пожелтевших диванов, обшарпанных стульев и столов, где можно иногда застать пару здешних обитателей, убивающих время за игрой в безик. — Мне следовало бы почаще там бывать.

— А как насчет подвала? — спрашивает Тененбойм. — Внизу тоже глянете?

— Подвал, — повторяет Ландсман, и его сердце вдруг ни с того ни с сего изображает в груди ход конем. — Надо бы, наверное.

Ландсман по-своему орешек крепкий, что называется, любитель отчаянного риска. О нем говорят как о прожженном, безрассудном момзере, свихнувшемся сукином сыне. Ему удавалось осадить штаркеров и психопатов, его дырявили, били, замораживали, жгли. Он преследовал лиходеев под вспышками городских перестрелок и в дебрях медвежьих чащоб. Высоты, толпы, змеи, горящие дома, свирепые собаки, натасканные на запах полицейских, — он все это побеждает и перебарывает, все ему нипочем.

Но стоит ему оказаться в кромешном мраке или в замкнутом пространстве, что-то животное начинает биться в конвульсиях внутри Мейера Ландсмана. И только его бывшая жена знает, что детектив Мейер Ландсман боится темноты.

— Мне с вами? — импровизирует Тененбойм.

Но мало ли что может прийти в голову чувствительной хабалке вроде Тененбойма.

Ландсман презрительно отвергает предложение:

— Просто дай мне чертов фонарь.

Подвал выдыхает камфару, мазут и холодную пыль. Ландсман дергает за шнур и включает голую лампочку, задерживает дыхание и ныряет. У подножия лестницы он проходит кладовую забытых вещей. Стены в ней обиты древесно-волокнистыми плитами, увешанными полками с крючками и гнездами, где ютятся тысячи предметов, покинутых или забытых постояльцами. Распарованная обувь, меховые шапки, труба, заводной дирижабль. Коллекция восковых граммофонных валиков, представляющая весь репертуар стамбульского оркестра «Орфеон». Топор дровосека, два велосипеда, вставная челюсть в гостиничном стакане. Парики, трости, стеклянный глаз, набор рук, забытый продавцом манекенов. Молитвенники, талесы в бархатных сумочках на молнии, заморский идол с телом жирного младенца и головой слона, а вот и деревянный ящик из-под лимонада, заполненный ключами, другой — вдоль и поперек набитый парикмахерскими инструментами, от плоек до щипчиков для ресниц. Семейные фотографии в рамках, знавшие лучшие дни. Загадочный резиновый жгут — может, эротическая игрушка, или противозачаточное средство, или патентованная тайная деталь женского корсета. Какой-то аид даже забыл чучело куницы, холеное и злобное, с чернильной бусинкой глаза.

Ландсман шерудит карандашом в ящике с ключами. Он заглядывает в каждую шапку, обшаривает полки позади забытых книг в мягких обложках. Он слышит собственное сердце и запах своего альдегидного дыхания, и после нескольких минут в тишине шум крови в ушах начинает напоминать чью-то беседу. Он проверяет за бойлерами, скованными стальными обручами, как товарищи-арестанты по пути на каторгу.

Теперь прачечная. Когда Ландсман дергает шнурок, чтобы зажечь свет, ничего не происходит. Тут темнее раз в десять и не на что смотреть, кроме пустых стен, оторванных крюков, стоков в полу. В «Заменгофе» давно уже не стирают белье в собственной прачечной. Ландсман заглядывает в стоки, мрак там маслянист и густ. Ландсман ощущает в животе трепет червя. Он сгибает пальцы и трещит шейными позвонками. В дальнем конце прачечной обнаруживается дверца из трех досок, сбитая четвертой по диагонали, вместо задвижки — веревочная петля и крючок.

Подвал. От одного этого слова Ландсману становится слегка не по себе.

Он прикидывает степень вероятности, что какой-нибудь убийца, не профессионал, не настоящий любитель, даже не обычный маньяк, мог бы спрятаться в этой норе. Все возможно. Однако даже отпетому психу было бы несподручно изнутри накинуть петлю на крюк. Эта логика уже почти уговаривает его оставить крысиную нору в покое. В результате Ландсман включает фонарь и зажимает его в зубах. Он поддергивает штанины, становится на колени. Просто назло самому себе, потому что поступать назло себе, другим, всему миру — любимая забава и единственное достояние Ландсмана и его народа. Одной рукой он расстегивает кобуру своего гигантского малыша «смит-вессона», а другой нащупывает петлю на двери. И резко распахивает дверцу крысиной норы.

— Вылезай! — произносит он пересохшими губами, скрипя, что твой перепуганный старый пердун.

Восторг, испытанный им на крыше, остыл, как спираль перегоревшей лампочки. Ночи его прошли зря, его жизнь и карьера — всего лишь череда ошибок, и город его — та же лампочка, которая вот-вот потухнет.

Он до пояса залезает в крысиную нору, где прохладно и резко пахнет мышиным дерьмом. Луч фонарика тоненькой струйкой сочится повсюду, тень становится еще гуще от его света. Стены здесь шлакоблочные, пол земляной, потолок — отвратительный клубок проводов и пеноизоляции. Посреди грязного пола лежит диск необработанной фанеры, вставленный в круглую металлическую раму вровень с полом. Ландсман задерживает дыхание и, переплывая собственную панику, устремляется к дыре в полу, полный решимости не выныривать, пока может. Грязь вокруг рамы не тронута. И даже слой пыли на дереве и раме одинаков, ни отметок, ни бороздок. И нет причины полагать, что кто-то тут побывал. Ландсман просовывает пальцы между фанерой и рамой и приподнимает грубую крышку люка.

Фонарь выхватывает алюминиевую трубу с резьбой, ввинченную в землю и снабженную стальными скобами-ступеньками. Оказывается, рама — тоже часть трубы. Достаточно широкой, чтобы принять взрослого психопата. Или еврея-полицейского с меньшим числом фобий, чем у Ландсмана. Он цепляется за шолем, как за спасительный поручень, сражаясь с безумной потребностью разрядить его в горло мрака, а потом с грохотом роняет фанерный диск назад в раму. Нет, вниз он не ходок. Мрак преследует Ландсмана, пока он поднимается по ступенькам в вестибюль, мрак хватает его за воротник, дергает за рукав.

— Ничего, — говорит он Тененбойму, собравшись.

Слово звучит с воодушевлением. Может, как предвидение, что убийство Эмануэля Ласкера обречено быть раскрытым, слово, ради которого, как он полагает, Ласкер жил и умер, как осознание того, что остается после Возвращения от его, Ландсмана, родного города.

— Ничего.

— Знаете, что Кон болтает? — говорит Тененбойм. — Кон болтает, что в доме водится привидение.

Кон — это дневной администратор.

— Гадит и разносит дерьмо. Кон думает, что это призрак профессора Заменгофа.

— Если б эту помойку, — говорит Ландсман, — назвали моим именем, я бы тоже бродил здесь призраком.

— Кто знает, — обобщает Тененбойм. — Особенно в наши дни.

В наши дни никто ничего не знает. У Поворотны кот огулял крольчиху, и та произвела прелестных уродцев, чьи фотографии украсили первую полосу «Ситка тог». В феврале пятьсот свидетелей со всего района божились, что две ночи кряду наблюдали мерцание северного сияния в виде человеческого лица с бородой и пейсами. Яростные споры разразились везде, обсуждалась личность бородатого мудреца в небе, и смеялся ли он (или просто страдал, потому что его пучило), и что́ это знамение вообще означало.

А на прошлой неделе, среди шухера и перьев кошерной бойни на Житловски-авеню, курица заговорила с шойхетом, когда тот занес ритуальный нож, и на арамейском языке провозгласила неминуемое пришествие Мошиаха. И если верить все той же «Ситка тог», чудотворная курица предложила многочисленные предсказания, хотя пренебрегла упоминанием супа, попав в который умолкла, как Сам Б-г. Даже весьма поверхностное изучение сообщений, думает Ландсман, покажет, что в те времена, когда странно быть евреем, не менее странно быть и курицей, и так было всегда.

 3

На улице ветер вытряхивает дождь из складок своего плаща. Ландсман укрывается в дверном проеме. Два человека переходят улицу, сражаясь с непогодой, один — с виолончельным футляром за спиной, другой — нянча скрипку или альт; они держат путь к дверям «Жемчужины Манилы». Концертный зал в десяти кварталах отсюда и на целый мир дальше от этого конца улицы Макса Нордау, но тоска еврея по свинине, особенно если она хорошо прожарена, сильнее ночи, или расстояний, или ледяного ветра с залива Аляска. И сам Ландсман борется с желанием вернуться в номер 505, к бутылке сливовицы и сувенирной стопке со Всемирной выставки.

Вместо этого он закуривает папиросу. После десяти лет воздержания Ландсман закурил опять три года назад. В то время его тогда еще жена была беременна. Долгожданная беременность, обсуждаемая долго в некоторых кругах, — ее первая беременность — и незапланированная. И, как это часто бывает, когда беременность обсуждается слишком долго, будущий отец испытывал двойственные чувства. Семнадцать недель и один день — день, когда Ландсман купил первую пачку «Бродвея» за эти десять лет, принес грустные новости. Некоторые, хотя и не все клетки, создававшие зародыш под кодовым именем «Джанго», обладали лишней хромосомой на двадцатой паре. Мозаицизм —

так это называлось. Дефект грозил значительными нарушениями. Но мог и никак не сказаться. В доступной литературе верующий отыскал бы поддержку, а неверующий — множество причин для уныния. Ландсмановы двойственность, уныние и полное отсутствие веры возобладали. Доктор с полудюжиной расширителей из ламинарии сорвал пломбу с жизни Джанго Ландсмана. Тремя месяцами позднее Ландсман и его папиросы выселились из дома на острове Черновцов — дома, который они с Биной делили чуть ли не все пятнадцать с лишним лет совместной жизни. И не то чтобы Мейер не мог жить с чувством вины. Он просто не мог жить с этим чувством и с Биной.

Старик, толкая себя вперед, словно шаткую тележку, держит извилистый путь к дверям гостиницы. Коротышка, от силы футов пять, волочащий огромный саквояж — древнюю химеру из засаленной парчи и потертой кожи. Ландсман изучает поношенное белое пальто до пят поверх белого костюма с жилетом и широкополую шляпу, натянутую на уши. Белую бороду и пейсы, тонкие и густые одновременно. Вся правая половина тела старика оседает градусов на пять ниже левой: в правой руке саквояж, в котором, наверно, лежат все пожитки старикана — свинцовые чушки, не иначе, — и груз этот тянет его долу. Аид останавливается и поднимает палец, словно собираясь задать Ландсману вопрос. Ветер играет пейсами старика и полями его шляпы. От бороды, подмышек, дыхания, кожи ветер доносит сильный запах мокрого табака, и влажной бумазеи, и пота человека, живущего на улице. Ландсман отмечает цвет его старомодных сапог, остроносых и с пуговицами по бокам, пожелтевшую слоновую кость — в тон бороде.

Ландсман вспоминает, что видел этого чокнутого не раз, еще в те времена, когда арестовывал Тененбойма за мелкую кражу и присвоение чужого имущества. Аид не был моложе и в те поры, да и сейчас не выглядел старше.

Люди нарекли его Элияху, потому что он появлялся там, где его меньше всего ждали, со своей шкатулкой-пушке и загадочным видом, будто он имеет сказать что-то важное.

— Дорогуша, — обращается он к Ландсману, — это гостиница «Заменгоф» или?..

Его идиш звучит для Ландсмана несколько экзотически, приправленный голландским, кажется. Старик согбен и хрупок, но лицо его, если не считать вороньих лапок вокруг голубых глаз, молодо и без морщин. Да сами глаза полны спичечного огня и рвения, что озадачивает Ландсмана. Перспектива провести ночь в «Заменгофе» нечасто дает повод для подобного предвкушения.

— Она самая. — Ландсман протягивает Пророку Элияху открытую пачку «Бродвея», и коротышка берет две папиросы, заталкивая одну в ковчег нагрудного кармана. — Горячая и холодная вода. Лицензированный шамес при гостинице.

— Ты тут за управляющего, добрый человек?

Ландсман не может сдержать улыбку. Он отступает в сторону, указывая на вход.

— Управляющий там, — говорит он.

Но коротышка не двигается, так и стоит под проливным дождем, его борода трепещет, как флаг перемирия. Он глядит па безликий фасад «Заменгофа», посеревший в тусклом свете уличных фонарей. Узкая куча грязно-белых кирпичей с амбразурами окон, за три или четыре квартала от аляповатейшей длинноты Монастырской улицы; местечко это привлекательно, как влагопоглотитель. Неоновые буквы над входом вспыхивают и гаснут, терзая грезы незадачливых постояльцев «Блэкпула» на другой стороне улицы.

— Тот самый «Заменгоф», — произносит старик, эхом вторя мигающим буквам неоновой вывески. — Не «Заменгоф», а «Тот самый Заменгоф».

А вот и латке, молодой патрульный по фамилии Нецки подбегает трусцой, в руках у него круглая плоская широкополая шляпа.

— Детектив... — переведя дыхание, говорит латке, а потом, покосившись на старика, кивает и ему. — Здрасте, дедушка. Ну да... фух, детектив, извините. Только что позвонили, я там отлучался на минутку.

В дыхании Нецки чувствуется запах кофе, а правый обшлаг синего кителя присыпан сахарной пудрой.

— И где у нас труп?

— В двести восьмом, — отвечает Ландсман, открывая дверь для латке, потом оборачивается к старику. — Зайдешь, дед?

— Нет, — отказывается Элияху с каким-то кротким умилением в голосе, непостижимым для Ландсмана. Может, это сожаление, или облегчение, или мрачное удовлетворение человека, вкушающего разочарования. Мерцающий спичечный огонь, застрявший в глазах старика, заволакивает пелена слез. — Я всего лишь полюбопытствовал, господин полицейский Ландсман.

— Уже детектив, — сообщает Ландсман, удивленный, что старик помнит его имя, — ты меня помнишь, дед?

— Я помню все, дорогуша.

Элияху лезет в карман поблекшего желтого пальто и вытаскивает пушке, деревянный ларец размером приблизительно с ящик для учетных карточек. На лицевой части ящичка выведены слова на иврите: «ЭРЕЦ-ИСРАЭЛЬ». В крышке ларца прорезь для монет или сложенной в несколько раз долларовой купюры.

— Не пожертвуете немножко? — осведомляется Элияху.

Никому и никогда Святая земля не казалась более далекой и недостижимой, чем еврею из Ситки. Где-то на другом краю земли, про́клятое место под властью людей, со-

бравшихся там только для того, чтобы сохранить чудом
уцелевшую горстку евреев, которым грош цена. И вот уже
полвека, как мусульманские фанатики и арабские вожди,
египтяне и персы, социалисты и националисты, монархи-
сты и шииты, панарабисты и панисламисты дружно вце-
пились зубами в Эрец-Исраэль и обглодали ее до костей
и хрящиков.

Иерусалим — это город крови и лозунгов на стенах,
отрезанных голов на телеграфных столбах. Соблюдающие
закон евреи во всем мире еще не оставили надежду посе-
литься на земле Сиона. Но евреи были рассеяны уже трижды: в пятьсот восемьдесят шестом году до нашей эры, в
семидесятом — уже нашей и в довершение — варварски —
в сорок восьмом году двадцатого века. Даже верующим
трудно поверить, что есть еще шансы снова начать все
с нуля.

Ландсман достает кошелек и просовывает сложенную
двадцатку в пушке Элияху.

— Удачи, — говорит он.

Коротышка подхватывает тяжелый саквояж и ковыляет
прочь. Ландсман протягивает руку и хватает Элияху за рукав, вопрос зреет у него в душе — детский вопрос о жела-
нии его народа обрести дом. Элияху оборачивается с за-
ученной опасливой гримасой. А вдруг Ландсман из тех, кто
может навредить? Ландсман чувствует, что вопрос растворяется, как никотин в его крови.

— Что у тебя в сумке, дед? — спрашивает Ландсман. —
На вид тяжелая.

— Это книга.

— Одна книга?

— Она очень толстая.

— Долгая история?

— Очень долгая.

— О чем она?

— Это про Мошиаха, — говорит Элияху. — А теперь, пожалуйста, уберите руку.

Ландсман отпускает его. Старик выпрямляется и вскидывает голову. Облаков, заслонявших его глаза, как не бывало. Он кажется рассерженным, надменным и не таким уж старым.

— Мошиах грядет, — говорит он.

Это не совсем угроза, скорее обещание искупления, но все-таки лишенное теплоты.

— И очень вовремя, — говорит Ландсман, дернув пальцем по направлению гостиничного вестибюля. — Сегодня у нас как раз местечко освободилось.

Выражение лица Элияху становится то ли обиженным, то ли просто гадливым. Он открывает черный ящичек и заглядывает внутрь. Извлекает двадцатидолларовую купюру, которую дал ему Ландсман, и возвращает ее владельцу. Потом подхватывает саквояж, натягивает на голову белую шляпу с обвисшими полями и уходит в дождь. Ландсман сминает двадцатку и сует ее в карман брюк. Он давит папиросу ботинком и идет в гостиницу.

— Что за чудик? — спрашивает Нецки.

— Его называют Элияху. Он безобидный, — вмешивается Тененбойм из-за стальной решетки конторки. — Частенько здесь бывает. Все пытается свести с Мошиахом. — Тененбойм с треском проводит золотой зубочисткой по коренным зубам. — Послушайте, детектив, мне, конечно, следует помалкивать. Но должен вам сказать. Управление завтра пошлет письмо.

— Жду не дождусь, — откликается Ландсман.

— Владельцы продают нас концерну из Канзас-Сити.

— Вышвырнут?

— Может быть, — говорит Тененбойм, — а может, и нет. Тут все неясно. Но не исключено, что вам придется съехать.

— Это будет написано в письме?

Тененбойм пожимает плечами:

— Письмо составлено юристом.

Ландсман ставит латке Нецки у входной двери.

— Никому не рассказывай, кто что видел или слышал, — напоминает он ему. — И никого не прессуй, даже если он того заслуживает.

Менаше Шпрингер, криминалист, работающий в ночную смену, влетает в фойе со стуком дождя, на нем черное пальто и меховая шапка. В одной руке у него зонтик, с которого стекает вода. Другой он толкает хромированную тележку, к тележке веревкой прикреплены обтянутый виниловой кожей ящик для инструментов и пластиковый контейнер с отверстиями вместо ручек. Шпрингер — плотный кривоногий крепыш, его обезьяньи руки приделаны прямо к шее, без всякого намека на плечи. Лицо криминалиста в основном состоит из зобатого подбородка, а выпуклый лоб похож на один из увенчанных куполом ульев на средневековых гравюрах — аллегорию Трудолюбия.

Ящик украшен единственным словом «УЛИКИ», выписанным синими буквами.

— Уезжаете? - спрашивает Шпрингер.

Это не самое обычное приветствие в наши дни. Многие уехали из города за последние несколько лет, сбежали из округа ради скудного реестра мест, где их привечают, или туда, где устали слышать о погромах из третьих уст и питают надежды устроить погром своими собственными руками. Ландсман отвечает, что, насколько ему известно, он никуда не собирается. В большинстве мест, принимающих евреев, требуется наличие близкой родни, там живущей. Все близкие родственники Ландсмана или мертвы, или сами ожидают Возвращения.

— Тогда позвольте распрощаться с вами сейчас, навсегда, — говорит Шпрингер. — Завтра в это время я буду греться под теплым солнцем Саскачевана.

— Саскатун-колотун? — догадывается Ландсман.

— Минус тридцать у них сегодня, — говорит Шпрингер. — Выше не было.

— Как посмотреть, — отвечает Ландсман, — вы могли бы жить на этой помойке.

— «Заменгоф». — Шпрингер достает из ящиков памяти дело Ландсмана и хмурится, пробегая его содержимое. — Ну да, и дым отечества... а?

— Он вполне подходит к моему нынешнему стилю жизни.

Шпрингер улыбается тонкой улыбкой, с которой стерты почти все следы сожаления.

— Где тут у вас труп? — спрашивает он.

4

Перво-наперво Шпрингер вкручивает все лампочки, которые выкрутил Ласкер. Потом опускает со лба защитные очки и приступает к работе. Он делает покойнику маникюр и педикюр и заглядывает ему в рот в поисках откушенного пальца или бронзового дублона. Он фиксирует отпечатки с помощью порошка и кисти. Он делает триста семнадцать снимков «полароидом». Снимки трупа, комнаты, продырявленной подушки, найденных им отпечатков. Он фотографирует шахматную доску.

— И для меня, — просит Ландсман.

Шпрингер снимает еще раз шахматную партию, которую Ласкеру пришлось оставить по милости убийцы. Потом протягивает снимок Ландсману, вопросительно приподняв бровь.

— Ценная улика, — поясняет Ландсман.

Фигуру за фигурой Шпрингер разрушает защиту Нимцовича, или что там играл покойный, и упаковывает каждую фигурку в отдельный пакетик.

— Где это вы так вымазались? — спрашивает он, не глядя на Ландсмана.

Ландсман замечает густую коричневую пыль на носках ботинок, на рукавах и на коленях.

— Я обследовал подвал. Там огромная... я не знаю... что-то вроде технической трубы. — Он чувствует, как кровь приливает к щекам. — Пришлось ее проверить.

— Варшавский туннель, — говорит Шпрингер. — Они проходят через всю здешнюю часть Унтерштата.

— Неужели вы этому верите?

— Когда иммигранты приехали сюда после войны. Те, кто был в гетто в Варшаве. В Белостоке. Бывшие партизаны. Я полагаю, что некоторые из них не слишком доверяли американцам. И они рыли туннели. На случай, если опять придется воевать. Потому и район назвали Унтерштат.

— Слухи, Шпрингер. Городская легенда. Это просто коммунальная труба.

Шпрингер хмыкает. Он прячет в пакет банное полотенце, полотенце для рук и обмылок. Он пересчитывает рыжие лобковые волосы, прилипшие к сиденью унитаза, и пакует каждый в отдельности.

— Кстати, о слухах, — говорит он. — Что слышно от Фельзенфельда?

Фельзенфельд — это инспектор Фельзенфельд, начальник подразделения.

— Что значит «слышно»? Это вы о чем? Я видел его сегодня пополудни, — говорит Ландсман, — но я не *слышал*, чтобы он хоть что-нибудь сказал, он за три года и слова не вымолвил. Что за вопрос? Какие слухи?

— Просто интересуюсь.

Шпрингер бегает пальцами в резиновых перчатках по веснушчатой коже левой руки Ласкера. На ней заметны следы уколов и слабые отпечатки там, где покойный затягивал жгут.

— Фельзенфельд все за живот держался, — говорит Ландсман, вспоминая. — Кажется, он сказал «рефлюкс». Так что вы обнаружили?

Шпрингер хмуро смотрит на плоть над локтем Ласкера, где следы жгута переплетаются.

— Судя по всему, он пользовался ремнем, — говорит он. — Но ремень слишком широк для таких отметин.

Он уже упаковал ремень с двумя парами серых брюк и два синих пиджака в желтый бумажный мешок.

— Его хозяйство в ящике тумбочки, в черной косметичке на молнии, — говорит Ландсман. — Я только мельком глянул.

Шпрингер открывает ящик тумбочки у кровати и вынимает черную сумочку для туалетных принадлежностей. Он расстегивает змейку и издает смешной горловой звук. Косметичка открыта, так что Ландсману видно содержимое. Поначалу он не понимает, что там привлекло внимание Шпрингера.

— Что вы знаете об этом Ласкере? — спрашивает Шпрингер.

— Рискну предположить, что время от времени он играл в шахматы, — отвечает Ландсман.

Одна из трех книг в комнате, грязная и зачитанная, в оборванной мягкой обложке, — «Триста шахматных партий» Зигберта Тарраша. Под обложкой бумажный кармашек с карточкой Публичной библиотеки Ситки, согласно которой взял он ее в 1986 году. Ландсман тут же вспомнил, что именно в этом году он и его будущая бывшая жена впервые стали близки не только душой, но и телом. Бине в то время исполнилось двадцать, а Ландсману — двадцать три, и это был апогей северного лета. «Июль 1986» — отпечатано на карточке в бумажном кармашке иллюзий Ландсмана. Две прочие книги — дешевые еврейские триллеры.

— А кроме этого, я о нем ни бельмеса не знаю.

Когда Шпрингер разгадывает отметины на руке Ласкера, оказывается, что в качестве жгута покойный выбрал тонкий кожаный ремешок, черный, шириной не больше дюйма. Шпрингер вытаскивает его из косметички двумя пальцами, будто тот может укусить. На середине ремешка висит кожаная коробочка, созданная для хранения клочка пергамента, на котором выцарапаны пером и чернилами четыре цитаты из Торы. Каждое утро благочестивый еврей обвивает одной такой штуковиной левую руку, другой обвязывает голову и молится, дабы понять, что за Б-г заставляет делать подобное каждый проклятый день. Но в этой коробочке на ремешке Эмануэля Ласкера пусто. Ремешок — всего лишь подмога, чтобы расширить вену на руке.

— Что-то новенькое, — говорит Шпрингер. — Тфилин вместо жгута.

— Я вот что думаю, — говорит Ландсман, — он выглядит... Как будто он раньше был из тех, из черношляпников. У щек такой вид... я не знаю. Как недавно выбриты.

Ландсман натягивает перчатку и, держа Ласкера за подбородок, наклоняет из стороны в сторону голову покойника вместе со всей опухшей маской сосудов.

— Если он и носил бороду, то очень давно, — говорит он. — Цвет кожи на лице везде одинаков.

Он отпускает голову Ласкера и отходит от тела. Вряд ли можно сказать, что детектив прочно связал Ласкера с черношляпниками. Но, судя по подбородку бывшего толстого мальчика и атмосфере разрушения, он полагает, что Ласкер когда-то был чем-то бо́льшим, нежели беспорточный наркоман в дешевой гостинице. Ландсман вздыхает:

— Все бы отдал, чтобы лежать сейчас на солнечных пляжах Саскатуна.

В коридоре раздается шум, дребезжание металла и скрип ремней, и тут же появляются два работника морга со складной каталкой. Шпрингер просит их захватить ящик с уликами и мешки, им заполненные. И сам удаляется, громыхая; одно колесо его тележки жалобно скрипит на ходу.

— Куча дерьма, — информирует Ландсман ребят из морга, подразумевая дело, а не жертву.

Суждение это для них, похоже, не сюрприз и не новость.

Ландсман возвращается к себе в номер, чтобы воссоединиться с бутылкой сливовицы и с возлюбленной стопочкой со Всемирной выставки. Он усаживается в замызганное кресло у дешевого стола, вынимает поляроидный снимок из кармана и изучает партию, недоигранную Ласкером, пытаясь сообразить, чей следующий ход, белых или черных, и каков будет ход потом. Но фигур слишком много, и слишком трудно держать в голове все комбинации, и у Ландсмана нет шахмат, чтобы расставить фигуры. Через пару минут он чувствует, что засыпает. Но нет, он этого не сделает — по крайней мере пока знает, что ждут его банальные эшеровы сны, пьяно вихляющиеся шахматные доски, огромные ладьи, отбрасывающие фаллические тени.

Ландсман раздевается, стоит под душем и ложится на полчаса с открытыми глазами, вынимая воспоминания из пластиковых пакетов — о сестричке в ее одномоторном «суперкабе», о Бине летом восемьдесят шестого. Он изучает их, как расшифровки партий в пыльной книге, украденной из библиотеки, шахи и маты из прошлого во всем их великолепии. Проваландавшись так без толку полчаса, он встает, надевает чистую рубашку и галстук и идет в Управление полиции Ситки писать отчет.

5

Ландсман возненавидел шахматы с легкой руки отца и дяди Герца. Отец и брат матери дружили с детства, еще в Лодзи, и были членами Шахматного клуба юных маккавеев. Ландсман вспоминает, как они без конца обсуждали летний день 1939 года, когда великий Тартаковер заскочил к маккавейчикам для показательной игры. Савелий Тартаковер был гражданин Польши, гроссмейстер, автор прославленного афоризма: «Все промахи — здесь, на доске, в ожидании, что их сделают». Он прибыл из Парижа, чтобы написать о тамошнем турнире для «Французского шахматного журнала» и наведаться к директору Шахматного клуба юных маккавеев, своему старому другу со времен пребывания на русском фронте в составе армии Франца-Иосифа. Поддавшись настойчивым уговорам директора, Тартаковер согласился сыграть с самым лучшим юным шахматистом клуба Исидором Ландсманом.

Они сели друг против друга: рослый ветеран в сшитом на заказ костюме и раздражающе благодушном настроении и заикающийся пятнадцатилетний косоглазый мальчик с реденькой челкой и усиками, которые часто принимали за отпечатки измазанного сажей пальца. Тартаковер играл черными, и отец Ландсмана выбрал «английское начало». Первый час Тартаковер играл рассеянно, почти машинально. Он запустил свой великий шахматный мотор в режиме малого газа и играл стандартно. На тридцать четвертом ходу он с добродушной насмешкой предложил отцу Ландсмана ничью. Исидору хотелось по-маленькому, в ушах звенело, неотвратимое приближалось. Но он отказался. Игра его уже не основывалась ни на чем, кроме чутья и отчаяния. Он отвечал, он отказывался от разменов, его единственным достоянием были упрямство и неистовое чувство шахматной доски. После семидесяти ходов и четырех часов с десятью минутами игры Тартаковер, уже не столь рассеянный, опять предложил ничью. Отец Ландсмана, измученный шумом в ушах, чуть не обмочился и согласился. В последующие годы отец Ландсмана иногда проговаривался, что его разум, этот странный орган, так и не оправился от испытания той партией. Но естественно, его ожидали испытания куда худшие.

— Не могу сказать, что я получил удовольствие, — якобы заявил Тартаковер отцу Ландсмана, вставая со стула. Юный Герц Шемец, всегда подмечавший недреманным оком малейшую слабость, усек дрожь в руке Тартаковера, поспешно ухватившей бокал токайского. Потом Тартаковер протянул палец к черепу Исидора Ландсмана. — Но я уверен, это предпочтительней, чем жить вот здесь.

Не прошло и двух лет, как Герц Шемец, его мать и сестричка Фрейдл прибыли с первой волной галицийских поселенцев на аляскинский остров Баранова. Доставил их пресловутый «Даймонд», десантный транспорт времен Первой мировой войны: министр внутренних дел Икес приказал извлечь тот из нафталина и перекрестить в качестве сомнительного мемориала (по крайней мере, так гласила легенда) покойному Энтони Даймонду, делегату без права голоса от Аляски в палате представителей. (До того, как на каком-то перекрестке в Вашингтоне его насмерть сбил пьяный таксист-шлимазл по имени Денни Ланнинг — вечный герой евреев Ситки, — делегат Даймонд уже почти сумел зарубить в комитете голосование по Закону о поселении.) Худой, бледный, ошарашенный Герц Шемец сошел из мрака, супной вони и ржавых луж «Даймонда» в студеный и чистый еловый аромат Ситки. Вместе с семьей и всем народом он был пересчитан, привит, избавлен от вшей и окольцован, подобно перелетной птице, Законом о поселении на Аляске 1940 года. В картонном бумажнике он хранил икесовский паспорт — чрезвычайную визу, напечатанную на особо хрупкой бумаге особо жирными чернилами. Идти ему было некуда. Так и было сказано заглавными буквами на обложке икесовского паспорта. Нельзя селиться ни в Сиэтле, ни в Сан-Франциско, ни даже в Джуно или Кетчикане. Все обычные квоты для еврейской иммиграции в Соединенные Штаты оставались в силе.

Даже со своевременной смертью Даймонда закон не мог заставить работать государственную машину без некоторого количества усилий и смазки — ограничение на передвижение евреев было частью сговора.

Вслед за евреями из Германии и Австрии семью Шемец вместе с земляками-галичанами сгрузили во временный лагерь Слэттери, что на торфяном болоте в десяти милях от строптивой полуобветшалой Ситки, столицы Аляскинской русской колонии. В продуваемых, покрытых жестью лачугах и бараках они пережили шестимесячный период интенсивной акклиматизации посредством первоклассной команды из пятнадцати миллионов комаров, работая по контракту с Министерством внутренних дел США. Герца мобилизовали трудиться в группе дорожных рабочих, потом определили в бригаду, строившую аэропорт в Ситке. Он потерял два коренных зуба, когда его саданули лопатой; детали побоища таятся под бетонными опорами в глубине илистого залива Ситки. Впоследствии всякий раз, пересекая Черновицкий мост, он потирал челюсть и его суровые глаза на костлявом лице выражали смутную печаль.

Фрейдл послали в школу, расположенную в холодном сарае, по крыше которого барабанил бесконечный дождь.
Мать обучали зачаткам земледелия, учили пользоваться
плугом, удобрениями и поливальным шлангом. Брошюры
и плакаты подпирали короткое аляскинское лето, как аллегория краткого ее пребывания там. Госпожа Шемец,
должно быть, представляла поселение Ситка как погреб
или сарай, где она и ее дети пересиживают зиму, словно
клубни и луковицы, пока их родная почва растает достаточно, чтобы всех их можно было туда пересадить. Никто
не мог представить, как глубоко будет вспахана почва Европы, как густо засеется она солью и пеплом.

Несмотря на пустые сельскохозяйственные разговоры,
ни скромные фермы, ни кооперативы, обещанные Корпо-
рацией переселенцев Ситки, так никогда и не материали-
зовались. Япония напала на Пёрл-Харбор. Министерство
внутренних дел было занято более важными стратегически-
ми задачами, такими как запасы нефти и угля. Под занавес пребывания в «Колледже Икеса» семья Шемец вместе
с остальными семьями беженцев оказалась брошена на
произвол судьбы. Как и предсказывал делегат Даймонд,
они все устремились в промозглый, заново расцветающий
город Ситка. Герц изучал уголовное правосудие в новом
Технологическом институте Ситки и, окончив его в сорок
восьмом году, был принят на работу помощником юриста
в отделение первой большой американской юридической
фирмы. Его сестра Фрейдл, мать Ландсмана, была среди
первых в поселении девочек-скаутов.

Год 1948-й — странное время, чтобы быть евреем. В августе Иерусалим пал, несчетное число евреев трехмесяч-
ной Республики Израиль было разбито наголову и оттес-
нено к морю. Когда Герц начал работать в «Фен-Харматан-
Буран», комитет палаты представителей по внутренним
делам и делам инкорпорированных территорий затеял-таки

давно отсроченный пересмотр статуса, предписанного Законом о поселенцах Ситки. Как и остальные в конгрессе и как большинство американцев, комитет был отрезвлен мрачным открытием гибели двух миллионов европейских евреев в результате варварского разгрома сионизма и плачевным положением беженцев из Палестины и Европы. В то же время они были людьми практическими. Население Ситки уже раздулось до двух миллионов. Нарушая закон, евреи расползлись по всему западному берегу острова Баранова, вплоть до Крузова и западного острова Чичагова. Экономика процветала. Американские евреи лоббировали отчаянно. В конце концов конгресс определил поселению «временный статус» федерации. Но притязания на самостоятельную государственность были отвергнуты безоговорочно. «„НЕТ ЖИДОЛЯСКЕ", ПООБЕЩАЛИ ЗАКОНОДАТЕЛИ» — оповещал заголовок в «Дейли таймс». Ударение всегда делалось на слове «временный». Через шестьдесят лет статус отменят, и евреи Ситки опять отправятся на все четыре стороны.

Вскоре после этого, теплым сентябрьским полднем, в обеденный перерыв, Герц Шемец шел по Сьюард-стрит и наткнулся на старого приятеля из Лодзи Исидора Ландсмана. Будущий отец Ландсмана только что прибыл в Ситку, один, на борту «Вилливо», после освежающего тура по европейским концлагерям и лагерям для перемещенных лиц. Лет ему было двадцать пять, был он лыс и почти беззуб. Шести футов ростом и весом в сто двадцать пять фунтов. Запах от него шел чудной, и говорил он как сумасшедший, и пережил он всю свою семью. Ландсман был равнодушен к бурлящей энергии переднего края деловой части Ситки, к рабочим бригадам юных евреек в синих косынках, поющих негритянские духовные гимны на еврейские тексты, парафразы на Линкольна и Маркса. Ни живительный смрад рыбной плоти, и пиленого леса, и перекопанной зем-

ли, ни шум землечерпалок и паровых экскаваторов, вгры-
завшихся в горы и составлявших Музыку Ситки, — ничто
его не занимало. Он шел понурив голову, сгорбившись,
словно стараясь пробурить этот мир на своем непостижи-
мом пути из одного измерения в другое. Ничто не вторга-
лось в темный туннель, по которому он следовал, ничто не
освещало его путь. Но когда Исидор Ландсман сообразил,
что улыбающийся человек — волосы прилизаны, ботинки
словно пара автомобилей «айзер», пахнущий поджарен-
ным чизбургером с луком, только что съеденным у стойки
в «Вулворте», — это его старый друг Герц Шемец из Шахматного клуба юных маккавеев, то поднял глаза. Вечная
сутулость исчезла. Он открыл рот и снова закрыл его, оне-
мев от гнева, счастья и удивления. И разрыдался.

Герц повел отца Ландсмана в «Вулворт», купил ему еды
(яичный бутерброд, молочный коктейль, впервые отведан-
ный, и приличного размера огурец), а потом они отправились на Линкольн-стрит в новую гостиницу «Эйнштейн»;
каждый день в гостиничном кафе там встречались великие изгнанники еврейских шахмат, чтобы изничтожать
друг друга без жалости и ущерба. Отец Ландсмана, слегка
помешавшийся от жира, сахара и последствий тифа, показал им, где раки зимуют. Он играл со всеми посетителями
и выставлял их из «Эйнштейна» с такой неподдельной
яростью, которую кое-кто из них так ему и не простил.

Но и тогда он демонстрировал скорбный, отчаянный
стиль игры, который в детстве помог Ландсману погубить
партию. «Твой отец играл в шахматы, — заметил как-то
Герц Шемец, — как человек, у которого геморрой, зубная
боль и газы». Он вздыхал, он стонал. Он запускал руки в
клочковатые остатки темных волос или гонял их пальцами
на макушке, словно кондитер, раскатывающий тесто на
мраморной плите. Ошибки противников отзывались спаз-
мами у него в животе. Собственные ходы, хоть и смелые,

хоть и поразительные, и неожиданные, и мощные, сотрясали его, как череда ужасных новостей, так что он прижимал руку ко рту и закатывал глаза.

Стиль дяди Герца был совершенно другим. Он играл спокойно, беспечно, чуть наклонившись к доске, словно ожидал, что вот-вот подадут на стол или хорошенькая девушка усядется ему на колени. Но он видел все, что происходило на доске, точно так же как в тот день, когда заметил предательскую дрожь в руке Тартаковера в Шахматном клубе юных маккавеев. Он спокойно принимал неожиданности и шел на риск непринужденно и даже слегка забавляясь. Прикуривая папиросы «Бродвей» одну от другой, он наблюдал, как старый друг, корчась и ворча, прокладывает путь сквозь собрание гениев в «Эйнштейне». И когда все уже превратилось в мусорную свалку, Герц сделал необходимый ход. Он пригласил Исидора Ландсмана к себе домой.

Летом 1948 года семья Шемец жила в двухкомнатной квартире в новеньком доме на новеньком острове. Дом приютил две дюжины семей, все — Полярные Медведи, как называла себя первая волна беженцев. Мать спала в спальне. Фрейдл достался диван, а Герц стелил себе на полу. Теперь все они были верные Аляске евреи, а это значило, что все они — утописты, а это значило, что, куда ни глянь, везде они видели несовершенство. Языкатое и сварливое семейство, особенно Фрейдл, которая в свои четырнадцать была уже ростом пять футов и восемь дюймов при весе сто десять фунтов. Она лишь раз взглянула на отца Ландсмана, неуверенно зависшего на пороге их квартиры, и правильно диагностировала, что он так же невозделан и неприступен, как та суровая пустыня, которую она теперь считала своим домом. Это была любовь с первого взгляда.

В последующие годы Ландсману было трудно допытаться у отца, что же такого он увидел во Фрейдл Шемец, если вообще увидел. Девушка была недурна собой: цыганские глаза, оливковая кожа, шорты, походные ботинки и закатанные рукава рубашки «Пендлтон», она прямо-таки излучала древний дух движения маккавеев — *mens sana in corpore sano*[1]. Она очень жалела Исидора Ландсмана, потому что он потерял семью, потому что страдал в концлагере. Но Фрейдл была одним из тех потомков Полярных Медведей, которые преодолевали собственное чувство вины за то, что избежали грязи, голода, придорожных канав и фабрик смерти, предлагая выжившим непрерывный поток советов, информации и критики под видом поддержки боевого духа. Как будто один настырный кибицер мог развеять удушающую, низко нависшую черную пелену Опустошенности.

Первую ночь отец Ландсмана провел на полу шемецевской квартиры вместе с Герцем. Днем Фрейдл отвела его в магазин и сама купила ему одежду на деньги из собственной заначки, оставшейся с бат-мицвы. Она же помогла снять комнату у недавно овдовевшего соседа по дому. Фрейдл массировала Исидору череп, втирая лук и веруя, что это поможет отрастить волосы. Она кормила его телячьей печенкой для восстановления его измученной крови. Последующие пять лет она подзуживала, и дразнила, и задирала его до тех пор, пока он не выпрямился, не стал смотреть в глаза собеседнику, не выучил американский язык и не начал носить зубные протезы. Она вышла за него замуж на следующий день после того, как ей исполнилось восемнадцать, и получила работу в «Ситка тог», пройдя путь от женской странички до редактора отдела. Фрейдл вкалывала от шестидесяти до семидесяти пяти часов в неделю, пять дней в неделю, до самой смерти от рака, когда Ландсман уже учился в колледже. Одновременно Герц Шемец так поразил американских юристов из «Фен-Харматана», что они собрали пожертвования, дернули за нужные

---

[1] В здоровом теле здоровый дух *(лат.)*.

ниточки и послали его учиться на юридический факультет в Сиэтл. Позднее он стал первым юристом-евреем, нанятым ситкинской командой ФБР, его первым окружным директором и со временем, попавшись на глаза Гуверу, руководил местным отделением контрразведки.

Отец Ландсмана играл в шахматы. Каждое утро — шел ли дождь, падал ли снег, стоял ли туман — он проходил две мили к кофейне гостиницы «Эйнштейн», садился у покрытого алюминием стола в глубине комнаты, лицом к двери, вынимал шахматы с фигурками из клена и палисандра, подаренные ему братом жены. Каждый вечер просиживал он на лавке на заднем дворе у домика на Адлер-стрит, что на мысе Палтуса, где вырос и Ландсман-младший, изучая семь или восемь бесконечных партий по переписке. Он составлял обзоры для «Шахматного ревю». Он писал и переписывал биографию Тартаковера, которую то ли не закончил, то ли забросил. Он истребовал пенсию у немецкого государства. И с помощью брата жены учил сына ненавидеть игру, которую сам любил без памяти.

— Ты не хочешь так ходить, — умолял Ландсман-отец после того, как Ландсман-сын бескровными пальцами двигал коня или пешку, дабы встретили свою судьбу, всегда для него неожиданную, независимо от того, сколько времени он учился, тренировался или играл в шахматы. — Поверь мне.

— Хочу.

— Не хочешь.

Но, потакая собственному ничтожеству, Ландсман-младший тоже умел быть упертым. Довольный, пунцовый от стыда, он наблюдал воочию мрачную неизбежность, которую не сподобился предвидеть. И отец мог уничтожить его, освежевать его, выпотрошить его, неотрывно взирая на сына из-за просевшего порога своего лица.

Посвятив этому виду спорта несколько лет, Ландсман-младший сел за пишущую машинку матери и написал отцу письмо, в котором признавался в отвращении к шахматам и умолял больше не принуждать его играть. Мейер неделю проносил письмо в ранце, выдержав три еще более кровавых поражения, и отослал его с почты Унтерштата. Двумя днями позднее Исидор Ландсман наложил на себя руки в двадцать первом номере гостиницы «Эйнштейн» с помощью огромной дозы нембутала.

После этого у Ландсмана-младшего появились проблемы. Он начал мочиться в постель, растолстел, перестал разговаривать. Мать отправила его лечиться к удивительно доброму и на редкость беспомощному доктору по фамилии Меламед. И только через двадцать три года после смерти отца Ландсман нашел злосчастное письмо в ящике, под чистовиком незаконченной биографии Тартаковера. Оказалось, что отец не то что не читал — даже не открывал письмо от сына. Когда почтальон его доставил, Ландсмана-отца уже не было в живых.

6

Ландсман едет за Берко, предаваясь воспоминаниями о тех былых аидах-шахматистах, горбившихся в недрах кафе «Эйнштейн». Если верить часам, сейчас четверть седьмого. Судя по небу, пустому бульвару и камню ужаса, лежащему в животе, теперь глухая ночь. Рассвет на этой широте у самого полярного круга в эти дни зимнего солнцеворота наступит как минимум часа через два.

Ландсман за рулем «шевроле» модели «шевилл-суперспорт» семьдесят первого года выпуска, купленной им лет десять тому в приступе ностальгического оптимизма. Он водил этот автомобиль так долго, что все тайные изъяны и пороки машины стали неотличимы от его собственных. В модели семьдесят первого года «шевилл» вместо двух пар фар получил только пару. Сейчас одна фара не работает. Ландсман, как циклоп, нащупывает путь по бульвару. Впереди возвышаются башни Шварцер-Яма — «Черного моря», на рукотворной косе посреди пролива Ситка, столпившиеся в темноте, словно заключенные в кольце мощных брандспойтов.

Русские штаркеры спроектировали Шварцер-Ям в середине восьмидесятых на девственной, трепещущей перед землетрясениями насыпи в первые дни безрассудной легализации игорного бизнеса. Эта затея подразумевала долевые апартаменты, загородные дома, холостяцкое жилье и казино «Большая Ялта» с игровыми столами в центре. Но теперь азартные игры запрещены Законом о традиционных ценностях, и в здание казино вселились универсам «Кошер-Март», аптека «Уолгрин» и магазин стоковой одежды «Биг-Махер». Штаркеры вернулись к финансированию нелегальных тотализаторов, ставкам на кулачные бои и подпольным азартным играм. Жизнелюбов и отпускников сменили сливки популяции маргиналов, русские эмигранты, кучка ультраортодоксов и сборище полупрофессиональной богемной шушеры, предпочитающей атмосферу испорченного праздника, которая прилипла к округе, как нитка мишуры к ветке дерева с облетевшими листьями.

Семейство Тайч-Шемец живет в «Днепре» на двадцать четвертом этаже. «Днепр» кругл, как слоеный торт, составленный из жестяных банок. Большинство обитателей его презрели прекрасный вид на рухнувший конус горы Эджком, мерцающую Английскую Булавку или огни Унтерштата и покрыли изгибающиеся лоджии ветронепроницаемыми стеклами и жалюзи, обретя дополнительную площадь.

Тайч-Шемецы сделали то же самое, когда появился ребенок, первое дитя. Теперь оба маленьких Тайч-Шемеца там и спят, припрятанные на балконе, как ненужные лыжи.

Ландсман паркует «суперспорт» на пятачке позади мусорных контейнеров и теперь вынужден их обозревать, впрочем он полагает, что не стоит особенно капризничать в поисках подходящей стоянки. Просто поставь машину на двадцать четыре этажа ниже от неизменного приглашения на завтрак, столь дорогого сердцу, обретшему родину.

Мейер приехал на несколько минут раньше назначенных шести тридцати, и, хотя он вполне уверен, что все Тайч-Шемецы уже проснулись, он решает идти пешком.

В лестничном колодце «Днепра» разит морским воздухом, капустой, холодным бетоном. Когда Ландсман добирается наверх, то прикуривает папиросу, чтобы вознаградить себя за труды. Стоя на коврике Тайч-Шемецев в компании мезузы, он выкашливает одно легкое и почти докашливает другое, когда Эстер-Малке Тайч-Шемец открывает дверь. В руке у нее тест на беременность с бисеринкой на рабочем конце трубочки, вероятно капелька мочи. Заметив, что Ландсман заметил это, она невозмутимо кладет трубочку в карман халата.

— А ты знаешь, что у нас есть звонок? — говорит она сквозь спутанную завесу волос, кирпично-коричневую и слишком редкую для стрижки, которой она всегда щеголяет. — Я хочу сказать, что кашель тоже помогает.

Эстер-Малке оставляет дверь открытой, а Ландсман ступает на толстый коврик из волокна кокосовой пальмы, на котором написано: «ПРОВАЛИВАЙ!» Входя, Ландсман касается мезузы двумя пальцами и потом машинально целует их. Ты просто делаешь это, будь ты верующий, как Берко, или циничный придурок, как сам Ландсман. Он вешает шляпу и пальто на оленьи рога при входе и следует по коридору до самой кухни за тощей попой Эстер-Малке, закутанной в белый хлопковый халат. Кухня узка, построена на манер камбуза: плита, раковина и холодильник на одной стороне, полки — на другой. В конце кухни стойка с двумя стульями присматривает за столовой. Пар клубами поднимается от вафельницы, словно от мультяшного паровоза. Кофеварка, готовя эспрессо, отхаркивается и плюется, как дряхлый аид-полицейский после восхождения по десяти лестничным пролетам.

Ландсман украдкой пробирается к любимой табуретке. Из заднего кармана твидового блейзера он вынимает карманные шахматы и раскрывает их. Он купил эти шахматы в круглосуточном магазинчике на Корчак-плац.

— Толстяк еще в пижаме? — интересуется он.

— Одевается.

— А толстячок?

— Выбирает галстук.

— А еще один, как там его?

Вообще-то, его имя — спасибо новомодной манере использовать фамилии как имена — Файнгольд Тайч-Шемец. В семье его зовут Голди. Четыре года тому Ландсман удостоился придерживать Голди за цыплячьи ножки, пока древний еврей был занят крайней плотью дитяти.

— Его Величество. — Она кивнула в сторону шевелящегося вороха постельного белья.

— Все еще болеет? — спрашивает Ландсман.

— Сегодня получше.

Ландсман обходит барную стойку, минует обеденный стол, направляясь к большому белому раскладному дивану, дабы посмотреть, что делает телевизор с его племянником.

— А кто это у нас тут? — говорит он.

На Голди пижамка с белыми мишками, высший ретрошик для аляскинского еврейского дитятка. Белые медведи, снежные хлопья, иглу — образы Севера, вездесущие в детстве Ландсмана, возвращаются снова. Но на этот раз все приправлено изрядной долей иронии. Снежные хлопья, да, евреи их тут нашли, хотя, спасибо парниковому эффекту, их значительно меньше, чем в старые добрые времена. Но никаких белых медведей. Никаких иглу. Никаких оленей. В основном злобные индейцы, и туман, и дождь, и полувековое ощущение ложности, такое острое, так глубоко проникшее в кровь местных евреев, что проявляется всюду, даже на детских пижамках.

— Ты готов поработать сегодня, Голделе? — спрашивает Ландсман.

Он прикасается тыльной стороной ладони ко лбу мальчика. Лоб у малыша приятно прохладный.

Ермолка Голди с песиком Шнапишем сбилась, и Ландсман разглаживает ее, поправляет заколку, удерживающую шапочку на волосах.

— Готов ловить преступников?

— Еще как, дядя.

Ландсман наклоняется, чтобы пожать мальчишке руку, и Голди не глядя сует свою сухую лапку навстречу. Минуту голубой прямоугольник света плывет на слезной оболочке темно-карих глаз мальчика. Ландсман уже смотрел с племянником эту программу на учебном канале. Как девяносто процентов всего телевещания, эта передача транслируется с юга и дублируется на идише. Она рассказывает о приключениях двух детей с еврейскими именами, но выглядят они, словно в них течет индейская кровь, и явно родителей у них нет. Зато есть хрустальная волшебная чешуя дракона, которая, стоит им только пожелать, переносит их в страну пастелевых драконов, где каждый отличается цветом и степенью дебильности. Мало-помалу дети все сильнее увлекаются этой магической чешуей, пока однажды не попадают в мир радужного идиотизма, откуда нет возврата, и тела их находит ночной администратор ночлежки, у каждого пуля в затылке. Возможно, думает Ландсман, что-то потеряно при переводе.

— Все еще хочешь стать нозом, когда вырастешь? — спрашивает Ландсман. — Как папа и дядя Мейер?

— Да, — отзывается Голди без энтузиазма, — конечно хочу!

— Наш человек.

Они снова пожимают руки. Беседа эквивалентна тому, как Ландсман целует мезузу, нечто такое, что начинается как шутка, а кончается как спасательный строп, за который можно ухватиться.

— Ты вернулся к шахматам? — интересуется Эстер-Малке, когда он возвращается на кухню.

— Упаси Б-г, — отвечает Ландсман.

Он взгромождается на табуретку и с трудом вылавливает крохотных пешечек, коней и королей из дорожного набора, располагая их в позицию, оставленную так называемым Эмануэлем Ласкером. Ему трудно различить фигурки, он подносит их поближе к глазам и всякий раз роняет.

— Хватит сверлить меня взглядом, — обращается он к Эстер-Малке, что-то заподозрив, — мне это не нравится.

— Черт побери, Мейер, — восклицает она, глядя на его руки, — у тебя руки трясутся!

— Я ночь не спал.

— Ага, ага.

Интересно, что, прежде чем Эстер-Малке Тайч вернулась в школу, стала социальным работником и вышла замуж за Берко, она наслаждалась короткой, но примечательной карьерой босячки из Южной Ситки. За ней числились пара мелкокалиберных правонарушений, татуировка на животе (предмет ее горьких сожалений) и мост во рту — сувенир от последнего из ее мужчин-обидчиков. Ландсман знает Эстер-Малке дольше, чем она знакома с Берко, ибо однажды, когда она еще училась в старшей школе, арестовывал ее за вандализм. Эстер-Малке научилась общаться с неудачниками и интуитивно, без малейшего упрека, пускает в ход богатый опыт своей растраченной юности. Она направляется к холодильнику, достает бутылку пива «Брунер Адлер», срывает пробку и протягивает бутылку Ландсману. Мейер прижимает бутылку к бессонным вискам и делает хороший глоток.

— Итак, — говорит он, сразу почувствовав себя лучше, — задержка, да?

На ее лице появляется несколько театральное выражение вины, она лезет в карман за трубочкой теста на беременность, но руку из кармана не вынимает. Ландсман знает, потому что она уже раз или два проговаривалась, что Эстер-Малке подозревает его в зависти к их с Берко весьма успешной программе размножения, принесшей двоих прекрасных мальчиков.

Ландсман, конечно, завидует порой, горько завидует. Но когда она заводит разговор, он все категорически отрицает.

— Блин! — ругается он, когда слон падает на пол и закатывается под барную стойку.

— Черная или белая?

— Черная. Слон. Вот блин. С концами.

Эстер-Малке идет к полке со специями, подтягивая поясок на халате, перебирает баночки.

— Ага, вот, — она достает банку с шоколадными украшениями, снимает крышку, кладет на ладонь одно зернышко и протягивает Ландсману, — возьми-ка вот это.

Ландсман становится на четвереньки и лезет под стойку. Он находит сбежавшего слона и ухитряется воткнуть его в отверстие на поле *h6*. Эстер-Малке ставит банку на полку и возвращает руку в таинственные глубины халатного кармана.

Ландсман съедает шоколадное украшение.

— Берко знает? — осведомляется он.

Эстер-Малке крутит головой, прячась за шторой волос.

— Да, чепуха, — говорит она.

— Точно чепуха?

Она пожимает плечами.

— Ты что, не смотрела тест?

— Я боюсь.

— Чего это ты боишься? — спрашивает Берко, появляясь в двери кухни, и, конечно же, с юным Пинхасом Тайч-Шемецем — Пинки, младшеньким, угнездившимся на согнутой в локте отцовской правой руке.

Месяц назад они устроили для него праздник с тортом и свечкой. Так что, думает Ландсман, на подходе третий Тайч-Шемец, через двадцать один — двадцать два месяца после второго. И через семь месяцев после Возвращения. Семь месяцев пути ему в незнакомый мир. Еще один крохотный узник истории и судьбы, еще один потенциальный Мошиах, ибо Мошиах, утверждают знатоки, рождается в каждом поколении — дабы наполнить паруса слабоумной каравеллы мечты Пророка Элияху. Рука появляется из кармана без трубочки с тестом, и Эстер-Малке сигнализирует Ландсману, как принято в Южной Ситке, поднятой бровью.

— Боится услышать, что я ел вчера, — говорит Ландсман.

И чтобы отвлечь внимание, он вынимает из кармана пиджака книгу Ласкера «Триста шахматных партий» и кладет ее на барную стойку рядом с шахматной доской.

— Это про твоего мертвого наркомана? — спрашивает Берко, впиваясь глазами в доску.

— Эмануэля Ласкера, — уточняет Ландсман. — Но это просто запись в регистрационной книге. Мы не нашли при нем никаких документов. Еще неизвестно, кто он такой.

— Эмануэль Ласкер... Где-то я слыхал это имя.

Берко протискивается бочком в кухню. Он в костюмных брюках, но без пиджака. Брюки мышиного цвета мериносовой шерсти, с двумя тщательно отутюженными складками, рубашка — белее белого. На шее — темно-синий в оранжевых разводах галстук, завязанный элегантным узлом. Галстук слишком длинен, брюки просторны и держатся на темно-синих же подтяжках, напряженных охватом и окатом его брюха. Под рубашкой у него талес с бахромой, опрятная синяя ермолка венчает черный дрок на затылке, но на подбородке растительности нет. В матриархате этой семьи бород не найдешь ни на одном подбородке, даже глядя назад до времени, когда Ворон создал все (кроме солнца, которое он украл). Шемец соблюдает обычаи, но по-своему и по собственным причинам. Он — минотавр, а еврейский мир — его лабиринт.

Берко поселился в доме Ландсманов на Адлер-стрит однажды пополудни поздней весной 1981-го, неуклюжий верзила, известный в Доме Морского Чудища Вороньей Половины Племени Длинноволосых под именем Джонни Еврейский Медведь. В тот день росту в нем было пять футов и девять дюймов вместе с унтами, лет ему было тринадцать, и был он всего на дюйм ниже восемнадцатилетнего Ландсмана. До сего момента ни Ландсман, ни его маленькая сестра никогда не слышали об этом мальчике. А теперь малец собирается спать в комнате, когда-то служившей отцу Мейера и Наоми в качестве бутылки Клейна для бесконечного цикла его бессонниц.

— Ты кто, блин? — спросил Ландсман, когда мальчик прокрался в гостиную, теребя кепку в руках и вбирая обстановку всепожирающим темноглазым взглядом.

Герц и Фрейдл стояли за прикрытой входной дверью и орали друг на друга. Ясное дело, дядя Ландсмана не удосужился сообщить сестре, что собирается поселить своего сына в ее доме.

— Меня зовут Джонни Медведь, — сказал Берко, — я экспонат коллекции Шемеца.

Герц Шемец и по сей день остается известным экспертом в области тлинкитского искусства и артефактов. Поначалу это было просто хобби, развлечение, но оно заставило его отправиться в индейские земли глубже и дальше, чем любой другой еврей его поколения. И да, его работы по изучению культуры аборигенов и его путешествия в Страну Индейцев были остью его КОИНТЕЛПРО в шестидесятые годы. И не только остью. Герц Шемец проникся жизнью индейцев. Он научился багрить морского котика стальным крюком прямо в глаз, убивать и разделывать медведя и наслаждаться вкусом жира корюшки не меньше, чем вкусом шмальца. И он породил сына мисс Лори-Джо Медведицы из поселения Хуна. Когда она погибла во время так называемого Синагогального погрома, ее сын, полуеврей, объект издевательств и презрения в Вороньей

Половине, умолил отца, которого едва знал, спасти его. Это был цвишенцуг, неожиданный ход в довольно заурядной партии. И он застал дядю Герца врасплох.

— И что ты прикажешь сделать — выгнать его? — орал он матери Ландсмана. — Его жизнь там — просто ад. Его мать мертва. Убита евреями.

Собственно, были убиты одиннадцать исконных уроженцев Аляски во время погрома после взрыва в молитвенном доме, который группа евреев построила на спорной земле. На этих островах есть карманы, где разметка, нанесенная Гарольдом Икесом, спотыкается и отступает, этакие пунктирные участки Границы. Большинство из них — участки слишком удаленные или слишком гористые, чтобы их заселить, обледеневшие или затопленные круглый год. Но некоторые из заштрихованных мест, лучших, ровных и с умеренным климатом, оказались притягательными для миллионов евреев. Евреям нужно жизненное пространство. В семидесятых некоторые из них, в основном члены небольших ортодоксальных сект, принялись его захватывать.

Сооружение молитвенного дома в Святом Кирилле осколком от осколка секты из Лисянского переполнило чашу терпения многих индейцев. Начались демонстрации, митинги, были вовлечены юристы, и смутный рокот донесся из конгресса, заподозрившего еще одну угрозу миру и паритету от зарвавшихся евреев. За два дня до освящения кто-то — никто так и не признался и не был обвинен — швырнул в окно две бутылки с «коктейлем Молотова», спалив молитвенный дом до самого бетонного основания. Прихожане и те, кто их поддерживал, толпой вломились в поселение Святого Кирилла, разорвали сети для ловли крабов, разбили окна в здании Братства индейцев Аляски и устроили эффектное зрелище, подпалив сарай, где хранились бенгальские огни и заряды для фейерверка. Водитель грузовика с обозленными аидами в кузове потерял управление и врезался в лавку, где Лори-Джо работала кассиром, убив ее на месте. «Синагогальный погром» остался самым позорным моментом в горькой и бесславной истории тлинкитско-еврейских отношений.

— Это моя вина? Это моя беда? — кричала брату в ответ мать Ландсмана. — Только индейца мне в доме не хватало!

Дети прислушивались к ним какое-то время, Медведь Джонни, стоя на пороге, постукивал носком унта по брезенту вещевого мешка.

— Хорошо, что ты не знаешь идиша, — сказал мальчику Ландсман.

— Нужна мне эта хрень, — ответил Джонни Еврей, — я слышу это дерьмо всю жизнь.

Когда все уладилось — хотя все уладилось и до того, как мать Ландсмана начала кричать, — Герц зашел попрощаться. Сын был на два дюйма выше его. Герц заключил его в краткие скупые объятия, и со стороны это выглядело так, как будто стул обнимает диван. Потом Герц отступил.

— Прости, Джонни, — сказал он. Он схватил сына за уши и не отпускал. Он изучал лицо его, как телеграмму. — Я хочу, чтобы ты знал. Я хочу, чтобы ты смотрел на меня и знал, что я чувствую только сожаление.

— Я хочу жить вместе с тобой, — безучастно отозвался мальчик.

— Ты уже говорил это.

Слова звучали грубо и высказаны были бессердечно, но внезапно они потрясли Ландсмана — в глазах дяди Герца сверкали слезы.

— Все знают, Джон, что я сукин сын. Жить со мной хуже, чем на улице.

Он взглянул на гостиную сестры, синтетические чехлы на мебели, украшения, похожие на колючую проволоку, абстрактные меноры.

— Один бог знает, что они из тебя сделают.

— Еврея, — ответил Медведь Джонни, и трудно сказать, что это было — хвастовство или предсказание гибели. — Как ты.

— Это вряд ли, — сказал Герц. — Хотелось бы на это посмотреть. До свидания, Джон.

Он погладил Наоми по головке. Уже уходя, он остановился пожать руку Ландсману:

— Помоги двоюродному брату, Мейерле, ему это понадобится.

— Вроде он и сам справится.

— Это точно, ты уверен? — сказал дядя Герц. — От меня он помощи явно не дождется.

Теперь Бер Шемец, как он со временем стал себя называть, живет как еврей, носит кипу и талес как еврей. Он рассуждает как еврей, исполняет обряды как еврей, он по-еврейски хороший отец и муж и вне дома ведет себя как еврей. Он спорит, сильно жестикулируя, соблюдает кошер и щеголяет обрезанной наискосок крайней плотью (отец позаботился об обрезании перед тем, как бросить новорожденного Медведя). Но как ни посмотри, он чистый тебе тлинкит. Татарские глаза, густые черные волосы, широкое лицо, созданное для удовольствий, но обученное искусству печали. Медведи — люди крупные, и сам Берко под два метра в носках и весит сто десять килограммов. У него большая голова, большие ступни, большой живот и руки. Все у Берко большое, кроме ребенка на руках, который застенчиво улыбается Ландсману, копна черных жестких, конских волос у малыша стоит дыбом, как намагниченная металлическая стружка. Милашка, да и только, — и это Ландсман признал бы первым, но даже год спустя при виде Пинки что-то вгрызается в нежное место за грудиной. Пинки родился двадцать второго сентября, ровно через два года после того, как должен был родиться Джанго.

— Эмануэль Ласкер был знаменитым шахматистом, — сообщает Ландсман Берко, а тот берет кружку кофе из рук Эстер-Малке и хмурится сквозь пар. — Немецкий еврей, в десятых и двадцатых.

Он час, с пяти до шести, провел у компьютера, в пустом отделе, думая, кто бы это мог быть.

— Математик. Проиграл Капабланке, как все тогда. Книга оказалась в номере. И шахматная доска вот с этой позицией.

У Берко тяжелые веки, проникновенные, синеватые, но когда они прикрывают его выпуклые глаза, то взгляд становится похожим на луч фонарика, сверкающий в прорези, взгляд такой холодный и скептический, что даже невиновный может усомниться в своем алиби.

— И ты полагаешь, — говорит он, выразительно поглядывая на бутылку пива в руке Ландсмана, — в расположении фигур зашифровано — что? — Прорезь сужается, луч сверкает ярче. — Имя убийцы?

— Алфавитом Атлантиды, — отвечает Ландсман.

— Ага.

— Еврей играл в шахматы. И прежде чем вмазаться, перехватывал руку тфилин вместо жгута. И кто-то убил его очень заботливо и осторожно. Я не знаю. Может, это никак не связано с шахматами. Пока что это мне ничего не дает. Я просмотрел всю книгу, но не могу сообразить, какую партию он разыгрывал. Если вообще разыгрывал. Эти диаграммы, я не знаю, у меня голова раскалывается от одного взгляда на них, пропади они пропадом.

Каждый обертон в голосе Ландсмана звучит глухо и безнадежно, невольно выдавая все, что он чувствует. Берко смотрит на жену поверх макушки Пинки, чтобы удостовериться, стоит ли ему действительно беспокоиться о Ландсмане.

— Вот что я тебе скажу, Мейер, если ты оторвешься от пива, — говорит Берко, безуспешно стараясь избавиться от интонаций полицейского. — Я дам тебе подержать чудесного ребенка. Хочешь? Посмотри на него. Посмотри на эти ножки, ну же! Ты должен пожать их. Слушай, поставь свое пиво и подержи его хоть минуту.

— Чудесный ребенок, — говорит Ландсман.

Он опустошает бутылку еще на дюйм. Потом ставит ее на стол, и замолкает, и берет ребенка, и вдыхает его запах, и, как обычно, ранит свое сердце. Пинки пахнет йогуртом и детским мылом. И немножко отцовским одеколоном. Ландсман несет ребенка к двери кухни, стараясь не вдыхать, и смотрит, как Эстер-Малке отдирает вафли от вафельницы. У нее «Вестингауз» с бакелитовыми ручками в форме листьев. Можно приготовить четыре хрустящие вафли одновременно.

— Простокваша? — спрашивает Берко, он уже изучает шахматную доску, поглаживая массивную верхнюю губу.

— А что же еще? — спрашивает Эстер-Малке.

— Настоящая или молоко с уксусом?

— Мы проделали двойное слепое тестирование, Берко. — Эстер-Малке протягивает Ландсману тарелку с вафлями, взамен берет младшенького, и хотя есть Ландсману не хочется, он рад совершить обмен. — Ты же не в состоянии отличить одно от другого, помнишь?

— Ну да, и в шахматы не умеет играть, — отвечает Ландсман. — Но посмотри, как притворяется.

— Да пошел ты, Мейер, — говорит Берко, — ладно, давай серьезно, какая тут фигурка — линкор?

Шахматное безумие семьи выжгло или перенаправило всю свою энергию еще до того, как Берко поселился с Ландсманом и его матерью. Исидора Ландсмана не было в живых уже шесть лет, а Герц Шемец применял навыки обманных ходов и нападений на шахматной доске куда больших размеров. Поэтому никого не осталось, кроме Ландсмана, чтобы учить Берко шахматам, но Ландсман тщательно пренебрегал своим долгом.

— Масло дать? — вступает Эстер-Малке.

Она мажет маслом клеточки вафельницы, а Пинки сидит у нее на коленях и всячески ей помогает без спроса.

— Не надо масла.

— Сироп?

— И сиропа не надо.

— Ты же не хочешь вафель, Мейер, правда же? — говорит Берко.

Он перестает притворяться, что изучает доску, и берется за книгу Зигберта Тарраша, как будто что-то петрит в ней.

— Если честно, нет, — отвечает Ландсман, — но знаю, что должен хотеть.

Эстер-Малке опускает крышку на промасленную решетку вафельницы.

— Я беременна, — говорит она кротко.

— Что? — отзывается Берко, с должным удивлением поднимая глаза от книги. — Ну, бля!

Слово русское, он предпочитает этот язык, когда надо выругаться или нагрубить. Он начинает пережевывать воображаемую пластинку жевательной резинки, которая всегда появляется у него во рту, когда он готов взорваться.

— Прекрасно, Эс, просто прекрасно. Ну знаешь! Конечно же! Ведь в этой сраной квартире еще остался один блядский ящик в комоде, куда можно засунуть блядского ребенка!

Потом он вздымает «Триста шахматных партий» над головой и медленно готовится швырнуть книгу через барную стойку в гостиную-столовую. Так из него вылезает Шемец. Мать Ландсмана тоже была большой любительницей пошвырять предметы во гневе, а театральные репризы дяди Герца, этого беззастенчивого наглеца, вообще легендарны, хоть и редки.

— Улика, — напоминает Ландсман. Берко поднимает книгу еще выше, и Ландсман говорит: — Улика, мать твою!

И тогда Берко швыряет книгу. Книга летит через комнату, трепеща страницами, и звонко сталкивается, вероятно, с серебряным ящичком для специй на стеклянном столе в столовой. Дитя оттопыривает нижнюю губку, потом выпячивает ее еще чуточку, медлит в нерешительности, поглядывая то на мать, то на отца, и разражается безутешным ревом. Берко смотрит на Пинки как на предателя. Он обходит барную стойку, чтобы вернуть выброшенную улику.

— Что татэ наделал? — говорит малышу Эстер-Малке, целуя его в щечку и хмурясь в огромную черную дыру в комнате, оставленную Берко. — Гадкий детектив Суперсперм швырнул дурацкую старую книжку?

— Отличные вафли! — восклицает Ландсман, отодвигая нетронутую тарелку. Он возвышает голос. — Эй, Берко, я... гм... пожалуй, подожду в машине. — Он вытирает губы о щеку Эстер-Малке. — Передай как-там-его «до свидания» от дяди Мейерле.

Ландсман направляется к лифту, ветер свистит в шахте. Появляется сосед Фрид, в черном пальто, седые волосы зачесаны назад и курчавятся на воротнике. Фрид — оперный певец, и Тайч-Шемецы полагают, что он смотрит на них свысока. Но только потому, что Фрид сообщил им, что он лучше их. Жители Ситки обычно придерживаются именно такого мнения насчет своих соседей, особенно если эти соседи — индейцы и местные «южане». Ландсман и Фрид вместе входят в лифт. Фрид интересуется у Ландсмана, много ли трупов тот обнаружил в последнее время, а Ландсман спрашивает Фрида, многих ли мертвых композиторов он заставил на днях перевернуться в гробу, и после этого разговор иссякает. Ландсман идет на парковку и садится в машину. Он заводит мотор и сидит в тепле раскочегаривающегося автомобиля. С запахом Пинки на воротнике и холодным, сухим привидением руки Голди в своей он играет вратарем против команды бесплодных сожалений, бесконечно атакующих его способность хоть день прожить, ничего не чувствуя.

Мейер вылезает из машины под дождь и закуривает папиросу. Он обращает глаза на север, туда, где побережье, где из моря торчит на своем продуваемом всеми ветрами острове петлеобразный алюминиевый шпиль. Опять на него накатывает щемящая ностальгия по Выставке, по героической еврейской инженерии, создавшей Булавку (официально Башня обетования прибежища, но никто так ее не называет), и по ложбинке меж грудей дамы в форменном кителе, которая надрывала билетик у лифта, поднимавшего посетителей в ресторан на верхушке Булавки. Потом он возвращается в машину. Через несколько минут Берко выходит из здания и вкатывается в «суперспорт», как большой барабан. Рукой он удерживает шахматы и книгу на уровне левого бедра.

— Извини за все это, — говорит он, — что за подляна, да?

— Большое дело.

— Нам просто придется найти квартиру побольше.

— Ну да.

— Где-нибудь.

— В том-то и закавыка.

— Это благословение Б-жье.

— А то нет. Мазел тов, Берко.

Поздравления Ландсмана ироничны до задушевности и настолько задушевны, насколько это возможно, они только кажутся бесчувственными, и напарники какое-то время сидят в машине неподвижно, прислушиваясь к ним и замерзая.

— Эстер-Малке говорит, она так устала, что даже не помнит, как мы с ней это самое, — говорит Берко, вздыхая.

— Может, и не было ничего.

— Ты хочешь сказать, что это чудо? Как говорящая курица в мясной лавке?

— Ага.

— Знамение и предостережение.

— Можно и так посмотреть.

— Кстати, о знамениях, — говорит Берко, открывает давно исчезнувшую из городской библиотеки Ситки книгу «Триста шахматных партий» и из приклеенного кармашка на обложке достает учетную карточку.

За карточкой отыскивается фотография — цветной снимок три на пять, глянцевый с белой рамочкой. Это изображение буквенного символа, четырехугольник из черного пластика, в который впечатаны пять букв с белой стрелкой под ними, указывающей влево. Знак свисает с грязного квадрата звукоизолирующей плитки на двух тонких цепочках.

— ПИРОГ, — читает Ландсман.

— Кажется, она выпала в процессе моих буйных исследований улики, — говорит Берко. — Думаю, карточка застряла в кармашке, иначе она бы не укрылась от твоего пытливого шамесовского взора. Узнаёшь?

— Да, — отвечает Ландсман, — узнаю.

В аэропорту, который обслуживает сырой северный город Якоби, — в терминале, откуда отправляешься в путь, если ты еврей, ищущий скромных приключений в скромных джунглях округа, — припрятанное в самом дальнем углу главного здания, скромное заведеньице предлагает пирог, и только пирог, пирог в американском стиле. Заведеньице — это не более чем окно, за которым кухня с пятью сверкающими печами. Рядом с окном висит белая доска, и каждый день хозяева — чета угрюмых клондайкцев и их таинственная дочь — заполняют ее списком начинки: ежевика, ревень с яблоком, персик, банановый крем. Пирог хорош, даже знаменит в качестве скромного десерта. Всякий, кто путешествовал через аэропорт Якоби, это знает, и даже ходят слухи, что есть люди, которые специально летят из Джуно или Фэрбенкса, а то и откуда подальше, чтобы его отведать. Покойная сестра Ландсмана питала особую привязанность к кокосовому крему.

— Итак... — говорит Берко, — итак, что ты думаешь?

— Я так и знал, — отвечает Ландсман, — как только я вошел в комнату и увидел Ласкера там, я сказал себе: Ландсман, все дело сведется к пирогу.

— Другими словами, ты думаешь, что это ничего не значит?

— Ничего — значит ничего, — подтверждает Ландсман и вдруг чувствует, что подавился, горло опухло, в глазах жжение и слезы.

Может, бессонница или слишком долгое пребывание в компании рюмки. Или образ Наоми, прислонившейся к стене у безымянной и непостижимой лавочки, где продают одни пироги, Наоми, пожирающей с бумажной тарелки пластиковой вилкой кусок пирога с кокосовой начинкой: глаза расширены, губы сжаты и вымазаны белым, с животным наслаждением она смакует крем, корочку и сладкий соус.

— Черт возьми, Берко, вот бы мне кусок этого пирога прямо сейчас.

— И я о том же подумал, — кивает Берко.

7

Управление полиции вот уже двадцать семь лет временно располагается в одиннадцати модульных строениях на пустом участке земли за старым русским сиротским приютом. Ходят слухи, что модули начали жизнь как библейский колледж в Слайделле, штат Луизиана. Они без окон, с низкими потолками, хлипкие и тесные. Посетитель найдет в модуле уголовной полиции приемную, кабинет для каждого из двух детективов-инспекторов, душевую кабинку с туалетом и раковиной, комнату для наряда полиции (четыре кабины, четыре стула, четыре телефона, классная доска и ряд отделений для почты), каморку для допросов и комнату отдыха. Комната отдыха снаряжена кофеваркой и маленьким холодильником. Она же приютила давно процветающую колонию грибных спор, которая однажды в далеком прошлом внезапно эволюционировала по форме и содержанию, превратившись в диванчик тет-а-тет. Но когда Ландсман и Берко въезжают на гравий у коробки уголовной полиции, два сторожа-филиппинца как раз выволакивают огромный грибок.

— Он шевелится, — говорит Берко.

Народ годами грозился избавиться от дивана, но то, что в конце концов это случилось, потрясает Ландсмана. Настолько, что лишь через секунду или две он замечает у лестницы женщину с черным зонтиком. На ней ярко-оранжевая парка с вырвиглазной опушкой из зеленого синтетического меха. Правая рука женщины поднята, как у архангела Михаила на картине, где он выгоняет Адама и Еву из Сада, указательный палец вытянут в направлении мусорного контейнера. Вьющийся рыжий локон выбился из-под зеленой опушки и свисает на лоб. Это у нее хроническое. Когда она становится на колени, чтобы изучить сомнительное пятно на полу, или когда рассматривает фотографию под лупой, ей приходится сдувать этот локон сильным раздраженным выдохом.

А сейчас она хмурится на «суперспорт», пока Ландсман глушит мотор. Она опускает изгоняющую руку. Издалека Ландсману кажется, что дама переборщила с крепким кофе на три-четыре чашки и что кто-то уже разозлил ее с утра, а может, и не раз. Ландсман был женат на ней двенадцать лет и пять лет проработал с ней в одном отделе. Он за версту чует перепады в ее настроении.

— Только не говори, что ты не знал, — обращается он к Берко, выключая двигатель.

— Я и сейчас не знаю, — говорит Берко, — я надеюсь, что если закрою глаза на секунду и опять открою, то окажется, что это неправда.

Ландсман зажмуривается и открывает глаза.

— Бесполезно, — замечает он с сожалением и выходит из машины. — Дай нам пару минут.

— Пожалуйста-пожалуйста, сколько пожелаешь.

Десять секунд нужно Ландсману, чтобы пересечь усыпанную гравием парковку. На третьей секунде Бина, кажется, рада видеть его, еще две секунды — она встревожена и прекрасна. Оставшиеся пять секунд вид у нее уже такой, будто она не прочь устроить потасовку с Ландсманом, пусть только даст повод.

— Что за хрень? — говорит Ландсман: он не любит ее разочаровывать.

— Два месяца под началом бывшей, — говорит Бина, — а потом — кто знает?

Сразу после развода Бина умотала на юг, где и пробыла год, поступив на какие-то курсы повышения квалификации для женщин-детективов. По возвращении она заняла высокую должность инспектора в отделе уголовного розыска Якоби. Там она обрела вдохновение и нашла приложение своим способностям, руководя расследованиями смерти от переохлаждения безработных рыбаков в осушенных руслах «Венеции» на северо-западе острова Чичагова. Ландсман не видел ее с похорон сестры, и по состраданию, с которым смотрит Бина на его поношенную ходовую, он понимает, что за те месяцы, пока они не виделись, он скатился еще ниже.

— Ты что, не рад мне, Мейер? — спрашивает она. — Как тебе моя парка?

— Оранжева до чрезвычайности, — хвалит Ландсман.

— В тех местах надо быть заметным, — говорит она, — в лесах. А то примут за медведя и подстрелят.

— Тебе идет этот цвет, — слышит Ландсман свой укрощенный голос, — в тон глазам.

Бина принимает комплимент, словно это банка содовой, которую, как она подозревает, он только что хорошенько встряхнул.

— Значит, ты хочешь сказать, что удивился? — спрашивает она.

— Удивился.

— Ты не слыхал про Фельзенфельда?

— Но это же Фельзенфельд. Что я должен был слышать?

Он вспоминает, что тот же вопрос задавал вчера вечером Шпрингер, и к нему приходит озарение, достойное проницательности человека, поймавшего «больничного убийцу» Подольски.

— Фельзенфельд удрал. Позавчера сдал жетон. А вчера вечером умотал в Мельбурн, в Австралию. Сестра его жены там живет.

— И теперь я работаю на тебя? — Он понимает, что Бина тут ни при чем и этот перевод, даже если только на два месяца, для нее несомненное повышение. Но он не может поверить, что она допустила такое. — Это невозможно.

— Все возможно в наше время, — говорит Бина, — я это в газете прочла.

И вдруг черты ее разглаживаются, и он видит, как трудно ей, все еще трудно находиться рядом с ним и какое для нее облегчение, когда появляется Берко Шемец.

— Все в сборе! — восклицает она.

Ландсман оборачивается и видит за спиной своего напарника. Берко здорово владеет искусством подкрадываться, которое, по его словам, естественно, досталось ему от индейских предков. Ландсману нравится думать, что это могучая сила земного натяжения позволяет Берковым гигантским ногам-снегоступам бесшумно скользить по поверхности.

— Так-так-так, — добродушно говорит Берко.

С первого же дня, когда Ландсман привел домой Бину, они с Берко сразу спелись, вместе насмехались над Ландсманом, забавным маленьким брюзгой с последней страницы комикса, с черной лилией взорвавшейся фальшивой сигары, увядающей на губе. Она протягивает руку, и они здороваются.

— С возвращением, детектив Ландсман, — говорит он кротко.

— Инспектор, — поправляет она, — и Гельбфиш. Снова.

Берко опасливо уворачивается от пригоршни фактов, которую она ему отсыпала.

— Прости, виноват, — извиняется он. — Как тебе Якоби?

— Нормально.

— Приятный городишко?

— Понятия не имею, честное слово.

— Встречаешься с кем-нибудь?

Бина трясет головой, краснеет, потом краснеет еще гуще, когда чувствует, что краснеет.

— Я только работала, — говорит она. — Ты же меня знаешь.

Клейкая розовая масса старого дивана исчезает за углом модуля, и Ландсмана посещает еще одно озарение.

— Похоронное общество вот-вот нагрянет, — говорит он.

Ландсман имеет в виду переходную специальную комиссию из Министерства внутренних дел Соединенных Штатов, антрепренеров Возвращения, явившихся за всем наблюдать и приготовить труп для погребения в могиле истории. Чуть ли не весь прошедший год они бормотали свой бюрократический кадиш над каждой бюрократической единицей округа, производя описи и давая рекомендации. Закладывая основы для того, думает Ландсман, чтобы впоследствии, если вдруг что-то выйдет из-под контроля или обернется не так, можно было бы законно свалить вину на евреев.

— Джентльмен по фамилии Спейд, — говорит она, — появится в понедельник или во вторник — уже точно.

— *Фельзенфельд*, — с отвращением произносит Ландсман. — Это в его духе, слинять за три дня до того, как заявится шомер из Похоронного общества, холера ему в бок!

Еще два техника с грохотом вываливаются из трейлера, вынося служебную коллекцию порнографической литературы и картонное изображение президента Америки — фото в натуральную величину. Раздвоенным подбородком, загаром гольфиста и напыщенным выражением на лице этот слегка потертый картонный президент сильно смахивал на футбольного квотербека. Детективам нравилось наряжать президента в кружевные трусы и швыряться в него мокрыми комками туалетной бумаги.

— Время обмерить Главное управление Ситки для пошива савана, — говорит Берко, наблюдая вынос.

— Ты даже не представляешь себе... — говорит Бина, и Ландсман по темной трещине в ее голосе сразу понимает, что она усилием воли пытается сдержать очень плохие новости. Потом Бина говорит: — Заходите, мальчики. — И голос у нее звучит как у всякого командира, которому Ландсман обязан подчиняться.

Еще минуту назад мысль об аж двухмесячной службе под началом бывшей жены казалась совершенно невообразимой, но этот кивок на коробку модуля и приказ войти дают Ландсману повод надеяться, что его чувства к ней, если они еще остались, наверняка подернутся вселенской серостью дисциплины.

Согласно классическому обычаю поспешного бегства, кабинет Фельзенфельда остался таким, каким тот его покинул, — фотографии, полумертвые растения, бутылки сельтерской на полке с картотекой рядом с большой лоханкой антацидных пастилок.

— Садитесь, — приказывает Бина, обходя обрезиненное стальное кресло у письменного стола, и устраивается в нем по-хозяйски.

Она сбрасывает оранжевую парку, демонстрируя изжелта-коричневый шерстяной брючный костюм поверх белой хлопковой рубашки — наряд, куда более совпадающий с представлениями Ландсмана о вкусах Бины в отношении одежды. Он старается, впрочем безуспешно, не любоваться тем, как ее тяжелые груди, на которых он все еще может увидеть мысленным взором каждую родинку и веснушку, словно созвездия на планетарном куполе его воображения, натягивают вырез и карманы рубашки. Ландсман и Берко вешают пальто на крюки за дверью и держат шляпы в руках. Каждый занимает один из оставшихся стульев. На фотографиях ни жена, ни дети Фельзенфельда не кажутся менее домашними и уютными, чем в тот последний раз, когда Ландсман на них смотрел. Дохлые лосось и палтус все так же ошарашены тем, что очутились на фельзенфельдовских крючках.

— Значит, так, внимание, мальчики, — говорит Бина; она из тех женщин, кто не чурается инициативы и сразу хватает быка за рога. — Нам всем понятно, в какую неловкую ситуацию мы вляпались. Она и так была бы достаточно неловкой, если бы я просто включила в команду вас обоих. Но то, что один из вас был моим мужем, а другой, ну, кузеном... Это полная хрень! — Последнее слово сказано на чистом американском, как и следующие три. — Понятно, о чем я?

Она замолкает, словно ждет реакции. Ландсман поворачивается к Берко:

— Бывший кузен — это ты, верно?

Бина улыбается, показывая Ландсману, что не находит замечание смешным. Она заводит руку за спину и вытаскивает из картотеки стопку бледно-голубых папок, каждая из них чуть ли не с полдюйма толщиной, и на каждой красная наклейка, как на бутылке с сиропом от кашля. При виде папок сердце Ландсмана ёкает, будто его угораздило встретиться в зеркале с собственным взглядом.

— Видите?

— Так точно, инспектор Гельбфиш, — говорит Берко каким-то удивительно неискренним голосом, — я вижу.

— А что это такое, знаешь?

— Знаю ли я, что это такое?

— А я знаю, что это не наши текущие дела, — встревает Ландсман. — Те — в стопке на твоем столе.

— Сказать, чем хорош Якоби? — говорит Бина. Они ждут отчета начальницы о путешествиях; она продолжает: — Дождями. Двести дюймов в год. Начисто вымывает желание ерничать и хохмить. Даже у евреев.

— Многовато дождя, — говорит Берко.

— А теперь слушайте меня. И слушайте внимательно, будьте любезны, потому что сейчас я буду нести бред собачий. Через два месяца в этот забытый б-гом сарай ввалится федеральный маршал США в уцененном костюме и с манерами выпускника воскресной школы и потребует ключи от этого балагана, включая и картотеку группы «Б», которой я имею честь руководить с сегодняшнего утра.

Что за краснобаи эти Гельбфиши, ораторы и резонеры, просто асы по части улещивания. Отец Бины чуть не отговорил Ландсмана жениться. Вечером накануне свадьбы.

— И я говорю совершенно серьезно. Вы оба знаете, что я пахала как лошадь с юности, надеясь, что однажды мне выпадет счастье припарковаться именно в этом кресле, за этим столом, чтобы поддержать великую традицию Главного управления Ситки хоть иногда ловить убийц и сажать их в тюрьму. И вот я сижу в этом кресле. До первого января.

— И мы чувствуем то же самое, Бина, — говорит Берко, более искренне на этот раз. — Балаган — и все тут.

Ландсман говорит, что он согласен вдвойне.

— Я вам очень признательна, — говорит она. — И знаю ваше непростое отношение к... этому.

Она кладет большую веснушчатую руку на стопку папок. Если папки пересчитать, то получится одиннадцать дел, самому давнему — более двух лет. В отделе еще шесть детективов, и никто из них не может похвастаться такой красивой толстой грудой нераскрытых преступлений.

— Мы почти управились с Фейтелем, — сообщает Берко. — Ждем вестей от окружного прокурора. И Пински. И история с Зильберблатом. Мать Зильберблата...

Бина поднимает руку, обрывая Берко. Ландсман молчит. Язык у него не поворачивается от стыда. Он прекрасно понимает: эта куча папок — памятник его недавней хандре. И то, что куча эта дюймов на десять ниже, чем должна, говорит только о непоколебимых и неустанных братских заботах о нем большого малыша Берко.

— Стоп, — говорит Бина. — Умолкни, и все. И внимайте, потому что сейчас я изложу вам свою вольную трактовку всей этой лажи.

Снова запустив руку за спину, она вынимает из своего ящика для документов листок бумаги и еще одну, совсем тонкую голубенькую папку, которую Ландсман сразу узнает: он сам заполнил ее в четыре тридцать утра. Бина лезет в нагрудный карман пиджака за очками, которых Ландсман до сих пор на ней не видел. Она стареет, он стареет, прямо по расписанию, и, пока время разрушает их, они странным образом не женаты.

— Мудрыми евреями, которые присматривают за судьбой полицейских, то есть за нашей с вами, опредслены правила поведения, — начинает Бина. Она всматривается в написанное на листке с раздражением, даже с опаской. — Они начинают с замечательного принципа, утверждающего, что к тому моменту, когда власть в Ситке перейдет к федеральному маршалу, для всех было бы хорошо, не говоря уже о достойном прикрытии наших тылов, чтобы после нас не осталось ни одного нераскрытого дела.

— Блин, хватит уже, Бина.

Берко говорит это по-американски. Он сразу понял, куда клонит инспектор Гельбфиш. Ландсману потребовалась еще одна минута.

— Ни одного нераскрытого дела... — повторяет он с идиотским спокойствием.

— Этим правилам, — продолжает Бина, — было дадено хитроумное название «эффективное решение». По сути это значит, что для завершения нераскрытых дел у вас ровно столько времени, сколько осталось до окончания вашей деятельности в качестве уголовных следователей.

Пока при вас жетоны округа. Грубо говоря, девять недель. А нераскрытых дел у вас — одиннадцать. И можете их свернуть в любом порядке. Как вы это сделаете, меня не касается.

— Свернуть? — спрашивает Берко. — Ты имеешь в виду...

— Ты знаешь, что я имею в виду, детектив, — говорит Бина. Ее голос лишен эмоций, и на лице ничего не прочтешь. — Прилепи их к первым попавшимся липким людям. Если не лепится — клей тебе в помощь. А что останется, — в ее голосе подсказка, — «черный флаг» и папка в ящике номер девять.

«Номер девять» — для висяков. Сунуть дело в девятый ящик — значит освободить немного места, но, с другой стороны, это словно сжечь его, а пепел развеять по ветру.

— Похоронить их?— спрашивает Берко, успевая задать вопрос к концу тирады.

— Прояви добросовестность в пределах новых правил с музыкальным названием и потом, если номер не пройдет, прояви недобросовестность. — Бина вперяет взгляд в куполообразное пресс-папье на столе Фельзенфельда. Внутри его — крохотная картинка из дешевой пластмассы — панорама Ситки на фоне горизонта, куча многоэтажек, столпившихся вокруг Булавки, одинокого перста, словно грозящего небесам. — И пришлепни на них черный флаг.

— Вы сказали, одиннадцать, — говорит Ландсман.

— Верно.

— Извините, инспектор, но со вчерашней ночи, как ни прискорбно мне в этом признаться... Так вот... Их двенадцать. Не одиннадцать. Двенадцать открытых дел у Шемеца и Ландсмана.

Бина берет тонкую голубую папку, которую завел Ландсман прошлой ночью:

— Это?

Она открывает папку и изучает содержимое или притворяется, что изучает. Доклад Ландсмана о явном убийстве — в упор застрелен человек, называвшийся Эмануэлем Ласкером.

— Да. О'кей. Теперь смотрите, как это делается.

Бина выдвигает верхний ящик стола Фельзенфельда — теперь ее собственный, по крайней мере на эти два месяца. Она шарит внутри, брезгливо морщась, словно в ящике полно использованных ушных затычек из пористой резины, которые Ландсман действительно видел там, когда в последний раз туда заглядывал. Она вынимает из ящика пластиковую наклейку. Черную. Она отрывает красную наклейку, которую прилепил Ландсман этим утром, и пришлепывает черную взамен, и дышит часто — так все пыхтят, промывая жуткую рану или оттирая мочалкой кошмарное пятно на ковре. Она стареет лет на десять, как кажется Ландсману, за те десять секунд, что заняла замена. Держа это дохлое дело двумя пальцами, она отстраняет его подальше от себя.

— Эффективное решение, — произносит Бина.

8

«Ноз», как и предполагает название, — это бар для полисменов, которым владеет пара нозов в отставке. Гундо-
сый от дыма нозовских скорбей и сплетен, он никогда не
закрывается и вечно забит служителями порядка не при
исполнении, подпирающими огромную дубовую стойку.
Просто такое место, где можно возвысить голос негодования против последних образцов искусства собачьего бре-
да, спускаемого большими шишками из департамента. Так
что Ландсман с Берко рулят прямиком в «Ноз». Они ми-
нуют «Жемчужину Манилы», хотя китайские пончики
в филиппинском исполнении манят как припорошенные
мерцающим сахаром символы лучшей жизни. Они обходят стороной «Фитер Шнаер», и «Карлински», и «Внутренний канал», и гриль-бар «Ну-Йокер». Все равно в это
утреннее время почти все они на замке, а те забегаловки,
что открыты, обслуживают, как правило, полицейских, по-
жарных и парамедиков.

Сгорбившись навстречу холоду, большой человек и маленький спешат, толкая друг друга. Выдыхаемый воздух
покидает их тела волнами, которые двоятся и поглощают-
ся туманом, лежащим над Унтерштатом. Густые полосы тумана клубятся вдоль по улицам, пожирая вывески и неоновые лампы, занавешивая гавань, украшая россыпью пер-

ламутрово-серебристых бусин лацканы пальто и шляпные
тульи.

— Никто не ходит в «Ну-Йокер», — говорит Берко, —
нам там будет уютно.

— Однажды я встретил там Табачника.

— Я уверен, что он не стибрит твои проекты секретного
оружия, Мейер.

Ландсман может только мечтать о том, чтобы обзавестись
проектом вроде смертельных лучей или радиации, кон-
тролирующей сознание, чего-нибудь способного сотрясти
коридоры власти. Внушить американцам страх Б-жий. От-
срочить, хоть на год, десятилетие, век волну еврейского
исхода.

Они уже готовы бросить вызов угрюмой «Первой полосе» с ее свернувшимся молоком и кофе, которым только
что разводили бариевую клизму в Центральной больнице
Ситки, когда Ландсман замечает обтянутый хаки зад ста-
рины Денниса Бреннана на шатком стуле у барной стойки.
Пресса совершенно забросила «Первую полосу» примерно
год назад, когда «Блат» разорилась, а «Тог» перенесла
офисы в новые здания возле аэропорта. Но Бреннан покинул Ситку еще раньше в поисках удачи и славы. Вероятно,
его занесло в город сравнительно недавно. И можно поспорить, что никто ему не рассказал: «Первая полоса» прика-
зала долго жить.

— Слишком поздно, — говорит Берко. — Ублюдок нас
засек.

Минуту Ландсман сомневается, что ублюдок засек-
таки.

Бреннан сидит спиной к двери, изучая курс акций на
полосе ведущей американской газеты, ситкинский филиал
которой он и создал перед долгим отпуском. Ландсман хватает Берко за рукав и начинает эвакуировать его по улице.
Он надумал уже идеальное место, где можно и слегка заку-
сить, и поговорить так, чтоб не подслушали.

— Детектив Шемец. Секундочку.

— Слишком поздно, — признает поражение Ландсман.

Он оборачивается, а Бреннан уже тут как тут — больше-
головый, без шляпы и пальто, галстук переброшен через
плечо, пенни в левом мокасине, пустота в правом. Заплаты
на локтях твидового пиджака практичного цвета серой
грязи. Подбородку не помешала бы бритва, а макушке —
свежий слой бриолина. Похоже, на поприще славы и успеха у Денниса Бреннана дела пошли не слишком удачно.

— Погляди на башку этого шейгеца, у нее собственная атмосфера, — говорит Ландсман. — И ледник на макушке.

— Ну да, голова великовата.

— Каждый раз, когда я вижу это, мне становится жаль
шею.

— Может, надо бы обхватить ее руками. Как-то поддержать.

Бреннан выставляет вперед белые опарышеобразные
пальцы и моргает глазками, голубоватыми и водянистыми,
как снятое молоко. Репортер выдавливает отрепетирован-
ную горестную улыбку, но Ландсман отмечает, что Бреннан держится от них с Берко на расстоянии в добрых четыре фута улицы Бен Маймона.

— Вынужден повторить, нужды для прежних угроз, как
во время оно, уверяю вас, более не существует, детектив
Шемец, — говорит репортер на стремительном и нелепом
идише. — Вечнозелеными и созревшими, налитыми соком
исконной жестокости остаются они.

Бреннан изучал немецкий в колледже и перенял напыщенный идиш у какого-то самодовольного престарелого
немца. Кто-то подметил, что речь Бреннана звучит «как
рецепт приготовления колбасы с примечаниями». Запой-
ный пьяница, несовместимый по темпераменту с долгими
сумерками и дождем. Источает фальшивый дух бесстра-

стия и тугодумия, как это часто бывает среди детективов и репортеров. Но шлемили все одинаковы. Похоже, никто в Ситке не был поражен тогдашней бреннановской сенсацией сильнее, чем сам Деннис Бреннан.

— Я страшусь вашего гнева, давайте условимся наперед, детектив. И о том, что вот сейчас я притворился, будто не вижу вас, идущих мимо этой покинутой дыры, единственное достоинство которой, исключая факт, что хозяева ее забыли за время моего долгого отсутствия состояние моего кредита, — то, что тут не водится газетных репортеров. Я знал, однако, что с моим счастьем подобная стратегия не преминет вернуться позже и укусить за задницу.

— Никто еще не оголодал до такой степени, — говорит Ландсман. — Вам, вероятно, ничего не угрожает.

У Бреннана обиженный вид. Чувствительная душа, этот макроцефалический добряк, попечитель пренебрежения. Непроницаемый для шуток и иронии. Его вычурный стиль речи превращает все, что он говорит, в шутку, и это только усложняет его попытки выглядеть серьезно.

— Деннис Джей Бреннан, — говорит Берко. — Что, снова трудитесь дежурным по Ситке?

— За грехи мои, детектив Шемец, за грехи.

Разговор прекращается. Направление в бюро Ситки любого вернувшегося на родину репортера или радиокомментатора представляет собой общеизвестное наказание за некомпетентность или ляпсусы. Перевод Бреннана сюда означал, что он сильно напортачил.

— Я думал, что за них они выслали вас отсюда, Бреннан, — говорит Берко, и теперь-то уж он не шутит. Глаза его мертвеют, и он жует воображаемый «Даблминт», или тюлений жир, или хрящик из сердца Бреннана. — За грехи ваши.

— Причина, детектив, побудившая меня оставить чашку ужасного кофе и несостоявшееся свидание с осведомителем, каковой в моем случае не располагает никаким подобием информации, и явиться сюда, рискуя вызвать ваш гнев...

— Бреннан, ради б-га, говори по-американски, — перебивает Берко. — Какого рожна тебе надо?

— Мне нужна история, — отвечает Бреннан. — Что же еще? И я знаю, что ни за что не получу ее от вас, пока не постараюсь развеять туман. Итак. Для протокола. — Он снова бросается на румпель «Летучего голландца» усвоенной им версии родного языка. — Я далек от намерения переделать что-нибудь или отказаться от чего-либо. Навлеките страдания на эту чрезмерно увеличенную голову мою, пожалуйста, но я отстаиваю все, что написал доныне, каждое слово. Все верно и базируется на первоисточниках. И должен сказать к тому же, что все это печальное дело оставило дурной привкус во рту...

— Это был привкус твоей задницы? — предположил Ландсман беспечно.

— Определенно это пошло на пользу моей карьере, если ее так можно назвать. На пару лет. Вытолкнуло из захолустья, прошу извинить за этакое выражение, в Лос-Анджелес, Солт-Лейк, Канзас-Сити. — Бреннан перечисляет вехи своего падения, и голос его становился все тише и тише. — Спокан. Но я знаю, насколько это было болезненно для вас и вашей семьи, детектив. И если вы разрешите мне, я хотел бы принести извинения за ту пагубу, что причинил вам.

Как раз после выборов, приведших нынешнюю администрацию к власти на первый срок, Деннис Дж. Бреннан написал серию статей для своей газеты. Он представил тщательные и упрямые подробности грязной истории коррупции, должностных преступлений и антиконституционных надувательств, в которых был замешан Герц Шемец все сорок лет работы в ФБР. Программу КОИНТЕЛПРО свернули, все дела были передоверены другим отделам, а дядя Герц отправился на пенсию и в бесчестье. Ландсман, непробиваемый Ландсман, обнаружил, что ему все труднее вставать с кровати в первые дни после того, как прочел первую статью. Он понимал, как и все, если не лучше всех, что его дяде нанесли огромный урон и как человеку, и как представителю закона. Но если вы захотите найти причину, почему ребенок стал нозом, то лучше всего поискать в той или иной ветви фамильного древа. При всех своих недостатках дядя Герц был для Ландсмана героем. Умный, надежный, упорный, терпеливый, методичный, уверенный во всех своих действиях. Если его жслания срезать углы, сго дурной характер, его скрытность и не делали из него героя, то они определенно сделали из него ноза.

— Я скажу сейчас крайне деликатно, Деннис, — говорит Берко, — потому что ты неплохой мужик. Ты тяжко трудишься, ты честный писака. Ты единственный парень, рядом с которым мой напарник выглядит пижоном. Пошел нахер!

Бреннан кивает.

— Я предполагал, что вы так скажете, — отвечает он грустно на американском языке.

— Мой отец уже, блин, отшельник, — говорит Берко. — Гриб, живущий под бревном с уховертками и ползучими тварями. В каких бы нечестивых делах он ни был замешан, он делал то, что считал полезным для евреев, и притом знаешь что, блин, самое важное? Он был прав, потому что сейчас — глянь на весь этот блядский бардак, в котором мы оказались без него.

— Г-ди, Шемец, я не могу это слышать. И как ужасно, что написанное мною имеет хоть какое-то отношение.... Я написал совсем о другом — о том, что вело так или иначе к... ситуации, в которой вы, аиды, оказались... Ох, да нахер все это. Забудьте.

— Хорошо, — говорит Ландсман, и он снова хватает Берко за рукав. — Пошли отсюда.

— Эй, так а... А куда вы, ребята, идете? Что случилось-то?

— Просто боремся с преступностью, — говорит Ландсман, — как и тогда, когда тебя отсюда ветром сдуло.

Но теперь, когда репортер сбросил груз с души, гончая внутри Бреннана способна унюхать и из соседнего квартала, способна разглядеть и через стекло витрины — по затрудненности в скользящей походке Берко, по нескольким лишним килограммам сутулости в плечах Ландсмана. Может, вся процедура извинений городилась для того, чтобы выудить ответ на простой вопрос, заданный на родном языке:

— Кто умер-то?

— Аид, попавший в трудное положение, — отвечает ему Берко. — Никаких сенсаций.

 9

Они бросают Бреннана у входа в «Первую полосу» — галстук шлепает журналиста по лбу, словно полная раскаяния ладонь, доходят до угла Сьюард-стрит и дальше по Переца, потом поворачивают у театра «Палац» с подветренной стороны Замкового холма и упираются в черную дверь на черном мраморном фасаде, с большим панорамным окном, выкрашенным черной краской.

— Ты шутишь, — говорит Берко.

— За пятнадцать лет я не видел в «Ворште» ни одного шамеса.

— Сейчас девять тридцать утра и пятница, Мейер. Тут никого, кроме крыс.

— Неправда, — говорит Ландсман. Он ведет Берко к черному ходу и стучит костяшками пальцев два раза. — Я всегда воображал, что если бы мне когда-нибудь понадобилось замышлять злодеяния, то замышлял бы я их именно здесь.

Тяжелая стальная дверь открывается со стоном, а за ней находится госпожа Калушинер, одетая, чтобы идти в шуль или на работу в банк, — в серый костюм с юбкой и черные туфли-лодочки, волосы накручены на розовые поролоновые бигуди. В руке у нее бумажный стаканчик с жидкостью, похожей на кофе или сливовый сок. Госпожа Калушинер жует табак. Стакан — ее постоянный, если не единственный спутник.

— Вы, — констатирует она, скривившись так, будто только что слизнула с кончика пальца ушную серу.

И с характерным изяществом сплевывает в стаканчик. По мудрой привычке госпожа Калушинер долго всматривается в улицу, чтобы увидеть, какого рода неприятности ей сулят подобные визитеры. Она быстро и бесцеремонно оглядывает гигантского индейца в ермолке, вознамерившегося войти в ее епархию. В прошлом те, кого Ландсман приводил сюда в такое время, все как один были дерганые штинкеры с мышиными глазками, вроде Бени Плотнера по кличке Шпилькес и Зигмунда Ландау — Хейфеца среди информаторов. И меньше всего Берко похож на штинкера. И со всем должным почтением к кипе и бахроме не может же быть он посредником и тем более уличным гангстером низшего ранга, этот мордатый индеец. И вот после тщательных раздумий, не сумев уложить Берко в свою таксономию босяков, госпожа Калушинер сплевывает в стаканчик, потом переводит взгляд на Ландсмана и вздыхает. По одним подсчетам, она обязана Ландсману семнадцатью одолжениями, а по другим — ей следовало бы хорошенько пнуть его в живот. Госпожа Калушинер отступает и дает им войти.

Заведение пусто, как автобус, идущий в парк, и запашок там — хоть святых выноси. Видно, кто-то заходил сюда недавно с ведром хлорки, чтобы перекрыть высокой тесситурой ворштовский остинатный бас пота и мочи. Привередливый нос может также отметить, выше или ниже всего этого, подголоски аромата потертых долларовых купюр.

— Садитесь тут, — бросает госпожа Калушинер, но не указывает, где именно.

На круглых столиках, толпящихся вокруг сцены, торчат вверх ногами стулья, будто коллекция оленьих рогов.

Ландсман переворачивает два из них, и они с Берко устраиваются подальше от сцены, у крепко запертой входной двери. Госпожа Калушинер удаляется в комнату в глубине зала, и стеклярусная штора клацает за ней, словно выбитые зубы, сплюнутые в жестяное ведро.

— Ну не куколка? — восхищается Берко.

— Прелесть, — соглашается Ландсман. — Она приходит сюда только по утрам, чтобы не видеть посетителей.

«Воршт» — заведение, где надираются музыканты Ситки после закрытия театров и клубов. Далеко за полночь они набиваются сюда, снег на шляпах, дождь за отворотами, и заполняют маленькую эстраду, и убивают друг друга кларнетами и скрипками. Как всегда, когда ангелы собираются вместе, они ведут себя как бесы-гангстеры, ганефы и женщины с трудной судьбой.

— Она не любит музыкантов, — уточняет Ландсман.

— Но ведь муж ее был... о, дошло.

Натан Калушинер до самой смерти владел «Воршдом» и был королем сопранового кларнета *in C*.

Он был игрок и наркоман и просто дурной человек во всех отношениях, но когда играл, это выглядело словно в него диббук вселился. Меломан Ландсман забегал поглядеть на маленького сумасшедшего шкоца и пытался вызволить его из скверных ситуаций, в которые постоянно вовлекали Калушинера его нездравые суждения и не знающая покоя душа. Потом, в один прекрасный день, Калушинер исчез вместе с женой хорошо известного русского штаркера, не оставив госпоже Калушинер ничего, кроме «Воршта» и доброй воли кредиторов. Останки Натана Калушинера (при коих не оказалось кларнета *in C*) позднее прибило течением у доков Якоби.

— А это его собака? — говорит Берко, указывая на сцену.

На месте, где Калушинер обычно стоял и дудел каждую ночь, сидит курчавый двортерьер, белый с желтыми подпалинами и черным пятном вокруг глаза. Песик просто сидит, навострив уши, словно прислушивается к эху голоса или музыке, звучащей у него в голове. Провисшая цепь соединяет его с железной скобой в стене.

— Это Гершель, — говорит Ландсман. Ему немного больно думать об усердном выражении песьей морды, о его собачьем спокойном долготерпении; Ландсман отворачивается. — Он вот так сидит уже пять лет.

— Трогательно.

— Наверно. От этого животного, если честно, у меня мурашки по коже.

Снова появляется госпожа Калушинер, неся металлическую миску с маринованными помидорами и огурцами, корзинку с маковыми рогаликами и миску сметаны. Все это балансирует на ее левой руке. В правой, естественно, она несет бумажный стаканчик-плевательницу.

— Прекрасные огурчики, — высказывается Берко и, когда ответа не следует, заходит с другой стороны: — Милая собачка.

До чего же они трогательны, думает Ландсман, эти усилия, которые Берко всегда готов вложить в беседу с кем угодно. Чем крепче человек прикусывает язык, тем настойчивей становится Берко. Так было и в детстве. Он упрямо приставал к людям, и особенно к закрытому на все застежки двоюродному брату Мейеру.

— Собака как собака, — роняет госпожа Калушинер. Она брякает на стол овощи и сметану, бросает корзинку с булочками и под перезвон бус возвращается в комнату в глубине зала.

— Так вот, я должен просить тебя об одолжении, — говорит Ландсман, не отрывая глаз от собаки, которая легла на сцену и положила голову на свои артритные лапы. — И я сильно надеюсь, что ты скажешь «нет».

— Это одолжение связано с «эффективным решением»?

— Глумишься над концепцией?

— Это не обязательно, — говорит Берко. — Концепция сама над собой глумится.

Он подхватывает помидор из миски, макает его в сметану, потом аккуратно кладет в рот двумя пальцами. Жмурится от удовольствия, вкушая последующую кисловатую струйку мякоти и сока.

— Бина выглядит неплохо.

— Еще бы.

— Стервозочка.

— Ты так всегда говорил.

— Бина, Бина.

Берко мрачно трясет головой, но при этом весь его облик выражает любовь.

— В прошлой жизни она, наверное, была флюгером.

— Думаю, ты ошибаешься, — возражает Ландсман. — Ты прав, но ты ошибаешься.

— Так ты говоришь, Бина — не карьеристка?

— Я этого не говорю.

— Карьеристка, Мейер, и всегда была. И это одна из тех черт, что всегда мне в ней нравились. Она баба ушлая. Она жесткая. Она дипломат. Она кажется лояльной, но в обе стороны, и вверх и вниз, а это не всякий может. Она прирожденный инспектор. В любой полиции, в любой стране мира.

— Она была лучшей на курсе, — говорит Ландсман, — в академии.

— Но на вступительных экзаменах ты получил более высокие оценки.

— Ну да, — говорит Ландсман. — Получил. Я что, это упоминал когда-то?

— Даже федеральные маршалы Соединенных Штатов достаточно умны, чтобы заметить Бину Гельбфиш. Если она постарается закрепиться в правоохранительных органах Ситки после Возвращения, я ее осуждать не стану.

— Я принимаю твою точку зрения, — отвечает Ландсман, — но не разделяю. Не для этого она согласилась на
инспекторскую должность. Или не только по этой причине.

— Тогда почему?

Ландсман пожимает плечами.

— Я не знаю, — признается он. — Может, она уже ни
в чем не видит смысла?

— Надеюсь, что это не так. Или следующее, что она сделает, — вернется к тебе.

— Б-же упаси.

— Кошмар.

Ландсман делает вид, что сплевывает три раза через
плечо. Потом задумывается, не связан ли этот обычай с
привычкой жевать табак. Госпожа Калушинер возвращается, волоча непомерные кандалы своей жизни.

— Еще есть яйца вкрутую, — говорит она зловеще. —
И багель, и заливная рулька.

— Да просто что-нибудь попить, госпожа Калушинер, — просит Ландсман. — Берко?

— Да, газировочку какую, — вставляет Берко, — с ли-
мончиком.

— Вы хотите кушать, — объясняет она ему. И это не
предположение.

— Почему бы нет, — соглашается Берко. — Хорошо,
принесите пару яиц.

Госпожа Калушинер поворачивается к Ландсману, и он
чувствует, что и Берко на него смотрит, ожидая заказа сливовицы. Ландсман ощущает, как устал нетерпеливый Берко, как его раздражает Ландсман со всеми своими пробле-
мами. Пришло время собраться, не правда ли? Найти хоть
что-то сто́ящее в жизни и жить ради этого.

— Кока-колу, — заказывает Ландсман. — Если не за-
труднит.

То, что сделал Ландсман и чего никогда здесь не случалось с ним, да и с другими, впервые удивляет вдову На-

тана Калушинера. Она воздевает серовато-стальную бровь
и уходит. Берко дотягивается до огурчика, стряхивает с
него перчинки и гвоздику, налипшие на пупырчатую зе-
леную кожицу, похрустывает им во рту и счастливо хмурится.

— Только кислая женщина способна по-настоящему за-
мариновать огурчики, — говорит он и потом, будто невзна-
чай, поддевает Ландсмана: — Ты точно не хочешь еще пив-
ка? Повторить.

Ландсман от пива бы не отказался. Он еще чувствует
его горьковато-карамельный привкус на языке. Однако
сейчас пиво, которым угостила Ландсмана Эстер-Малке,
еще не покинуло его тело, хотя он уже ощущает первые
признаки, что багаж уложен и готов к отправке. Предложение или просьба, с которой он решительно настроен
обратиться к напарнику, сейчас кажется самой глупой
мыслью из всех, когда-либо приходивших ему в голову. Но
это должно случиться.

— Иди нахер, — говорит он, вставая из-за стола, — мне
надо отлить.

В уборной Ландсман находит тело электрогитариста.
Сидя за столом в глубине зальчика, Ландсман часто восхи-
щался этим аидом и его игрой. Он был среди первых, кто
привнес технику и стиль американских и британских рок-
гитаристов в еврейскую танцевальную музыку, включая
булгары и фрейлехсы. Гитарист приблизительно того же
возраста, что и Ландсман, и жизненный опыт у него схо-
жий, он тоже вырос на мысе Палтуса, и в минуты тщесла-
вия Ландсман сравнивает его с собой, вернее, работу детектива с интуицией и ослепительной игрой того, кто сейчас
замертво валяется в кабинке и чья рука-кормилица покоится в унитазе. Человек этот в черной кожаной тройке и в
красном тесемочном галстуке. Его прославленные пальцы
лишены колец, остались лишь призрачные выемки. Бумаж-

ник валяется на плиточном полу и выглядит опустошен-
ным и сдувшимся.

Музыкант всхрапывает. Ландсман привлекает интуитив-
ные и показные навыки прощупывания пульса сонной ар-
терии. Пульс ровный. Пространство вокруг музыканта
чуть ли не воспламеняется от алкогольного излучения. Бумажник, похоже, обчистили — ни денег, ни регистрационной карточки. Ландсман оглаживает музыканта и находит
пинту канадской водки в левом кармане кожаной куртки.
У парня украли деньги, но не выпивку. Ландсману пить не
хочется, внутри все сжимается от одной мысли, что эти нечистоты проникнут к нему в желудок, вроде как некий мо-
ральный мускул отшатывается от них. Он рискует украдкой глянуть в затянутый паутиной подвал своей души.
И не может не заметить, что спазм отвращения (ведь это
не более чем популярный сорт канадской водки, в конце
концов) вроде бы как-то связан с его бывшей женой и с тем,
что она вернулась в Ситку, да и выглядит такой же крепкой
и сочной, как прежняя Бина. Видеть ее будет ежедневной
пыткой, тот же Б-г пытал Моисея, когда показывал ему Сион с горы Фасги каждый день его жизни.

Ландсман скручивает крышку и делает долгий жадный
глоток. Водка обжигает, как смесь растворителя и щелока.
В бутылке остается несколько дюймов, когда он отнимает
ее от губ, а сам Ландсман сверху донизу заполнен сплошным ожогом раскаяния. И прежние сравнения себя с гита-
ристом обернулись против него самого. После кратких, но
бурных дебатов Ландсман решает не выбрасывать бутылку в мусор, там пользы от нее никому не будет. Он пристраивает ее в заднем кармане своего падения. Он вытаскивает музыканта из кабинки и тщательно вытирает ему правую руку. И потом мочится, ради чего и пришел сюда.
Мелодичные рулады мочи, бьющей по фаянсу и воде, при-
влекают музыканта, и он открывает глаза.

— Я в порядке, — говорит он Ландсману с пола.

— Конечно в порядке, душка, — отзывается Ландсман.

— Только жене не звони.

— Не буду, — уверяет его Ландсман, но аид уже опять выключился.

Ландсман выволакивает музыканта в коридор и оставляет на полу, подложив ему под голову телефонную книгу. Потом возвращается к столу и Берко Шемецу и делает добропорядочный глоток пузырей и сиропа.

— Мм... — произносит он. — Кола.

— Итак, — говорит Берко, — что за одолжение я должен тебе сделать?

— Ага, — начинает Ландсман. Его возродившаяся уверенность в себе и в своих намерениях и чувство благополучия — чистая иллюзия, созданная глотком дрянной водки; он объясняет это себе, подумав, что, с точки зрения, скажем, Б-га, вся уверенность гуманоидов не более чем иллюзия и каждое намерение всего лишь насмешка. — Очень и очень большое.

Берко понимает, куда клонит Ландсман. Но Ландсман еще не готов отправиться в путь.

— Ты и Эстер-Малке, — говорит Ландсман, — вы, детки, подали на гражданство.

— Это и есть твой великий вопрос?

— Нет, это пока еще нагнетание интереса.

— Мы подали на грин-карты. Все в округе подали на грин-карты, те, кто не собирается в Канаду, или Аргентину, или еще куда. Б-же мой, Мейер, а ты разве нет?

— Я помню, что собирался, — отвечает Ландсман. — Может, и подал. Не помню.

Берко потрясен до глубины души — тем, как это сказано, а не тем, куда клонит Ландсман.

— Ну собирался, и что? — возмущается Ландсман. — Вспомнил. Конечно. Заполнил И—девятьсот девяносто девять и все остальное.

Берко кивает, словно верит Ландсмановой лжи.

— Стало быть, — продолжает Ландсман, — вы, ребятушки, намерены здесь болтаться, значит. Остаться в Ситке.

— Если предположить, что получим разрешение.

— А есть опасения, что не получите?

— Просто статистика. Они говорят, не больше сорока процентов. — Берко качает головой, что само по себе национальный жест, когда речь заходит о том, куда евреи Ситки намерены отправиться или что они намереваются делать после Возвращения.

На самом деле никаких гарантий не существует, и сорок процентов — число, возникшее из слухов в конце времен, и даже существуют радикалы с безумными глазами, утверждающие, что истинное число евреев, кому разрешат остаться легально в разрастающемся штате Аляска, когда Возвращение вступит в силу, не будет превышать десять или даже пять процентов. Это те же самые люди, которые повсеместно призывают к оружию, сепаратизму, декларации независимости и прочим радостям. Ландсман не сильно обращает внимание на все противоречия и слухи, касающиеся самых важных вопросов в его местечковой вселенной.

— А старик? — спрашивает Ландсман. — Скрипит еще?

Сорок лет — как свидетельствовала серия статей Денни Бреннана — Герц Шемец использовал свою должность директора отделения надзора ФБР в личных целях, ведя с американцами хитрую игру. Бюро сначала наняло его в пятидесятых для борьбы с коммунистами и еврейскими левыми, которые, невзирая на разрозненность, были крепки, непоколебимы, озлоблены и к американцам относились с подозрением, а бывших израильтян и вовсе не слишком жаловали. Главным заданием Герца Шемеца было выявление и изоляция местных красных. Герц стер их с лица земли. Он кормил социалистов коммунистами, сталинистов — троцкистами, израильских сионистов — еврейскими сионистами, и, когда время кормежки закончилось, он вытер рты тем, кто остался, и скормил их друг другу. В начале шестидесятых Герца спустили на зарождающееся движение среди тлинкитов, и он вовремя выдрал им зубы и когти.

Но подобные занятия были прикрытием, как показал Бреннан, ибо настоящей целью Герца было добиться Постоянного статуса для округа или даже, в самых его диких мечтах, статуса штата. «Хватит скитаний, — вспоминаются Ландсману разговоры Герца с отцом, чья душа удерживалась в романтическом сионизме вплоть до того дня, когда он отдал Б-гу душу. — Хватит изгнаний и миграций и мечтаний о возвращении в следующем году в страну верблюдов. Пришло время заполучить все, что можем, и больше не рыпаться».

Так что каждый год, как оказалось, дядя Герц обращал половину оперативного бюджета на подкуп людей, которые этот бюджет утверждали. Он покупал сенаторов, ловил на крючок лакомое в конгрессе и, сверх всего, обхаживал богатых американских евреев, чье влияние он полагал необходимым для исполнения своих планов. Трижды законопроекты о Постоянном статусе рождались и умирали, два раза в комитете, один раз в горестном рукопашном кровопролитии. Через год после кровавой схватки нынешний президент Америки использовал на выборах платформу, которая декларировала долгожданное начало Возвращения, и выиграл, обещая «Аляску для аляскинцев, первозданную и чистую».

Тогда-то Деннис Бреннан и загнал Герца в нору.

— Старик-то? — говорит Берко. — В своей карманной индейской резервации? С козлицей своей? И с морозилкой, забитой оленьим мясом? Ага, он, блядь, серый кардинал в коридорах власти. Ладно, все в порядке.

— Или нет?

— Мы с Эстер-Малке оба получили трехгодичное разрешение.

— Это хороший знак.

— Так и люди говорят.

— И конечно, ты не сделаешь ничего, что может поставить под угрозу твой статус?

— Нет.

— Как то: не подчиниться приказам. Довести кого-то до белого каления. Пренебречь обязанностями.

— Никогда.

— Тогда говорить не о чем. — Ландсман лезет в карман куртки и достает шахматную доску. — Я тебе когда-нибудь рассказывал, что написал отец перед тем, как покончил с собой?

— Я слышал, это было стихотворение.

— Назовем это виршами, — говорит Ландсман. — Шесть строчек еврейских стихов, адресованных неизвестной женщине.

— Ого.

— Нет-нет. Никакой клубнички. Это было, как бы сказать, это стихи о сожалении — сожалении о собственной несостоятельности. Сетования на неудачу. Чистосердечное признание провала. Трогательное высказывание, благодарность за покой, который она ему подарила, и в первую очередь за всю безмерную беспамятность все эти долгие горькие годы в ее обществе.

— Ты их запомнил?

— Запомнил. Но кое-что в этих стишках меня встревожило. Тогда я заставил себя их забыть.

— И что же такое в них было?

Ландсман игнорирует вопрос, когда госпожа Калушинер вносит яйца; их шесть, очищенные от скорлупы и расположенные на тарелке в шести круглых гнездах, каждое величиной с тупой конец яйца. Соль. Перец. Плошка с горчицей.

— Если бы его спустили с цепи, — говорит Берко, указывая на Гершеля пальцем, — он бы отправился на поиски бутерброда или чего еще.

— Ему нравится сидеть на привязи, — говорит госпожа Калушинер, — иначе он не может спать.

Она опять оставляет их одних.

— Как-то мне не по себе, — говорит Берко, наблюдая за Гершелем.

— Я тебя понимаю.

Берко солит яйцо и откусывает. Его зубы оставляют полукружья на крутом белке.

— Так что́ с тем стихотворением, — говорит он, — с виршами теми?

— И естественно, — отвечает Ландсман, — все решили, что это стихотворное послание к моей матери. В первую очередь к моей матери.

— Она соответствует описанию.

— Так в основном все и думали. Поэтому я никому не говорил, что я обнаружил. Это было официально мое первое дело в качестве начинающего шамеса.

— И что же?

— Просто если сложить первые буквы каждой строки стихотворения, то получится имя. Каисса.

— Каисса? Что за имя такое?

— Я думаю, это латынь, — говорит Ландсман. — Каисса — богиня шахмат.

Он раскрывает карманные шахматы, купленные в аптеке на Корчак-плац. Фигуры стоят так, как он их расположил в квартире Тайч-Шемецев этим утром, как оставил их человек, который называл себя Эмануэлем Ласкером. Или убийца, или бледная Каисса, богиня шахмат, забежавшая попрощаться еще с одним из своих злополучных поклонников. У черных осталось три пешки, пара коней, слон и ладья. Белые сохранили главные и второстепенные фигуры и пару пешек, одна из них — за клетку от последней линии. Необычный беспорядок в партии, как если бы до этого хода игра шла в полном хаосе.

— Будь это что-то другое, Берко, — говорит Ландсман, покаянно воздев ладони. — Колода карт. Кроссворд. Карта для игры в лото.

— Я понял, — говорит Берко.

— Ну какого черта это должна быть незаконченная шахматная партия?

Берко крутит в руках доску, изучая ее какое-то время, потом смотрит на Ландсмана. *Теперь самое время тебе попросить меня*, говорит он этими огромными темными глазами своими.

— Так что я вынужден просить об одолжении...

— Нет, — откликается Берко, — ты не вынужден.

— Ты слышал, что сказала дама. Ты видел, как она потребовала сойти с дистанции. Все это было дерьмом с самого начала. Бина сделала его официальным дерьмом.

— Ты так не считаешь.

— Пожалуйста, Берко, не начинай уважать мои суждения сейчас, — просит Ландсман. — Ведь я так трудился, подрывая их.

Берко все еще не сводит глаз с собаки. Вдруг он встает и идет на сцену. Он топает по трем деревянным ступеням и останавливается, глядя на Гершеля. Потом дает ему понюхать руку. Собака садится опять и читает носом содержание тыльной стороны ладони Берко, про детишек, и про вафли, и про салон «суперспорта» образца 1971 года. Берко тяжело приседает около собаки на корточки и отстегивает цепь от ошейника. Он берет голову собаки массивными руками и смотрит псу в глаза.

— Хватит, — говорит он псу. — Он не придет.

Пес смотрит на Берко, словно искренне заинтересован этой новостью. Потом кренится на задние лапы, и ковыляет к ступенькам, и осторожно спотыкается по ним. Цокая когтями по бетонному полу, он направляется к столу с Ландсманом и смотрит на него, словно ожидая подтверждения.

— Так и есть, Гершель, — объясняет собаке Ландсман, — они проверили зубную карту у дантиста.

Собака вроде обдумывает сообщение, а потом, к огромному удивлению Ландсмана, идет к выходу. Берко глядит на Ландсмана с упреком:

— Что я тебе говорил?

Он бросает взгляд на стеклярусную занавеску, потом отбрасывает засов, поворачивает ключ и открывает дверь. Пес семенит за дверь, словно его гонят куда-то неотложные дела. Берко возвращается к столу, и вид у него, словно он только что вызволил душу из колеса кармы.

— Ты слышал, что сказала дама. У нас девять недель, — говорит он, — приблизительно. И мы можем позволить себе потратить денек-другой, усиленно изображая деятельность, пока валандаемся вокруг твоего мертвого наркомана, твоего провального дела.

— У тебя будет ребенок, — напоминает Ландсман. — Вас будет пятеро.

— Я тебя понял.

— Я говорю, что пятеро Тайч-Шемецев пойдут нахер, если кому-то приспичит искать поводы для отказа в гражданстве, а все знают, что приспичит, и чем тебе не причина — свежее взыскание за прямое нарушение приказа старшего по должности, не говоря уже о вопиющем пренебрежении директивами управления, пусть идиотскими и трусливыми.

Берко моргает и закладывает еще один помидорчик в рот. Он жует его и вздыхает.

— У меня никогда не было ни брата, ни сестры, — говорит он. — Только двоюродные. Большинство из них — индейцы, и они знать меня не хотели. Двое — евреи. Одна из них, еврейка, да благословит Б-г ее имя, — мертва. Ты один у меня остался.

— Я дорожу этим, Берко, — говорит Ландсман, — и хочу, чтобы ты это знал.

— Да нахер все, — откликается Берко по-американски. — Мы идем в «Эйнштейн» или как?

— Ага, — признается Ландсман. — Я думаю, что начинать надо оттуда.

Прежде чем выйти из-за стола и попытаться все уладить с госпожой Калушинер, они слышат царапанье в дверь и низкий протяжный стон. Звучит это так по-человечески и так одиноко, что волосы на голове у Ландсмана встают дыбом. Он идет к входной двери и впускает пса, который взбирается на сцену — к месту, где он вытер всю краску с досок, — и садится, навострив уши, чтобы поймать отзвук исчезнувшего кларнета *in C*, и терпеливо ждет, когда на него наденут цепь.

10

Вся северная часть улицы Переца сплошь застроена блочными бетонными домами — стальные колоннады, алюминиевые рамы, двойное остекление, чтобы сохранить тепло внутри. Как грибы они выросли в этой части Унтерштата в начале пятидесятых — исполненные благородного уродства броневики-убежища, возведенные теми, кто уцелел. Нынче благородство ушло, осталось только уродство — уродство дряхлости и запустения. Пустые витрины, заклеенные бумагой поверх стекла. В окне дома 1911, бывшей резиденции Общества Эдельштата, заседания которого посещал отец Ландсмана еще до того, как помещение на первом этаже занял магазин косметики, сардонически ухмыляющийся плюшевый кенгуру держит в лапах картонку с надписью: «АВСТРАЛИЯ ИЛИ СМЕРТЬ». Гостиница «Эйнштейн», располагающаяся в доме 1906, похожа, как заметил некий шутник на ее открытии, на крысиную клетку, втиснутую в аквариум. Место, облюбованное самоубийцами Ситки. А также освященное традицией и уставом постоянное обиталище шахматного клуба «Эйнштейн».

В тысяча девятьсот восьмидесятом член шахматного клуба «Эйнштейн» Мелех Гайстик выиграл в Санкт-Петербурге титул чемпиона мира, победив голландца Яна Тиммана. Народ Ситки, в памяти которого еще свежи были воспоминания о Всемирной выставке, воспринял его триумф как очередное подтверждение своих заслуг и национальной самости. Гайстик был подвержен пароксизмам ярости, черной меланхолии, его одолевали припадки помутнения рассудка, но все эти пороки позабылись во всеобщем ликовании.

Одним из плодов победы Гайстика стал щедрый дар от администрации «Эйнштейна»: шахматный клуб получил в безвозмездное пользование банкетный зал гостиницы. Гостиничные свадьбы вышли из моды, к тому же администрация годами пыталась выжить из своей кофейни вечно бурчащих и вечно смолящих пацеров. Гайстик предоставил ей эту долгожданную возможность. Парадную дверь банкетного зала наглухо закрыли, так что попасть в него можно было теперь только через черный ход — из переулка. Прекрасный ясеневый паркет сняли, застелив пол линолеумной шахматной клеткой грязно-желчного и стерильно-зеленого цветов. Люстру в стиле модерн сменили неоновые трубки, привинченные к высокому бетонному потолку. Два месяца спустя новоиспеченный чемпион мира забрел в старинную кофейню (ту самую, где когда-то проявил себя отец Ландсмана), сел за дальний столик в углу, достал полицейский кольт тридцать восьмого калибра и выстрелил себе в рот. В кармане у него нашли записку, в ней было лишь несколько слов: «Мне больше нравилось, как все было раньше».

— Эмануэль Ласкер, — произносит русский, переводя взгляд с шахматной доски на двух детективов.

Он сидит под старыми неоновыми часами, рекламирующими вышедшую в тираж газету «Блат». Русский похож на скелет, кожа у него тонкая, прозрачно-розовая, шелушащаяся. Черная борода клинышком. Близко посаженные глаза цвета холодного моря.

— Эмануэль Ласкер... — повторяет он.

Русский сутулится, понурив голову, его грудная клетка ходит ходуном. Кажется, что он хохочет беззвучно.

— Хотел бы я, чтобы он и вправду сюда заявился. — Как у большинства русских эмигрантов, его идиш экспериментален и бесцеремонен. Кого-то он Ландсману напоминает, вот только кого? — Я б ему надрал задницу.

— Вы видели его партии? — интересуется противник русского. Это молодой человек со сдобными щеками — белыми с зеленцой, как фон у долларовой купюры. На нем очки без оправы. Линзы льдисто поблескивают, когда юноша прицеливается ими в Ландсмана. — Вы хоть раз видели его партии, детектив?

— Проясним ситуацию, — говорит Ландсман, — это не тот Ласкер, о котором вы подумали.

— Он просто воспользовался этим именем как прозвищем, — говорит Берко. — А то нам пришлось бы разыскивать человека, умершего шестьдесят лет назад.

— Если посмотреть на Ласкеровы партии сегодня, — не унимается юноша, — в них слишком все наворочено. Он все чересчур усложняет.

— Или тебе они кажутся чересчур сложными, Вельвель, — уточняет русский, — в рассуждении, насколько сам ты прост.

Шамесы отвлекли шахматистов, когда партия вошла в напряженную стадию, и русский, игравший белыми, занял неуязвимый форпост конем. Они все еще погружены в игру, как две горы, утонувшие в белой мгле. Естественное их побуждение — удостоить детективов холодным презрением, припасенным специально для кибицеров. Ландсман раздумывает, стоит ли им с Берко дожидаться, когда шахматисты закончат игру, чтобы попытаться снова опросить их. Но за другими столами играются и другие партии, есть кого опрашивать. Ножки стульев царапают линолеум банкетного зала, будто ногти скребут по классной доске. Шахматные фигурки щелкают, как барабан в револьвере

Мелеха Гайстика. Все мужчины — здесь ни одной женщины — играют, беспрестанно пытаясь выбить оппонента из колеи самооговорами, холодными смешками, свистом и хмыканьем.

— Поскольку, как мы уже дали понять, — говорит Берко, — человек, назвавшийся Эмануэлем Ласкером, но не являющийся чемпионом мира, родившимся в Пруссии в тысяча восемьсот шестьдесят восьмом году, погиб, то мы расследуем эту смерть. Это входит в наши обязанности детективов отдела убийств, как мы уже упомянули, но, похоже, не произвели особого впечатления.

— Белобрысый такой еврей, — произносит русский.

— И конопатый, — поддакивает Вельвель.

— Видите, — говорит русский, — мы все замечаем.

Он двумя пальцами подхватывает с доски свою ладью, будто снимая волосок с чьего-то воротника. Ладья вместе с пальцами перемещается по воздуху и опускается со стуком, несущим дурные вести оставшемуся в одиночестве черному слону.

Тут Вельвель переходит на русский с еврейским акцентом и выражает надежду на возобновление дружеских отношений между матерью противника и щедро одаренным природой жеребцом.

— Я — сирота, — говорит русский и откидывается на спинку кресла, словно давая противнику прийти в себя после потери слона.

Он скрещивает руки на груди и прячет ладони под мышками. Так ведет себя человек, которому отчаянно хочется закурить папироску в помещении, где висит табличка «Курить воспрещается». Интересно, как вел бы себя отец Ландсмана, будь курение запрещено в его бытность членом шахматного клуба «Эйнштейн». Ведь он выкуривал пачку «Бродвея» за одну игру.

— Блондин, — говорит русский, он просто воплощение услужливости. — Веснушчатый. А еще что?

Ландсман перетасовывает горстку подробностей, решая, с которой зайти.

— Мы думаем, он изучал игру. Судя по его шахматному прошлому. В его комнате мы нашли книгу Зигберта Тарраша. А еще этот его псевдоним.

— До чего проницательны, — произнес русский, не потрудившись как-то прикрыть издевку, — эти двое высококлассных шамессов.

Шпилька не столько задевает Ландсмана, сколько заставляет его на полшпильки приблизиться к тому, чтобы вспомнить этого костлявого русского с облезлой рожей.

— Возможно, когда-то, — продолжает он чуть медленнее, наблюдая за русским и одновременно прощупывая свои воспоминания, — покойный был ортодоксом. Черная шляпа, все дела.

Русский выдергивает руки из-под мышек. Выпрямляется на стуле. Лед в его балтийских глазах, похоже, тает в одно мгновение.

— Сидел на герыче? — Это даже не вопрос, и Ландсман медлит с опровержением, а русский произносит имя: — Фрэнк. — На американский манер, с длинной, пронзительной гласной и раскатистой «р». — Ох, не может быть!

— Фрэнк, — соглашается Вельвель.

— Я... — Русский оседает в кресле, колени его разъезжаются, руки беспомощно повисают вдоль тела. — Могу я сказать вам кое-что, детективы? — говорит он. — Должен признаться, порой я ненавижу это жалкое подобие мира.

— Расскажите нам о Фрэнке, — говорит Берко. — Вам он нравился.

Русский вздергивает плечи, глаза его снова покрываются ледком.

— Мне никто не нравится, — говорит он, — но, когда приходит Фрэнк, мне хотя бы не хочется с криком выбежать отсюда. Он забавный. Не красавец. Но голос у него приятный. Солидный такой голос. Как у диктора, который ведет по радио программу о классической музыке. Знаете, тот, что в три часа ночи вещает о Шостаковиче. Вот и он говорит таким же серьезным голосом, и это забавно. Что бы он ни говорил, он всегда чуточку тебя поддергивает. Подстригись, какие у тебя жуткие штаны, что это Вельвель набрасывается на каждого, кто заикнется о его жене.

— Чистая правда, — говорит Вельвель, — так оно и есть.

— Всегда поддразнивает, поддевает, но, я не знаю почему, это нисколько не бесит.

— Всегда чувствуешь, что к себе он гораздо хуже относится, — говорит Вельвель.

— Когда играешь с ним, хоть он всегда и выигрывает, понимаешь, что лучше играть с ним, чем с любым другим засранцем в этом клубе, — говорит русский. — Фрэнк никогда не был засранцем.

— Мейер, — тихо зовет Берко.

Он сигналит флагами бровей в направлении соседнего стола. Кажется, их слушают.

Ландсман оборачивается. Двое сидят друг против друга над едва начатой партией. Один в модном пиджаке и брюках, с большой бородой любавичского хасида, такой густой и черной, будто ее растушевали мягким карандашом. Чья-то твердая рука пришпилила черную бархатную ермолку, отделанную черной шелковой бейкой, к черной путанице его волос. Темно-синее пальто и синий кнейч висят на вешалке, приделанной к зеркальной стене у него за спиной. Подкладка пальто и ярлык на шляпе отражаются в стекле. Утомление сквозит из-под век хабадника, туманя горячие, печальные глаза навыкате. Его соперник — хасид из Бобовской династии — одет в длинный халат, бриджи, белые гольфы и туфли. Кожа у него блеклая, как страница комментариев. Шапка-штраймл громоздится у него на коленях — черный торт на черном постаменте. Ермолка сплющилась на голове, будто карман, пришитый к стриженой макушке. Для глаза, который полицейская работа не лишила еще последних иллюзий, эти двое неотличимы от любой другой пары «эйнштейновских» пацеров, отрешенных, завороженных рассеянным сиянием игры. Ландсман готов поставить сотню долларов на то, что никто из них даже не помнит, чей теперь ход. Они не пропустили ни единого слова, сказанного за соседним столиком, да и сейчас прислушиваются.

Берко проходит к столику по другую сторону от русского и Вельвеля. Столик не занят. Берко подхватывает венский стул с драным плетеным сиденьем и с размаху переставляет его в пространство между черношляпниками и столом, за которым русский добивает Вельвеля.

Берко располагается на стуле в привычной манере большого толстяка — вытягивает ноги, откидывает назад полы пальто, будто собирается приготовить из хасидов замечательное блюдо и, не сходя с места, устроить трапезу. Он снимает свой хомбург, взявшись за верхушку. Индейские волосы Берко все еще густые и блестящие, кое-где с проседью, появившейся в последнее время. Седина делает его мудрее и добрее с виду, но и только: хотя Берко достаточно мудр и в меру добр, он церемониться не станет и обидит не задумываясь. Хлипкий венский стульчик волнуется под тяжестью выпуклого седалища.

— Привет! — здоровается Берко с черношляпниками. Он потирает ладони и растопыривает их, упираясь в толстые ляжки. Недостает лишь салфетки, чтобы заложить ее за ворот, вилки и ножа. — Как жизнь?

Хасиды решительно и неумело изображают удивление, актеры из них никудышные.

— Нам не нужны неприятности, — сообщает хабадник.

— Любимейшая моя фраза на идише, — искренне признается Берко. — Итак, давайте-ка подключайтесь к нашей беседе. Расскажите нам о Фрэнке.

— Мы с ним не знакомы, — говорит хабадник. — Какой Фрэнк?

Бобовский молчит.

— Уважаемый, — вежливо спрашивает бобовского Ландсман, — как ваше имя?

— Меня зовут Салтьель Лапидус, — отвечает бобовский. Глаза у него — как у застенчивой девицы. Он складывает пальцы на коленях, поверх своей шапки. — И я вообще ничего не знаю.

— Вы играли с Фрэнком? Знали его?

Салтьель Лапидус поспешно крутит головой:

— Нет.

— Да, — кивает любавичский. — Он был нам известен.

Лапидус красноречиво взирает на своего друга, тот отводит взгляд.

Ландсман как по писаному читает всю их историю. Шахматы позволены ортодоксальным иудеям, мало того — это единственная игра, разрешенная в Шаббат. Однако шахматный клуб «Эйнштейн» — заведение сугубо светское. Хабадник притащил бобовского в этот нечестивый храм однажды утром в пятницу, накануне Шаббата, когда у обоих нашлись бы дела и поважнее. Он обещал, что все будет хорошо, ну что может случиться? И вот теперь — поглядите.

Ландсман удивлен и даже тронут. Дружба между членами разных религиозных групп — нечастое явление, насколько он помнит. Когда-то его потрясло, что, за исключением гомосексуалов, только игроки в шахматы находили и находят надежный способ — упорно, но без жестокой борьбы не на жизнь, а на смерть — навести мосты через пропасть, разделяющую любую пару мужчин.

— Я видел его здесь, — говорит любавичский, глядя прямо в глаза своему другу, словно показывая тому, что им нечего бояться. — Этого якобы Фрэнка. Может, и сыграл с ним партию-другую. На мой взгляд, он весьма талантливый игрок.

— В сравнении с тобой, Фишкин, — встревает русский, — и макака — Рауль Капабланка.

— А вот вы... — негромко говорит ему Ландсман, следуя за интуицией, — вы знали, что он героиновый наркоман. Откуда?

— Детектив Ландсман, — отвечает русский чуть ли не с укором, — вы меня не узнаете?

Что казалось догадкой, на самом деле было лишь затерявшимся воспоминанием.

— Василий Шитновицер, — произносит Ландсман.

И не так давно это было — лет двенадцать назад он арестовал молодого русского по имени Василий Шитновицер за торговлю героином. Недавнего иммигранта, бывшего уголовника, сметенного хаосом, возникшим после развала Третьей Российской Республики. Этого торговца героином, говорящего на ломаном идише, человека с блеклыми, слишком близко посаженными глазами.

— Так вы все это время знали, кто я такой?

— Вы парень красивый, вас трудно забыть, — говорит Шитновицер. — Да еще и модник, каких мало.

— Шитновицер много времени провел в Бутырке, — сообщает Ландсман Берко, имея в виду знаменитую московскую тюрьму. — Милейший парень. Торговал наркотой прямо из кухни здешнего кафе.

— Ты продавал героин Фрэнку?

— Я завязал, — качает головой Василий Шитновицер. — Шестьдесят четыре месяца в федеральной тюрьме Элленсберг в Вашингтоне. Похлеще Бутырки. Я больше никогда в руки не возьму эту дрянь, детектив, а если бы и взял, то, уж поверьте, близко бы не подошел с нею к Фрэнку. Я, конечно, псих, но еще не совсем помешанный.

Ландсман чувствует толчок, будто колеса заклинило на повороте. Вот оно.

— Это почему? — интересуется Берко как можно добрее и мудрее. — Почему толкать товар Фрэнку — не просто
преступление, а еще и помешательство, господин Шитновицер?

Раздается короткий, явственный щелчок чего-то пусто-
телого — так клацает вставная челюсть. Вельвель опроки-
дывает своего короля.

— Сдаюсь, — говорит он, снимает очки, прячет их в карман и встает.

Он забыл, что у него встреча. Он опаздывает на работу.
Мать посылает ему зов на ультразвуковой частоте, специально выделенной правительством для аидише мамэ по
случаю обеда.

— Сядьте, — не оборачиваясь, говорит ему Берко.

Похоже, у Шитновицера свело судорогой кишки. Такое
у Ландсмана складывается впечатление.

— Шлимазл, — наконец произносит русский.

— Шлимазл, — повторяет Ландсман, не скрывая сомнений и разочарования.

— На нем будто налет невезения. Будто шляпа шли-
мазла на голове. До того невезучий, что не хочешь сопри-
касаться с ним и даже дышать одним кислородом.

— Я видел, как он вел пять партий одновременно, —
вставил Вельвель, — по сотне долларов каждая. И он все
выиграл. А потом блевал в переулке.

— Детективы, прошу вас, — говорит Лапидус с болью
в голосе. — Мы не имеем ко всему этому ни малейшего
отношения. Мы ничего не знаем о том человеке. Героин какой-то. Блевал в переулке. Пожалуйста, нам и так уже
крайне неудобно.

— И не по себе, — поддакивает хабадник.

— Извините, — подытоживает Лапидус, — но нам нечего сказать. Так что, пожалуйста, разрешите нам уйти?

— Разумеется, — отвечает Берко. — Валяйте. Только,
прежде чем уйти, запишите для нас ваши фамилии и как
с вами связаться.

Он извлекает свой, так сказать, блокнот — стопочку листков, скрепленную громадным канцелярским зажимом.

В любой момент в этой стопке можно отыскать что угодно: визитки, расписание приливов и отливов, списки важных дел, перечень английских королей в хронологическом порядке, теории, нацарапанные в три часа ночи, пятидолларовые купюры, рецепты, записанные на скорую руку, сложенные коктейльные салфетки с планом переулка в Южной Ситке, где убили проститутку. Берко перетасовывает листочки, пока не находит чистый клочок учетной карточки, который он протягивает хабаднику Фишкину вместе с огрызком карандаша, но — нет, спасибо — Фишкин имеет собственную ручку. Он пишет свою фамилию, адрес и номер шойфера, потом передает карточку Лапидусу, и тот делает то же самое.

— Только, — говорит Фишкин, — не звоните нам. Не приходите к нам домой. Я вас умоляю. Мы не имеем ничего сказать. Нам нечего сообщить вам об аиде.

Каждый ноз округа Ситка обучен уважать молчание черных шляп. Отказ отвечать на вопросы может расползаться вширь и вглубь, словно туман, заполняя целые улицы, расположенные в ближайшем соседстве с местом обитания черношляпников. Досы пускают в ход ловких адвокатов, политическое влияние, языкатых газетчиков и способны окутать незадачливого инспектора или даже комиссара такой едкой черношляпной вонью, что она не развеивается даже после того, как подозреваемый или свидетель отпущен, а обвинения сняты. Ландсману понадобится поддержка всего участка и как минимум добро комиссара, прежде чем он сможет пригласить Лапидуса или Фишкина в прокуренный закуток блочной времянки отдела убийств. Он отваживается глянуть на Берко, а тот отваживается чуть заметно мотнуть головой.

— Можете идти, — говорит Ландсман.

Лапидус передвигается на полусогнутых, словно у него расстройство желудка. Пальто и галоши он надевает, изображая униженное достоинство. Затем нахлобучивает чугунную крышку-штраймл на голову, будто канализационную лючину роняет. С горечью он наблюдает за тем, как Фишкин сгребает их несыгранное утро в складную доску-коробку. Бок о бок черношляпники продвигаются между столиками, мимо прочих игроков, провожающих их взглядом. Почти у самой входной двери левая нога Салтьеля Лапидуса сбивается с настройки. Он оседает, оступается, тянется к плечу своего друга, чтобы обрести равновесие. Пол у него под ногами голый и гладкий. И насколько может судить Ландсман, споткнуться там негде.

— В жизни не видел такого печального доса, — замечает он. — У еврея глаза на мокром месте.

— Хочешь еще поднажать на него?

— Самую малость разве что.

— Все равно из него больше ничего не выдавишь, — говорит Берко.

Они быстро обходят пацеров: потасканного скрипача из «Одеона» и подолога, чьи рекламные листовки прилеплены на спинки всех автобусных сидений. Берко бросается в дверь, догоняя Лапидуса и Фишкина. Ландсман готов уже последовать за ним, но вдруг что-то цепляет ностальгическую струну его памяти, дуновение одеколона, которым больше никто не пользуется, нестройный хор, исполняющий песню, довольно популярную однажды в августе, двадцать пять лет тому. Ландсман поворачивается к столику у самой двери.

За ним, сжавшийся, словно кулак над шахматной доской, сидит старик. Стул напротив пустует. Старик уже расставил фигуры на причитающиеся места, и ему выпало — или он сам выбрал — играть белыми. В ожидании соперника, которому он наподдаст. Сияющий череп обрамлен по краям пучками сероватых волос, похожих на свалявшийся в кармане пух. Нижняя часть лица прячется под оборкой бороды. Ландсману видны впадины висков, облачко перхоти, костистая переносица, борозды морщин на лбу, похожие на канавки от вилки на сыром тесте для пирога. И яростно ссутуленные плечи человека, погруженного в планирование блестящего сражения на шахматном поле битвы. Когда-то эти плечи были расправлены — плечи не то героя, не то грузчика, таскающего рояли.

— Господин Литвак, — обращается к нему Ландсман.

Литвак выбирает коня со стороны короля — так художник выбирает кисть. Руки у него по-прежнему проворные и жилистые. Он рисует в воздухе дугу по направлению к центру доски. Он всегда предпочитал самый современный стиль игры. Ландсман смотрит на дебют Рети, исполняемый руками Литвака, и на него накатывают, чуть ли не сбивая с ног, волны давнего благоговейного страха перед шахматами, тоски, и раздражения, и стыда тех самых дней, когда он разбивал отцовское сердце за шахматной доской в старой кофейне гостиницы «Эйнштейн». Он повторяет громче:

— Альтер Литвак!

Литвак поднимает на Ландсмана огорошенный близорукий взгляд. Этот человек с бочкообразной грудной клеткой — прирожденный рукопашный боец, охотник, рыболов, солдат. Когда старик тянется за шахматной фигуркой, на пальце у него сверкает молнией массивный золотой перстень десантника-парашютиста. Теперь Литвак будто ссохся, уменьшился, этот король из сказки, проклятием вечной жизни низложенный до сверчка, копошащегося в золе очага. Только решительный нос и остался — свидетель былого величия лица воина. Глядя на эти человеческие руины, Ландсман думает, что, не покончи его отец с собой, он все равно был бы теперь мертв, так или иначе.

Литвак взмахивает рукой — не то нетерпеливо, не то просительно — и достает из нагрудного кармана черный крапчатый блокнот и толстую авторучку. Борода у него все такая же ухоженная, как и прежде. Блейзер в гусиную лапку, водонепроницаемые мокасины с кисточками, нагрудный платок, шарф, протянутый под лацканами. Старик и теперь не утратил боевитости и щегольства. В складках на горле поблескивает шрам — белесая запятая с розоватой каемкой. Литвак пишет в блокноте большим своим «Уотерманом», мясистый носище с силой выпускает порывы воздуха. Скрип золотого пера — вот и все, что осталось ему вместо голоса. Он подает листок Ландсману. Почерк у старика твердый, разборчивый.

Мы знакомы

Литвак склоняет голову слегка набок, оценивая Ландсмана цепким взглядом: измятый костюм, шляпа порк-пай, лицо как у пса Гершеля. Он знает Ландсмана, но не узнает.

Я вас знаю детектив

— Мейер Ландсман, — говорит Ландсман, протягивая старику визитку. — Вы знали моего отца. Я приходил с ним сюда время от времени. Давно, когда клуб был еще в кофейне.

Красноватые глаза расширяются. К интересу примешивается ужас, пока старик пристальнее вглядывается в Ландсмана, ища подтверждение этому невероятному заявлению. Он переворачивает страничку блокнота и излагает на ней результат своих изысканий по этому вопросу:

Невозможно Этот мятый старпер не может быть Мейером Ландсманом

— Боюсь, что может, — говорит Ландсман.

Что ты забыл здесь шахматный неумеха

— Я был ребенком, — говорит Ландсман, с ужасом осознавая, что в голосе у него предательски скрипнула жалость к себе. До чего же кошмарно это место, как убоги его посетители, как жестока и бессмысленна эта игра. — Господин Литвак, вы, случайно, не знаете человека, иногда, как я выяснил, игравшего здесь, еврея по имени Фрэнк, кажется.

Да я знал его он что-то натворил.

— Насколько хорошо вы его знали?

Не так хорошо как хотел бы

— Вы знаете, где он живет? Вы виделись с ним в последнее время?

Месяцы назад. Пжл скажи, что ты не из убойного

— И опять-таки, — говорит Ландсман, — боюсь, что да.

Старик смаргивает. Даже если известие поразило Литвака или опечалило, этого не подтверждает ни его лицо, ни язык его тела. Но человек, не владеющий своими эмоциями, вряд ли преуспеет, разыгрывая дебют Рети. Кажется, почерк слегка дрогнул на следующем слове, которое пишет старик на листке:

Передоз?

— Огнестрел, — говорит Ландсман.

Скрипучая дверь клуба отворяется, из переулка входит парочка пацеров, вид у них мрачный и продрогший. Тощее пугало, вчерашний подросток с подстриженной рыжей бороденкой, в костюме, который ему мал, и пухлый коротышка с черной кудрявой бородой, в костюме, который ему сильно велик. Короткие клочковатые волосы юнцов выглядят неопрятно, как будто они сами себя стригли, на головах — черные вязаные ермолки. Минуту пацеры нерешительно медлят в дверях, глядя на господина Литвака и словно ожидая от него взбучки.

И тогда старик что-то говорит, выдыхая слова, голос его похож на призрак динозавра. Звук этот ужасен, дисфункция трахеи, что и говорить. Через минуту после того, как звук рассеивается, Ландсман понимает, что старик сказал: «Мои внучатые племянники».

Литвак машет им, приглашая войти, и подает Ландсманову карточку пухлому коротышке.

— Приятно познакомиться, детектив, — говорит пухлячок с легким акцентом, австралийским кажется. Он садится на свободный стул, смотрит на доску и уверенно берется за собственного коня со стороны короля. — Извините, дядя Альтер, он опять опоздал, как всегда.

Тощий пятится, вцепившись в ручку открытой двери клуба.

— Ландсман! — зовет Берко из переулка, где он загнал Лапидуса и Фишкина к мусорным бакам; Ландсману кажется, что Лапидус рыдает как дитя. — Какого фига?

— Сейчас, — говорит Ландсман. — Я должен идти, господин Литвак. — На миг он задерживает в руке кости да кожу стариковской ладони. — Если мне понадобится побеседовать, как с вами можно связаться?

Литвак пишет адрес на листке и вырывает его из блокнота.

— Мадагаскар? — говорит Ландсман, читая невообразимое название улицы в Антананариву. — Это что-то новенькое.

При взгляде на этот далекий адрес, при мысли о доме на рю Жан-Бар Ландсман чувствует, как у него напрочь иссякает желание и дальше расследовать это дело об убийстве аида из номера 208. Что изменится, если он поймает убийцу? Через год евреи станут африканцами, этот старый банкетный зал заполнят пляшущие язычники, а все дела, когда-либо открытые или закрытые полицейскими Ситки, отправятся в ящик номер девять.

— Когда вы уезжаете?

— На будущей неделе, — не слишком уверенно отвечает пухлый внучатый племянник.

Старик испускает очередное ужасное кваканье доисторической рептилии, никто его не понимает. Он пишет что-то и двигает блокнот к внучатому племяннику.

— «Человек предполагает, — читает мальчик, — а Б-г смеется».

11

Бывает, когда черношляпники помоложе попадаются полиции, они злятся и спесиво требуют соблюдения прав американских граждан. А иногда они ломаются и плачут. По опыту Ландсмана мужчины склоны к плачу, когда долгое время живут в осознании собственной праведности и безопасности, а потом внезапно понимают, что прямо у них под ногами разверзлась пропасть. Это часть работы полицейского — выдернуть милый коврик, скрывающий в полу глубокую дыру с неровными краями. Ландсману интересно, не это ли произошло с Салтьелем Лапидусом? Слезы текут по его щекам. Блестящая сопля ниточкой свисает из правой ноздри.

— Господин Лапидус слегка опечален, — говорит Берко. — Но не желает сообщить почему.

Ландсман нащупывает в кармане пальто упаковку из-под «клинексов» и чудом находит единственную завалявшуюся салфетку. Лапидус колеблется, потом принимает ее и с чувством продувает нос.

— Я вам клянусь, что не знаю этого человека, — говорит Лапидус. — Я не знаю, где он живет, кем он был. Ничего не знаю. Жизнью клянусь. Мы играли в шахматы пару раз. Он вечно выигрывал.

— Значит, вы горюете обо всем человечестве, — замечает Ландсман, стараясь подавить сарказм в голосе.

— Совершенно верно, — отвечает Лапидус, комкает салфетку в кулаке и выбрасывает смятый цветок в сточную канаву.

— Вы нас арестуете? — настаивает Фишкин. — Потому что, если да, я требую позвонить адвокату. А если нет, то вы должны нас отпустить.

— Адвокат в черной шляпе, — говорит Берко, и звучит это словно стон или мольба, вознесенная Ландсману. — Азохен вей!

— Убирайтесь тогда, — разрешает Ландсман.

Берко тоже кивает. И двое хасидов уходят, чавкая подошвами в слякоти переулка.

— Ну так вот, я раздражен, — говорит Берко. — Признаю, что это вот начинает выводить меня из себя.

Ландсман кивает, почесывает щетину на подбородке, словно хочет показать процесс глубоких раздумий, но его душа и мысли все еще в воспоминаниях о шахматных партиях, которые он проиграл тем, кто был стар уже тридцать лет тому.

— Ты заметил этого старикана там? — говорит он. — У двери. Альтер Литвак. Ошивается в «Эйнштейне» годами. Играл с моим отцом. Да и с твоим тоже.

— Я слышал имя. — Берко оглядывается на стальную противопожарную дверь грандиозного входа в клуб «Эйнштейн». — Герой войны. Куба.

— Он лишился голоса и должен все писать. Я спросил, где его можно найти, если понадобится поговорить, так он написал, что уезжает на Мадагаскар.

— Это что-то новенькое.

— И я так сказал.

— Он знает что-нибудь о Фрэнке?

— Говорит, что не очень хорошо.

— Никто не знает нашего Фрэнка, — говорит Берко. — Но все глубоко опечалены его смертью. — Он застегивает пуговицы на животе, поднимает воротник, поправляет шляпу на голове. — Даже ты.

— Иди нахер, — говорит Ландсман. — Сдался мне этот еврей.

— Может, он русский? Это объясняет увлеченность шахматами. И поведение твоего приятеля Василия. Может, за этим убийством стоит Лебедь или Московиц?

— Если он русский, то это не объясняет, почему два черношляпника так перепугались, — говорит Ландсман. — И они не знают Московица. Русские штаркеры, бандитские разборки — для обычного бобовского это ничего не значит.

Ландсман еще пару раз энергично скребет подбородок и принимает решение. Он глядит на полоску сияющего неба, которая вытянулась над узкой улицей за гостиницей «Эйнштейн».

— Интересно, в котором часу сегодня закат?

— В каком смысле? Мы собираемся пошерудить в Гаркави, Мейер? Я не думаю, что Бине сильно понравится, если мы разворошим тамошних черношляпников.

— Ты не думаешь, ага? — смеется Ландсман. Он достает парковочный талон. — Тогда нам надо держаться подальше от Гаркави.

— Ой-вей. Эта твоя улыбка...

— Тебе она не нравится?

— Только тогда, когда я замечаю, что она появляется после того, как ты сам отвечаешь на свой вопрос.

— А вот послушай. Какой аид, Берко, скажи мне, какой аид может заставить русского урку-социопата наложить в штаны, а благочестивейшего черношляпника Ситки — плакать?

— Верно, ты хочешь, чтобы я сказал «вербовский», — говорит Берко.

После того как Берко окончил академию, его первым местом назначения был Пятый участок в Гаркави, где вербовские и все их приспешники-черношляпники осели в 1948 году, аккурат после прибытия девятого вербовского ребе — тестя нынешнего — с жалкими ошметками его свиты. И это была классическая миссия в гетто — пытаться помочь местным жителям, защищать людей, презирающих тебя и власть, которую ты представляешь. Все кончилось тем, что юный полуиндеец словил пулю в плечо, в двух дюймах от сердца, во время «бойни на Швуэс» в молочном ресторане Голдблатта.

— Я знаю, куда ты клонишь.

Именно так Берко однажды объяснил Ландсману сущность священной банды, известной как «Хасиды Вербова». Началось это давно, еще на Украине: эти черные шляпы, как и все другие черные шляпы, презрительно чураясь сора и суеты светского мира, возвели вокруг своего воображаемого гетто стену обрядности и веры. Потом вся секта сгорела в кострах Разрушения дотла, до густой, плотной сути, чернее, чем любая шляпа. Все, что осталось от девятого вербовского ребе, восстало из тех костров вместе с одиннадцатью учениками и только шестой из восьми дочерей ребе. Он вознесся в воздух, как обугленный клочок бумаги, и ветром его отнесло на узкую полоску между горами острова Баранова и концом света. И здесь он нашел способ отреставрировать старомодную независимость черных шляп. Он довел логику до логического конца, как злой гений в дешевых романах. Он построил преступную империю, получавшую за ее теоретическими стенами доход от бессмысленного тохубоху, от существ, настолько испорченных, развращенных и лишенных всякой надежды на спасение, что лишь вселенская вежливость заставляла вербовских считать их людьми.

— Конечно, меня посетила та же мысль, — признается Берко. — И мысль эту я немедленно прогнал.

Он шлепает огромными ладонями по лицу и задерживает их там на мгновение, прежде чем они медленно сползают, увлекая за собой щеки ниже подбородка, ну вылитые бульдожьи брыли.

— Ой-вей, Мейер, ты хочешь, чтобы мы пошли на Вербов остров?

— Нихера подобного, — говорит Ландсман на американском. — Скажу тебе как на духу, Берко: меня там всегда тошнит. Лучше уж податься на Мадагаскар.

Шамесы стоят в переулке позади «Эйнштейна», перебирая бесчисленные доводы, чтобы не ходить, и выставляя их против нескольких, убеждающих, что идти стоит — хотя бы ради того, чтобы взбесить самых могущественных персон преступного мира к северу от пятьдесят пятой параллели.

Они предпринимают попытку найти еще хоть какие-то объяснения чокнутому поведению пацеров в «Эйнштейне».

— Лучше всего повидать Ицика Цимбалиста, — находит решение Берко. — Говорить с остальными — все равно что беседовать с собакой. И одна собака уже разбила мне сердце сегодня.

12

Сетка улиц здесь, на острове, разлинована и пронумерована, как и повсюду в Ситке, но в остальном — прощай, моя радость: тебя телепортировали, метеором ты проскочил сквозь космическую червоточину прямиком на планету евреев. Пятничный вечер на острове Вербов, «шевилл-суперспорт» Ландсмана бороздит волны черных шляп на Двести двадцать пятой авеню. Бесчисленное поголовье фетровых черных шляп с высокими зубатыми тульями и полями шириной в милю, какие предпочитают надзиратели в плантаторских мелодрамах. Женщины щеголяют в косынках и лоснящихся шейтлях из волос бедных иудеек Марокко и Месопотамии. Пальто и длинные платья — лучшие тряпки Парижа и Нью-Йорка, а обувь — краса Италии. Мальчишки гуськом носятся по тротуарам на роликах, виляют между косынками и пейсами, сверкая оранжевой подкладкой расстегнутых парок. Девушки, путаясь в длинных юбках, прогуливаются, сплетя руки, — гомонливые цепочки вербовских девиц, бурные и обособленные, как философские течения. Небо обретает стальной оттенок, ветер стихает, воздух искрится детским волшебством и предвкушением снега.

— Гляди-ка, да здесь жизнь бьет ключом, — замечает Ландсман.

— Ни одной пустой витрины.

— И никчемных аидов даже больше прежнего.

Ландсман останавливается на красный на перекрестке Северо-Западной двадцать восьмой. У магазина на углу, рядом с читальным залом, слоняются бакалавры Торы, шулера от Писания, разрозненные люфтменши и гангстеры всех мастей. Приметив Ландсманову машину, от которой так и несет высокомерием копа в штатском, да еще эта вызывающая двойная загогулина «S» на радиаторе, они прекращают орать друг на друга и окидывают Ландсмана взглядами, полными бессарабского гонора. Он на их земле. Он выбрит дочиста, он не трепещет перед Б-гом. Он не из вербовских евреев, стало быть он вообще не еврей. А раз он не еврей, то он попросту никто, ничто и звать никак.

— Глянь, как уставились, засранцы, — говорит Ландсман. — Не нравится мне это.

— Мейер...

Честно говоря, черношляпники вызывают у Ландсмана злость всегда. Он находит определенное удовольствие в этой злости, несущей в себе богатые пласты ревности, снисхождения, негодования и жалости. Он останавливает машину, не выключая двигатель, и толкает дверцу.

— Мейер! Нет.

Ландсман обходит распахнутую дверцу «суперспорта», ощущая на себе женские взгляды. Он чуст внезапный страх в дыхании мужчин вокруг него — так воняет кариозный зуб. Слышит квохтанье кур, еще не встретивших свою участь, гудение компрессора, поддерживающего жизнь карпов в аквариумах. Он сияет, словно раскаленная игла, готовая насмерть пронзить клеща.

— Ну, бугаи, — обращается он к аидам на углу, — кто из вас желает прокатиться со мной в нозмобиле?

Вперед выступает белобрысый сбитень, приземистый и плечистый, с шишковатым лбом и раздвоенной желтой бородой.

— Советую вам вернуться в свою машину, господин полицейский, — говорит он негромко и рассудительно, — и езжайте, куда ехали.

Ландман усмехается.

— Так вот что вы, значит, советуете? — переспрашивает он.

Теперь и другие подтягиваются вперед, сгрудившись вокруг светлобородого громилы. Их человек двадцать, больше, чем думал Ландсман вначале. Сияние Ландсмана мигает, вспыхивает, словно лампочка, которая вот-вот перегорит.

— Я перефразирую, — произносит белобрысый; его оттопыренный карман привлекает внимание корешей. — Убирайтесь обратно в машину.

Ландсман чешет подбородок. Безумие, думает он. В погоне за призрачной ниточкой в несуществующем деле выходишь из себя на ровном месте. И за этим следует спровоцированный тобой инцидент в логове черношляпников, обладающих влиянием, деньгами и маньчжурскими богатствами, избытком русских стволов, которых, судя по подсчетам полицейских информаторов, изложенным в секретном донесении, с лихвой хватило бы на нужды партизанского движения небольшой банановой республики. Безумие, истинно ландсмановское безумие.

— Может, подойдешь и заставишь меня?

И вот тогда Берко открывает дверцу и являет улице свою могучую фигуру потомка племени Медведей, свой царственный профиль, достойный быть отчеканенным на монетах или высеченным на склоне скалы. А в руке у него жутчайшая палица, какую когда-нибудь видел в своей жизни еврей или шейгец, — точная копия той, которой, как говорят, размахивал вождь Катлиан во время Русско-тлинкитской войны 1804 года, когда русские были разбиты наголову. Берко смастерил ее, чтобы отпугивать евреев, когда ему было тринадцать лет и он был новичком в лабиринте

Ситки. И палица не подвела и до сих пор не подводит, потому-то Берко и держит ее на заднем сиденье Ландсмановой машины. Голова ее сделана из тридцатипятифунтового куска метеоритного железа, вырытого Герцем Шемецем на старом русском участке неподалеку от Якоби. Рукоятка вырезана купленным в «Сирсе» охотничьим ножом из бейсбольной биты в сорок унций. Переплетающиеся черные во́роны и красные морские чудища корчатся вдоль древка, скаля в ухмылке зубастые пасти. Целых четырнадцать фломастеров «Флэр» ушло на раскраску орнамента. Пара черных вороновых перьев болтаются на кожаной петле на конце рукоятки. Эта деталь, может, и не совсем достоверна с исторической точки зрения, но она безжалостно действует на еврейское сознание, оповещая:

«Индеец».

Слово прокатывается по прилавкам и витринам. Евреям Ситки редко приходится видеть индейцев или разговаривать с ними, разве что в федеральном суде или в маленьких еврейских местечках вдоль границы округа. Этим вербовским не нужно иметь большое воображение, чтоб представить, как Берко своей палицей крушит направо и налево черепушки бледнолицых. Затем они замечают ермолку Берко и трепетание на поясе нарядной белой бахромы ритуального талеса, и чувствуется, как головокружительная ксенофобия отливает от толпы, оставляя осадок расистского вертиго. Такое обычно происходит в округе Ситка, когда Берко Шемец достает палицу и становится *индейцем*. Пятьдесят киношных лет: снятые скальпы, свистящие стрелы и горящие Конестоги оставили свой след в сознании народа. А потом чистейшей воды абсурд довершает дело.

— Берко Шемец, — часто моргая, произносит здоровяк с раздвоенной бородой, и крупные хлопья снега начинают неспешно падать ему на плечи и шляпу, — как жизнь?

— Довид Зусман, — говорит Берко, опуская палицу. — Так и знал, что это ты.

Он отрабатывает на своем кузене взгляд минотавра, исполненный долгих страданий и укоризны. Не Берко придумал поехать на Вербов остров. Не Берко пришло в голову заниматься делом Ласкера после того, как их отстранили. И не Берко придумал нестись сломя голову в дешевую ночлежку, где таинственные наркоманы кадят богине шахмат.

— Шаббат шалом, Зусман, — говорит Берко, швыряя палицу на заднее сиденье автомобиля Ландсмана.

Когда палица обрушивается на пол, пружины в кожаных сиденьях гудят, как колокола.

— И вам Шаббат шалом, детектив, — отвечает Зусман.

Остальные нестройным эхом подхватывают приветствие. А потом разворачиваются и возобновляют переговоры о тонкостях изготовления кошерной травки или отмывания фальшивых автомобильных номеров.

Когда детективы садятся в машину, Берко шмякает дверцей что есть силы со словами:

— Ненавижу это.

Они едут по Двести двадцать пятой авеню, и все оборачиваются вслед еврею-индейцу в синем «шевроле».

— Столько усилий, чтобы задать несколько деликатных вопросов, — горько сетует Берко. — Однажды, Мейер, помяни мое слово, я испытаю свой башкорасшибатель на тебе.

— Может, так и надо, — соглашается Ландсман, — может, я приму это в качестве терапии.

Они ползут на запад по Двести двадцать пятой авеню к мастерской Ицика Цимбалиста. Дворики и тупики, новоукраинские односемейки и многоквартирные кооперативы, увенчанные покатыми крышами строения на сваях, выкрашенные в унылые цвета и стоящие впритык, прямо на границе собственности. Домишки толкутся и подпирают друг друга плечами, как черношляпники в синагоге.

— И ни единой вывески «продается», — замечает Ландсман. — Повсюду белье на веревках. Все прочие секты пакуют Торы и шляпные коробки. Гаркави уже наполовину город-призрак. А у вербовских все путем. Либо они не слыхали о Возвращении, либо они знают то, чего не знаем мы.

— На то они и вербовские, — отвечает Берко. — На что спорим?

— Хочешь сказать, ребе все обделал? Устроил каждому по грин-карте?

Ландсман задумывается. Ему, конечно же, известно, что преступные организации, вроде вербовских, не могут процветать без услужливых барыг и тайных лоббистов, без регулярного подмазывания англосаксов на всех уровнях власти. Вербовские, с их талмудической смекалкой, бездонной мошной и непроницаемым лицом, каковое они демонстрируют внешнему миру, сломали и застопорили не один механизм контроля. Но Служба эмиграции — не автомат с кока-колой, который можно объегорить монеткой на веревочке.

— Таким весом не обладает никто, даже вербовский ребе, — заключает Ландсман.

Берко наклоняет голову и слегка пожимает плечами, словно не желает сказать ничего лишнего, дабы не спустить с поводка ужасные силы, бедствия, вселенский мор, язву и казни небесные.

— Просто ты в чудеса не веришь, — говорит он.

13

Цимбалист, кордонный мудрец, этот многоученый старый пердун, уже в курсе дела к тому времени, как молва об
индейцах на синем шмате мичиганской мощи с ревом подкатывает к его дверям. Лавка Цимбалиста — каменное
строение с цинковой кровлей и большими раздвижными
дверьми на колесиках — находится у широкого края моще-
ной площади. Узкая с одного конца и расширяющаяся к
другому, площадь напоминает нос карикатурного еврея.
В нее впадает с полдюжины кривых дорожек, протоптан-
ных давно канувшими в Лету украинскими козами или зуб-
рами вдоль фасадов добросовестных копий утраченных
украинских оригиналов. Диснеевский штетл, сияющий и
чистенький, как только что сфабрикованное свидетельство
о рождении. Затейливая толчея грязно-бурых и горчично-
желтых хатынок — деревянных мазанок под соломенны-
ми стрехами. Напротив Цимбалистовой лавчонки, на узком
конце площади, высится особняк Гескеля Шпильмана —
десятого в династической линии, берущей начало от первого ребе-чудотворца из Вербова. К слову, сам нынешний
ребе — тоже известный чудодей. Три аккуратных, непороч-
но белых оштукатуренных куба с мансардными крышами
из голубоватого шифера и высокими, загороженными став-
нями окнами-бойницами. Точное, вплоть до никелирован-
ной ванны в уборной на втором этаже, воспроизведение

дома в Вербове, принадлежавшего деду супруги нынешнего ребе, восьмому вербовскому ребе. Еще до того, как вербовские ребе занялись отмыванием денег, контрабандой и подкупом, они выделялись среди соплеменников роскошеством жилетов, французским серебром во время субботней трапезы и обувью мягчайшей итальянской кожи.

Кордонный мудрец мал ростом, тощ, узок в плечах, ему под семьдесят пять, но выглядит он на десять лет старше. Клочковатые, давно поредевшие пепельные волосы, запавшие темные глаза и бледная кожа, желтоватая, как сердцевина сельдерея. На мудреце кофта на молнии с отвислым ушастым воротником и пара темно-синих пластиковых сандалий поверх белых носков. Из дырки в левом носке торчит большой палец с загнутым вверх желтым ногтем. Брюки в елочку заляпаны яичным желтком, кислотой, дегтем, эпоксидкой, воском, зеленой краской и кровью мастодонта. Костлявое лицо — по большей части нос да подбородок — эволюционно приспособлено замечать, исследовать, добираться до сути несоответствий, пробелов и ошибок. Густая седая борода трепещет на ветру, словно птица, бьющаяся в силке из колючей проволоки. Проведи Ландсман даже сто лет в полном неведении, Цимбалист стал бы последним, к кому он обратился бы в поисках сведений, но Берко знает о жизни черных шляп куда больше, чем Ландсману когда-нибудь суждено узнать.

Рядом с Цимбалистом в арочном каменном дверном проеме стоит безбородый юный бакалавр с зонтиком, укрывая от снега голову старого пердуна. На черный тортик шляпы юнца уже лег четвертьдюймовый слой морозной глазури. Цимбалист уделяет мальчику не больше внимания, чем любой из нас уделил бы фикусу в горшке.

— А ты растолстел, — вместо приветствия говорит Цимбалист Берко, когда тот вальяжно надвигается на него, будто каждый шаг его обременен весом призрачной боевой палицы. — Здоровый, что твой диван.

— Профессор Цимбалист, — говорит Берко, помахивая невидимой колотушкой, — видок у вас будто вы только что выпали из мешка для пылесоса.

— Восемь лет ты мне не докучал.

— Ага, дам, думаю, вам передышку.

— Как хорошо. Плохо только, что все остальные евреи в этом окаянном огрызке округа продолжают день и ночь капать мне на голову. — Он поворачивается к бакалавришке с зонтиком. — Чай, стаканы, варенье.

Мальчик бормочет на арамейском цитату из «Трактата об иерархии собак, котов и мышей», изображая покорность, отворяет дверь перед кордонным мудрецом, и все проходят внутрь. Это одно просторное и гулкое помещение, теоретически оно совмещает гараж, мастерскую и кабинет, уставленный по периметру металлическими шкафами для географических карт, увешанный сертификатами в рамках и заваленный томами бесконечного и бездонного Закона в черных переплетах. Широкие раздвижные двери способны впустить и выпустить небольшой фургон. Три фургона, судя по пятнам масла на гладком бетонном полу.

Ландсману платят жалованье, чтобы он замечал то, что упускают из виду обычные люди, он этим живет, но, судя по всему, до своего появления в лавке Цимбалиста-мудреца он почти не замечал проволоку. Проволоку, шпагат, леску, шнур, тесьму, мочалину, трос, канат и корд. Из полипропилена, пеньки, каучука, прорезиненной меди, кевлара, стали, шелка, кудели и плетеного бархата. Кордонный мудрец может цитировать наизусть огромные выдержки из Талмуда. Топография, география, геодезия, геометрия, тригонометрия — рефлекторны, как умение целиться из пистолета. Но кордонный мудрец живет за счет качества веревочно-проволочной оснастки, бо́льшая часть которой — можно мерить милями, верстами или локтями, как мерит кордонный мудрец, — аккуратно намотана на торчащие из стены шпули или расставлена по ранжиру на металлических шпинглерах. Но многое и просто валяется повсюду, в пучках и клубках. Колючие заросли, очески, огромные шипастые колтуны из кудели и проволоки носятся по лавке, словно перекати-поле.

— Профессор, а это мой напарник — детектив Ландсман, — представляет Берко. — Позволю себе заметить, что вы и сами не против, чтобы кто-то капнул вам на мозги.

— Шило в заднице, вроде тебя?

— Замнем для ясности.

Ландсман и профессор пожимают руки.

— Этого я знаю, — говорит кордонный мудрец, подходя поближе, чтобы лучше рассмотреть Ландсмана, и косясь на него, как если бы он был одной из его, кордонного мудреца, десяти тысяч карт. — Этот поймал маньяка Подольски. И засунул Хаймана Чарны в тюрьму.

Ландсман застывает и мигом опускает воображаемое забрало, готовый ко всякой всячине. Хайман Чарны, отмывавший для вербовских доллары в своей сети видеосалонов, заплатил двоим филиппинским шлоссерам — наемным убийцам, — чтобы те помогли укрепить его рискованный бизнес. Но лучший информатор Ландсмана — это Бенито Таганес, король пончиков в филиппино-китайском стиле. По наводке Бенито Ландсман докопался до придорожной забегаловки у аэродрома, где злополучные шлоссеры ждали самолет, и их признания позволили засадить Чарны, несмотря на все усилия мощнейшего судебного кевлара, скупленного на вербовские деньги. Хайман Чарны все еще единственный вербовский, обвиненный и приговоренный за уголовные преступления в округе Ситка.

— Глянь-ка на него! — Лицо Цимбалиста отворяется снизу. Зубы у него похожи на выточенные из костей органные трубы. Смех его дребезжит, как куча ржавых вилок и гвоздей, сыплющихся на пол. — Он думает, что мне не плевать на всех этих людей, да будут их чресла так же бесплодны, как их души. — Мудрец перестает смеяться. — Ты что же, считаешь, я один из них?

Кажется, столь убийственный вопрос Ландсман слышит впервые.

— Нет, профессор, — отвечает он.

К тому же у Ландсмана прежде имелись некоторые сомнения в том, что Цимбалист — настоящий профессор, но здесь, в кабинете, над головой хлопочущего у электрического чайника ученика развешаны в рамках дипломы и свидетельства из Варшавской иешивы (1939), Польского Свободного Государства (1950), Политехнической школы Бронфмана. А еще всякие свидетельства, хаскамы и аффидевиты, каждый в строгой черной рамке, как и у любого ребе в округе от Якоби до Ситки — и никудышного, и крутого. Ландсман притворяется, что бросает на Цимбалиста еще один внимательный взгляд, но уже по большой, скрывающей экзему на макушке ермолке с изысканной, вышитой серебром каймой ясно, что кордонный мудрец — не вербовский.

— Я не допустил бы такой ошибки.

— Нет? А как насчет женитьбы на одной из них, как сделал я? Совершили бы вы подобную ошибочку?

— Когда речь идет о браке, я оставляю другим возможность ошибаться, моей бывшей жене например, — отвечает Ландсман.

Цимбалист жестом приглашает их следовать за ним и, обойдя дубовый картографический стол, направляется к паре стульев со щербатыми спинками, похожими на лестничные ступеньки-перекладины, у массивного раздвижного письменного стола. Бакалавр не успевает вовремя убраться с его пути, и кордонный мудрец хватает мальчика за ухо:

— Ты что творишь? — Он хватает его за руку. — Глянь-те-ка на эти ногти! Фу! — Он отбрасывает руку ученика, словно кусок гнилой рыбы. — Марш отсюда, и включи рацию. Найди, где эти адиёты и почему они так долго шляются. — Цимбалист наливает воду в чайник и кидает туда пригоршню подозрительного рассыпного чая, похожего на измельченную бечевку. — Один эрув им надо патрулировать! Один! На меня работает двенадцать человек, и среди них ни единого, кто не заблудится, ища собственные пальцы на ногах в отдаленных концах носков.

Ландсману стоило большого труда не вникать в концепты вроде этого самого эрува, но он знает, что такова типичная еврейская ритуальная увертка, жульничество перед Б-гом, всевидящим сукиным сыном. И как-то связано с притворством, будто телеграфные столбы — это дверные косяки, а провода между ними — перемычки. Ограждаешь столбами и обтягиваешь веревками какой-нибудь райончик, называешь его эрувом, а потом в Шаббат притворяешься, что очерченный тобой эрув — в случае Цимбалиста и его команды это чуть ли не весь округ — и есть твой дом. Таким образом можно обойти субботний запрет появляться в публичных местах и идти себе в шуль с парой таблеток алказельцера в кармане, и это не будет грехом. Имея достаточный запас столбов и веревок и чуточку изобретательности, используешь существующие стены, ограды, утесы, реки, чтобы очертить границу вокруг практически любого участка, и нарекаешь это эрувом.

Но кто-то должен проложить эти границы, исследовать территории, произвести веревки и столбы и охранять нерушимость воображенных стен и дверей от непогоды, вандализма и своеволия телефонной компании. Вот тут-то и появляется кордонный мудрец. У него монополия на весь этот веревочно-столбовой рынок. Сильные по части военной тактики вербовские признали его первыми, потом сатмарские, бобовские, любавичские, гурские хасиды и прочие секты черных шляп одна за другой стали полагаться на его помощь и опыт. И хотя сам кордонный мудрец не является раввином, едва возникает вопрос, принадлежит ли к тому или иному эруву определенный отрезок улицы, берег озера или участок в чистом поле, все ребе обращаются именно к Цимбалисту. От его карт, его бригады и его шпулей полипропиленовой бечевы зависит состояние души каждого благочестивого еврея в округе. Потому-то он и самый могущественный аид в городе. И потому-то он может позволить себе усадить за свой огромный дубовый письменный стол с семьюдесятью двумя ящиками человека, повязавшего Хаймана Чарны, и угощать его чаем.

— И что это с тобой стряслось? — спрашивает Цимбалист у Берко, шлепаясь на надувную подушечку на сиденье, отчего та пищит, как резиновая уточка. Он берет пачку «Бродвея» из сигаретного зажима на столе. — Зачем ты ходишь тут, пугая всех этой своей колотушкой?

— Мой напарник разочарован приемом, который нам оказали, — говорит Берко.

— В нем не хватает субботнего блеска, — говорит Ландсман и тоже закуривает папиросу. — На мой взгляд.

Цимбалист толкает к нему через стол треугольную пепельницу. На боку пепельницы ярлычок: «Табак и канцтовары Красны», именно туда Исидор Ландсман ходил за ежемесячным выпуском «Шахматного обозрения». «Красны», с его библиотекой, и необъятным складом табачных изделий, и ежегодным конкурсом поэзии, был повержен американской сетью магазинов с год тому, и при виде этой невзрачной пепельницы аккордеон Ландсманова сердца издает ностальгический хрип.

— Два года жизни моей я отдал этим людям, — жалуется Берко. — И думается, кое-кто мог бы меня вспомнить. Или меня так легко забыть?

— Дайте-ка я вам кое-что скажу, детектив.

Антигеморройная подушечка снова пищит, Цимбалист поднимается со стула и разливает чай по трем мутным стаканам.

— Учитывая, как плодится здешний народец, люди, которых вы видели на улице, — вовсе не те, с кем вы имели дело восемь лет назад, а их внуки. В наши дни они рождаются уже беременными.

Он протягивает каждому дымящийся стакан, слишком горячий, не удержать. Стакан обжигает Ландсману кончики пальцев. Чай пахнет травой, шиповником с легкой бечёвочной ноткой.

— Они продолжают создавать новых евреев, — говорит Берко, размешивая ложку варенья в стакане. — Но никто не создает место, где их можно было бы расселить.

— Правда ваша, — произносит Цимбалист, шмякая костлявый зад на подушку, и морщится. — Странные нынче времена, чтобы быть евреем.

— Только не для здешних, — возражает Ландсман. — На острове Вербов жизнь идет своим чередом. Краденый «БМВ» в каждом дворе, и говорящая курица в каждой кастрюле.

— Эти люди не начинают беспокоиться, пока ребе им не прикажет беспокоиться, — говорит Цимбалист.

— Может, им и не о чем беспокоиться, — предполагает Берко. — Может, ребе уже побеспокоился за них и все уладил.

— Почем я знаю.

— Ни за что не поверю.

— Так и не верьте.

Одна гаражная дверь отъезжает на колесиках в сторону, и вкатывается белый фургон, сверкая снежной маской на лобовом стекле. Из фургона вываливаются четверо в желтых комбинезонах, носы у них красны, бороды увязаны в черные сетки. Они начинают сморкаться и топочут ногами, так что Цимбалисту приходится самому подойти к фургону, чтобы наорать на них. Оказывается, проблема возникла возле водоема в парке имени Шолом-Алейхема: какой-то адиёт из муниципалитета встроил там гандбольную стенку, прямо-таки в середине воображаемого входа меж двух фонарных столбов.

Все топают к столу с картами посреди кабинета. Пока Цимбалист отыскивает соответствующую карту и разворачивает ее, члены бригады обмениваются кивками, напрягая и расслабляя угрюмые лицевые мышцы в виду Ландсмана и Берко. Потом команда Цимбалиста старается их не замечать.

— Говорят, у кордонного мудреца имеется веревочная карта каждого города, где десяток евреев когда-либо в истории расшибали носы, — говорит Берко Ландсману, — вплоть до Иерихона.

— Я сам распустил этот слух, — говорит Цимбалист, не отрывая глаз от карты.

Он находит нужное место на карте, и один из его ребят отмечает гандбольную стенку огрызком карандаша. Цимбалист прикидывает объем работы, которую надо проделать завтра до заката, прорыв в великой воображаемой стене эрува. Он отправляет двоих юношей обратно в Гаркави поставить пару пластиковых труб у пары телефонных столбов, чтобы сатмарские, проживающие рядом с восточной частью парка имени Шолом-Алейхема, могли выгулять собак, не погубив собственные души.

— Прошу прощения, — говорит Цимбалист, возвращаясь к письменному столу, и его передергивает. — Мне что-то разонравился процесс сидения. Ну чем я могу быть вам полезен? Я очень сомневаюсь, что вы пришли спросить насчет решус-харабим.

— Мы расследуем убийство, профессор Цимбалист, — говорит Ландсман. — И у нас есть основания считать, что покойный мог быть вербовским или он тесно связан с вербовскими — или, по крайней мере, когда-то был связан.

— Связи, — говорит кордонный мудрец, позволив им снова взглянуть на сталактиты органных труб своих. — Полагаю, я кое-что знаю о связях.

— Он жил в гостинице на улице Макса Нордау под именем Эмануэль Ласкер.

— Ласкер? Как шахматист?

На пергаменте желтого лба Цимбалиста возникает морщина, а в глубине глазниц скрежет кремня и стали — удивление, озадаченность, воспламенение памяти.

— Я интересовался шахматами, — объясняет он, — очень давно.

— И я интересовался, — говорит Ландсман. — И наш мертвый приятель, до самого конца. Рядом с телом была расставлена позиция. Он читал Зигберта Тарраша. И он был знаком завсегдатаям шахматного клуба «Эйнштейн». Они называли его Фрэнк.

— Фрэнк, — произносит кордонный мудрец с американским выговором, — Фрэнк, Фрэнк... Франк... Вы уверены, что это имя? Это распространенная еврейская фамилия, но имя... Уверены, что он и правда был евреем, Фрэнк этот?

Берко и Ландсман быстро переглядываются. Ни в чем они не уверены. Тфилин в тумбочке мог быть подброшенной уликой или сувениром, забытым предыдущим обитателем номера 208. Никто в клубе «Эйнштейн» не уверял, что видел Фрэнка, этого мертвого ширяльщика, в шуле, качающегося в ритуальной позе.

— У нас есть причины считать, — спокойно отвечает Берко, — что когда-то он был вербовским хасидом.

— И что это за причины?

— Там было кое-что, вроде пары телеграфных столбов, а мы просто связали концы с концами, — поясняет Ландсман.

Он лезет в карман и достает конверт.

Он передает через стол один из шпрингеровских по-
ляроидных снимков смерти Цимбалисту, который держит
снимок на вытянутой руке достаточно долго, чтобы в голове зародилась идея: это изображение трупа. Цимбалист
глубоко вздыхает и кривит рот, готовый выложить им про-
фессиональное соображение по поводу явной улики. Фотография мертвого человека — это потрясение, по правде
сказать, для обыденной жизни кордонного мудреца. Потом
он вглядывается в снимок, и за мгновение перед тем, как
он снова полностью берет себя в руки, Ландсман видит, как
Цимбалист принимает стремительный удар ниже пояса.
Воздух покидает его легкие, и кровь отливает от щек.

В его глазах мудреца гаснет немеркнущая искра мудрости. На секунду Ландсман видит поляроидный снимок
мертвого кордонного мудреца. Потом краски возвращаются на лицо старого пердуна. Немного подождав, Берко и
Ландсман ждут еще немного, и Ландсман понимает, что
кордонный мудрец изо всех сил борется, чтобы взять себя
в руки и сказать: «Детективы, я никогда в жизни не видел
этого человека», да так, чтобы прозвучало правдоподобно,
неотвратимо, истинно.

— Кто это, профессор Цимбалист? — наконец спрашивает Берко.

Цимбалист кладет фото на стол и еще немного на него
смотрит, уже не заботясь о том, что вытворяет его лицо
или рот.

— Ой, этот мальчик, — говорит он. — Милый, милый
мальчик.

Он достает платок из кармана кофты, смахивает слезы
со щек и закашливается. И этот звук ужасен. Ландсман берет стакан мудреца и выливает оттуда чай к себе в стакан.
Из кармана брюк он достает бутылку водки, реквизирован-
ную этим утром в туалете «Воршта». Он цедит на два пальца в стакан из-под чая и протягивает его старому пердуну.

Цимбалист безмолвно принимает стакан и приканчивает водку в один глоток. Потом он прячет носовой платок в карман и возвращает Ландсману фотографию.

— Я учил этого мальчика шахматам, — говорит он, — когда этот мужчина был мальчиком, конечно. До того, как он вырос. Извините. Я путано говорю.

Рука Цимбалиста тянется к пачке «Бродвея», но он уже все выкурил. И не сразу понимает это. Он сидит, тыча скрюченным пальцем в фольгу, словно выискивает орех в пакете хлопьев. Ландсман выручает его куревом.

— Спасибо, Ландсман, спасибо.

Но после он ничего не говорит, просто сидит и смотрит, как догорает папироса. Он смотрит на Берко запавшими глазами, потом украдкой, взглядом игрока в покер, — на Ландсмана. Он уже оправился от потрясения. Старается оценить карту ситуации, границы, которые нельзя нарушать, проходы, к которым и на шаг нельзя приближаться под страхом проклятия души. Волосатый, крапчатый краб его руки вытягивает одну из своих конечностей к телефону на столе. Еще минута, и истина вместе с мраком жизни снова будет передана под опеку юристов.

Воротина гаража скрипит и грохочет, и со стоном благодарности Цимбалист снова начинает приподниматься, но на этот раз Берко останавливает его. Он опускает тяжелую руку на плечо старика.

— Сядьте, профессор, — говорит он. — Я вас умоляю. Пусть не сразу, если вам так легче, но, пожалуйста, опустите зад на этот пончик.

Он не убирает руку, осторожно прижимая Цимбалиста, и кивает в сторону гаража:

— Мейер.

Ландсман пересекает мастерскую, идет к дверям и достает жетон. Он направляется прямо к фургону, словно жетона достаточно, чтобы остановить двухтонный «шеви». Водитель бьет по тормозам, и вой колес отдает эхом от холодных каменных стен гаража. Водитель опускает стекло. На нем полная экипировка бригады Цимбалиста — борода в сеточке, желтый комбинезон, хорошо поставленная угрюмость.

— По какому праву, детектив? — интересуется он.

— Давай-ка прокатись, — говорит Ландсман, — у нас тут разговор.

Он протягивает руку к панели отгрузки и хватает спрятавшегося бакалавра за лацканы длинного пальто. Тащит его, как щенка, к дверце со стороны пассажирского сиденья фургона, открывает ее и мягко заталкивает мальчишку внутрь:

— И забери с собой этого маленького пишера.

— Хозяин? — зовет водитель кордонного мудреца.

Помедлив, Цимбалист машет рукой, веля убраться.

— Но куда мне ехать? — спрашивает водитель Ландсмана.

— Понятия не имею, — отвечает Ландсман. Он захлопывает дверцу фургона. — Езжай, купи мне приличный подарок.

Ландсман барабанит по капоту фургона, и машина откатывается в бурю белых нитей, связанных, как проволока кордонного мудреца, поперек стилизованных фасадов и в полыхающем сером небе. Ландсман задвигает дверь гаража и накидывает засов.

— Ну, давайте от печки? — начинает он русским «ну», когда Цимбалист снова усаживается в кресло. Он кладет ногу на ногу и запаливает еще папиросы для каждого из них. — Времени у нас достаточно.

— Начинайте, профессор, — советует Берко. — Вы знали жертву, когда он был еще мальчиком, так? Все воспоминания сейчас так и роятся в голове. Вам сейчас плохо, но настолько же легче станет, когда вы начнете говорить.

— Да нет же, — говорит кордонный мудрец. — Нет. Все не так.

Он берет зажженную папиросу из рук Ландсмана и в этот раз докуривает ее почти до конца, прежде чем начинает говорить. Он — аид-ученый и предпочитает упорядочивать свои мысли.

— Его зовут Менахем, — начинает он. — Мендель. Ему тридцать восемь... *было* тридцать восемь, на год старше вас, детектив Шемец, но родился в тот же день, пятнадцатого августа, верно? А? Я так и думал. Видите? Вот он, шкаф с картами. — Он стучит по лысому куполу — Карты Иерихона, детектив Шемец, Иерихон и Тир.

Он слишком рьяно стучит по «шкафу с картами» и сбивает с макушки ермолку, подхватывает ее, осыпая всю кофту каскадами пепла.

— Коэффициент интеллекта Менделя составлял сто семьдесят. Когда ему исполнилось восемь или девять, он уже мог читать на иврите, арамейском, ладино, греческом и латыни. Самые трудные тексты, самые тернистые переплетения логики и доказательств. И уже тогда был лучшим шахматистом, чем я сам надеялся стать. У него была необыкновенная память на записанные партии, ему надо было раз прочесть нотацию, и он мог вообразить это на доске, ход за ходом, и ни разу не ошибиться. Когда он подрос и ему больше не давали играть, он воспроизводил знаменитые партии в воображении. Он помнил три-четыре сотни партий.

— То же самое говорили о Мелехе Гайстике, — замечает Ландсман. — Он также был создан для шахмат.

— Мелех Гайстик! — возмущается Цимбалист. — Гайстик был чокнутый. Так, как играл Гайстик, человек играть не может. У него разум был вроде насекомого, в мыслях только одно: как тебя сожрать. Он был грубый. Мерзкий. Подлый. Мендель таким не был. Он мастерил игрушки для сестер, кукол из прищепок и войлока, домик из коробки от овсяных хлопьев. Вечно пальцы в клею, а в кармане прищепка с нарисованным на ней личиком. Я давал ему паклю для кукольных волос. Восемь сестричек висели на нем все время. Домашняя утка ходила за ним по пятам, как собачка.

Узкие коричневые губы Цимбалиста задергались по углам.

— Хотите верьте, хотите нет, однажды я свел его в матче с Мелехом Гайстиком. Такое было возможно, Гайстик всегда нуждался в деньгах и был всем должен, и он бы играл с полупьяным медведем, если бы тот мог заплатить. Мальчику было двенадцать тогда, Гайстику — двадцать шесть. Это случилось за год до того, как он выиграл чемпионат в Санкт-Петербурге. Они сыграли три партии в задней комнате моей мастерской, которая в то время, вы помните, детектив, располагалась на Рингельблюм-авеню. Я предложил Гайстику пять тысяч долларов, чтоб он сыграл с Менделе. Мальчик выиграл первую и третью партии. Во второй он играл черными и сыграл вничью. Да вот только, на Гайстиково счастье, матч был тайным.

— Почему? — допытывается Ландсман. — Почему матч должен был остаться в секрете?

— Из-за этого мальчика, — говорит кордонный мудрец. — Того самого, который умер в номере гостиницы на улице Макса Нордау. Гостиница не из лучших, как я понимаю.

— Клоповник, — подтверждает Ландсман.

— И он кололся?

Ландсман кивает, и через секунду или две Цимбалист кивает тоже:

— Да. Конечно. Ну, причина, по которой я был обязан сохранить матч в секрете, состояла в том, что мальчику запретили играть в шахматы с посторонними. До сих пор ума не приложу, как отец Менделе что-то разнюхал о матче. И я был на волосок от беды. Несмотря на то, что жена моя родня ему. Я почти потерял его хаскаму, его доверие, на котором зиждился тогда мой бизнес. Все дело я строил на поддержке отца Менделе.

— Отца? Вы же не хотите сказать, что это Гескель Шпильман, — говорит Берко. — Что человек на фотографии — сын вербовского ребе.

Ландсман замечает, как спокойно на острове Вербов, в снегу, внутри каменного амбара, перед наступлением мрака, когда нечестивая неделя и мир, сделавший ее нечестивой, готовятся быть ввергнуты в пламя двух одинаковых свечей.

— Так и есть, — наконец говорит Цимбалист. — Мендель Шпильман. Единственный сын. У которого был брат-близнец, умерший при родах. Потом это истолковали как знак.

— Знак чего? — спрашивает Ландсман. — Что и он мог бы стать вундеркиндом? А потом превратиться в наркомана, прозябающего в дешевой унтерштатской ночлежке?

— Только не это, — говорит Цимбалист. — Этого никто и представить не мог.

— Говорят... Раньше говорили... — начинает Берко. Он морщится, как будто знает: то, что он собирается сказать, разозлит Ландсмана или даст ему повод для издевок. Он не может заставить себя повторить это. — Мендель Шпильман. О б-же. Я слышал разное.

— Много всяких историй, — говорит Цимбалист. — Чего только не рассказывали, пока ему не исполнилось двадцать.

— Что за истории? — спрашивает Ландсман, выходя из себя. — О чем? Да выкладывайте же, черт вас побери!

14

И Цимбалист рассказывает одну из историй про Менделя.

Некая женщина, рассказывает он, умирала от рака в Центральной больнице Ситки. Его, Цимбалиста, знакомая — так он ее называет. Давно это было, еще в 1973 году. Женщина эта дважды овдовела, первый муж ее был игрок, застреленный штаркерами в Германии еще до войны, а второй работал верхолазом в бригаде Цимбалиста и погиб, запутавшись в высоковольтных проводах. Вот так, помогая вдове своего умершего работника деньгами, и не только, Цимбалист свел с ней знакомство. Нет ничего невероятного в том, что они полюбили друг друга. Оба уже вышли из возраста глупых страстей, посему были страстны без глупости. Она была смуглая, стройная женщина, уже привыкшая умерять аппетиты. Свои отношения они держали в секрете от всех, прежде всего от госпожи Цимбалист.

Навещая свою возлюбленную в больнице, Цимбалист прибегал ко всевозможным уловкам и ухищрениям, давал взятки санитаркам, чтобы сохранить свои визиты в тайне. Он ночевал в ее палате, свернувшись калачиком на полотенце, постеленном на полу между ее кроватью и стенкой. В полумраке, когда любимая звала его сквозь марево морфия, он вливал воду между ее растрескавшимися губами и остужал горячечный лоб влажной салфеткой. Часы на больничной стене жужжали сами с собой, приходили в нетерпение, отрезая куски ночи минутной стрелкой. Утром Цимбалист тайком пробирался в лавку на Рингельблюмавеню (жене он говорил, что ночует там, чтобы не тревожить ее своим ужасным храпом) и дожидался мальчика.

Почти каждое утро после молитв и учебы Мендель Шпильман приходил играть в шахматы. Шахматы не запрещались, хотя вербовские раввины и считали их пустой тратой времени для этого юноши. Чем старше становился Мендель, тем ослепительнее были его успехи в учебе, чем ярче сияла его репутация прозорливого не по годам отрока, тем болезненней казалась эта трата. Не только память Менделя, но и его гибкий, проворный ум, хватка в постижении прецедента, истории, Закона. Нет, даже ребенком Мендель Шпильман будто бы внутренним чутьем постигал запутанный людской поток, одновременно управляемый Законом и нуждающийся в продуманной системе стоков и шлюзов. Страх, недоверие, похоть, подлость, клятвопреступление, убийство и любовь, неопределенность намерений Б-га и человека маленький Мендель видел не только в арамейских трактатах, он встречал их в отцовском кабинете, одетых в серый твил, говорящих на сочном родном наречии повседневности. Если когда-либо и возникали в сознании мальчика противоречия, сомнения в адекватности того Закона, который он изучал при вербовском дворе, отданном на откуп кучке крупнейших ганефов и жуликов, то он никогда их не высказывал. Ни тогда, когда он был еще ребенком, который верил, ни после, когда он отринул все это. Он обладал мышлением, способным вместить и исследовать противоречащие друг другу тезисы, не утратив равновесия между ними.

Только потому, что Шпильманы очень гордились своим потрясающим еврейским сыном-эрудитом, они терпели другую сторону его натуры, которая хотела только одного — играть. Мендель постоянно затевал искусные шалости и мистификации, ставил пьески, в которых участвовали его сестры, его тетки, его ручная утка. Кое-кто считает величайшим чудом, когда-либо совершенным Менделем, то, что он убедил своего грозного отца год за годом играть роль царицы Астинь во время Пуримшпиля. Вот это было зрелище — мрачный император, исполненная достоинства гора, устрашающий исполин, семенящий на высоченных каблуках! В белокуром парике! Румяна и помада! Браслеты и блестки! Это был величайший подвиг перевоплощения в женщину, когда-либо совершенный иудеем. Народ его обожал. И обожал Менделе за то, что предоставил им возможность лицезреть это диво ежегодно. Но сей подвиг был просто еще одним доказательством безмерной любви Гескеля Шпильмана к своему мальчику. И, потворствуя этой любви, отец позволил Менделю ежедневно тратить час на шахматы с оговоркой, что соперника он изберет из вербовского сообщества.

Мендель выбрал кордонного мудреца, одиночку-изгоя, чужого среди своих. Это был крошечный знак не то бунтарства, не то извращенного своенравия, которое позже проявится еще не раз. Но на вербовской орбите лишь Цимбалист мог хотя бы надеяться когда-нибудь победить Менделя.

— Как она? — спросил Мендель Цимбалиста однажды утром, когда его возлюбленная, два месяца угасавшая в Центральной больнице Ситки, лежала уже при смерти.

Вопрос этот поверг Цимбалиста в шок — не такой, конечно, как тот, что прикончил второго мужа вдовы, но достаточный, чтобы сердце пропустило один-два удара. Он хранит в памяти каждую партию, сыгранную с Менделем Шпильманом, говорит мудрец, за исключением этой. Из этой игры он в состоянии припомнить лишь один-единственный ход. Жена Цимбалиста, в девичестве Шпильман, была двоюродной сестрой этого мальчика. Хлеб Цимбалиста, его доброе имя, возможно, сама его жизнь требовали, чтобы его измена оставалась тайной. И он ни капли не сомневался, что до сих пор так оно и было. Малейшие колебания проводов и струн приносили кордонному мудрецу каждый шепот, каждую сплетню — так паук чует лапками весть о том, что в сетях запуталась муха. Никоим образом ни единое слово не могло достичь ушей Менделе Шпильмана прежде, чем об этом узнал бы сам Цимбалист.

— О ком ты? — спросил Цимбалист.

Мальчик пристально посмотрел на него. Мендель был не шибко красивый ребенок. Вечный румянец на щеках, близко посаженные глаза, второй и зарождающийся третий подбородок без явных преимуществ первого. Но глаза — хоть и маленькие и слишком придвинутые к переносице — глаза эти были непроницаемы и переливались, играли цветами, словно пятна на крыле бабочки: синий, зеленый, золотой. Сострадание, насмешливость, прощение. Ни осуждения. Ни упрека.

— Да не важно, — мягко ответил Мендель и передвинул своего слона со стороны ферзя, возвращая его на исходную позицию на доске.

Бесцельный ход, как показалось Цимбалисту, пока он обдумывал его. В какой-то момент ему почудилось, что этот ход — наследие неких фантастических шахматных школ. А потом он оказался тем, чем, по всей видимости, и был на самом деле: своеобразным отступлением.

Цимбалист несколько последующих часов силился уразуметь этот ход слоном. И боролся с собой, чтобы не открыться десятилетнему мальчишке, вся вселенная которого ограничена школой, синагогой и дверью в кухню его матери, чтобы не доверить ему всю горечь и темное упоение своей любви к умирающей вдове, не поведать, как его собственная тайная жажда утоляется всякий раз, когда он вливает капли воды в ее сухие воспаленные губы.

Они молча доиграли положенный час. Но перед самым уходом мальчик обернулся в дверях лавки на Рингель-блюм-авеню и потянул Цимбалиста за рукав. Он помедлил, будто нехотя или стыдясь. А может, боялся чего-то. А потом на лице у него возникло измученное выражение, которое Цимбалист сразу узнал: словно назидательный голос ребе напоминал своему сыну о долге служения общине.

— Когда увидите ее сегодня, — произнес Мендель, — передайте ей мое благословение. Скажите, что я шлю ей привет.

— Я передам, — сказал Цимбалист, или это так ему помнится.

— Передайте ей, что я сказал: все будет хорошо.

Мартышкино личико, печальный рот, глаза, говорящие, что, как бы хорошо он тебя ни знал, как бы сильно ни любил, он все равно может тебя одурачить.

— О, я передам, — сказал Цимбалист, а потом разрыдался взахлеб.

Мальчик достал из кармана чистый платок и дал его Цимбалисту. Он терпеливо держал кордонного мудреца за руку. Пальцы у Менделя были мягкие, чуточку липкие. На внутренней стороне его запястья младшая сестричка Менделя Рейзл красными чернилами накалякала свое имя. Когда Цимбалист успокоился, Мендель отпустил его руку и сунул мокрый носовой платок в карман.

— До завтра, — попрощался он.

Тем же вечером Цимбалист тайком вернулся в палату и, перед тем как расстелить на полу полотенце, прошептал благословение мальчика в самое ухо своей лежащей в беспамятстве возлюбленной. Сделал он это без всякой надежды и почти не веруя. Затемно, в пять утра, подруга Цимбалиста разбудила его и велела идти домой и завтракать с женой. Это были первые ее осознанные слова за многие недели.

— Вы передали ей мое благословение? — спросил его Мендель за игрой тем же утром.

— Передал.

— Где она?

— В Центральной больнице.

— Вместе с другими людьми? В палате?

Цимбалист кивнул.

— Вы передали мое благословение и другим людям?

Цимбалисту никогда бы это в голову не пришло.

— Я ничего им не говорил, — ответил он. — Я их не знаю.

— Благословения этого хватит на всех, — сообщил ему Мендель. — Передай его им сегодня вечером.

Но в тот вечер, когда Цимбалист пришел навестить свою подругу, ее перевели в другую палату, для тех, чья жизнь вне опасности, и Цимбалист почему-то забыл о просьбе мальчика. Две недели спустя доктора отправили женщину домой, обескураженно покачав головами. А еще через две недели рентгеновское обследование показало, что в ее теле рака нет и в помине.

К тому времени они с Цимбалистом расстались по взаимному согласию, и с тех пор каждую ночь он спал в супружеской постели. Какое-то время ежеутренние встречи Цимбалиста и Менделя в задней комнате лавки на Рингельблюм-авеню еще продолжались, но Цимбалист не чувствовал прежней радости. Несомненное чудо исцеления от рака навсегда изменило его взаимоотношения с Менделем Шпильманом. Цимбалист не мог избавиться от головокружения всякий раз, стоило Менделю взглянуть на него своими близко посаженными глазами, испещренными состраданием и золотом. Вера в неверие, которую исповедовал кордонный мудрец, пошатнулась из-за простого вопроса «Как она?», из-за десятка слов благословения, из-за простого хода слоном, подразумевавшего шахматы за пределом известных Цимбалисту шахмат.

И платой за чудо стал тот самый, устроенный Цимбалистом тайный матч между Менделем и Мелехом Гайстиком, королем кафе «Эйнштейн» и будущим чемпионом мира. Три партии в задней комнате лавки на Рингельблюм-авеню, из которых мальчик выиграл две. Когда вскрылась эта затея — только эта, о прелюбодеянии так никто никогда и не узнал, — рандеву Цимбалиста и Менделя Шпильмана прекратились. После этого они больше никогда не встречались за шахматной доской, даже на час.

— Вот что случается, когда раздаешь благословения, — сказал Цимбалист, кордонный мудрец. — Но Менделю Шпильману понадобилось очень много времени, чтобы это уразуметь.

15

— Ты встречался с этим ганефом, — не то спрашивает, не то утверждает Ландсман, обращаясь к Берко, когда они горбятся вслед за кордонным мудрецом, прокладывая в глубоком субботнем снегу тропу к жилищу ребе.

Для похода через плац Цимбалист сполоснул лицо и подмышки в раковине на задворках лавки. Он смочил расческу и сгреб все свои семнадцать волосков в муар на макушке. Потом натянул желтую вельветовую спортивную куртку, оранжевый пуховой жилет, черные галоши и поверх всего — пропахшую нафталином дубленку из медвежьей шкуры, перетянутую ремнем, и шарф длиной футов двадцать. Он сдернул с оленьих рогов у двери не то футбольный мяч, не то миниатюрный пуфик из меха росомахи и водрузил его на макушку. И сейчас он, штыняя нафталином, ковыляет перед детективами с видом медвежонка, которого жестокие хозяева заставили откалывать унизительные трюки. За полчаса до темноты, под снегом, падающим словно ошметки изорванного дневного света. Небо над Ситкой подобно неподъемному серебряному подносу и быстро тускнеет.

— Ага, мы встречались, — говорит Берко. — Меня привели к нему сразу же, как я начал работать в Пятом участке. И устроили церемонию в его офисе, над читальней на южной стороне улицы Ан-ского. Он пришпилил чего-то на тулью моей латке, типа золотого листика. Потом он каждый Пурим слал мне миленькую корзину фруктов. С доставкой прямо на дом, хотя я никогда не давал ему адреса. Каждый год груши и апельсины, пока мы не переехали в Шварцер-Ям.

— Говорят, что он малость крупноват.

— Он мил. Милашка такой.

— А вот это все, что мудрец нам рассказал о Менделе... Все эти чудеса... Берко, ты веришь этому?

— Ты же знаешь, Мейер, для меня это не вопрос веры. И так было всегда.

— Но ты, мне просто любопытно, ты действительно живешь в ожидании Мошиаха?

Берко пожимает плечами, вопрос ему неинтересен, и он не отрывает взгляда от следов черных галош на снегу.

— Но это же Мошиах, — отвечает он. — Что еще можно делать, как не ждать?

— И когда Он придет, что будет? Мир на земле?

— Мир, процветание. Еды от пуза. Ни больных, ни одиноких. Никто ничего не продает. Ну, не знаю.

— И Палестина? Когда Мошиах придет, все евреи вернутся туда — в Землю обетованную? Прямо в меховых шапках и прочем?

— Я слышал, Мошиах договорился с бобрами. Чтобы больше никаких мехов.

Под накалом внушительного железного газового фонаря на железном столбе у входа в дом ребе разболтанная толпа убивает конец недели. Нахлебники, почитатели ребе, пара-тройка простофиль. И обычный импровизированный хаос непутевой «швейцарской гвардии», только усложняющей работу бугаев, подпирающих створки наружных дверей. Каждый предлагает каждому вернуться домой и благословить свет в кругу семьи, дав возможность ребе наконец отведать в мире пищи субботней. Никто тем не менее не уходит, хотя никто вроде и не собирается остаться. Они обмениваются достоверными враками о недавних чудесах и предзнаменованиях, о новых иммиграционных шахер-махерах в Канаде, пересказывают сорок сороков новых версий истории об Индейце с дубиной, как он пел «Алейну», отплясывая при этом индейский патч-танц.

Заслышав хруст и скрип галош Цимбалиста, переходящих плац, они прекращают гам, умолкают один за другим, словно фисгармония на последнем издыхании. Цимбалист прожил среди них пятьдесят лет, но все еще — по какому-то выверту судьбы или необходимости — остается изгоем. Да, он кудесник, заклинатель, пальцы его бегают по струнам-проводам, задавая лейтмотив округа, и в его ладонях каждый Шаббат отжимается протухшая вода их душонок. Уместившись на вершинах столбов кордонного мудреца, его ребята могут заглянуть в любое окно, подслушать каждый телефон. По крайней мере, так говорят.

— Позвольте пройти, пожалуйста, — говорит мудрец, подойдя к крыльцу с перилами чудесной работы из витого железа. — Друг Бельский, в сторонку.

Толпа расступается, пока Цимбалист приближается к ведру, содержащему что-то на случай пожара. И прежде чем они сомкнут ряды, Ландсман и Берко проходят сквозь толпу, вызывая такое тяжкое молчание, что Ландсман чувствует, как оно стискивает ему виски. Он способен расслышать, как пенится снег и шипение каждой снежинки, ложащейся на колпак газового фонаря. Люди устраивают целую выставку взглядов — угрюмых и невинных и таких пустых, что они обращают в вакуум весь воздух в легких Ландсмана. Кто-то говорит:

— Палицы-то не видать.

Детективы Ландсман и Шемец желают им счастливого Шаббата. Потом они переключают внимание на бугаев у дверей, пару коренастых, рыжих, пучеглазых ребят с тол-

стыми курносыми носами и густыми шерстистыми ржаво-
золотыми бородами цвета подливки для грудинки. Двоих
рудых Рудашевских, бугаев из древней линии, взращенных
для простоты, тупости, силы и легконогости.

— Профессор Цимбалист... — говорит Рудашевский
у левой створки. — Шалом Шаббат.

— И тебе, друг Рудашевский. Сожалею, что потревожил
стражу в этот мирный вечер.

Кордонный мудрец плотнее пристраивает меховой пуфик на голове. Начало было цветистым, но, когда он снова открывает ящик на лице, монеты больше не выпадают.
Ландсман лезет в брючный карман. Цимбалист просто
стоит рядом, руки его висят плетьми, наверно, он думает,
что все случившееся — его вина, что во всем виноваты
шахматы, отклонившие мальчика от вектора славы, начер-
танного Б-гом, а теперь Цимбалист должен войти и высказать его отцу соболезнование о печальном конце легенды.
Так что Ландсман треплет по плечу Цимбалиста, взявшись
рукой за гладкое, стылое горло пинты канадской водки в
кармане. Он подносит бутылку к костлявой челюсти Цимбалиста, и старый пердун присасывается к ней, обхватив
ладонью.

— Ну, Йосселе, это же я, детектив Шемец, — говорит
Берко, беря на себя руководство операцией.

Прикрыв глаза рукой, он щурится на рассеянный свет
газового фонаря. Банда позади него начинает перешепты-
ваться, почуяв, что скоро откроется нечто дурное и захва-
тывающее. Ветер трясет снежинки на сотне своих крючков.

— Как дела, аид? — спрашивает Берко.

— Детектив, — говорит Рудашевский справа, может,
брат Йосселе, а может, его кузен. Может, и то и другое. —
Мы слышали, что вы поблизости.

— Это детектив Ландсман, мой напарник. Не будете ли
так любезны сообщить ребе Шпильману, что мы хотели

бы отнять у него немного времени? И поверьте, что мы бы не нарушили его покой в такой час, если бы дело не было таким безотлагательным.

Черные шляпы, даже вербовские, обычно не оспаривают право или власть полицейских, делающих свое дело в Гаркави или на острове Вербов. Они не сотрудничают, но обычно не вмешиваются. С другой стороны, войти в обитель могущественнейшего ребе на самом краю святейшего момента недели можно, только если для этого имеется веский повод. Например, если вы пришли к нему с вестью, что его единственный сын мертв.

— Немного времени у ребе? — спрашивает Рудашевский.

— Если у вас есть миллион долларов, и простите, что я это говорю, при всем моем к вам глубочайшем уважении, детектив Шемец, — говорит другой, пошире в плечах, и пальцы у него более волосаты, чем у Йосселе, и он прижимает ладонь к сердцу, — то все равно этого не хватит.

Ландсман оборачивается к Берко:

— У тебя с собой есть такая сумма?

Берко пихает Ландсмана в бок локтем. Ландсману в бытность свою латке никогда не приходилось протаптывать путь через мрачные глубины морские пустых взглядов и молчаний, способные раздавить подводную лодку. Ландсман понятия не имеет, как выказать подобающее уважение.

— Ну ладно, Йосселе, Шмерл, дружище, — воркует Берко. — Мне пора домой за стол. Пустите нас.

Йосселе подергивает кирпичного цвета демпфером на подбородке. Потом и другой начинает говорить что-то вполголоса, торопливо и ровно. Громила снабжен микрофоном и наушником, укрытым за курчавым рыжеватым локоном.

— Я должен почтительно поинтересоваться, — говорит громила, подержав паузу, закон и порядок растекается

в чертах его лица, смягчая их по мере того, как речь твердеет, — какое такое дело привело уважаемых представителей закона в дом ребе так поздно в этот вечер пятницы?

— Адиёты! — говорит Цимбалист, глоток водки в нем
виляет, как потешный медведь на одноколесном велосипе-
де. Он хватает Йоселе Рудашевского за лацканы пальто
и танцует с ними, качаясь влево и вправо, зло и страдаль-
чески. — Они здесь с известием про Менделе!

Шепот толпы у входа в дом Шпильмана, комментирую-
щий и критикующий представление, тут же обрывается.
Слабые хрипы в легких, хлюпанье соплей в носах. Жар
фонаря испаряет снег. Кажется, что пространство захлопывается с дребезжащим звуком, как мир крошечных окошек.
И Ландсман испытывает неодолимое желание прикрыть
рукой затылок. Он свободно чувствует себя в энтропии и
неверующий по профессии и склонности. Для Ландсмана
Небеса — это китч, Б-г — всего лишь слово, и душа в луч-
шем случае — заряд твоей батареи. Но в трехсекундном за-
тишье, наступившем после того, как Цимбалист выкрик-
нул имя блудного сына ребе, Ландсман чувствует, как появляется что-то, порхая между ними всеми. Прядая к толпе,
касаясь каждого крылами. Может, это всего лишь знание,
внезапно передаваемое от человека к человеку, весть, объ-
ясняющая, почему эти два детектива убойного отдела полиции должны были прийти в этот час. А может, древняя
сила, вызывающая имя, в котором для этих людей сосре-
доточилась однажды самая несбыточная надежда. А может,
Ландсману просто надо хорошо выспаться в гостинице, где
больше нет мертвых евреев.

Йоселе смотрит на Шмерла. Тесто на его лбу месится.
Он приподнимает Цимбалиста над полом с безмозглой и
бессердечной нежностью. Шмерл издает еще пару звуков,
уходящих в недра дома ребе. Он смотрит на восток, на запад. Он сверяется с человеком на крыше, бдящим с мандо-

линой в руках, тут всегда есть человек на крыше с полуавтоматической мандолиной. Потом он распахивает филенчатую дверь. Йоселе отрывает от себя Цимбалиста, ставит его на землю так, что звонко хлопают галоши, сжимает его и шлепает по бокам, обыскивая.

— Будьте любезны, детективы, — приглашает он.

Ты входишь в обшитую панелями залу, дверь где-то в конце ее, слева деревянная лестница ведет на второй этаж. Ступеньки и подступеньки, панели, даже половицы — все вырезано из огромных кусков чего-то вроде некрашеной сосны цвета топленого масла. Вдоль стены напротив лестницы располагается низкая скамья, тоже из некрашеной сосны, покрытая лиловым плюшем, истертым до блеска, залатанным и хранящим шесть круглых вмятин, продавленных вербовскими ягодицами.

— Почтенные детективы могут подождать здесь, — говорит Шмерл.

Они с Йоселе возвращаются на пост, оставляя Ландсмана и Берко под неусыпным, но безразличным наблюдением третьего нескладного Рудашевского, который бьет баклуши, подпирая перила у основания лестницы.

— Присаживайтесь, профессор, — предлагает комнатный Рудашевский.

— Благодарю, — отвечает профессор, — но не хочу.

— С вами все в порядке, профессор? — интересуется Берко, кладя руку на плечо мудреца.

— Гандбольный корт, — говорит Цимбалист, словно отвечая на вопрос. — Кто сейчас играет в гандбол?

Что-то в кармане Цимбалистовой дубленки притягивает взгляд Берко. Ландсман неожиданно проявляет интерес к деревянной полке, прибитой к стене у двери, плотно заставленной двумя видами лоснящихся красочных брошюр. Один вид называется «Кто такой ребе Вербова?» и знаменует факт, что они сейчас стоят у официального или церемониального входа в дом и что обитатели его приходят и уходят и живут в другом конце, точно так же как домочадцы президента Америки. Другая бесплатная брошюра идет под титулом «Пять великих истин и пять великих обманов о вербовском хасидизме».

— Я видел фильм, — говорит Берко, читая поверх плеча Ландсмана.

Ступеньки скрипят. Рудашевский бормочет, словно объявляет перемену блюд:

— Ребе Баронштейн.

Ландсман знаком лишь с репутацией Баронштейна. Еще один вундеркинд с юридическим дипломом в придачу к смихе раввина. Женат на одной из восьми дочек ребе. Он не позволяет себя фотографировать и никогда не покидает остров Вербов, если не верить рассказам о том, как он пробирается в некий тараканий мотель в сумраке ночи, чтобы свершить личное воздаяние неплательщику долгов в нелегальном тотализаторе или какому-то шлоссеру, не справившемуся с работой.

— Детектив Шемец, детектив Ландсман. Меня зовут Арье Баронштейн, габай ребе.

Ландсман удивлен его молодостью — с виду габаю лет тридцать. Высокий, узколобый, черные глаза тверды, как пара камней на могильной плите. Он скрывает девичий рот под мужественным расцветом бороды царя Соломона, дополненной тщательно выписанными прядями седины, намекающей на зрелость. Пейсы висят мягко и аккуратно. В нем чувствуется характер существа жертвенного, но одежда выдает застарелую страстишку вербовских — любовь к показному шику. Икры Баронштейна пухлы и мускулисты в шелковых подвязках и белых чулках. Большие ступни обуты в черные бархатные тапочки, тщательно вычищенные щеткой. Сюртук новехонек, будто только что вышел из-под прославленной иглы «Мозеса и сыновей» с улицы

Соломона Аша. И только простая нитяная кипа намекает на благочестие. Под ней его короткие волосы сверкают, словно рабочий конец щетки-ротора, сдирающего краску. На лице ни малейшего следа враждебности, но Ландсман замечает места, откуда она была тщательно удалена.

— Рав Бароншштейн, — бормочет Берко, снимая шляпу; Ландсман тоже обнажает голову.

Бароншштейн не вынимает рук из карманов сюртука, атлас отделан велюровыми лацканами, а карманы — клапанами. Он пытается выглядеть непринужденно, по мало кто умеет просто стоять, засунув руки в карманы, и сохранять при этом естественность и непринужденность.

— Что вам здесь нужно?— спрашивает он. Он бросает взгляд на часы, выдернув их из манжеты на рифленой хлопковой рубашке, достаточно надолго, чтобы детективы прочли надпись «Патек Филип» на циферблате. — Уже очень поздно.

— Мы здесь, чтобы поговорить с ребе Шпильманом, ребе, — отвечает Ландсман. — Если ваше время столь драгоценно, тогда тем более не хотелось бы тратить его попусту, беседуя с вами.

— Я не о своем времени пекусь, детектив Ландсман. И сразу же скажу, что если вы намерены демонстрировать в этом доме неуважительное отношение и вести себя со свойственной вам бесцеремонностью, тогда места вам в этом доме не будет. Это ясно?

— Мне кажется, вы перепутали меня с другим детективом Мейером Ландсманом, — отвечает Ландсман. — Я тот, кто просто делает свою работу.

— Тогда вы здесь в качестве расследователя убийства? Могу я спросить, как это может касаться ребе?

— Но нам действительно надо поговорить с ребе, — вмешивается Берко. — Если он скажет нам, что не возражает против вашего присутствия здесь, то оставайтесь и вы,

б-га ради. Но при всем нашем к вам уважении, ребе, мы
здесь не для того, чтобы отвечать на ваши вопросы. И не
для того, чтобы тратить чье-то время.

— В дополнение к тому, что я советник ребе, детектив,
я еще его адвокат. Вы это знаете.

— Нам это известно, господин советник.

— Мой офис на той стороне площади, — говорит Баронштейн, направляясь к двери, и, дойдя, придерживает ее
с грациозностью швейцара. Снег влетает и садится в коридоре. Сверкая в свете газового фонаря, как бесконечный
поток монет из игрального автомата. — Я уверен, что смогу
ответить на любые ваши вопросы.

— Баронштейн, щенок. А ну, прочь с дороги!

Цимбалист уже на ногах, шляпа сдвинута на ухо, гроз-
ный в своей убогой дубленке и в миазмах нафталина и
скорби.

— Профессор Цимбалист. — Тон Баронштейна являет
собой один из вариантов предупреждения, но взор его за-
остряется, когда он вглядывается в руины кордонного
мудреца. Возможно, он никогда не видел Цимбалиста, про-
являющего хоть какие-то чувства. Представление явно становится ему интересным. — Осторожней.

— Ты всегда пытался занять его место. Отлично, теперь
ты его занял. Каково оно, а?

Цимбалист, шатаясь, подходит поближе к габаю. Должно быть, между ними имеется система разнообразных про-
волок и веревок, перепутанная в пространстве. Но один
раз кордонный мудрец, кажется, запутался в своей веревоч-
ной карте.

— Он более живой даже сейчас, чем ты будешь когда-
либо, ты, вонючка, восковая кукла!

Он с грохотом бежит, минуя Берко и Ландсмана, направляясь не то к перилам, не то к горлу габая. Баронштейн не отступает; Берко успевает схватить пояс на мед-
вежьем тулупе и оттаскивает Цимбалиста.

— Кто? — интересуется Баронштейн. — Вы это о ком? — Он взглядывает на Ландсмана. — Детектив, что-то случилось с Менделем Шпильманом?

Ландсман позже обдумает это представление вместе с Берко, но его первое впечатление — Баронштейн, похоже, удивлен.

— Профессор, — говорит Берко, — мы высоко ценим вашу помощь. Спасибо вам.

Он застегивает молнию на кофте Цимбалиста и пуговицы его куртки. Он запахивает полу профессорского тулупа и туго затягивает пояс на нем.

— А теперь пора вам домой. Йосселе, Шмерл, кто-нибудь проводите профессора домой, а то его жена обеспокоится и начнет звонить в полицию.

Йосселе берет Цимбалиста под руку, и они начинают спускаться по ступенькам.

Берко захлопывает дверь, чтобы холод не проник в дом.

— Проведите нас к ребе, советник, — говорит он. — Немедленно.

16

Ребе Гескель Шпильман — изуродованная гора, гигантская опустошенная развалина, карикатурный дом с захлопнутыми окнами, где забыли закрыть кран. Дитя вылепило его, банда детей, слепые сироты, никогда не видевшие человека. Они прилепили глину его рук и ног к глине туловища, а потом пришлепнули голову сверху. Какой-нибудь миллионер мог бы накрыть «роллс-ройс» тонким черным шелково-бархатным размахом сюртука ребе и его брюк. Потребовались бы усилия мозгов восемнадцати величайших мудрецов в истории, чтобы обсудить доказательства «за» и «против» в попытке классифицировать массивный зад ребе: то ли его можно отнести к тварям морским, то ли к рукотворным созданиям, то ли к неминуемому деянию Б-жьему. Когда он встает или садится, то разницу заметить трудно.

— Я предлагаю опустить обмен любезностями, — говорит ребе.

Голос его пронзителен, чудаковат, голос хорошо сложенного, ученого человека, каким, наверное, был он когда-то. Ландсман слыхал, что это нарушение обмена веществ. Он слыхал, что вербовский ребе при всех своих габаритах держит диету мученика: бульон, и корнеплоды, и корочка хлеба ежедневно. Но Ландсман предпочитает видеть в нем человека, раздутого газами ярости и греха. Чье чрево забито костями, ботинками и сердцами людей, полупереваренных в кислоте Закона.

— Садитесь и скажите мне то, ради чего пришли.

— Конечно, ребе, — говорит Берко.

Каждый садится на стул перед столом ребе. Кабинет его — Австро-Венгерская империя в чистом виде. Чудища красного дерева, слоновой кости и глазкового клена заполняют стены, изукрашенные, как кафедральные соборы. В углу у двери стоят знаменитые вербовские Часы, пережившие покинутый украинский дом. Захваченные, когда пала Россия, потом вывезенные в Германию, пережившие атомную бомбу, сброшенную на Берлин в 1946 году, и все передряги впоследствии. Они идут против часовой стрелки, числа стоят в обратном порядке, в соответствии с первыми двенадцатью буквами ивритского алфавита. Возвращение Часов стало переломным моментом в благосостоянии вербовского двора и знаменовало взлет самого Шпильмана.

Баронштейн занимает позицию позади и правее ребе, за кафедрой, где можно одним глазом поглядывать на улицу, другим — в подходящий том, прочесываемый в поисках прецедентов и оправдывающих обстоятельств, и еще одним глазом, внутренним без века, — на человека, который является центром его существования.

Ландсман прочищает горло. Он главный в паре, и это ему делать работу. Украдкой он бросает еще один взгляд на Часы. Остается семь минут до конца этого жалкого подобия недели.

— Прежде чем вы начнете, детектив, — вступает Арье Баронштейн, — позвольте мне официально заявить, что я здесь в качестве адвоката ребе Шпильмана. Ребе, если у вас возникнут малейшие сомнения, следует ли отвечать на тот или иной вопрос, заданный вам детективами, воздержитесь от ответа и позвольте мне уточнить или перефразировать его.

— Это не допрос, ребе Баронштейн, — замечает Берко.

— Охотно разрешаю остаться, более чем охотно, Арье, — говорит ребе. — Действительно, я настаиваю на твоем присутствии. Но в качестве моего габая и зятя. Не как адвоката. Мне не нужен адвокат в таких случаях.

— Может понадобиться, дорогой ребе. Эти детективы из убойного отдела. А вы вербовский ребе. Если вам не нужен адвокат, то кому он нужен? И поверьте мне, всем нужен адвокат.

Баронштейн выуживает листок желтой бумаги из недр кафедры, где, без сомнения, он хранит фиалы с кураре и бусы из отрезанных человечьих ушей. Он снимает колпачок с автоматической ручки.

— По крайней мере, я буду записывать. На, — говорит он невозмутимо, — стандартном бланке.

Вербовский ребе созерцает Ландсмана из недр цитадели своей плоти. У него светлые глаза, что-то среднее между зеленым и золотым. Совсем не похожие на камешки, оставленные плакальщиками на могильнике Баронштейновой физиономии. Отеческие глаза, страдающие, и прощающие, и ищущие радости. Они понимают, чтó потерял Ландсман, чтó он промотал и позволил выскользнуть из рук по причине сомнений, безверия и желания казаться крепким орешком. Они понимают неистовые колебания, сбрасывающие с пути добрые намерения Ландсмана. Они постигают его любовную ярость, его звериную тягу выпустить плоть свою на улицы, чтобы крушить или быть сокрушенным. До этой минуты Ландсман не знал, с чем борется он сам или каждый ноз в округе, и русские штаркеры, и мафиози-временщики, и ФБР, и ГНС, и АТФ. Он никогда не понимал, как другие секты могут терпеть в своей черношляпной среде этих благочестивых гангстеров и даже считаться с ними. С такими глазами можно вести людей за собой. Можно послать их на самый край любой бездны по выбору.

— Объясните мне, почему вы здесь, детектив Ландсман, — говорит ребе.

Через дверь из соседнего кабинета доносится приглушенный звонок телефона. На столе телефона нет, и нет его нигде в этой комнате. Ребе виртуозно семафорит половинкой брови и незаметным мускулом на лице. Баронштейн кладет авторучку. Звонок нарастает и убывает по мере того, как Баронштейн пропихивает черное послание своего тела через щель двери в кабинет. Мгновением позже Ландсман слышит, как он говорит в трубку. Слова неразборчивы, тон сухой, даже резкий.

Ребе замечает, что Ландсман подслушивает, и приводит мускул над бровью в более усердное состояние.

— Дело такое, ребе Шпильман, — говорит Ландсман, — все просто. Случилось так, что я живу в «Заменгофе». Это гостиница, и не из лучших, там, на улице Макса Нордау. Прошлой ночью администратор постучался ко мне и спросил, не буду ли я столь любезен взглянуть на другого постояльца. Управляющего беспокоило здоровье жильца. Он боялся, что еврей этот вкатил слишком большую дозу. Поэтому администратор позволил себе войти в его комнату. Оказалось, что человек этот мертв. Зарегистрировался он под вымышленным именем. У него не было никакого удостоверения личности. Но в номере нашлись некие намеки. И сегодня мой напарник и я последовали за одним из них, и он привел нас сюда. К вам. Мы полагаем почти наверняка, что умерший — это ваш сын.

Баронштейн бочком проскальзывает в комнату, когда Ландсман сообщает новость. На лице его ни тени, ни пятнышка эмоций, будто все их стерли мягкой тряпкой.

— Почти наверняка, — повторяет ребе безразличным голосом; ничто не движется на его лице, кроме света в глазах. — Я понимаю. Почти наверняка. Некие намеки.

— У нас есть фотография, — говорит Ландсман.

Опять он извлекает, подобно зловещему фокуснику, шпрингеровскую фотографию мертвого еврея в номере 208. Он собирается протянуть ее ребе, но некое соображение, внезапный всплеск сочувствия останавливает его руку.

— Может, лучше будет, — говорит Баронштейн, — если я...
— Нет, — возражает ребе.

Шпильман берет фотографию у Ландсмана и обеими руками подносит к лицу, прямо в область правого яблока. Он всего лишь близорук, но что-то вампирское есть в его жесте, словно он собирается высосать жизненные соки из фотографии миножьей пастью глаза. Он измеряет ее сверху донизу, от края до края. Выражение его лица не меняется. Потом он опускает фотографию в бумажный беспорядок на столе и однократно цокает языком.

Баронштейн подходит поближе, чтобы взглянуть на фотографию, но ребе отгоняет его жестом и говорит:

— Это он.

Ландсмановы приборы работают на полную мощность, распахнуты на максимальную апертуру, они настроены уловить малейший всплеск сожаления или удовлетворения, какой только может вырваться из черных дыр в центре зрачков Баронштейна. И так и есть — в них вспыхивает краткая трассирующая дуга частичек. Но Ландсман изумлен, зафиксировав в этот миг — разочарование. На секунду Арье Баронштейн становится похож на человека, который только что вытащил туз пик и созерцает удовольствие бесполезных бубен в раскладе. Он издает короткий вздох, полувыдох, и медленно отходит к кафедре.

— Застрелен, — говорит ребе.
— Одним выстрелом, — замечает Ландсман.
— Кто, если не трудно?
— Ну, мы еще не знаем.
— Какие-то свидетели?
— Пока нет.
— Мотив?

Ландсман отвечает, что они не знают, и оборачивается к Берко за подтверждением, и Берко уныло кивает.

— Застрелен... — Ребе качает головой, словно изумляясь: «Нет, как вам это нравится?»

Без явных изменений в голосе или поведении он говорит:

— У вас все хорошо, детектив Шемец?

— Не могу пожаловаться, ребе Шпильман.

— Ваши жена и дети? В добром здравии и духе?

— Могло быть и хуже.

— Два сына, я думаю, один младенец.

— Правда, как всегда.

Увесистые щеки подрагивают в согласии или удовлетворении. Ребс бормочет обычное благословение берковским малышам. Потом его взгляд переходит на Ландсмана, и когда застывает на нем, Ландсман чувствует, что подкатывает приступ паники. Ребе знает все. Он знает о мозаичной хромосоме и мальчике, которым Ландсман пожертвовал ради сохранения тяжело давшейся иллюзии, что в его жизни все и всегда идет не так. И сейчас ребе благословит и Джанго. Но ребе ничего не говорит, только шестерни вербовских Часов усердно трудятся.

Берко посматривает на свои наручные часы: пора домой, к свечам и вину. К его благословенным детям, которые могли получиться и похуже. К Эстер-Малке, к хале еще одного дитяти, припрятанной где-то в ее чреве. Никто не благословлял его с Ландсманом оставаться здесь до заката, расследуя дело, которого официально не существует. Никому ничто не угрожает. Ничего нельзя сделать, чтобы спасти кого-то из аидов в этой комнате, как и беднягу-аида, приведшего их сюда.

— Ребе Шпильман?

— Да, детектив Ландсман?

— С вами все в порядке?

— Я вам кажусь «в порядке», детектив Ландсман?

— Я впервые имею честь вас видеть. — Ландсман тщательно выбирает слова, скорее из уважения к чувствительности Берко, чем к ребе или его кабинету. — Но если честно, мне кажется, что с вами все в порядке.

— Это в какой-то степени выглядит подозрительным? Неким образом изобличает меня?

— Ребе, пожалуйста, не шутите так, — говорит Барон-штейн.

— Что касается этого, — говорит Ландсман, игнорируя посредника, — я бы не отважился высказывать какое-либо мнение.

— Мой сын мертв для меня уже много лет, детектив. Много лет. Я разорвал мои одежды, и прочел кадиш, и зажег свечу на помин сына очень давно.

Слова сами по себе переходят от гнева к горечи, но интонация поразительно лишена эмоций.

— То, что вы нашли в «Заменгофе»... это был «Заменгоф»?.. Найденное вами там, если это он, — лишь скорлупа. Ядро давно выскоблено и сгнило.

— Скорлупа, — отзывается Ландсман. — Я понимаю.

Он знает, как тяжело быть отцом героинового наркомана. Он и раньше видел подобное равнодушие. Но что-то терзает его при виде этих аидов, которые рвут одежды и сидят шиву по живым детям. Ландсману кажется, что это насмешка и над мертвыми, и над живыми.

— Хорошо, все в порядке. Но вот что я слышал, — продолжает Ландсман, — и определенно не претендую на понимание, но ваш сын... в детстве... проявлял определенные, как бы это выразиться, признаки или, ну, может быть... Не уверен, что правильно формулирую. Цадик ха-дор, так? Если ничто не помешает, если евреи поколения достойны, тогда он может объявиться как, ох, как Мошиах.

— Это глупости, ну, детектив Ландсман, — говорит ребе, вставляя русское междометие. — Сама идея уже вызывает у вас улыбку.

— Напротив, — говорит Ландсман. — Но если ваш сын был Мошиахом, тогда, я полагаю, мы в беде. Потому что сейчас он лежит в ящике в подвале Центральной больницы Ситки.

— Мейер, — говорит Берко.

— Прошу прощения, — добавляет Ландсман.

Ребе молчит, а когда наконец заговаривает, то очевидно, что он тщательно выбирает слова:

— Баал-Шем-Тов, да благословится имя его, учит, что человек, могущий стать Мошиахом, рождается в каждом поколении. Это и есть цадик ха-дор. А вот Менделе, Менделе, Менделе.

Он закрывает глаза. Вероятно, вспоминает. Вероятно, сдерживает слезы. Он открывает глаза. Они сухие, и он помнит.

— Мендель был удивительным мальчиком. Я не говорю о чудесах. Чудеса — это бремя для цадика и не доказывают, что он цадик. Чудеса не доказывают ничего никому, кроме тех, чья вера куплена задешево. Но в Менделе что-то было. Это был огонь. Это был хлад, черная дыра. Мрачное, сырое место. Мендель источал свет и тепло. Вам хотелось стать поближе к нему, согреть руки, растопить лед на бороде. Изгнать мрак на минуту или две. И когда вы уходили от Менделе, вы еще хранили тепло, и казалось, что в мире чуть больше света, может на одну свечу только. И тогда вы понимали, что этот огонь — внутри вас и был там всегда. Вот это чудо. Вот так просто.

— Когда вы его видели в последний раз? — спрашивает Берко.

— Двадцать три года тому, — отвечает ребе без колебаний, — двенадцатого элула. Никто в этом доме не видел его с тех пор и не говорил с ним.

— Даже его мать?

Вопрос потряс всех, даже Ландсмана, аида, задавшего его.

— Вы предполагаете, детектив Ландсман, что моя жена может попытаться нарушить мою волю в этом или любом другом случае?

— Я предполагаю все возможное, ребе Шпильман, — отвечает Ландсман. — И ничего, кроме этого.

— Вы сюда пришли без каких-либо догадок, — вмешивается Баронштейн, — не зная, кто убил Менделя?

— На самом деле... — начинает Ландсман.

— На самом деле, — говорит вербовский ребе, обрывая Ландсмана.

Он выдергивает лист бумаги из хаоса на столе: трактаты, прокламации, проклятия, секретные документы, истертые ленты пишущих машинок, донесения о привычках обреченных людей. Две или три секунды он придвигает бумагу в пределы обозрения. Плоть его правой руки хлюпает в подкладке рукава виноградного цвета.

— Эти два детектива полностью отстранены от расследования дела, или я ошибаюсь?

Он кладет на стол лист бумаги, и Ландсману приходится задать себе вопрос: как он не замечал эти тысячу миль заледеневшего моря в глазах ребе. Он потрясен, сброшен с корабля в ледяную воду. Чтобы удержаться на плаву, он хватается за балласт своего цинизма. Неужели приказ закрыть дело Ласкера пришел с острова Вербов? Неужели Шпильман давно знает, что сын его мертв, убит в номере 208 гостиницы «Заменгоф»? Не сам ли он заказал убийство? Неужели все дела и распоряжения в убойном отделе полиции Ситки проходят через ребе? Все это были интересные вопросы, если бы Ландсман мог заставить сердце говорить его устами и задать их.

— Что он сделал? — наконец выдавил Ландсман. — Вот что́ он натворил, когда умер для вас? Что он знал? Что, раз уж на то пошло, знаете вы, ребе? Рав Баронштейн? Да, у вас тут все схвачено. Не знаю в деталях — но, глядя на этот ваш прекрасный остров, я могу понять, если вы извините мое выражение, что вес вы имеете о-го-го какой.

— Мейер, — говорит Берко, в голосе предупреждение.

— Не возвращайтесь сюда, Ландсман, — говорит ребе. — И не беспокойте никого в этом доме или на этом острове. Держитесь подальше от Цимбалиста и от меня. Если я услышу, что вы всего лишь попросили прикурить у кого-то из моих людей, несдобровать ни вам, ни вашему жетону. Это понятно?

— Простите... — начинает Ландсман.

— Пустые слова в вашем случае наверняка.

— Так или иначе, — говорит Ландсман, поднимаясь, — если бы я получал по доллару каждый раз, когда какой-нибудь штаркер с расстройством обмена веществ стращал меня, чтобы я не вёл дело, то, простите великодушно, я бы не сидел здесь, слушая угрозы от человека, который даже не удосужился пролить слезу по сыну, которому, я уверен, он помог сойти в могилу. Когда бы тот ни умер — двадцать три года тому назад или прошлой ночью.

— Пожалуйста, не путайте меня с дешёвым фраером с Хиршбейн-авеню, — говорит ребе. — Я вас не пугаю.

— Нет? А что, благословляете?

— Я на вас смотрю, детектив Ландсман. Я понимаю, что вы, как и мой бедняга-сын, возможно, не благословлены самым замечательным отцом.

— Рав Гескель! — вскрикивает Баронштейн.

Но ребе игнорирует своего габая и продолжает, прежде чем Ландсман успевает спросить его, почему он, чёрт возьми, думает, что знает что-то о бедном старине Исидоре.

— Я вижу, что когда-то вы — опять же, как и Мендель, — могли быть чем-то гораздо большим, чем стали. Может, вы прекрасный шамес. Но я сомневаюсь, что вы прошли тест на великого мудреца.

— Как раз напротив, — говорит Ландсман.

— Ну вот что. Уж поверьте мне, когда я говорю, что вам необходимо найти лучшее приложение для времени, вам оставшегося.

Внутри вербовских Часов дряхлая система молоточков и колокольчиков заводит мелодию, древнюю-древнюю, зазывающую невесту-субботу в каждый еврейский дом или молельню.

— Наше время истекло, — говорит Баронштейн, — господа.

Детективы встают, и присутствующие обмениваются пожеланиями разделить радость Шаббата. Потом детективы натягивают шляпы и направляются к двери.

— Нужно, чтобы кто-нибудь опознал тело, — говорит Берко.

— Если вы не хотите, чтобы мы бросили его у обочины, — прибавляет Ландсман.

— Мы пошлем кого-нибудь завтра, — говорит ребе.

Он поворачивается на кресле, демонстрируя спину. Склоняет голову, потом дотягивается до тростей, свисающих со стены позади кресла. У тростей серебряные набалдашники, нарезанные золотом. Он упирается ими в ковер и потом, со скрипом допотопного механизма, поднимает себя:

— После Шаббата.

Баронштейн следует за детективами по ступенькам до самого Рудашевского у дверей. Над головами у них паркетины в кабинете издают горестный скрип. Слышно постукивание тростей и хлюпающий звук, будто перекатывается дождевая бочка. Семья уже, должно быть, собралась в задней части дома, дожидается, пока ребе придет и всех благословит.

Баронштейн открывает входную дверь дома-копии. Шмерл и Йосселе заходят в залу, снег на шляпах и плечах, снег в стылых серых глазах. Братья, или кузены, или братья-кузены образуют три вершины треугольника по образу того, что был снаружи, три сжатых кулака сплошных Рудашевских смыкаются вокруг Ландсмана и Берко. Баронштейн суется узким лицом вплотную к лицу Ландсмана. Ландсман прикрывает ноздри, спасаясь от запаха помидорных семян, табака и сметаны.

— Это маленький остров, — говорит Баронштейн. — Но здесь есть тысяча мест, где ноз, даже титулованный шамес, может потеряться и не найти дорогу назад. Так что поосторожней, детективы. Договорились? И Шаббат шалом обоим.

17

Только поглядите на Ландсмана: одна пола задралась, припорошенная снегом шляпа съехала налево, пальто заброшено за спину и висит на петельке, через которую продет скрюченный палец. Другой рукой Мейер вцепился в небесно-голубой талон в кафетерии, словно это помочи, держащие его на ногах. Спина болит нещадно. По какой-то непонятной причине или без всяких причин он не пил начиная с девяти тридцати утра. Стоя в хромово-кафельном мерзостном запустении кафетерия «Поляр-Штерн» в девять часов вечера, созерцая метель за окном, он сейчас самый одинокий еврей в округе Ситка. Ландсман чувствует, как что-то темное поднимается у него внутри, и сопротивляться этому невозможно, сотни тонн черной грязи скапливаются на склоне холма, готовые обрушиться лавиной. Мысль о еде, даже о золотом слитке запеканки из лапши — коронном блюде кафетерия «Поляр-Штерн», — вызывает тошноту. Но он не ел весь день.

На самом деле Ландсман знает, что он вовсе не самый одинокий еврей в округе Ситка. Он презирает себя даже за то, что надеется на успех. Присутствие жалости к себе в его раздумьях — уже доказательство, что он в глубокой жопе и кружит там внутри, проникая все глубже и глубже. Сопротивляясь этой кориолисовой силе, Ландсман рассчитывает на три способа ее преодолеть. Первый — это работа, но работа уже официально — насмешка. Второй — алкоголь, который ускоряет и углубляет падение и заставляет блуждать дольше, но помогает ему не обращать внимания ни на что. Третий — это что-нибудь съесть. И он несет голубой талон и поднос грузной литвачке, маячащей за стеклянной стойкой; на даме сеточка для волос и полиэтиленовые перчатки, одна из которых сжимает металлическую разливную ложку.

— Блинчики с творогом, пожалуйста, — просит он, не желая этих блинчиков и даже не озаботившись глянуть, есть ли они в сегодняшнем меню. — Как поживаете, госпожа Неминцинер?

Госпожа Неминцинер нежно кладет три тугих блинчика на белую тарелку с голубой каемочкой. Чтобы украсить ужины одиноких душ Ситки, она заготовила несколько дюжин маринованных райских яблочек на листиках латука. Она наряжает ужин Ландсмана одним из этих букетов. Потом пробивает талон и швыряет тарелку Ландсману.

— А как я могу поживать? — отвечает она.

Ландсман признает, что ответ на этот вопрос ему не под силу. Он несет поднос с блинчиками, наполненными домашним творогом, к кофейнику и нацеживает себе кружку. В его руке пробитый талон и мелочь для кассирши, потом он пробирается к пустыне обеденного зала, минуя двух соперников-претендентов на титул самого одинокого еврея. Он держит путь к любимому столику у окна, где можно наблюдать за улицей. На соседнем столике кто-то оставил на тарелке недоеденную тушенку, картофель в мундире и полстакана вроде бы вишневой газировки. Заброшенная пища и комок испятнанной салфетки наполнили Ландсмана легкой тошнотой дурных предчувствий. Но это его столик, и неоспоримо то, что ноз предпочитает не спускать глаз с улицы. Ландсман садится, заталкивает салфетку за воротник, разрезает блинчик и засовывает кусочек в рот. Жует. Проглатывает. Молодец.

Один из соискателей звания самого одинокого еврея в «Поляр-Штерне» этим вечером — мелкий букмекер по имени Пингвин Симковиц, плохо обошедшийся с чьими-то деньгами несколько лет тому назад. В результате избиение штаркерами сказалось на его мозгах и речи. Другого соседа, который трудится над селедкой в сметане, Ландсман не знает. Но его левая глазница укрыта за желто-коричневым бинтом. Левая линза очков отсутствует. Волосы ограничены тремя пушистыми седыми клоками, свисающими на лоб. На щеке порез от бритья. Когда слезы этого человека начинают тихо катиться в тарелку с селедкой, Ландсман кладет на доску своего короля.

Потом он замечает Бухбиндера, этого археолога миражей. Сей дантист был обуян талантом, снабженным щипцами и формой для отливки, в классической для стоматологов манере — в свободное от работы время им овладевала некая форма миниатюрного безумия, как, например, изготовление драгоценностей или паркета для кукольного домика. Но потом, как это случается с дантистами, Бухбиндер несколько сбился с курса. Глубочайшее, древнейшее еврейское помешательство захватило его. Он начал собирать имитации и макеты столовых приборов, находившихся во владении древнего высшего жреца Яхве, Койнима. Сначала уменьшенного размера, но скоро в полную величину. Чаши для крови, вилки для сырого мяса, лопатки для пепла — все, что требовалось левитам на их священных барбекю в Иерусалиме. Раньше у него был музей, может, и сейчас есть, там, в усталом тупике улицы Ибн Эзры. В передней части строения, где Бухбиндер выдергивал зубы еврейским босякам. На витрине красовался Храм Соломона, построенный из картонных ящиков, погребенный под самумом пыли и украшенный херувимами и трупами мух. Музей часто подвергался набегам наркоманов. Сколько раз приходилось, патрулируя Унтерштат, ехать туда по звонку в три часа ночи, чтобы найти там плачущего Бухбиндера среди сломанных полок с экспонатами и дерьмо, плавающее в какой-нибудь позолоченной курильнице верховного жреца.

Когда Бухбиндер видит Ландсмана, его глаза сужаются от подозрения или близорукости. Он возвращается из туалета к своей тарелке с тушенкой и вишневой газировке, застегивая пуговицы на ширинке с отсутствующим выражением человека, поглощенного ошеломительными, но совершенно бесполезными размышлениями о мире. Бухбиндер — дородный немец, облаченный в кардиган с рукавами реглан и вязаным кушаком. Имеются намеки на былые раздоры между его брюхом и узловатым кушаком, но взаимопонимание вроде бы достигнуто. Твидовые брюки, на ногах кроссовки. Волосы и борода русые, но с вкраплениями серого и серебра. Металлическая заколка удерживает шерстяную кипу на макушке. Он бросает улыбку в направлении Ландсмана, как бросают монету в кружку калеки, и возвращается к еде. Он раскачивается, когда читает и жует.

— Все еще вашим музеем занимаетесь, доктор? — интересуется Ландсман.

Бухбиндер поднимает голову, озадаченный, стараясь совместить этого раздражающего чужака с блинчиками.

— Я же Ландсман. Полиция Ситки. Может, помните, я раньше...

— Ах да, — вспоминает дантист с натянутой улыбкой. — Как поживаете? Мы институт, а не музей, но не важно.

— Извините.

— Ничего страшного, — говорит дантист; его покладистый идиш снаряжен колючей проволокой немецкого акцента, от которого он и его соплеменники-йеке так и не захотели избавиться за шестьдесят лет. — Это распространенная ошибка.

«Не такая уж распространенная», — думает Ландсман, но вслух говорит:

— Все еще на Ибн Эзры?

— Нет, — отвечает доктор Бухбиндер. Он вытирает салфеткой коричневатый потек горчицы на губах. — Нет, сэр. Там я закрылся. Официально и навечно.

Речь его высокопарна, даже празднична, что поражает Ландсмана, учитывая содержание заявления.

— Дурной район, — предполагает Ландсман.

— О, зверье, — говорит Бухбиндер с тем же воодушевлением. — Вы не представляете, сколько раз они разбивали мне сердце.

Он сует последнюю порцию тушенки в рот и предоставляет ее заботе зубов.

— Но сомневаюсь, что они будут беспокоить меня в новом месте, — добавляет он.

— И где это?

Бухбиндер улыбается, ласкает бороду, потом отодвигается от стола. Он поднимает бровь, словно хочет потянуть немного, прежде чем откроет секрет.

— Где же еще, — наконец раскалывается он. — В Иерусалиме.

— Ух ты, — говорит Ландсман, пытаясь сохранить лицо, насколько это возможно. Он никогда не изучал правила въезда евреев в Иерусалим, но уверен вполне, что этот обуянный религией сумасшедший не лидирует в списке допущенных в обетованную. — Иерусалим, надо же. Дорога длинная.

— Да, это так.

— Все целиком?

— Все предприятие.

— Кого-нибудь там знаете?

В Иерусалиме евреи еще по-прежнему живут, как всегда. Их немного. Они там жили до того, как стали появляться сионисты с сундуками, набитыми словарями иврита, учебниками по агрономии и бедами для всех и каждого.

— Не так чтоб очень, — говорит Бухбиндер. — Исключая, конечно... — он делает паузу и понижает голос, — Мошиаха.

— Хорошо для начала, — замечает Ландсман. — Слыхал я, что он уже там с лучшим народом.

Бухбиндер кивает, недосягаемый в сахарном кубике святилища своей мечты.

— Все целиком, — повторяет он. Потом возвращает книгу в карман пиджака и засовывает себя вместе с кардиганом в старую синюю куртку с капюшоном. — Спокойной ночи, Ландсман.

— Спокойной ночи, доктор Бухбиндер. Замолвите за меня словечко Мошиаху.

— О, — говорит он, — в этом нет необходимости.

— Нет необходимости или нет смысла?

И вдруг праздничные глаза становятся стальными, как зеркальца дантиста. Они испытывают состояние Ландсмана с проникновенностью двадцатипятилетнего опыта поисков слабости и гниения, и на секунду Ландсман сомневается в безумии этого человека.

— Это зависит от вас, — говорит Бухбиндер. — Не так ли?

18

Покидая «Поляр-Штерн», Бухбиндер мешкает у двери, чтобы придержать ее для пылающей оранжевой парки, влекомой косым снежным вихрем. На плече Бина тащит свою всегдашнюю набитую старую торбу из воловьей кожи. Из торбы выглядывает ворох каких-то документов — подчеркнутых желтым маркером, сшитых степлером и скрепками, помеченных наклейками из разноцветного скотча. Бина сбрасывает капюшон, приподнимает волосы, закалывает спереди невидимками, оставляя свободными пряди на затылке. Цвет этих прядей того пленительного оттенка, какой Ландсман встречал только однажды — в глубоких складках на боках первой в жизни увиденной им тыквы, пузатой оранжево-красной громадины. Бина волочит свою торбу к кассирше. Когда она пройдет через турникет к штабелям подносов, Ландсман окажется прямо в ее поле зрения. И он немедленно принимает взрослое решение — притвориться, что Бину он в упор не видит. Он вперяет взор в зеркальное окно, обозревающее улицу Халястре. Глубина снега, по его прикидкам, достигает уже почти трех дюймов. Три независимые тропки следов змеятся, переплетаясь друг с другом, очертания каждого отпечатка расплываются под свежим слоем снега. Через дорогу, на заколоченных досками витринах магазина «Табак и канцтовары Красны» болтаются афиши вчерашнего концерта в «Ворште» — выступал тот самый гитарист, которого отметелили в сортире ради его колец и наличности. От телеграфного столба на углу разбегается во все стороны путаница проводов, очерчивая стены и дверные проемы величайшего еврейского гетто. Подсознательный процесс мышления шамеса отмечает все малейшие детали, однако его сознание сфокусировано на том моменте, когда Бина увидит его, сидящего в одиночестве за столиком у окна и жующего блинчик с творогом, и окликнет по имени. Предвкушение этого мига затягивается.

Ландсман отваживается взглянуть еще раз. На этот раз Бинин ужин уже на подносе. Стоя спиной к Ландсману, она ждет сдачу. Она замечает его. Не может не заметить. И тут разверзаются тектонические расщелины и склон холма исчезает под лавиной черного грязевого потока. Ландсман и Бина прожили в браке двенадцать лет, а до этого еще пять лет были вместе. Они были друг для друга первой любовью, первым предательством, первым прибежищем, первым соседом по комнате, первым слушателем, первым, к кому прибегали они, когда что-то, даже сам брак, шло не так. Ибо полжизни каждого из них прошло в сплетенье рук, ног, судеб, смешались и стали общими их страхи, теории, рецепты, библиотеки, собрание записей. Они закатывали ссоры и свары грандиозного накала: нос к носу, размахивая руками и брызжа слюной, швыряя и круша все, что попадалось под руку, катаясь по полу и таская друг друга за волосы. На следующее утро полумесяцы, оставленные ногтями Бины, украшали его щеки и грудь, а она щеголяла в синюшных браслетах из отпечатков его пальцев. Первые семь лет совместной жизни они любили друг друга почти ежедневно: зло или нежно, больные и здоровые, в холоде, в жару, в полудреме. Соития эти происходили на всех видах кроватей, диванов и пуфиков. На голых матрасах, на полотенцах, на старых душевых занавесках, в кузове грузового пикапа, за мусорным контейнером, на крыше водонапорной башни, под ворохом пальто во время ужина «Рук Исава». И однажды им даже довелось совершить это в участке — на том самом гигантском грибе из комнаты отдыха.

После того как Бину перевели из отдела наркотиков, они целых четыре года вместе проработали в убойном. Напарником Ландсмана был сначала Джелли Бойбрайкер, потом Берко, а Бина работала с бедолагой Морисом Хендлером. Но в один прекрасный ужасный день тот же коварный ангел, что свел их вместе в первую очередь, слив воедино их жизни, подставил под пули Мориса Хендлера, и Бина с Ландсманом стали напарниками, один-единственный раз — в деле Гринштейнов. Вместе они стойко пережили целую серию провалов и невзгод. Часами ежедневно неудачи преследовали их на улицах Ситки, а ночью поджидали их дома в постели. Убитая малышка Ариэла и безутешные Гринштейны — мать с отцом, уродливые, сломленные и ненавидящие друг друга и ту дыру, которая им осталась вместо дочки: Мейеру с Биной пришлось разделить и это. А потом появился Джанго, сформировавшийся и получивший импульс из этой самой дыры, принявшей очертания пухленькой маленькой девочки, из этого несчастья с делом Гринштейнов. Бина и Ландсман переплелись друг с другом, свились в пару хромосом с таинственным пороком. А теперь? Теперь они притворяются, что не видят друг друга, отводят взгляд.

Ландсман отводит взгляд.

Следы на снегу обмелели, будто их оставил легконогий ангел. На той стороне улицы согбенный человечек клонится против ветра, волоча тяжелый саквояж мимо заколоченных витрин «Красны». Широкие белые поля его шляпы хлопочут, словно птичьи крылья. Наблюдая за тем, как Пророк Элияху шествует сквозь метель, Ландсман планирует собственную смерть. Это четвертый изобретенный Ландсманом способ ободрить себя, когда все катится в тартарары. Но главное, конечно, не переборщить.

Ландсман — сын самоубийцы и внук самоубийцы (по деду со стороны отца), сполна повидавший, как человеческие существа лишали себя жизни всеми возможными способами: от дурацких до действенных. Ему известно, что нужно делать и чего делать не стоит. Вот, скажем, прыгнуть с моста или из гостиничного окна — зрелищно, но ненадежно. Сигануть в дыру между лестничными пролетами — сомнительное, импульсивное решение, слишком похожее на несчастный случай. Вскрыть вены на руках — в ванне (популярной, но не столь необходимой) или вне ее, возможны вариации, — труднее, чем кажется, попахивает девичьей склонностью к театру. Ритуальное выпускание кишок посредством самурайского меча — тяжкий труд, требующий помощи секунданта, — чтобы совершить такое, аид должен иметь экзотический вкус. Этот способ Ландсману пока не встречался, но один знакомый ноз утверждал, что он такое видел собственными глазами. Дед Ландсмана бросился под колеса трамвая в Лодзи — это свидетельствует о высокой степени решимости, всегда восхищавшей Ландсмана. Ландсманов отец употребил тридцать стомиллиграммовых таблеток нембутала, запив их стаканом тминной водки, — этот метод имеет массу достоинств. Прибавить еще полиэтиленовый пакет на голову, вместительный и непроницаемый, и получаем нечто аккуратное, тихое и надежное.

Но в мечтах о конце собственной жизни Ландсман предпочитает пистолет — как и чемпион мира Мелех Гайстик. Ландсманов тупоносый тридцать девятый калибр — вполне подходящий шолем для этой работенки. Если знаешь, куда приставить дуло (точно в сгиб под подбородком) и куда направить выстрел (под углом 20 градусов от вертикали, к самой сердцевине коры головного мозга), получится быстро и действенно. Грязновато, да, однако у Ландсмана почему-то нет никаких предубеждений против грязи, которую он после себя оставит.

— С каких это пор ты полюбил блинчики?

От звука ее голоса он подпрыгивает так, что стукается коленом о ножку стола и расплескивает кофе, забрызгав стеклянную столешницу широким веером капель, ну точно выходное отверстие от пули.

— Привет, шкипер, — произносит он по-американски и судорожно шарит в поисках салфеток, но из дозатора у стойки он захватил всего одну.

Кофе растекается повсюду. Ландсман выгребает из карманов какие-то клочки бумаги и промокает ими кофейные кляксы и струйки.

— Здесь не занято?

В одной руке ее качается поднос, другой она сражается с набитой торбой. На лице у Бины хорошо знакомое Ландсману характерное выражение. Брови дугой, на губах призрачное предвкушение улыбки. С таким лицом она входит в банкетный зал гостиницы, чтобы потусить в компании служителей порядка мужского пола, или в лавочку где-нибудь в Гаркави, когда на ней надета юбка выше колен. Это лицо сообщает: «Я не ищу приключений. Просто зашла за жвачкой». Бина роняет сумку и садится прежде, чем он успевает ответить.

— Пожалуйста, — говорит он и отодвигает свою тарелку, чтобы освободить место.

Бина протягивает ему несколько салфеток, и он вытирает остатки кофе, бросая мокрые комки бумаги на соседний столик.

— Сам не знаю, зачем я их заказал. Ты права, блинчики с творогом — фу!

Бина выкладывает на стол завернутые в салфетку нож, вилку и ложку, снимает с подноса обе тарелки и ставит их рядышком: горку салата с тунцом на листке латука от госпожи Неминцинер и мерцающий золотистый квадратик запеканки из лапши. Тянется к своей вспученной мешковатой торбе и вытаскивает оттуда маленький пластиковый контейнер с откидной крышкой. В этом контейнере лежит цилиндрическая баночка для таблеток. Бина отвинчивает крышечку и извлекает из баночки таблетку поливитаминов, капсулу рыбьего жира и пилюлю с энзимами, которые помогают ее организму усваивать молоко. Внутри пластикового контейнера также находятся пакетики соли, перца, хрена и влажные салфетки для рук, кукольного размера бутылочка соуса табаско, хлорные таблетки для обеззараживания питьевой воды, таблетки от изжоги и еще вагон и маленькая тележка всего прочего. На случай похода в оперу у Бины имеется театральный бинокль, а если нужно присесть на траву, она расстелет полотенце. Ловушки для муравьев, штопор, свечи и спички, собачий намордник, перочинный нож, крошечный фреоновый аэрозоль, лупа — в разное время Ландсману доводилось видеть, как все эти вещи вытаскивались из ее безразмерной воловьей торбы.

«Надо увидеть воочию еврейскую женщину вроде Бины Гельбфиш, — думает Ландсман, — чтобы постичь обширность и живучесть еврейского народа. Евреи, несущие весь свой пожиток в старой переметной суме, на горбах верблюда, в пузыре воздуха в сердцевине мозга. Евреи, приземляющиеся на обе ноги, берущие с места в карьер, пережидающие невзгоды, наилучшим образом использующие то, что само плывет им в руки, от Египта до Вавилона, от Минской губернии до округа Ситка. Методичные, организованные, целеустремленные, находчивые, умелые. Берко прав: Бина преуспела бы в любом полицейском участке, в любом уголке мира. Никакое перекраивание границ, никакие перемены в правительствах не способны выбить из колеи еврейку с таким обширным запасом влажных салфеток».

— Салат с тунцом, — замечает Ландсман, вспомнив о том, как она перестала есть тунца, когда узнала, что беременна Джанго.

— Ага, стараюсь употреблять побольше ртути, — говорит Бина, считывая воспоминание с его лица. Она глотает таблетку с энзимами. — Не хватает моему организму ртути в последнее время.

Ландсман тычет большим пальцем в сторону госпожи Неминцинер, замершей с разливной ложкой на изготовку:

— Заказала бы запеченный термометр.

— Да я бы не прочь, но у них были только ректальные.

— Видела Пингвина?

— Пингвина Симковица? Где?

Бина оглядывается, повернувшись всей верхней половиной тела, и Ландсман не упускает случая заглянуть в вырез ее блузки. Он видит веснушчатую левую грудь, кружевной краешек чашки лифчика, угадывает темный сосок под этой чашкой. Желание окатывает его волной: протянуть руку, скользнуть под блузку, обхватить эту грудь, нырнуть в эту мягкую ложбинку и уснуть там, свернувшись калачиком. Тут Бина снова поворачивается к нему, застигнув его врасплох в своем декольте посреди сладостных мечтаний. Ландсман чувствует, как пылают его щеки.

— Ха! — говорит она.

— Как прошел твой день? — спрашивает Ландсман как ни в чем не бывало.

— Давай договоримся, — произносит она ледяным тоном и застегивает верхнюю пуговку блузки, — мы просто сидим и ужинаем с тобой вместе, и ни единого, блин, слова о том, как прошел мой день. Годится тебе такое предложение, Мейер?

— Думаю, вполне, — отвечает он. — Годится.

Бина кладет в рот ложку салата. Он ловит отблеск ее золотой коронки на переднем коренном зубе и вспоминает тот день, когда она пришла домой с этим зубом, окосевшая от закиси азота, и предложила ему собственным языком проверить, хорошо ли сидит коронка на зубе.

Едва Бина принимается за тунцовый салат, она становится серьезной. Еще десять или одиннадцать ложек она самозабвенно отправляет в рот, пережевывает, глотает. Ноздри алчно втягивают и выпускают воздух мощными струями. Взгляд сосредоточен на соприкосновении ложки с тарелкой. «Девушка со здоровым аппетитом» — таков был первый вердикт его матери, вынесенный Бине Гельбфиш двадцать лет назад. Подобно большинству матушкиных комплиментов, при необходимости его можно было легко трансформировать в оскорбление. Но Ландсман доверяет лишь тем женщинам, которые едят, как мужики. Когда на тарелке не остается ничего, кроме вымазанного майонезом салатного листа, Бина вытирает губы салфеткой и испускает глубокий удовлетворенный выдох.

— Ну так о чем тогда будет наш разговор? Уж наверное, не о том, как прошел *твой* день.

— Да уж конечно.

— Что же нам остается?

— В моем случае, — отвечает Ландсман, — выбор не слишком велик.

— Горбатого могила исправит.

Она отодвигает пустую тарелку и призывает лапшевник смириться с неизбежной участью. Ландсман испытывает забытое с годами чувство счастья просто созерцать, как вожделенно она смотрит на эту запеканку.

— Я по-прежнему люблю поболтать о своей машине, — говорит он.

— Ты знаешь, я терпеть не могу любовную лирику.

— О Возвращении тоже не будем.

— Согласна. А еще я и слышать не хочу о говорящей курице, или о креплахе в форме головы Маймонида, или еще о каком-нибудь чудесном дерьме.

Ландсман раздумывает, что Бина сказала бы о той истории, которую поведал им сегодня Цимбалист про человека, лежащего в одном из ящиков морга Центральной больницы.

— Давай условимся вообще не говорить о евреях, — предлагает Ландсман.

— С превеликим удовольствием, Мейер, меня уже тошнит от евреев.

— И не об Аляске.

— Г-ди, только не это.

— И не о политике. Ни слова о России, Маньчжурии, Германии или об арабах.

— От арабов меня тоже тошнит.

Может, тогда побеседуем о запеканке из лапши? — предлагает Ландсман.

— Отлично! — соглашается она. — Только, пожалуйста, Мейер, съешь хоть кусочек, а то мне на тебя больно смотреть, б-же, какой ты худющий. Давай попробуй хоть чуточку. Не знаю, что туда добавляют, кто-то говорил мне, что кладут немного имбиря. Должна тебе сказать, что в Якоби о хорошей запеканке можно только мечтать.

Она отрезает кусок запеканки, накалывает на свою вилку и собирается положить его Ландсману прямо в рот. Чья-то холодная рука сжимает все его нутро при виде этого куска. Он отворачивается. Вилка замирает на полпути. Бина плюхает украшенный изюмом ломтик лапши с заварным кремом ему на тарелку, рядом с нетронутыми блинчиками.

— Но ты все-таки попробуй, — говорит она, съедает пару кусочков, потом кладет вилку. — Думаю, на этом тема лапшевника себя исчерпала.

Ландсман цедит свой кофе, а Бина запивает оставшуюся порцию таблеток стаканом воды.

— Ну, — говорит она.

— Ну ладно тогда, — говорит Ландсман.

Если он сейчас позволит ей уйти, то больше никогда не лежать ему в ложбинке между ее грудей, не уснуть сладко, свернувшись калачиком. Не уснуть никогда без помощи пригоршни таблеток нембутала или любезного одолжения верного тупоносого М-39.

Бина отодвигается от стола и натягивает парку. Она возвращает пластиковый контейнер в торбу, потом со стоном взваливает торбу на плечо:

— Спокойной ночи, Мейер.

— Где ты живешь?

— У родителей, — отвечает она; таким голосом, наверное, обычно предрекают гибель планеты.

— Ой-вей.

— И не говори. Но только пока не найду квартиру. Во всяком случае, получше гостиницы «Заменгоф».

Она застегивает куртку, а потом долгие несколько секунд стоит, подвергая его пристальному досмотру шамеса. У нее не такой всеобъемлющий взгляд, как у него, иногда она упускает детали, но то, что она действительно видит, она способна мгновенно сопоставить мысленно с тем, что ей известно о женщинах и мужчинах, о жертвах и убийцах. Она может уверенно сложить их в связные и осмысленные повествования. Она не столько раскрывает дела, сколько рассказывает их.

— Посмотри на себя. Ты похож на дом, который вот-вот рухнет.

— Знаю, — отвечает Ландсман, а в груди у него все сжимается.

— Я слышала, что ты плох, но думала, меня просто пытаются подбодрить.

Он смеется и вытирает щеку рукавом пиджака.

— А это что такое? — спрашивает она.

Кончиками ногтей указательного и большого пальца она вытаскивает скомканный, заляпанный кофе клочок из кучи мокрых бумажек, сваленной Ландсманом на соседний столик. Ландсман пытается его выхватить, но Бина куда ловчее его, как и всегда. Она отдергивает руку и расправляет комок на столике.

— «Пять великих истин и пять великих обманов о вербовском хасидизме», — читает она. Брови ее сходятся над переносицей. — Уж не думаешь ли ты в черношляпники податься на мою голову?

Он несколько мешкает с ответом, и она суммирует то, что извлекает из его выражения лица, из его молчания, из того, что она о нем знает, то есть практически все.

— Во что ты вляпался, Мейер? — спрашивает она. И тотчас вид у нее становится такой же изможденный и выпотрошенный, каким чувствует себя он сам. — Нет. Не надо. Я до смерти устала.

Она снова комкает вербовскую листовку и швыряет ее ему в голову.

— Мы же договорились, что не будем об этом, — говорит Ландсман.

— Да уж, мы и так уже много чего наговорили, — соглашается она. — Мы с тобой. — Бина стоит вполоборота, собираясь взвалить на плечо торбу, в которой она тащит всю свою жизнь. — Завтра утром жду тебя в моем кабинете.

— Э-э-э... Хорошо. Правда, — говорит Ландсман, — я только что сдал двенадцатидневную смену.

Это замечание, каким бы справедливым оно ни было, не произвело должного впечатления на Бину. Она его попросту не услышала, как будто Ландсман вовсе не владеет индоевропейским языком.

— Увидимся завтра, — говорит он, — если только я сегодня ночью не вышибу себе мозги.

— Я же просила: не надо любовной лирики, — говорит Бина. Она собирает в хвост свои темно-тыквенные волосы и скалывает их зубастым зажимом позади правого уха. — С мозгами или без. В девять у меня в кабинете.

Ландсман провожает ее взглядом через зал кафетерия «Поляр-Штерн» до самой двери. Спорит сам с собой на доллар, что она не обернется прежде, чем накинет капюшон и шагнет в снежную пургу. Но, будучи человеком милосердным и хреновым спорщиком, о проигрыше он никогда и не заикнется.

19

Когда телефонный звонок будит Ландсмана в шесть утра, тот сидит в белых трусах в кресле с подголовником и нежно сжимает М-39. Тененбойм сейчас как раз сдает смену.

— Вы просили, — сообщает он и вешает трубку.

Ландсман не припоминает, что просил разбудить его звонком. Не помнит он и как прикончил бутылку сливовицы, которая сейчас красуется пустая на исцарапанной уретановой поверхности стола из дубового шпона, стоящего вблизи кресла. Не помнит, ел ли он запеканку из лапши, чья оставшаяся треть сейчас ютится в углу пластикового контейнера-ракушки рядом с бутылкой сливовицы. Из осколков расписного стекла на полу он мысленно воссоздает разбитую о батарею сувенирную стопку со Всемирной выставки в Ситке 1977 года. Может, он вспылил из-за того, что никак не продвинулся в общении с карманной шахматной доской, валяющейся теперь ничком под кроватью. Вся комната щедро усеяна крошечными фигурками. Но Ландсман не помнит ни то, как он их разбросал, ни то, как разбилась стопка. Он, вероятно, пил за здравие кого-то или чего-то, а батарея послужила камином. Мейер не помнит. Нельзя сказать, что хоть что-то в убогом антураже комнаты номер 505 могло бы его удивить, и в последнюю очередь заряженный шолем в руке.

Он проверяет предохранитель и возвращает пистолет в кобуру, переброшенную через спинку кресла. Потом идет к стене, извлекает из ниши откидную кровать. Расправляет простыни и укладывается. Простыни чистые и пахнут утюгом и пылью пустоты в стене. Ландсман смутно припоминает зарождение романтического проекта, где-то около полуночи: прийти на работу пораньше и поглядеть, что медэксперты и специалисты по баллистике откопали в деле Шпильмана, может, отправиться на острова, в русские районы, и попытаться расколоть урку-пацера Василия Шитновицера. Сделать то, что он обязан сделать, попасть в цель до девяти утра, когда Бина приставит щипцы к его зубам и дернет. Он горько улыбается тому, каким упрямым юным молодцом он был прошлой ночью. Побудка в шесть утра телефонным звонком.

Он натягивает одеяло на голову и закрывает глаза. Расстановка пешек и фигур непроизвольно возникает на шахматной доске в его голове. Черный король в окружении, но не под шахом, в центре доски, и белая пешка на *b* движется к тому, чтобы стать чем-то более значительным. Ландсману уже не нужны карманные шахматы, — к своему ужасу, он знает все наизусть. Он пытается выбросить партию из головы, стереть ее, сбросить фигуры и заполнить все белые клетки чернотой. Сплошная черная доска, не тронутая фигурами или игроками, гамбитами или эндшпилями, ходами или тактикой или материальным преимуществом, черная, как горы Баранова.

Он так и лежит в нижнем белье и носках, и все белые клетки в его голове заштрихованы, когда раздается стук в дверь. Он садится лицом к стене, его сердце — барабан, стучащий в висках. Ландсман закутан в простыню с головой, словно ребенок, собравшийся кого-то напугать. Наверное, какое-то время он лежал на животе. Он помнит, как слышал со дна могилы в черной грязи мрачной пещеры, ведущей на милю в глубь земли, далекую вибрацию своего

шойфера и иногда, после, тихое чириканье телефона на столе из дубового шпона. Но он так глубоко увяз в грязи, что,
даже если эти телефоны ему только снились, у него не было ни сил, ни желания поднять трубку. Подушка насквозь
пропитана ужасным варевом похмельного пота, паники
и слюны. Он смотрит на часы. Десять двадцать.

— Мейер?

Ландсман валится на кровать и лежит на животе, запе-
ленатый в простыню.

— Я увольняюсь, — говорит он. — Бина, я подаю в отставку.

Бина отвечает не сразу. Ландсман надеется, что она
его отставку приняла — что, впрочем, излишне — и вернется в свой модуль, к человеку из похоронного общества
и к собственному превращению из еврейского полицейского в юриста великого штата Аляска. И когда он будет
уверен, что она ушла, то вызовет горничную, которая раз
в неделю меняет белье и полотенца, чтобы та его застрели-
ла. Ей даже не придется его хоронить — надо просто вернуть откидную кровать в гнездо на стене. И ни клаустрофобия, ни страх темноты больше не будут его беспокоить.

Минутой позже он слышит поскребыванье ключа в замке, и дверь номера 505 открывается. Бина крадется в комнату, как крадутся в больничную палату кардиологическо-
го отделения, ожидая потрясения, напоминания о смерти,
угрюмой правды про тело.

— Г-ди, твою ж мать! — говорит она со своим идеаль-
ным твердым акцентом.

Это выражение всегда изумляет Ландсмана. Оно в самом деле курьезное, — по крайней мере, он поглядел бы на
нечто подобное даже за деньги. Она проходит по составля-
ющим серого костюма Ландсмана и банным полотенцам
и останавливается у изножья кровати. Глаза ее вбирают
розовые обои, украшенные ворсистыми венками, зеленый

плюшевый ковер с разрозненными узорами, намекающими, что об него тушили окурки, и загадочными пятнами, разбитое стекло, пустую бутылку, отслоившийся и треснувший шпон мебели. Наблюдая за ней с раскладной кровати, Ландсман наслаждается выражением ужаса на ее лице, и только потому, что если не наслаждаться, то останется лишь сгореть со стыда.

— Как там на эсперанто будет «говеный клоповник»? — интересуется Бина. Она подходит к столу и бросает взгляд на оставшиеся неопрятные завитки запеканки из лапши в заляпанном жиром контейнере. — Ну, хоть покушал.

Она оборачивает кресло с подголовником к кровати и опускает на пол торбу. Изучает сиденье кресла. Судя по ее лицу, она раздумывает, не стоит ли обработать это сиденье чем-нибудь едким или антибактериальным, хранящимся в ее волшебной сумке. Наконец опускается в кресло, но очень медленно. На ней серый брючный костюм из какой-то скользкой ткани с черной искрой. Под пиджаком надета шелковая водолазка цвета морской волны. Лицо без косметики, если не считать двух полосок терракотовой помады на губах. В такое раннее время ее попытки обуздать спутанные волосы с помощью шпилек и зажимов еще небезуспешны. Если она хорошо выспалась ночью на узком ложе в ее прежней комнате (на верхнем этаже дома для двух семей на Японском острове, где старый господин Ойшер колотит протезом по полу нижней квартиры), это не заметно на впадинах и тенях ее лица. Ее брови снова взаимодействуют друг с другом. Накрашенный рот сжался до шва кирпичного цвета в два миллиметра шириной.

— Итак, доброе ли у вас утро, инспектор?

— Не люблю ждать, — отвечает она. — И особенно не люблю ждать тебя.

— Может, ты не расслышала, — говорит Ландсман. — Я уволился.

— Забавно, но то, что ты повторяешь именно эту дурость, на удивление мало улучшает мое настроение.

— Я не могу работать под твоим началом, Бина. Брось. Это просто безумие. Именно такого безумия я и ждал от нашего управления. Если все так плохо, если все к тому идет, тогда проехали. Меня тошнит от этого джаза мимо нот. Так что, ну... я уволился. Зачем я тебе? Клеить черные метки на все дела? Открыли-закрыли. Кого это волнует? Экая ерунда, всего лишь кучка мертвых аидов.

— Я снова перерыла все твои дела, — говорит Бина; он замечает, что после всех этих лет она сохранила волнующую способность игнорировать его припадки уныния. — И не вижу там ничего, что может связать их с вербовскими. — Она лезет в портфель, вытаскивает пачку «Бродвея», разминает папиросу и прилаживает ее к губам. Она произносит следующие восемь слов как бы между прочим, и он сразу вострит уши. — Исключая разве что наркомана, которого ты нашел внизу.

— Ты же закрыла это дело, — говорит Ландсман неискренне, как идеальный полицейский. — Ты опять куришь?

— Табак, ртуть. — Она поправляет колечко волос, запаливает папиросу и пускает кольцо дыма. — Гулять так гулять.

— Дай и мне одну.

Она протягивает ему «Бродвей», и он садится, тщательно заворачиваясь в тогу простыни. Бина оглядывает Мейера в его величии, прикуривая вторую папиросу. Замечает седину вокруг его сосков, вялые мускулы живота, костлявые колени.

— Спать в носках и трусах... — говорит она. — Что-то с тобой неладно.

— Я думаю, приступ острой депрессии, — говорит он, — поразил меня прошлой ночью.

— Прошлой ночью?

— В прошлом году?

Она оглядывается в поисках чего-нибудь вроде пепельницы.

— Так вы с Берко смотались вчера на остров Вербов? — спрашивает она. — Накопать что-нибудь на этого Ласкера?

Врать ей бессмысленно. Но Ландсман нарушает приказы так давно, что не стоит начинать признаваться сейчас.

— Тебе что, позвонили уже? — спрашивает он.

— С острова Вербов? Утром в субботу? Кто может звонить мне в субботу утром? — Ее глаза становятся прозорливыми, непроницаемыми в уголках. — И что же они мне скажут, когда позвонят?

— Извини, — говорит Ландсман. — Прости меня, терпеть нет больше сил.

Он встает, и простыня спадает с него, являя трусы. Он обегает откидную кровать и устремляется в маленькую ванную с раковиной, металлическим зеркалом и душевым гусаком. Даже шторки нет, просто сток в полу. Он закрывает дверь и мочится долго-долго и с удовольствием. Пристроив горящую папиросу на бачок унитаза, он наскоро умывается с мылом, вытирает лицо полотенцем. В туалете на дверном крюке висит шерстяной халат в бело-красно-черно-зеленую полоску, типично индейский орнамент. Он снова сует в рот недокуренную папиросу и осматривает себя в поцарапанном четырехугольнике полированной стали, висящей над раковиной. Зрелище не предлагает особенных сюрпризов или неизведанных глубин. Он спускает воду и возвращается в комнату.

— Бина, — говорит он, — я не знал этого типа. Он был послан мне, чтобы я его встретил. Мне была дана возможность его узнать, полагаю, но я пренебрег ею. Мы могли бы подружиться. А может, и нет. Он сидел на героине, и ему, наверное, этого было достаточно. Обычное дело. Но знал я его или нет, даже если бы мы состарились вместе, держась за руки на диване там, в холле, это не имеет никакого значения. Кто-то вошел в гостиницу, мою гостиницу, и пальнул этому человеку в затылок, когда тот пребывал в мире грез. И это меня беспокоит. Оставим в стороне все возражения общего плана против самой концепции убийства, которые возникли у меня за долгие годы. Забудь о добре и зле, законе и порядке, полицейских методах, ведомственной политике, Возвращении, евреях и индейцах. Это дерьмо в моем доме. И еще два месяца или сколько там, но я здесь буду жить. И все эти горемыки, снимающие каморки с откидными кроватями и кусками металла, привинченными к стене сортира, — как бы то ни было, но теперь это мой народ. Не могу сказать честно, что он мне нравится. Хотя среди них есть и хорошие люди. Большинство — полный сброд. Но будь я проклят, если дам кому-то войти сюда и засадить пулю им в голову.

Бина приготовила две чашки растворимого кофе. Одну она протягивает Ландсману:

— Крепкий и сладкий. Так ведь?

— Бина...

— Ты сам по себе. Черный флаг остается в силе. Если тебя поймают, если ты попадешь в передрягу, если Рудашевские переломают тебе ноги, я об этом ничего не знаю и знать не хочу.

Она идет к сумке и достает папку-гармошку, набитую документами. Шмякает ее на столешницу из шпона. Протоколы вскрытия — только часть, Шпрингер вечно тянет. Кровь и волосы. Не так много. Баллистическая экспертиза еще не готова.

— Бина, спасибо тебе, Бина, слушай, этот парень... Его имя не Ласкер. Этот парень...

Она прикладывает палец к его рту. Она не касалась его губ три года. Вероятно, излишне говорить, какая темень вздымается в нем при этом касании. Но мгла дрожит, и свет кровоточит сквозь разломы и трещины.

— Я ничего об этом не знаю, — говорит она. Убирает руку, отхлебывает растворимого кофе и морщится. — Фу!

Она ставит чашку, подхватывает торбу и идет к двери. Но останавливается и смотрит на Ландсмана в банном халате, который она купила ему на день рождения, когда ему исполнилось тридцать пять.

— У тебя, должно быть, крепкие нервы, — говорит она. — Поверить не могу, что вы с Берко туда пошли.

— Мы должны были сообщить ему, что его сын мертв.

— Его сын.

— Мендель Шпильман. Единственный сын ребе.

Бина открывает рот и закрывает его. Она не столько удивлена, сколько заинтересована, по-терьерски вгрызаясь в информацию, хрустя ее кровавым суставом. Ландсману видно, как ей нравится теребить зубами сообщение. Но Ландсману знакомо и это выражение усталости в ее глазах. Бина никогда не потеряет профессионального аппетита ко всяческим людским историям, скручивая обратным ходом нить в лабиринте, идя от финального взрыва жестокости к первой ошибке. Но и шамесы порой устают от этого голода.

— И что сказал ребе? — Она отпускает дверную ручку с выражением неподдельного сожаления.

— Он немного расстроился.

— Он удивился, как думаешь?

— Не особенно, но я не понимаю, что это значит. Вероятно, парень катился по наклонной уже давно. Допускаю ли я, что Шпильман всадил пулю собственному сыну? Теоретически — конечно. И вдвойне под подозрением Баронштейн.

Ее сумка падает на пол со звуком рухнувшего тела. Она стоит и поводит плечом, разминая его. Ландсман мог бы предложить ей помощь, помассировать, но воздерживается.

— Полагаю, мне следует ожидать звонка, — говорит она. — От Баронштейна. Как только на небе проклюнутся три звезды.

— Знаешь, я бы не слишком прислушивался, когда он будет разливаться, как, мол, потрясен тем, что Мендель Шпильман сошел со сцены. Возвращение блудного сына радует всех, кроме того, кто спит в его пижаме.

Ландсман пригубливает кофе, ужасно горький и приторный.

— Блудного.

— Он был удивительный ребенок. В шахматах, в Торе, в языках. Я слышал историю, как он излечил рак у женщины, не то чтобы я поверил, но думаю, что в мире черных шляп о нем немало историй ходит. Что он, возможно, цадик ха-дор, знаешь, кто это такой?

— Немного. Да. В любом случае я знаю, что это значит, — говорит Бина; ее отец Гурий Гельбфиш — человек ученый в традиционном смысле, и он расточил определенную порцию знаний на свое единственное дитя, девочку. — «Праведнейший человек в поколении».

— Говорят, что эти ребята, эти цадики, являются один на поколение уже пару тысяч лет как, правильно? И сидят себе молчком. Ждут, когда придет их время или мир станет готов или, как порой говорят, когда время совсем сорвется с катушек и настанет полный трындец. О некоторых мы слышали. Большинство не высовывается. Я думаю, вообще-то, что цадиком ха-дор может быть любой.

— Он был презрен и умален пред людьми, — говорит или, скорее, цитирует Бина. — Муж скорбей, изведавший болезни.

— Вот и я говорю, — отзывается Ландсман. — Кто угодно. Бродяга. Ученый. Наркоман. Даже шамес.

— И так может быть, наверно, — кивает Бина. Она мысленно прочерчивает путь от чудодейственного дитяти вербовского ребе до убитого наркомана в ночлежке на улице

Макса Нордау. В такой траектории она, кажется, не видит ничего удивительного, и это ее печалит. — Так или иначе, хорошо, что это не я.

— Ты больше не хочешь спасать мир?

— А что, раньше я хотела его спасать?

— Мне кажется, да.

Она обдумывает и это утверждение, потирая нос, пытаясь вспомнить.

— Наверно, я это переросла, — говорит она, но Ландсман ей не верит.

Бина всегда хотела спасти мир. Просто она позволила миру, который хочет спасти, усохнуть, и вот теперь он мог уместиться в шляпе одного отчаявшегося полицейского.

— Теперь все это для меня пустой звук, — добавляет она.

Она могла бы уйти со сцены на этой реплике, но остается еще на пятнадцать секунд неспасенного времени, прислонясь к дверному косяку, и наблюдает, как Ландсман сражается с потертыми концами пояса от халата.

— Что ты собираешься сказать Баронштейну, когда он позвонит?

— Что ты превысил полномочия и что я вызову тебя на ковер. Соберу дисциплинарную комиссию. Может, тебе придется временно сдать жетон. Я постараюсь с этим побороться, но, учитывая, что вот-вот явится шомер из похоронного общества Спейд, чтоб ему пусто было, у меня мало пространства для маневра. Как и у тебя.

— Ладно, ты меня предупредила, — говорит Ландсман. — Считай, я предупрежден.

— И что ты собираешься сделать?

— Сейчас? Сейчас я хочу выпытать что-нибудь у матери. Шпильман сказал, что они не слышали про Менделя много лет и не говорили с ним. Но по определенным причинам я не склонен ему верить.

— Батшева Шпильман. Это будет непросто, — говорит Бина. — Особенно для мужчины.

— Верно, — тоскливо признается Ландсман.

— Нет, — говорит Бина. — Нет, Мейер. Даже не думай. Ты сам по себе.

— Она будет на похоронах. Все, что тебе придется...

— Все, что мне придется, — говорит Бина, — это держаться подальше от шомеров, прикрывать зад и постараться еще два месяца, чтобы мой зад остался цел.

— Я бы с радостью прикрыл твой зад, — замечает Ландсман, — хотя бы ради прошлого.

— Одевайся, — говорит Бина. — И сделай себе одолжение. Уберись здесь. Посмотри на эту свалку. Не могу поверить, что ты можешь так жить. Г-ди, тебе не стыдно?

Когда-то Бина Гельбфиш верила в Мейера Ландсмана. Вернее, она верила с самого момента их встречи, что в этой встрече есть какой-то высший смысл, что в основе их брака лежит некое намерение. Они были скручены, как две хромосомы, именно так, но там, где Ландсман видел только спутанность, случайное переплетение нитей, Бина прозревала руку Создателя Узлов. И за эту веру Ландсман отплатил ей верой в Ничто.

— Лишь когда я вижу твое лицо, — говорит Ландсман.

20

Ландсман выпрашивает полдюжины папирос у администратора Кранкхайта, потом убивает полчаса, выкурив три штуки, пока изучает отчеты о покойнике из 208-го, ничтожный улов: содержание белка, жирные пятна, пыль. Как говорит Бина, в этом деле нет ничего нового. Убийца вроде бы профессионал, шлоссер с опытом, не оставивший следа на тропе. Отпечатки пальцев мертвеца совпадают с отпечатками в деле Менахема Менделя Шпильмана, семь раз за десять лет побывавшего под арестом за хранение наркотиков, причем под вымышленными именами, как то: Вильгельм Стейниц, Арон Нимцович и Ричард Рети. Более ничего не ясно.

Ландсман подумывает, не послать ли кого-нибудь за бутылкой, но вместо этого принимает горячий душ. Алкоголь его не берет, мысль о еде выворачивает желудок, и, глядя правде в лицо, если бы он собирался покончить с собой, то сделал бы это уже давно. Итак, подытожим: работа — посмешище, но остается работой. И это истинное содержание папки-гармошки, которую оставила Бина, ее весть ему, вопреки политике управления, и брачному отторжению, и карьере, катящейся в противоположную сторону: «Не отступайся».

Ландсман освобождает свой последний чистый костюм из пластикового мешка, бреет подбородок, щеткой взбивает блестящий ворс на шляпе. Он сегодня свободен от служебных обязанностей, но обязанности — это пустое, ничто ничего не значит, кроме чистого костюма, трех размятых «Бродвеев», похмельного дрожания за глазными яблоками, шуршания щетки по фетру его шляпы цвета выдержанного виски. И, ну ладно, следа от запаха Бины в гостиничном номере, кисловатого аромата индийского донника ее юбки, вербенового мыла, душицы подмышек. Он спускается на лифте, чувствуя себя так, будто только что вышел из тени надвигающейся тучи падающего пианино, слыша какое-то джазовое бренчание в ушах. Узел золотисто-зеленого дешевого галстука давит на гортань, словно сомнения, жмущие на комплекс вины, напоминание, что он еще жив. Порк-пай лоснится, как морской котик.

Улица Макса Нордау еще не расчищена после снегопада — дорожные бригады Ситки, ободранные до самого минимального минимума, концентрируются на магистралях и шоссе. Ландсман оставляет «суперспорт» на попечение гаражного механика после того, как извлек из багажника резиновые галоши. Потом он осторожно топает через потоки в фут глубиной к «Пончикам Мабухая» на Монастырской улице.

Китайский пончик в филиппинском стиле, или штекеле, — это царский дар округа Ситка гурманам всего мира. В нынешнем виде его не сыщешь на Филиппинах. И китайский едок не узнает в нем плод родных жаровен. Как и грозного бога Яхве южного Двуречья, штекеле изобрели не евреи, но мир не принимает ни Бога, ни штекеле без евреев и их желаний. Панателла жареного теста, не совсем сладкая, не совсем соленая, обкатанная в сахаре, с хрустящей корочкой, нежная внутри и ноздреватая. Окунаешь пончик в бумажный стакан, где его ждет чай с молоком, и закрываешь глаза на десять бесконечных секунд, и обретаешь способность лицезреть что-нибудь еще более прекрасное.

Никому не известный создатель этого китайского пончика в филиппинском стиле — Бенито Таганес, хозяин и царь кипящих чанов «Мабухая». «Мабухай» — темный, набитый посетителями, невидимый с улицы, открыт всю ночь. В урочный час в него перетекают реки из баров и кафе, он скапливает порочных и греховных у своего щербатого прилавка и бубнит сплетнями преступников и полицейских, штаркеров и шлемилей, шлюх и полуночников. Под тучное одобрение в чанах, рев утомленных вентиляторов и музыкальный ящик, гундящий ностальгические кундиманы манильских соотечественников Бенито, его клиентура облегчается от своих секретов. Золотая дымка кошерного масла висит в воздухе и озадачивает органы чувств. Кто может подслушать, когда уши полны кошерного шипения и причитаний Диомеда Матурана? Но Бенито подслушивает, и он запоминает. Бенито может нарисовать вам фамильное древо Алексея Лебедя, атамана русской мафии, только на нем вы не найдете дедушек, бабушек и племянниц, зато там полно рэкетиров, мокрушников и офшорных счетов. Он может спеть вам кундиман о женах, верных своим мужьям, отбывающим срок, и о мужьях, сидящих потому, что жены их заложили. Он знает, кто прячет голову Ферри Маркова в гараже и какой полицейский из отдела по борьбе с наркотиками на зарплате у Анатолия Московица по кличке Зверюга. Но никто не знает, что Бенито знает Мейера Ландсмана.

— Пончик, рав Таганес, — говорит Ландсман, входя с улицы. Он топает ногами, стряхивая корку снега с галош.

Субботний полдень Ситки в продуваемом рубище снега мертв, как павший Мошиах. Никого нет на тротуарах, редкая машина на дороге. Но здесь, в «Пончиках Мабухая», можно встретить двух-трех бродяг, и анахоретов, и пьяниц, склонившихся к сверкающей отканифоленной стойке, высасывающих чай из своих штекеле и подсчитывающих убытки от будущих крупных ошибок.

— Всего один? — уточняет Бенито.

Мужчина он коренастый, кряжистый. Кожа цвета чая с молоком, который он подает, щеки изрыты, словно пара смуглых лун. Волосы у Бенито черны как смоль, но ему за семьдесят. В молодости он был чемпионом Лусона по боксу в мушином весе, и, глядя на его пальцы-сардельки и татуированные салями предплечий, видишь, что он просто создан для обслуживания потребителей с непростым характером. Однако глаза цвета жженого сахара выдают его суть, так что он их прикрывает или отводит. Но Ландсману удалось заглянуть в них. Чтобы управляться со штинкерами, нужно уметь разглядеть разбитое сердце на дне самой бесчувственной кастрюли.

— Судя по вашему виду, вам надо съесть два или три, детектив.

Бенито подталкивает локтем племянника или кузена, который трудится над жарочной корзиной, опуская заговоренные змейки сырого теста в жир. Через несколько минут Ландсман держит в руке тугой кулек небесного блаженства.

— Я разузнал насчет дочери сестры Оливии, как вы просили, — говорит Ландсман с полным ртом теплой сладости.

Налив ему чашку чая, Бенито кивает в сторону улицы. Он натягивает анорак, и они выходят. Бенито снимает связку ключей с пояса и возится с железной дверью по соседству с «Пончиками Мабухая». Здесь Бенито держит свою любовницу Оливию, в трех уютных комнатках с портретом Дитрих кисти Уорхола и горьким запахом витаминов и сгнившей гардении. Оливии сейчас дома нет. В последнее время дама чаще бывает в больнице — смерть в нескольких главах, в каждой из которых нет места счастливому концу. Бенито жестом приглашает Ландсмана сесть в красное кожаное кресло, отделанное белым руликом. Конечно, Ландс-

ман ничего не разузнал для Бенито ни про какую из дочерей сестры Оливии. Да и Оливия не совсем дама, но Ландсман также единственный, кто осведомлен об этой части
жизни Бенито Таганеса, царя пончиков. Много лет назад
серийный насильник по имени Кон попытался овладеть
мисс Оливией Лагдамео и раскрыл ее тайну. Вторым большим сюрпризом, ожидавшим Кона той ночью, был патрульный Ландсман, случившийся неподалеку. Из-за того
что Ландсман сделал с лицом Кона, момзер будет неразз-
борчиво шепелявить до самой смерти. Так что смесь благодарности и стыда, а не деньги служила причиной информационной реки, текущей от Бенито к человеку, спасшему
Оливию.

— Вы не слышали что-нибудь о сыне Гескеля Шпильмана? —спрашивает Ландсман, отложив пончик и отставив
чашку. — Мальчик по имени Мендель?

Бенито встает, руки за спиной, как у прилежного ученика, собравшегося декламировать стихи у доски.

— Время от времени, — говорит он, — то одно, то другое. Это который наркоша?

Ландсман округляет ворсистую бровь на четверть дюйма. Не стоит отвечать на вопрос штинкера, особенно на риторический.

— Мендель Шпильман... — задумывается Бенито. — Видел его, может, пару раз. Забавный парнишка. Говорит немного на тагальском. Может чуть спеть по-филиппински.
Что случилось, он жив?

Ландсман все еще ничего не рассказывает, но ему нравится Бенни Таганес, и как-то всегда неловко и грубо держать его на поводке. Чтобы оправдать молчание, он берет
штекеле и откусывает. Пончик еще теплый, в нем звучит
ванильная нотка, и корочка хрустит в зубах, как глазурь на
заварном креме. Пока выпечка исчезает во рту Ландсмана,
Бенито с возрастающей холодностью смотрит на собесед-

ника, как дирижер — на флейтиста, играющего прослуши-
вание в оркестр.

— Это вкусно, Бенни.

— Не оскорбляйте меня, детектив, прошу вас.

— Извините.

— Мне ли не знать, насколько вкусно.

— Лучше всех.

— Ничего лучше у вас в жизни не было и не будет.

Это настолько соответствует истине, что на глаза Ландсмана наворачиваются горькие слезы, и, чтобы скрыть это,
он берется за второй пончик.

— Кто-то искал этого аида, — говорит Бенито на своем
шероховатом и торопливом идише. — Два-три месяца тому. Какая-то парочка.

— Вы их видели?

Бенито пожимает плечами. Он хранит в секрете от
Ландсмана свою тактику и операции, кузенов и племянников и сети субштинкеров, которых нанимает.

— Кто-то их видел, — говорит он. — Может, и я.

— Это были черные шляпы?

Бенито обдумывает вопрос довольно долго, и Ландсман
видит, что он озабочен, словно это научный вопрос, и даже
в какой-то мере приятный. Он медленно кивает.

— Не черные шляпы, — говорит он. — Но бороды
черные.

— Бороды? Вы хотите сказать, это были досы?

— Маленькие ермолки. Аккуратные бороды. Молодые
люди.

— Русские? Акцент?

— Если я слышал об этих молодых людях, то мне ничего не сообщили об акценте. А если я видел их сам, тогда уж
простите меня, не помню. Эй, в чем дело, почему вы не за-
писываете, детектив?

Ранее в их сотрудничестве Ландсман делал вид, что
очень серьезно относится к сведениям, получаемым от Бе-

нито. И теперь он выуживает записную книжку и царапает пару строчек, просто чтобы царь пончиков остался доволен. Ландсман не знает, что́ даст ему информация об этих двух или трех аккуратных молодых евреях, религиозных, но не из черных шляп.

— И что они спрашивали конкретно, если не трудно? — просит Ландсман.

— Где его можно найти. Информацию.

— Они ее получили?

— Только не в «Пончиках Мабухая». Не от Таганеса.

У Бенито звенит шойфер, он вынимает его и прикладывает к уху. Вся его суровость исчезает в морщинах у рта. Теперь его лицо сочетается с глазами, мягкое, переполненное чувствами. Он нежно тарахтит по-тагальски. Ландсман подслушивает тихие звуки собственного имени.

— Как Оливия? — спрашивает Ландсман, когда Бенито складывает телефон и заливает в лекало своего лица ярд холодного алебастра.

— Не может есть, — говорит Бенито. — Больше никаких штекеле.

— Какая жалость.

Они закончили. Ландсман встает, сует записную книжку в карман брюк и позволяет себе последний кусок пончика. Он чувствует себя сильнее и счастливей, чем был псделями или, возможно, месяцами. Что-то в смерти Менделя Шпильмана, в истории, которая не отпускает, стряхнуло с него пыль и пауков. Или, может, все дело в пончике. Они идут к двери, но Бенито придерживает его за руку:

— А почему вы больше ни о чем не спрашиваете меня, детектив?

— А что я должен спросить? — Ландсман хмурится, потом неуверенно нашаривает вопрос: — Может, сегодня до вас дошли какие-то слухи? Что-нибудь с Вербова?

Почти невообразимо, но все-таки возможно, что весть о недовольстве Вербова визитом Ландсмана к ребе достигла ушей Бенито.

— С Вербова? Нет, другое. Вы все еще интересуетесь Зильберблатом?

Виктор Зильберблат — один из одиннадцати висяков, которые Ландсману и Берко полагается закрыть. Зильберблата зарезали в марте у таверны «Хофбрау» в Нахтазиле — старом немецком районе в нескольких кварталах отсюда. Нож был маленький и тупой, и убийца не оставил следов.

— Кто-то видел его брата, — говорит Бенито. — Рафи болтался поблизости.

Никто не скорбел по Виктору, и меньше всех его брат Рафаил. Виктор мучил Рафаила, обманывал его, унижал, по-хозяйски пользовался его наличностью и женщинами. После смерти Виктора тот уехал из города, куда — неизвестно. Улики, связывающие Рафаила с ножом, неубедительны, насколько это возможно. Два сомнительных свидетеля подтвердили его алиби за сорок миль от места происшествия по обе стороны от Нахтазиля и на два часа от вероятного момента убийства его брата. Но Рафи Зильберблат давно и постоянно числится на полицейском учете, и, думает Ландсман, он вполне мог бы подойти, принимая во внимание пониженные стандарты новой сыскной политики в части доказательств.

— Болтался — где? — уточняет Ландсман.

Информация подобна горячему черному глотку кофе. Ландсман чувствует себя стопудовой змеей, обвивающейся кольцами вокруг свободы Рафаила Зильберблата.

— У этого магазина «Биг-Махер», который уже закрылся, на Гранитном ручье. Кто-то видел, как он там ошивается. Тащил что-то. Баллон пропана. Может, он живет в пустом магазине.

— Спасибо, Бенни, — говорит Ландсман. — Я проверю. Ландсман направляется к выходу. Бенито Таганес придерживает его за рукав. Отеческой рукой он приглаживает воротник Ландсманова пальто. Стряхивает крошки коричного сахара.

— Ваша жена, — говорит он. — Опять здесь?

— Во всем величии.

— Милая дама. Бенни передает привет.

— Я посоветую ей навестить вас.

— Нет, вы ничего ей не посоветуете, — ухмыляется Бенито. — Она теперь ваш начальник.

— Она всегда мой начальник, — признается Ландсман. — Сейчас это просто официально.

Ухмылка меркнет, и Ландсман отводит взгляд от очков на сострадающих глазах Бенито Таганеса. Жена Бенито — бессловесная и незаметная маленькая женщина, но мисс Оливия в зените вела себя как начальник половины мира.

— Это к лучшему, — говорит Бенито. — То, что вам надо.

21

Ландсман пристегивает к ремню дополнительный магазин и едет к северному концу, минуя мыс Палтуса, где город распыляется и вода преграждает суше путь, как рука полицейского. Прямо у шоссе Икеса останки универмага отмечают закат мечты о еврейской Ситке. Усилие заполнить каждое свободное пространство евреями мира от Якоби до сих иссякло на этом паркинге. И никакого Постоянного статуса, никакого притока новой еврейской плоти из захудалых углов и темных аллей Диаспоры. Запланированные постройки остались линиями на чертежах, захламивших некие стальные ящики.

Филиал «Биг-Махера» у Гранитного ручья отдал Б-гу душу года два назад. Двери затянуты цепью, а по фасаду, там, где еврейскими и латинскими буквами когда-то значилось название магазина, только загадочные ряды дыр — точки домино и шрифт Брайля как признак упадка. Ландсман оставляет машину на разделительной полосе и бежит трусцой через огромный замерший паркинг к входной двери. Снег здесь не так глубок, как на улицах в центре города. Небо высокое и бледно-серое, расчерченное темноватыми тигриными полосами. Ландсман пыхтит носом, маршируя к стеклянной двери, ручки которой скованы голубыми обрезиненными цепями, точно руки — кандалами. Ландсману представляется, что сейчас он постучит в дверь, высоко подняв значок, излучая во все стороны крутизну, как силовое поле, — и этот задохлик Рафи Зильберблат выползет, робко моргая, на ослепляющий снегом день.

Первая пуля чернит воздух около правого уха Ландсмана, словно жирная жужжащая муха. Он даже не понимает, что это пуля, пока не слышит — или вспоминает, что слышал, — приглушенный хлопок и звон стекла. Тогда он падает на живот в снег, прижимаясь к земле, где вторая пуля находит Ландсманов затылок и опаляет его, как струя бензина, к которой только что приложили спичку. Ландсман вытаскивает шолем, но голова его забита паутиной, и лицо его залеплено паутиной, и его сковывает паралич сожалений. Его план вообще не был планом, и вот все пошло наперекосяк. Никто его не прикрывает. Никто не знает, где он, кроме Бенито Таганеса, с его паточным взглядом и абсолютным метафизическим молчанием. Ландсман сдохнет на пустынном паркинге на краю света. Он закрывает глаза. Он открывает их, и паутина становится гуще и сверкает чем-то наподобие росы. Шаги на снегу, не одна пара ног. Ландсман поднимает пистолет и целится сквозь сверкающую канитель в мозгу. Стреляет.

Слышится крик боли, женский натужный выдох и голос, призывающий рак на тестикулы Ландсмана. Снег забивает уши его и стекает, тая, за воротник пальто и на шею. Кто-то хватается за пистолет Ландсмана и пытается его отнять. Дышит попкорном. Повязка на глазах Ландсмана утончается, когда детектив, пошатываясь, выпрямляется. Он видит усатое рыльце Рафи Зильберблата, а у двери «Биг-Махера» — пухлую крашеную блондинку, лежащую на спине, видит, как жизнь ее фонтанирует из живота на курящийся красный снег. И пару пистолетов, один из них в руке Зильберблата, нацеленный в голову Ландсмана. От блеска оружия паутина сожаления и угрызений совести спадает. Вонь жареной кукурузы, наплывающая из заброшенного магазина, трансформирует запах крови в ноздрях

Ландсмана, выводя на первый план сладкую составляющую. Ландсман приседает и отпускает «смит-вессон».

Зильберблат так усердно тянет к себе пистолет, что когда Ландсман уступает, то нападающий шлепается в снег на спину. Ландсман наваливается на Зильберблата, придавливая коленями. Он просто действует без единой мысли. Выдергивает у Рафи свой шолем, перехватывает за рукоятку, и мир нажимает на спусковой крючок всех своих пистолетов. Из темени Зильберблата вырастает рог крови. Теперь паутина забивает уши Ландсмана. Он слышит только дыхание в глубине горла и как пульсирует его кровь.

На мгновение странный покой раскрывается внутри у него, как зонтик; Ландсман сидит верхом на только что убитом им человеке, и колени его обжигает снег. Ему хватает соображения, чтобы понять: это спокойствие — не обязательно добрый знак. Потом сомнения начинают обступать осознание того, какой бедлам он тут устроил, — будто случайные зеваки, толпящиеся вокруг самоубийцы, намеренного прыгнуть с крыши. Ландсман, шатаясь, поднимается на ноги. Он видит кровь на своем пальто, ошметки мозгов, зуб.

Двое мертвецов на снегу. Запах попкорна и едкая вонь немытых ног накрывают Ландсмана.

Пока он занят выблевыванием кишок на снег, еще один человек появляется из магазина «Биг-Махер». Юноша с крысиным рылом и размашистой походкой. У Ландсмана еще хватает ума опознать в нем очередного Зильберблата. Этот Зильберблат бредет с поднятыми руками и ошарашенным взглядом. Руки его пусты. Но когда он видит, что Ландсман в крови и стоит на четырех, то раздумывает сдаваться. Он подхватывает пистолет, лежащий в снегу возле останков брата. Ландсман шатко пытается снова встать, и огненный след в затылке взрывается. Земля уходит из-под ног, а дальше наступает ревущая чернота.

После смерти он просыпается, лежа лицом в снегу. Он не чувствует снега на щеках. Невыносимый звон в ушах прошел. Он силится сесть. Кровь с затылка разбросала рододендроны в снегу. Мужчина и женщина, которых он убил, не двигаются, но нет и следа юного Зильберблата, который стрелял в него и убил или не стрелял и не убил. С внезапной ясностью мысли и возрастающим подозрением, что он забыл умереть, Ландсман ощупывает себя. Его часы, ключи от машины, мобильник, пистолет и жетон исчезли. Он ищет взглядом свою машину, припаркованную вдали на объездной дороге. Увидев, что его «суперспорт» исчез, он начинает понимать, что все еще жив, потому что только жизнь может подсунуть такую свинью.

— Еще один Зильберблат херов, — хрипит он. — Все они одинаковы.

Он замерз. Он подумывает, а не войти ли в «Биг-Махер», но вонь попкорна останавливает его. Отвернувшись от зияющих дверей, он возводит глаза к высоким холмам и сопкам за ними, почерневшим от лесов. Потом садится на снег. Потом ложится. Это удобно и приятно, и приятен запах прохладной пыли, и он закрывает глаза и засыпает, втискиваясь в удобную черную дырочку в стене гостиницы «Заменгоф», и впервые в жизни клаустрофобия его не беспокоит, ни капельки.

22

Ландсман держит на руках младенца. Младенец плачет, без всяких на то печальных причин. От его стенаний сердце Ландсмана приятно сжимается. Ландсман с удовольствием осознает, что у него на руках толстенький красивый сынок, благоухающий вафлями и мылом. Он сжимает пухлую ножку, прикидывает на руках вес маленького дедушки, одновременно ничтожный и значимый. Он поворачивается к Бине, чтобы сообщить радостную новость: все было ошибкой. Вот же их сын. Но Бины нет, сказать некому — только в ноздрях память о дожде на ее волосах. И он просыпается и понимает, что плачущий младенец — это Пинки Шемец, протестующий против замены подгузника или чего еще. Ландсман моргает, и мир вторгается в него шелкографией обоев на стене, а сам он выдолблен, как в первый раз, как при потере сына.

Ландсман лежит на постели Берко и Эстер-Малке, на стороне Берко, лицом к стене с пейзажем сада где-то на Бали и непуганными птицами. Кто-то его раздел до трусов. Он садится. Кожа на затылке саднит, а потом струна боли натягивается туже. Ландсман поглаживает место ранения. Пальцы наталкиваются на повязку — скукоженный прямоугольник марли и пластырь. Окружает его подозрительная безволосая область на скальпе. Воспоминания накладываются одно на другое с шлепающим звуком, словно свежие снимки со сценами убийства, выплюнутые аппаратом смерти доктора Шпрингера. Веселый санитар, рентген, укол морфия, надвигающийся кусок ваты, смоченной бетадином. А перед этим — свет уличного фонаря, обнажающий белый исполосованный винил потолка в машине «скорой помощи». Пурпурный снег. Кишки наружу, источающие пар. Шершень у самого уха. Красный фонтан изо лба Рафи Зильберблата. Дырчатая шифровка на пустом протяжении штукатурки. Ландсман так резко дает задний ход от воспоминаний о случившемся на парковке «Биг-Махера», что врезается во сне прямо в застарелую му́ку потери Джанго Ландсмана.

— Горе мне, — говорит Ландсман.

Он вытирает глаза. Он бы пожертвовал железой, еще каким-нибудь несущественным органом за папиросу. Дверь спальни открывается, и входит Берко, держа почти полную пачку «Бродвея».

— Я говорил тебе когда-нибудь, что я тебя люблю? — спрашивает Ландсман, зная прекрасно, что никогда не говорил.

— Слава б-гу, никогда, — отвечает Берко. — Я достал их у соседки, у Фридовой подруги жизни. Сказал ей, что это конфискация.

— Я безумно благодарен.

— Учтем наречие.

Берко заметил еще, что Ландсман плакал, одна бровь вздыблена, свесилась, словно скатерть со стола.

— С малышом все в порядке? — спрашивает Ландсман.

— Зубки.

Берко снимает пальто с крюка на двери спальни. Там же на вешалке висит и вся одежда Ландсмана, выстиранная и вычищенная. Берко шарит в заднем кармане Ландсмановой куртки и возвращается со спичками. Подходит к кровати и протягивает папиросы и спички.

— Не могу со всей честностью утверждать, — говорит Ландсман, — что я понимаю, зачем я здесь.

— Это была идея Эстер-Малке. Учитывая, как ты относишься к больницам. И они сказали, что нет необходимости там оставаться.

— Садись.

Но стула в комнате нет. Ландсман подвигается, и Берко садится на край кровати; пружины матраса тревожно скрипят.

— Тут и правда можно курить?

— Нет, конечно нет. Иди кури в окно.

Ландсман вылезает из кровати, вернее, переваливается через ее край. Когда он поднимает бамбуковую штору на окне, то, к своему удивлению, видит, что идет дождь. Запах дождя влетает через два дюйма щели открытого окна, объясняя запах Бининых волос во сне. Ландсман смотрит на парковку многоэтажки и замечает, что снег растаял и смыт дождем. И что-то не то со светом.

— Который час?

— Четыре тридцать... две, — отвечает Берко, не глядя на часы.

— А что за день?

— Воскресенье.

Ландсман распахивает окно и свешивается левой ягодицей с подоконника. Дождь падает на его недужную голову. Он закуривает папиросу, глубоко затягивается и силится решить, волнует ли его полученная информация.

— Давненько я так не делал, — говорит он. — Проспать весь день.

— Наверно, тебе было необходимо, — заключает Берко рассеянно. Искоса зыркает на Ландсмана. — Это Эстер-Малке стянула с тебя штаны, кстати. Просто чтобы ты знал.

Ландсман стряхивает пепел за окно.

— Меня подстрелили.

— По касательной. Говорят, что-то вроде ожога. Даже швы не наложили.

— Там было трое. Рафаил Зильберблат. Пишер, брат, как я догадался. И какая-то цыпочка. Брат забрал мою машину, бумажник спер. Мою бляху и шолем. И бросил меня там.

— Именно так мы и восстановили события.

— Я хотел позвонить, но этот еврейский крысеныш стырил и шойфер в придачу.

Упоминание о телефоне Ландсмана вызывает у Берко улыбку.

— Что? — спрашивает Ландсман.

— Ну, пишер твой катит на север по Икеса, держит путь к Якоби, Фэрбенксу, Иркутску.

— Гы-гы.

— Твой телефон звонит. И пишер берет трубку.

— Это был ты?

— Бипа.

— Это мне нравится.

— Две минуты на телефоне с Зильберблатом, и она определила, где он находится, как он выглядит и как звали его собаку, когда ему было одиннадцать. Пара латке арестовали его через пять минут на окраине Крестова. Твоя машина в порядке. Деньги еще в бумажнике.

Попытка Ландсмана изобразить заинтересованность похожа на то, как огонь превращает сухой табак в лепестки пепла.

— А жетон и пистолет? — спрашивает он.

— А...

— А...

— Бляха и пистолет остались у твоей начальницы.

— Она собирается мне их вернуть?

Берко перегибается и разглаживает вмятины, оставленные Ландсманом на его кровати.

— Я исполнял долг, — оправдывается Ландсман, но как-то плаксиво даже на его собственный слух. — Мне насвистели про Рафи Зильберблата. — Он пожимает плечами и запускает пальцы в бинты на затылке. — Я всего лишь хотел поговорить с этим аидом.

— Ты должен был сперва мне позвонить.

— Не хотелось беспокоить тебя в Субботу.

Это слабое извинение, и звучит оно менее убедительно, чем ожидал Ландсман.

— Ну идиот я, — соглашается Ландсман. — И плохой полицейский.

— Правило номер один.

— Я знаю. Но думал, что поступаю правильно. Кто ж ожидал, что так пойдет.

— В любом случае, — говорит Берко. — Пишер этот. Братишка который. Называет себя Вилли Зильберблатом. Дал показания на покойного братца. Говорит, что это Рафи убил Виктора. Половинкой ножниц.

— Это как?

— Ради справедливости замечу, что у Бины есть причины похвалить тебя в этом деле. Ты раскрыл его весьма эффективно.

— Половинкой ножниц?

— Очень рачительно, правда?

— Даже скупо.

— А цыпочка, с которой ты обошелся так невежливо, — это тоже ты?

— Это я.

— Славная работа, Мейер. — В тоне Берко ни грана сарказма. — Ты всадил пилюлю в Яхвед Флседерман.

— Да ну?

— У тебя был трудный день.

— Медсестру, что ли?

— Наши коллеги в группе «Б» от тебя в полном восторге.

— Ту, что пришила старого дрючка, как же его, Германа Познера?

— Это было их единственное нераскрытое дело за прошлый год. Они думали, что она в Мексике.

— Фигасе, — говорит Мейер по-американски.

— Табачник и Карпас уже замолвили Бине за тебя словечко, насколько я понимаю.

Ландсман тушит папиросу о стену дома снаружи и выбрасывает окурок в дождь.

Табачник и Карпас на самом деле вечно дышат Ландсману и Шемецу в затылок. Какое там «замолвили».

— Даже когда мпс взэст,   говорит Ландсман, — все равно я невезучий. — Он вздыхает. — Ничего не слышно с острова Вербов?

— Ни звука.

— А в газетах?

— «Лихт» и «Рут» ни гугу. — («Лихт» и «Рут» — это главные ежедневники черных шляп.) — И сплетен никаких я не слышал. Никто об этом не говорит. Ничего. Тишина полная.

Ландсман встает с подоконника и идет к телефону на прикроватном столике. Он набирает номер, который запомнил много лет назад, задает вопрос, получает ответ, вешает трубку.

— Вербовские забрали тело Менделя Шпильмана вчера поздно вечером.

Телефон в руке Ландсмана вскидывается и чирикает, как заводная птичка. Он протягивает телефон Берко.

— Да выглядит неплохо, — сообщает кому-то Берко, помолчав. — Да, могу представить, — конечно, ему нужен отдых. Хорошо. — Он отводит трубку и смотрит на нее, прикрывая микрофон пухлым пальцем. — Твоя бывшая.

— Говорят, ты неплохо выглядишь, — говорит Бина Ландсману, когда он берет трубку.

— Они и мне рассказали, — говорит Ландсман.

— Отвлекись, — предлагает она. — Отдохни.

Голос нежен и невозмутим, и нужно секунды две, чтобы до Ландсмана дошел подлинный смысл.

— Ты этого не сделаешь, — просит он. — Бина, ради б-га, скажи мне, что это неправда.

— Два трупа. Из твоего пистолета. Ни одного свидетеля, кроме мальца, который ничего не видел. Автоматическое отстранение от служебных обязанностей с сохранением жалованья. До разбирательства на заседании комиссии.

— Так в меня же стреляли. У меня была надежная наводка. Я шел с пистолетом в кобуре. Я был вежлив, как мышь. А они начали в меня палить.

— Конечно, у тебя будет возможность рассказать свою версию. Но я придержу твою бляху и твой пистолет в этом милом розовом пакетике «Хелло, Китти» со змейкой, в котором Вилли Зильберблат таскал их с собой, ладно? А ты просто постарайся привести себя в порядок, хорошо?

— Разбирательство затянется на недели, — говорит Ландсман. — Когда я вернусь на службу, уже и полиции Ситки не будет, скорей всего. Нет оснований отстранять меня от работы, сама же знаешь. В таких обстоятельствах ты можешь позволить мне работать, пока продолжается расследование, и я буду вести это дело по всем правилам.

— Есть правила, — возражает Бина. — А есть правила.

— Не говори загадками, — просит он, а потом по-американски: — Какого хера?

Помолчав секунду-другую, Бина объясняет:

— Мне звонил главный инспектор Вэйнгартнер. Вчера вечером. Как стемнело.

— Понятно.

— Он сказал, что ему только что позвонили. На его домашний телефон, вот так. И полагаю, что уважаемый джентльмен на другом конце провода был немного взвинчен по поводу того, как вел себя детектив Мейер Ландсман в пятницу вечером в местах проживания этого уважаемого джентльмена. Нарушая общественный порядок. Проявляя крайнее неуважение к обитателям района. Действуя без разрешения властей.

— И что сказал Вэйнгартнер?

— Он сказал, что ты был отличным детективом, но все знают, что у тебя имеются определенные проблемы.

Вот что, Ландсман, будет написано на твоем надгробии.

— А ты, что ты ответила Вэйнгартнеру? — спрашивает он. — Когда он позвонил, чтобы испортить тебе субботний вечер.

— Мой субботний вечер... Мой субботний вечер похож на буррито из микроволновки. Очень трудно испортить то, что уже с самого начала несъедобно. Между прочим, я сообщила инспектору, что тебя ранили.

— А он?

— Он сказал, что в свете новых свидетельств должен пересмотреть свои застарелые атеистические убеждения. И что мне следует постараться, чтобы ты непременно как следует отдохнул в тишине и комфорте. Что я и делаю. Ты отстранен от работы, но с полным содержанием до следующих распоряжений.

— Бина, Бина, пожалуйста. Ты же знаешь, каково мне.

— Я знаю.

— Если я не могу работать... Так нельзя, Бина.

— Я должна. — Температура ее голоса упала так быстро, что сосульки зазвенели на проводе. — Ты знаешь, как мало я могу в подобной ситуации.

— Ты хочешь сказать: когда гангстеры дергают за ниточки, стопоря расследование убийства? В такой ситуации?

— Я подчиняюсь главному инспектору, — разжевывает Бина, словно разговаривает с ослом; она знает, что больше всего Ландсман не любит, когда с ним разговаривают как с идиотом, — а ты подчиняешься мне.

— Лучше бы ты мне не звонила, — говорит Ландсман, помолчав. — Лучше бы просто позволила умереть.

— Только не надо мелодрам, — говорит Бина. — И — да ради б-га.

— И что мне делать сейчас, помимо того, чтобы благодарить тебя за кастрацию?

— Как пожелаете, детектив. Может, подумаешь о будущем ради разнообразия.

— Будущее, — говорит Ландсман. — Типа летающие автомобили? Гостиницы на Луне?

— Я подразумеваю твое будущее.

— Хочешь отправиться на Луну со мной, Бина? Я слышал, что они еще принимают евреев.

— До свидания, Мейер.

Она вешает трубку. Ландсман тоже кладет трубку и стоит у телефона еще минуту, а Берко наблюдает за ним с кровати. Ландсман чувствует, как сквозь него проносится последний приступ гнева и энтузиазма, словно ком пыли в трубке пылесоса. И вот он пуст.

Он садится на кровать. Забирается под одеяло, ложится лицом к балийскому пейзажу на стене и закрывает глаза.

— Эй, Мейер, — говорит Берко.

Но Ландсман не отвечает.

— Ты теперь так и останешься в моей постели?

Ландсман не видит никакой пользы в ответе на вопрос. Через минуту Берко вскакивает с матраса. Ландсман чувствует, что Берко оценивает ситуацию, ступая в глубины темных вод, разделяющих напарников, и стараясь найти верные слова.

— Но все-таки оцени, — наконец говорит Берко, — Бина тоже навещала тебя в скорой.

Оказывается, Ландсман ничего этого не помнит. Все исчезло, как ощущение детской пяточки в ладони.

— Тебя сильно накачали, — говорит Берко. — Ты много чего наговорил.

— Я оскандалился, когда она приходила? — пытается спросить Ландсман тонким голосом.

— Да, — признается Берко. — Боюсь, что так и было.

Потом он выходит из своей спальни и оставляет Ландсмана ломать голову над вопросом, удастся ли ему собраться с силами, и сообразить, можно ли увязнуть еще глубже.

Ландсману слышно, как о нем говорят приглушенными голосами, припасенными для сумасшедших, придурков и непрошеных гостей. И так до вечера, когда они садятся за ужин. И в грохоте душа, и когда пудрят попку, и когда рассказывают сказку на ночь, заставляющую Берко Шемеца гоготать по-гусиному. Ландсман лежит на Берковой стороне кровати, с горящим рубцом на затылке, и то и дело выпадает из реальности запаха дождя за окном, шепота и криков семьи в соседней комнате. Каждый час еще один центнер песка просачивается через дырочку в душе Ландсмана. Сначала он не может оторвать голову от матраса. Потом не может открыть глаза. А когда глаза закрываются, то наступает не совсем сон, и мысли, терзающие его, хотя и ужасны, но не совсем сны.

Где-то в середине ночи Голди влетает в комнату. Шаги его тяжелы и неуклюжи, походка крошки-монстра. Он не просто забирается в постель, он запутывает одеяла, как мешалка взбивает тесто, словно он в страхе спасался от чего-то, но, когда Ландсман заговаривает с ним, спрашивает его, что случилось, мальчик не отвечает. Глаза его закрыты, сердце бьется ровно и тихо. От чего бы он ни бежал, он находит убежище в родительской постели. Мальчик крепко спит. Он пахнет, как надрезанное яблоко, начинающее портиться. Голди вонзает ногти больших пальцев ног в поясницу Ландсмана, осторожно и беспощадно, и скрипит зубами. Звук такой, как будто тупые ножницы режут лист олова.

После часа подобного лечения, около половины пятого, дитя на лоджии начинает плакать. Ландсман слышит, как

Эстер-Малке пытается укачать его. Обычно она забирает его к себе в постель, но сегодня ночью это исключено, и у нее уходит много времени, чтобы успокоить маленького дедушку. Когда Эстер-Малке возвращается в спальню с ребенком на руках, дитя уже сопит, и успокаивается, и почти засыпает. Эстер-Малке сует ребенка между его братцем и Ландсманом и уходит.

Воссоединившись в родительской постели, мальчики Шемецев начинают присвистывать, и урчать, и блеять внутренними клапанами, которые могут посрамить большой орган синагоги Эмману-Эль. Ребятишки производят ряд маневров, кунг-фу дремоты, потом отгоняют Ландсмана на самый край кровати. Они лупят Ландсмана, пронзают его ногтями, крякают и ворчат. Они пережевывают грубую пищу снов. На рассвете что-то очень плохое происходит в подгузнике младшего. Это самая дурная ночь в жизни Ландсмана, и это говорит о многом.

Кофеварка начинает отхаркиваться в семь. Несколько тысяч молекул кофейного пара летят в спальню и теребят волоски в носу Ландсмана. Он слышит шарканье тапочек по ковру в коридоре. Он долго и трудно борется с мыслью, что Эстер-Малке стоит на пороге своей спальни, ненавидя его и собственный приступ благотворительности. Ему безразлично. И почему это должно его заботить? Наконец Ландсман понимает, что из его борьбы за безразличие прорастают парадоксальные семена поражения. Ну что ж, ему не безразлично. Он открывает глаз. Эстер-Малке прислоняется к дверному косяку и, обхватив себя руками, оглядывает пределы руины, бывшей когда-то ее постелью. Как бы ни называлась материнская эмоция при виде прелести ее сынишек, она соревнуется с выражением ужаса и тревоги на ее лице при виде Ландсмана в трусах.

— Немедленно кыш из постели, — шепчет она. — Быстро и навсегда.

— Ладно, — говорит Ландсман.

Он садится, подводя итог своим ранам, боли и преобладающим векторам собственного настроения. Невзирая на все ночные пытки, он необычайно спокоен, уравновешен. Как-то более явствен в частях тела, коже и чувствах. Он ощущает себя более настоящим, что ли. Он не делил постель с другим человеческим существом уже около двух лет. Неужели это действительно надо было наконец попробовать? Оп снимает одежду с двери и одевается. Держа в руках носки и ремень, идет за Эстер-Малке по коридору.

— У дивана есть свои преимущества, — продолжает Эстер-Малке. — К нему, например, не прилагаются грудничкии четырехлетки.

— У твоих юношей серьезные проблемы с ногтями, — говорит Ландсман. — Кроме того, я думаю, морская выдра сдохла и разлагается в подгузнике у младшенького.

На кухне она наливает им по чашке кофе. Потом идет к двери и поднимает «Тог» с коврика, на котором написано «ПРОВАЛИВАЙ». Ландсман сидит на табуретке за кухонным столом, уставясь во мрак гостиной, где тело его напарника вздымается над полом, словно остров. На диване развалины одеял.

Ландсман собирается сказать Эстер-Малке: «Я не заслуживаю таких друзей», когда она возвращается на кухню, глядя в газету, и говорит:

— Неудивительно, что ты так долго отсыпался.

Она налетает на дверь. Что-то хорошее, или ужасное, или невероятное написано на первой полосе. Ландсман лезет за очками в карман пиджака. Дужка на очках треснута, обе линзы друг другу как чужие. Теперь это пара очков в прямом смысле, два лорнета — каждый на собственном стебле. Эстер-Малке достает из тумбочки под телефоном изоляционную ленту, желтую, как знак опасности. Она перебинтовывает очки и отдает их Ландсману. Комок ленты тверд, как фундук. Но помогает видеть лучше, хотя Ландсману приходится слегка косить.

— Готов поспорить, что смотрюсь прекрасно, — говорит он, беря газету.

Две большие статьи открывают утренний выпуск «Тог». Первая — о перестрелке на заброшенной парковке универмага «Биг-Махер». Двое убитых. Главные действующие лица — одинокий детектив отдела убийств Мейер Ландсман, сорока двух лет, и два подозреваемых, давно разыскиваемых полицией Ситки в связи с двумя другими, не связанными между собой убийствами. Другая статья озаглавлена так:

«МАЛЬЧИК-ЦАДИК» ОБНАРУЖЕН МЕРТВЫМ В ГОСТИНИЦЕ СИТКИ

В тексте, сопровождающем этот заголовок, на скорую руку сплетена паутина чудес, уловок и откровенного вранья о жизни и смерти Менахем-Менделя Шпильмана, ушедшего ночью в четверг в гостинице «Заменгоф» на улице Макса Нордау. По свидетельству судебно-медицинского отдела полиции (сам эксперт, проводивший вскрытие, переехал в Канаду), предварительная причина смерти — то, что в сказках называют «несчастным случаем в связи с передозировкой лекарств». «Малоизвестный внешнему миру, — пишет журналист, — в замкнутом мире благочестивых господин Шпильман рассматривался, по крайней мере в лучшей части его жизни, как вундеркинд, чудо, святой учитель и, конечно, как возможный, давно обещанный Спаситель. На протяжении детских лет господина Шпильмана прежний дом Шпильманов на улице С. Ан-ского в Гаркави часто был заполнен посетителями и молящимися, прибывшими с искренними и пытливыми намерениями из таких мест, как Буэнос-Айрес и Бейрут, чтобы встретиться с талантливым мальчиком, рожденным в роковой девятый день месяца ава. Многие надеялись и даже готовы были присутствовать всякий раз, когда возникали слухи, что он уже готов „провозгласить царствие свое“. Но господин

Шпильман никогда не делал никаких заявлений. Двадцать три года тому, в день, предназначенный для его брака с дочерью ребе Штракензера, он просто исчез, и за время долгого бесчестья последующей жизни мистера Шпильмана прежние обещания были полностью забыты».

Чепуха из отдела судебной медицины — единственное, что в этой статье действительно имело отношение к убийству или хоть как-то его объясняло. Руководство гостиницы и полиция отказались комментировать. В конце статьи Ландсман читает, что не будет никакой службы в синагоге, просто похороны на старом кладбище Монтефиоре в присутствии отца усопшего.

— Берко сказал, что он от него отрекся, — говорит Эстер-Малке, читая через плечо Ландсмана. — Он говорит, что старик сына и знать не хотел. Наверно, передумал.

Читая статью, Ландсман испытывает судорогу зависти к Менделю Шпильману, смягченную жалостью. Ландсман много лет боролся с тяготами отеческих ожиданий, но не подозревал, что происходит, когда ожидания сбываются или когда реальность превосходит ожидания. Исидор Ландсман, конечно же, хотел бы иметь такого одаренного сына, как Мендель. Ландсману никак не отделаться от мысли, что, если бы он сам был способен играть в шахматы, как Мендель Шпильман, у отца остался бы смысл жизни, маленький Мошиах, чтобы его спасти. Ландсман думает про письмо, которое он послал отцу в надежде получить свободу от ноши жизни, на него возложенной, и ожиданий отца. Он вспоминает годы, проведенные в убеждении, что он сам — причина смертельной муки Исидора Ландсмана.

Какую же вину нес на себе Мендель Шпильман? Верил ли он в то, что о нем говорили, в свой дар или зов предков? Освобождая себя от ноши, чувствовал ли Мендель, что должен отвернуться не только от отца своего, но и от всех евреев в мире?

— Вряд ли ребе Шпильман когда-либо передумывает, — говорит Ландсман. — Я думаю, кто-то передумал за него.

— И кто это может быть?

— Навскидку? Думаю, это мама Менделя.

— Добрая женщина. Святая мать, не позволила выбросить сына, как пустую бутылку.

— Святая мать, — соглашается Ландсман.

Он изучает фотографию Менделя Шпильмана в «Тог». Пятнадцатилетний мальчик — клочковатая борода, пейсы торчком — невозмутимо председательствует в собрании юных талмудистов, кипящих и хандрящих вкруг него. «Цадик ха-дор в лучшие дни его» — гласит подзаголовок.

— О чем ты задумался, Мейер? — спрашивает Эстер-Малке слегка подозрительно.

— О будущем, — отвечает Ландсман.

23

Толпа черношляпников пыхтит по дороге, черный товарняк скорби держит путь от ворот кладбища — «Дома жизни», как они его величают, — вверх по склону холма к вырытой в грязи яме. Сосновый ящик, скользкий от дождя, качается и подпрыгивает над рыдающими людьми. Сатмарские хасиды несут зонты над головами всрбовских. Гурские, штракензские и вижницкие взяли друг друга под руки с отвагой раздухарившихся школьниц. Соперничество, вражда, религиозные распри, взаимные проклятия отложены на день, чтобы каждый мог с подобающей ревностностью оплакать аида, о котором они и помнить забыли до пятничного вечера. Даже не аида — лишь скорлупу аида, истонченную до прозрачности тяжкой пустотой двадцатилетней привычки к наркотикам. Каждое поколение теряет своего Мошиаха, так и не сумев удостоиться его. А теперь благочестивцы Ситки вычислили объект, которого они все коллективно недостойны, и сошлись под дождем, чтобы предать его земле.

Черные сборища елей вокруг могилы качаются, словно скорбящие хасиды. За кладбищенской стеной шляпы и черные зонтики укрывают тысячи недостойнейших из недостойных от дождя. Сложные структуры обязательств и заслуг определили, кто допущен войти в ворота «Дома жизни», а кому стоять вовне с прочими кибицерами, хлюпая дождем в носу. Эти же сложные структуры привлекли внимание детективов из отделов краж, контрабанды и мошенничества. Ландсман замечает Скольского, Бурвица, Фельда и Глобуса с вечно свисающей полой рубашки, примостившихся на крыше серого «форда-виктории». Не каждый день сливки вербовской иерархии собираются вместе, расположившись на склоне холма в том же порядке, что и на прокурорской блок-схеме. В четверти мили отсюда, на крыше универсама «Уол-Март», трое американцев в голубых дождевиках установили свои телеобъективы и дрожащий пестик конденсаторного микрофона. Толстая синяя бечева из пеших латке и подразделений мотоциклистов сшивает толпу, не давая выйти из берегов. И пресса здесь: операторы и корреспонденты Первого канала, местных газет, команда из филиала Эн-би-эс, квартирующего в Джуно, и кабельный канал новостей. Деннис Бреннан — то ли нечувствительный к дождю, то ли в мире не хватило фетра, чтобы покрыть такую крупную голову. Дальше мы видим полуверующих-полузевак, современных ортодоксов, просто легковерных, скептиков, любопытных и внушительную делегацию шахматного клуба «Эйнштейн».

Ландсман наблюдает за ними, пользуясь преимуществом бессилия и изгнания, воссоединившись со своим «суперспортом» на пустынной вершине холма, отделенного от «Дома жизни» бульваром Мизмор. Машину Ландсман поставил в переулке, который некий застройщик проложил, заасфальтировал, а потом обременил громким именем Тиква-стрит, что на иврите означает «улица Надежды» и для идишского уха, особенно в этот мрачный день в конце времен, предполагает все семнадцать оттенков иронии. Надежда на дома, которые так и не возвели. Деревянные флагштоки с оранжевыми вымпелами и нейлоновая леска вычерчивают миниатюрный Сион в грязи вокруг переулка, призрачный эрув безнадежности. Ландсман, одинокий и трезвый, как сазан в ванне, сжимает бинокль в потных ладонях. Потребность в алкоголе напоминает вырванный зуб. Невозможно от него отрешиться, и все-таки есть какое-то извращенное удовольствие в том, чтобы постоянно бередить языком ямку. Или боль утраты — лишь пустота, образовавшаяся после того, как Бина отобрала у него жетон.

Ландсман пережидает похороны у себя в машине, наблюдая их сквозь отличные цейсовские линзы и сажая аккумулятор машины за прослушиванием радиопередачи Си-би-си о блюзовом певце Роберте Джонсоне, чей вокал пронзительно дребезжит, как у читающего кадиш еврея. Ландсман запасся блоком «Бродвея» и смолит нещадно, пытаясь выкурить стойкий дух Вилли Зильберблата из салона «суперспорта». Запашок отвратный — как от простоявшей два дня кастрюли с варевом из-под макарон. Берко пытался убедить Ландсмана, что он просто вообразил себе это последствие краткого вторжения малого Зильберблата в Ландсманову жизнь. Но Ландсману нравится такой повод подымить вовсю — пусть папиросы не отбивают охоту выпить, но худо-бедно притупляют ее.

Еще Берко пытался уговорить Ландсмана повременить день-два с расследованием смерти Менделя Шпильмана «в результате несчастного случая». Пока они спускались на лифте из Берковой квартиры, он отчаялся заставить Ландсмана посмотреть ему в глаза и пообещать, что на этот сырой понедельник пополудни Ландсман не планирует появиться без жетона и пистолета перед скорбящей королевой гангстеров, покидающей «Дом жизни», где она оставила своего единственного сына, и приставать к ней с бестактными вопросами.

— Ты не сможешь даже подойти к ней, — настаивал Берко, провожая Ландсмана от лифта через холл до дверей «Днепра».

Берко был в своей пижаме слоновьего размера. Костюм по частям вываливался у него из рук. Ботинки болтались на двух согнутых пальцах руки, ремень висел на шее. Из нагрудного кармана горчичной в белых завитках пижамной куртки торчали, словно уголки платка, два ломтика тоста.

— И даже если сможешь, то все равно не сможешь!

Как полицейский, он прекрасно осознавал разницу между тем, на что способны крепкие яйца, и тем, чего сокрушители яиц никогда не допустят.

— Они тебя скрутят, — сказал Берко. — Вытрясут из тебя душу, а потом еще и засудят.

Ландсману нечего было возразить. Нога Батшевы Шпильман редко ступает за пределы ее укромного маленького мирка. А если и ступает, то в окружении плотного леса латников и законников.

— Ни жетона, ни прикрытия, ни ордера, на вид — полоумный в уляпанном желтком пиджаке; сунешься к даме, и они тебя грохнут, и ничего им за это не будет.

Берко, в носках и хлопающих ботинках, семенил вприпрыжку следом за Ландсманом от дверей дома до ближайшей автобусной остановки на углу, пытаясь его удержать.

— Берко, ты просишь не делать этого или не делать этого без тебя? Неужто ты думаешь, что я позволю тебе профукать вашу с Эстер-Малке возможность благополучно проскочить и оказаться по ту сторону Возвращения? Ты сбрендил. Я тебе уже не одну медвежью услугу оказал и доставил кучу неприятностей, но я же не совсем конченый говнюк. И если, по-твоему, мне не стоит этого делать вообще, что ж...

Ландсман замер как вкопанный. Здравый смысл этого последнего довода всей тяжестью обрушился на него, разя наповал.

— Я сам не знаю, что говорю, Мейер. Просто... ну блинский блин.

Иногда у Берко бывает такой взгляд, как в детстве, — свет искренности, источаемый белками его темных глаз, такой ясный, что Ландсману пришлось отвести взгляд. Он повернулся лицом к пронизывающему ветру.

— Я прошу тебя хотя бы не ехать на автобусе, а? Давай я подвезу тебя на штрафстоянку хотя бы?

Послышался отдаленный гул, скрежет тормозов. Автобус номер 61 на Гаркави показался в дальнем конце набережной, раздвигая мерцающую завесу дождя.

— Хотя бы вот, — говорит Берко. Он приподнимает свой пиджак за воротник и распахивает так, словно хочет, чтобы Ландсман надел его. — Во внутреннем кармане. Возьми.

Сейчас Ландсман взвешивает шолем в ладони — маленькую изящную «беретту» двадцать второго калибра с пластмассовой рукоятью — и травится никотином, вслушиваясь в причитания черного аида из дельты Миссисипи, мистера Джонсона. Какое-то время спустя — час, наверное, Ландсман не засек — длинный черный поезд, сгрузив свой товар, неспешно трогается в обратный путь вниз по склону холма к воротам. Во главе его медленно пыхтит, высоко держа голову, подставив под дождь широкополую шляпу, громадный локомотив десятого вербовского ребе. Следом — шеренга дочерей, не то семь, не то все двенадцать, их мужья и дети, а за ними взору Ландсмана, вооруженному цейсовской оптикой, является расплывчатый образ Батшевы Шпильман. Он ожидал увидеть некий сплав леди Макбет и Первой леди Америки — Мерилин Монро-Кеннеди, в розовой шляпке-таблетке и с гипнотическими спиралями вместо глаз. Но когда Батшева Шпильман ненадолго оказывается в поле четкой видимости, перед тем как скрыться за толпой скорбящей родни, запрудившей кладбищенские ворота, Ландсман успевает разглядеть маленькую худощавую фигурку, неуверенную старческую по-

ходку. Лицо ее скрыто под черной вуалью. Одежда непри-
метная, черная траурная оболочка.

Когда Шпильманы приближаются к воротам, цепь нозов сдвигается плотнее, оттесняя толпу. Ландсман роняет
пистолет в карман, выключает приемник и выходит из машины. Дождь ослабел — моросит, будто сквозь мелкое си-
то. Размашистым шагом Ландсман начинает спускаться по
холму к бульвару Мизмор. За последний час толпа разбухла,
облепила кладбищенскую ограду. Колышущаяся, движущаяся, подверженная внезапным массовым рывкам, оду-
шевленная броуновским движением общего горя. Латке в
мундирах изо всех сил стараются расчистить путь семейству к большим черным полноприводным джипам траур-
ного кортежа.

Ландсман шаркает и спотыкается, загребая ботинками
комья грязи. Пока он шкандыбает вниз по склону, его раны
начинают ныть. Уж не проглядели ли, часом, врачи сломан-
ное ребро, думает Ландсман. В какой-то момент он оступается и скользит вниз, пропарывая каблуками десятифуто-
вые канавы в грязи, а потом приземляется прямо на задницу. Он слишком суеверен, чтобы не принять это за дурной
знак, но, когда ты пессимист, все знаки дурны.

Правду сказать, у него нет вообще никакого плана, даже
того корявого и зачаточного, который предположил Берко.
Восемнадцать лет Ландсман проработал нозом, тринадцать
лет он детектив, проведший последние семь из них в отделе убийств, он — элита, король полисменов. И никогда
прежде ему не доводилось быть нулем без палочки, чокну-
тым еврейчиком, вооруженным вопросом и пистолетом.
Он понятия не имеет, как действовать в подобных обстоятельствах, разве что прижать к самому сердцу, словно сувенир в память о любви, свою уверенность в том, что в конечном счете ничто не имеет никакого значения.

Бульвар Мизмор заставлен машинами, процессия и зеваки в клубах дизельных выхлопов. Ландсман лавирует

между бамперами и крыльями и наконец ныряет в толпу, сгрудившуюся на узкой, обсаженной деревьями полосе у парковки. Мальчишки и юноши, пытаясь разглядеть получше, обсели ветви убогих европейских лиственниц, которым не суждено было как следует укорениться на разделительной полосе. Аиды расступаются перед Ландсманом, а если не расступаются, то он явственно намекает им костлявым своим плечом.

Они пахнут скорбным плачем, эти аиды, длинными подштанниками, табачным дымом на лацканах влажных пальто, грязью. Они молятся, как будто вот-вот потеряют сознание, и теряют сознание, словно исполняют некий ритуал. Рыдающие женщины льнут друг к дружке и широко разевают глотки. Не по Менделю Шпильману голосят они, вовсе нет. Они чувствуют: умерло что-то еще, что-то еще покинуло сей мир — призрак призрака, надежда на надежду. Этот полуостров, куда они пришли, чтобы любить его, как дом родной, теперь у них отнимают. Они словно золотые рыбки в кульке, которых вот-вот выплеснут обратно в огромное черное озеро Диаспоры. Слишком большая утрата, чтобы думать о ней. Так что вместо этого они плачут о потере счастливого случая, который им так и не представился, оплакивают шанс, который и шансом-то не был, царя, который и не собирался царствовать, даже если бы ему не всадили пулю в голову. Ландсман расталкивает их, приговаривая: «Извините-простите».

Он продирается к одному из громадных чудищ о четырех колесах — полноприводному бронированному лимузину длиной двадцать футов. Путешествие с вершины холма по склону вниз, через бульвар, сквозь зонты и бороды под еврейские завывания и стоны к боковине навороченного джипа, кажется Ландсману нервными и отрывочными кадрами. Любительская киносъемка покушения в прямом эфире. Но Ландсман никого не собирается убивать. Он просто хочет поговорить с этой женщиной, привлечь ее внимание, посмотреть ей в глаза. Просто задать ей один-единственный вопрос. Какой? Ну, он не знает какой.

Наконец кто-то его опережает, вообще-то, их человек десять. Репортеры проложили себе туннель среди черных шляп, как и Ландсман, прорыли его собственными локтями. Когда маленькая женщина в черной вуали, пошатываясь, выходит из ворот под руку со своим зятем, они вытаскивают заготовленные загодя вопросы. Извлекают из карманов, словно камни, и швыряют их все одновременно. Побивают бедняжку камнями вопросов. Она не обращает на них внимания, не поворачивая головы, не дрогнув ни единой частью тела, даже вуаль не шелохнется. Баронштейн сопровождает мать усопшего к лимузинной туше. Шофер спрыгивает с переднего пассажирского сиденья. Это жокейского сложения филиппинец со шрамом на подбородке, напоминающим вторую улыбку. Он подбегает, чтобы открыть хозяйке пассажирскую дверцу. Ландсман все еще в ста футах от лимузина. Он не успеет вовремя задать ей вопрос, вообще ничего не успеет сделать.

Дикое рычание клокочет в чьей-то глотке, глухое и почти звериное, рокот — то ли угроза, то ли упрек: одному из черношляпников, стоящих у машины, не понравился вопрос репортера. А может, ему не понравились они все и заодно то, каким тоном они были заданы. Ландсман видит этого свирепого черношляпника — широкого, белобрысого, без галстука, хвосты рубашки навыпуск — и признает в нем Довида Зусмана, аида, которого Берко шуганул на острове Вербов. У него бугрится желвак на шарнире скулы и что-то еще бугрится под левой подмышкой. Зусман обхватывает бедолагу Денниса Бреннана за шею и сжимает как в тисках. Он выговаривает репортеру, прижав зубы к самому репортерскому уху, и волочит Бреннана прочь с пути скорбного семейства, выходящего из кладбищенских ворот.

Тогда-то один латке и выходит из оцепления, чтобы вмешаться, — ведь для того, собственно, он здесь и поставлен. Но от страха — вид у парня довольно перепуганный — он слишком сильно обрушивает дубинку на черепные кости Довида Зусмана. Тошнотворный треск — и Зусман переходит в жидкое состояние и стекает на асфальт к ногам латке.

На миг толпа, вечер, весь огромный еврейский мир вдыхают и забывают выдохнуть. А затем следует безумие, еврейский бунт, одновременно жестокий и красноречивый, насыщенный неуемными обвинениями и беспощадными проклятиями. На врагов насылаются кожные язвы, вечные муки и кровавые реки. Визжащие, дерущиеся черношляпники, взлетающие трости и кулаки, вопли и крики, бороды, реющие, точно флаги крестоносцев, брань, запах перепаханной грязи, крови и отпаренных брюк. Двое несут плакат, натянутый между двумя шестами, на котором слово прощания, адресованное умершему королю Менахему, кто-то хватает один шест, а кто-то — другой. Полотнище разрывается, и его затягивает в колеса-шестерни толпы. Шесты начинают обхаживать полицейские челюсти и черепа. Слово «ПРОЩАЙ», старательно выведенное на полотне, разорвано и оплевано. Оно реет в воздухе над головами плакальщиков и полицейских, гангстеров и праведников, живых и мертвых.

Ландсман теряет из виду самого ребе, но видит, как клан Рудашевских загружает мать Батшеву на заднее сиденье полноприводника. Водитель рывком открывает боковую дверцу и ныряет на свое место с ловкостью гимнаста. Рудашевские стучат по машине, подгоняя: «Пошел, пошел, пошел!» А Ландсман все копается в недрах карманов в поисках сверкающей монетки правильного вопроса, и наблюдает за происходящим, и, наблюдая, подмечает целый набор мелочей. Шофер-филиппинец перепуган. Он не пристегнул ремень. Он не нажимает на гудок, не издает мощного, прочищающего мозги предупредительного сигнала. И не блокирует дверцы. Просто включает передачу и трогается, слишком быстро для такого людного места.

Ландсман отступает, когда машина прорезает толпу рядом с ним. Прядка плакальщиков отделяется от большей черной косы и устремляется вровень с автомобилем Батшевы Шпильман. Спутная струя горя. На миг плакальщики облепляют машину, заслонив от Рудашевских и ее саму, и того, кто достаточно глуп, чтобы попытаться заскочить в нее на ходу. Ландсман наклоняет голову, подлаживаясь под ритм обезумевшей толпы. Он выжидает момент, сжимая и разжимая пальцы. Когда машина громыхает рядом с ним, Ландсман рывком открывает заднюю дверцу.

Моментально мощь двигателя трансформируется в ощущение паники в ногах Ландсмана. Будто подтверждая физическую сущность его глупости, неотвратимость импульса его собственного невезения. Пока машина волочит Ландсмана за собой футов пятнадцать или около того, у него находится время подумать, не таков ли был конец жизни его сестры, быстрая демонстрация гравитации и массы. Жилы на его руках напрягаются. А потом он ставит колено на пол лимузина и втягивается внутрь.

24

Темная пещера освещена голубыми диодами. Холодная, сухая, пахнущая чем-то вроде лимонного дезодоранта. Ландсман обоняет в себе след этого запаха, лимонный намек на безграничную надежду и энергию. Возможно, это самое глупое, что он когда-либо делал, но сделать это было необходимо, и ощущение завершенности есть ответ на единственный вопрос, который он знает, как задать.

— Есть имбирный лимонад, — говорит королева острова Вербов.

Она напоминает коврик, свернутый и прислоненный вертикально в темном дальнем углу салона. Платье на ней невзрачное, но сшито из отличного материала, на подкладке плаща блестит ярлык модной фирмы.

— Пейте, — добавляет она, — я не хочу.

Но внимание Ландсмана приковано к креслу напротив, развернутому спиной к водителю. На нем восседает возможный источник неприятностей — женщина ростом футов в шесть и, может, весом фунтов в двести, одетая в костюм из черной блестящей саржи, под которым видна белоснежная блузка без воротника. Глаза у этой грозной особы тверды и серы. Они напоминают Ландсману тусклые ложки выпуклой стороной наружу. В левое ухо у нее вдет белый наушник, а волосы цвета томатного соуса подстрижены по-мужски.

— Не знал, что Рудашевских выпускают и в дамском формате, — говорит Ландсман, замерший на корточках в широком пространстве между повернутыми друг к другу сиденьями.

— Это Шпринцл, — говорит хозяйка.

И Батшева Шпильман поднимает вуаль. Тело у нее хрупкое, может, даже сухопарое, но это не связано с возрастом, потому что лицо с прекрасными чертами, пусть и худое, но гладкое, и на него приятно смотреть. Ее широко поставленные глаза наполнены синевой, колеблющейся между «разбивающей сердце» и «роковой». Губы не накрашены, но сочны и алы. Нос длинный и прямой, ноздри трепетно изогнуты, точно пара крыльев. Лицо Батшевы сильно и прелестно, но костяк ее так изношен, что на нее больно смотреть. Голова венчает жилистую шею, словно инопланетный паразит, прилепившийся к чужому телу.

— Я хотела, чтобы вы заметили: она вас еще не прикончила.

— Спасибо, Шпринцл, — говорит Ландсман.

— Проехали, — отвечает Шпринцл Рудашевская на американском.

Голос ее похож на гул перекатывающейся в ведре луковицы. Батшева Шпильман указывает перстом на противоположный конец сиденья. Ее рука мерцает в черном бархате, перчатка застегнута на три черные жемчужины. Ландсман принимает предложение и встает с пола. Сиденье очень удобно. Он ощущает на кончиках пальцев холодную изморось воображаемого стакана с коктейлем.

— Кроме того, она еще ничего не сообщила ни одному из своих братьев или кузенов в других машинах, хотя, как видите, у нее есть с ними связь.

— Тугой клубок эти Рудашевские, — говорит Ландсман, но он понимает, что требуется понять. — Вы хотите со мной поговорить.

— Разве? — отвечает она, и ее губы, поразмыслив, решают, что не стоит приподнимать уголки. — Это вы влезли без стука в мою машину.

— Ой, так это машина? Ошибочка вышла, я думал, это шестьдесят первый автобус.

Приплюснутое лицо Шпринцл Рудашевской обретает философское, даже мистически-бессмысленное выражение. Она выглядит так, словно напрудила в штаны и сейчас наслаждается теплом.

— Они спрашивали о вас, дорогая, — говорит она старухе с нежностью медсестры. — Интересуются, в порядке ли вы.

— Скажи, что я в порядке, Шпринцл. Скажи им, что мы уже едем домой. — Она смотрит на Ландсмана нежными глазами. — Мы подбросим вас до гостиницы. Я хочу на нее взглянуть. — (У глаз Батшевы цвет невиданный, такую синеву встречаешь в оперении птиц или в витражах.) — Вам это удобно, детектив Ландсман?

Ландсман отвечает, что ему удобно. Пока Шпринцл Рудашевская шепчет в невидимый микрофон, ее хозяйка опускает стекло и велит шоферу ехать на угол Макса Нордау и Берлеви.

— Кажется, детектив, у вас в горле пересохло, — говорит она, снова поднимая стекло. — Уверены, что не хотите имбирного лимонада? Шпринцеле, дай джентльмену бокал.

— Спасибо, госпожа Шпильман. Я не хочу пить.

Глаза Батшевы Шпильман расширяются, сужаются, расширяются снова. Она составляет его опись, сверяя с тем, что уже знает или слышала. Ее взгляд скор и безжалостен. Из нее, наверное, получился бы отличный детектив.

— Имбирного лимонада не хотите точно, — резюмирует она.

Они поворачивают на Линкольн и катят по берегу мимо острова Ойштелюнг и нарушенных обещаний Английской Булавки, направляясь к гостинице «Заменгоф». Глаза эти окунают его в кувшин эфира. Они прикалывают его кнопками к доске объявлений.

— Ладно, отлично, почему бы нет? — соглашается Ландсман.

Шпринцл Рудашевская подает ему холодную бутылку имбирного лимонада. Ландсман прижимает ее к вискам, потом делает глоток, пропихивая лимонад как невкусное, но полезное лекарство.

— Я не сидела рядом с чужим мужчиной сорок пять лет, детектив, — признается Батшева Шпильман. — Это очень неправильно. Мне следовало бы устыдиться.

— Особенно притом, какие у вас обычно собеседники мужского пола...

— Вы не возражаете? — Она опускает черную вуаль, ее лицо перестает участвовать в беседе. — Мне так значительно удобней.

— Как вам будет угодно.

— Ну, — говорит она; вуаль раздувается с каждым выдохом. — Ладно. Да, я хотела поговорить с вами.

— Я тоже хотел поговорить с вами.

— Почему? Вы думаете, что я убила моего сына?

— Нет, госпожа Шпильман, я так не думаю. Но я надеялся, что вы знаете, кто мог его убить.

— Вот как! — объявляет она тихим пронзительным голосом, словно поймала Ландсмана на слове. — Значит, его убили.

— Мм... Что ж, да, его убили, госпожа Шпильман. Разве... Что вам рассказал муж?

— Что мой муж рассказал мне, — произносит она риторически, словно озвучивая название очень тонкой брошюры. — Вы женаты, детектив?

— Я был женат.

— Брак распался?

— Думаю, что это лучшее определение. — На секунду он задумывается. — Пожалуй, иначе и не скажешь.

— Мой брак — это полный успех, — говорит она без тени хвастовства или гордости. — Вы понимаете, что это значит?

— Нет, госпожа Шпильман, — говорит Ландсман. — Не уверен, что понимаю.

— В каждом браке есть что-то... — начинает она. Она снова трясет головой, и вуаль дрожит. — Один из моих внуков сегодня был у меня дома перед похоронами. Девять лет ему. Я включила телевизор в комнате для шитья — не положено, конечно, но как быть, если маленький шкоц скучает. И мы вместе минут десять смотрели программу. Это был мультик: волк гоняется за голубым петухом.

Ландсман говорит, что видел этот мультфильм.

— Тогда вы знаете, — продолжает она, — что волк может там бежать по воздуху. Он умеет летать, но только до тех пор, пока думает, что бежит по земле. Стоит ему опустить взгляд и понять, что происходит, как он падает и разбивается о землю.

— Я видел этот эпизод, — говорит Ландсман.

— Это и есть удачный брак, — говорит ребецин. — Я прожила последние пятьдесят лет, летая по воздуху. Не глядя вниз. Я говорила мужу только то, что требует Б-г. И наоборот.

— Мои родители вели себя точно так же, — кивает Ландсман.

А если бы он и Бина последовали этой же традиции, не продлился бы их брак подольше?

— Но требования Б-га их не слишком заботили.

— Я узнала о смерти Менделя от нашего зятя Арье. А этот человек никогда не говорил мне и слова правды.

Ландсман слышит, как кто-то подпрыгивает на кожаном чемодане. Оказывается, что это смеется Шпринцл Рудашевская.

— Продолжайте, — просит госпожа Шпильман. — Пожалуйста, расскажите мне.

— Продолжаю. Ну. Вашего сына застрелили. Или, вернее... ну, откровенно говоря, его казнили.

Ландсман рад тому, что на ней вуаль, когда он произносит это слово.

— Кто убил, мы не знаем. Мы выяснили, что какие-то люди, двое или трое, разыскивали Менделя, спрашивали о нем. Наверно, не очень добрые люди. Это случилось несколько месяцев тому. Мы знаем, что он был под героином, когда умер. Так что в конце он ничего не чувствовал. Боли, я имею в виду.

— Ничего, вы имеете в виду, — поправляет она его.

Две кляксы, чернее, чем черный шелк, ползут по вуали.

— Продолжайте.

— Соболезную, госпожа Шпильман. Насчет вашего сына. Мне следовало сказать это сразу.

— Спасибо, что не сказали.

— Мы думаем, что тот, кто это сделал, явно не любитель. Но смотрите, я признаю, что с утра пятницы наше расследование смерти вашего сына более или менее буксует.

— Вы все время говорите «мы», — говорит она. — Подразумевая, естественно, полицию Ситки.

Теперь ему хотелось бы увидеть ее глаза. Поскольку ему отчетливо кажется, что она с ним играет. Что она знает: у него нет ни прав, ни власти.

— Не совсем, — отвечает Ландсман.

— Значит, «мы» — это отдел расследования убийств.

— Нет.

— Вы и ваш напарник.

— Снова нет.

— Что же, тогда, признаюсь, я ничего не понимаю, — говорит она. — Кто эти «мы», буксующие в расследовании смерти моего сына?

— В настоящее время? Я... мм... это что-то вроде теоретических изысканий.

— Понимаю.

— Предпринимаемых некой независимой организацией.

— Мой зять, — говорит она, — утверждает, что вас отстранили от дела, потому что вы объявились на острове. В нашем доме. Вы оскорбили моего мужа. Вы обвинили его в том, что он был плохим отцом Менделю. Арье сообщил мне, что у вас отобрали жетон.

Ландсман катает холодный столбик бокала с имбирным лимонадом по лбу.

— Да, ну ладно. Эта организация, о которой я говорю, она обходится без жетонов.

— Она обходится только теориями?

— Верно.

— Например?

— Например. Ладно, вот одна из них. Вы иногда, а может, и регулярно общались с Менделем. Он давал вам о себе знать. Вам было известно, где он находится. Вы время от времени звонили ему. Он слал вам открытки. Может, иногда вы с ним виделись тайком. На подобные мысли наводит, к примеру, то, что вы и друг Рудашевская сейчас любезно подвозите меня по секрету.

— Я не видела моего сына, моего Менделя, больше двадцати лет, — говорит она. — А теперь никогда не увижу.

— Но почему, госпожа Шпильман? Что случилось? Почему он покинул Вербов остров? Что он натворил? Что-то неуместное случилось? Ссора?

Она молчит с минуту, словно борется с застарелой привычкой никому ничего не говорить о Менделе, особенно полицейскому без жетона. Или, может быть, она борется с возрастающим чувством удовольствия, когда, вопреки себе самой, упоминает вслух имя своего сына.

— А ведь я подыскала ему такую невесту! — вздыхает она.

25

Тысячи гостей, иные из таких далеких весей, как Майами и Буэнос-Айрес. Семь обслуживающих празднества трейлеров и грузовик «вольво», набитый едой и вином. Подарки, гирлянды и горы подношений чуть ли не вровень с грядой Баранова. Три дня поста и молитв. Клезмерское семейство Музыкант в полном составе — достаточно многочисленное, чтобы составить половину симфонического оркестра. Все Рудашевские до последнего, включая прапрадедушку, полупьяного и палящего в воздух из древнего нагана. Всю неделю до назначенного дня очередь в коридоре, на улице, за углом, в двух кварталах от Рингельблюмавеню, в надежде на благословение от новобрачного короля. День и ночь вокруг дома стоял шум, словно толпа искала, где бы совершить революцию.

За час до свадьбы они все еще были там, на улице, эти шляпы и скользкие зонтики, и ждали его. Перед самой свадьбой он вряд ли успеет выслушать их мольбы и захлебывающиеся истории... Но кто знает. Мендель по натуре всегда был склонен к неожиданным поступкам.

Она стояла у окна, разглядывая посетителей сквозь шторы, когда вошла служанка сообщить, что Мендель ушел и что две дамы просят их принять. Спальня госпожи Шпильман выходила на боковой дворик, но между домами соседей и до самого угла улицы виднелись сплошные шляпы и зонтики, блестящие от дождя. Евреи, стоя плечом к плечу, мокли в стремлении хоть на миг увидеть Менделя.

День свадьбы, день похорон.

— Ушел, — повторила она, продолжая смотреть в окно. У нее было смешанное чувство тщетности и завершенности, как бывает порой во сне. Не имело смысла задавать вопрос, и все же единственное, что она могла спросить: — Ушел? Но куда?

— Никто не знает, госпожа Шпильман. Никто не видел его со вчерашнего вечера.

— Вчерашнего вечера.

— С сегодняшнего утра.

Прошлым вечером она присутствовала на форшпиле дочери штракензского ребе. Великолепная пара. Невеста и талантлива, и образованна, красавица, с огоньком, которого нет у сестер Менделя и который, как было известно матери, так нравился Менделю в ней самой. Конечно, невеста из династии штракензских хасидов, при всех своих выдающихся достоинствах, не слишком подходящий выбор. Миссис Шпильман это знала. Задолго до того, как служанка сообщила, что никто не может найти Менделя, что он исчез этой ночью, миссис Шпильман знала, что, несмотря на все свои совершенства, красоту и огонь, ни одна девушка никогда не подойдет ее сыну. Но ведь всегда существует несоответствие, не так ли? Между союзом, который Г-дь, да благословенно будет Имя Его, предвидел, и реальностью того, что происходит под хупой... Между Заветом и обычаем, небесами и землей, мужем и женой, Сионом и евреем... Люди называют это несовершенство «мир». И только когда Мошиах придет, пропасть меж ними сомкнется, как и все разрывы, различия и расстояния. А до того, возблагодарим Имя Его, искры, яркие искры будут проскакивать над пропастью, как между электрическими полюсами. И мы должны быть признательны за этот кратковременный свет.

Вот так, по крайней мере, она собиралась пояснить все
это Менделю, если бы он когда-либо спросил совета у матери, обручаясь с дочерью штракензского ребе.

— Ваш муж сильно сердится, — сообщила горничная
Бетти, филиппинка, как и все остальные служанки.

— Что он сказал?

— Он ничего не сказал, госпожа Шпильман. Поэтому
я и поняла, что он сердится. Он разослал много людей повсюду. Позвонил мэру.

Госпожа Шпильман отвернулась от окна, фраза «Свадьбу пришлось отменить» расползалась метастазами по ее
животу. Бетти подбирала комки бумажных салфеток с ту-
рецкого ковра.

— Что за дамы? — спросила госпожа Шпильман. — Кто
они? С Вербова?

— Одна — может быть. Другая — нет. Сказали только,
что надеются поговорить с вами.

— Где они?

— Внизу в вашем кабинете. Одна дама во всем черном,
с вуалью. Как будто только что похоронила мужа.

Госпожа Шпильман уже не помнит, когда впервые люди, потерявшие надежду и умирающие, начали приходить
к Менделю. Возможно, сначала они являлись тайно, через
заднюю дверь, воодушевленные слухами, что распространяли служанки. Была среди них одна, чье чрево стало бес-
плодным после неумелой операции в Себу, когда она была
девушкой. Мендель взял одну из кукол, которые он мастерил для сестер из войлока и прищепок, приколол разрисо-
ванную молитву между ее деревянными ногами и засунул
куклу девушке в карман. Через десять месяцев после этого Ремдиос родила сына. Еще был Дов-Бер Гурский, шофер Шпильманов, тайно задолжавший десять тысяч долларов русским костоломам. Мендель протянул Гурскому
пять долларов и сказал, что, он надеется, это поможет. Че-

рез два дня юрист из Сент-Луиса прислал письмо, уведомлявшее Гурского, что тот унаследовал полмиллиона долларов от дяди, о котором Гурский слыхом не слыхивал. Ко времени бар-мицвы Менделя больные и умирающие, утратившие надежду, родители проклятых детей — все стали настоящей напастью. Они являлись в любой час дня и ночи. Стеная и моля. Госпожа Шпильман предприняла шаги, чтобы оградить Менделя, установив часы и условия. Но у мальчика был дар. И природа этого дара заключалась в том, чтобы одаривать бесконечно.

— Я не могу принять их сейчас, — сказала госпожа Шпильман, сидя на узкой кровати, на покрывале и подушках, расшитых задолго до того, как был рожден Мендель. — Этих твоих дам.

Иногда, не сумев добраться до Менделя, женщины приходили к ней, к ребецин, и она благословляла их, насколько могла, тем, чем могла, в основном деньгами.

— Мне надо закончить одеваться. До свадьбы всего час, Бетти. Один час! Они его разыщут.

Она годами ждала, что он предаст ее, еще с тех пор, когда впервые поняла, что он есть тот, кто он есть. Такое страшное слово для матери, с его намеком на хрупкие кости, беззащитность перед хищниками, ведь нет у птицы защиты иной, кроме перьев. Да, полета. Конечно полет, возможность упорхнуть. Она понимала все это задолго до того, как он сам понял. Вдыхала с пушистого младенческого затылка. Читала, как скрытый текст, в мягких очертаниях его коленок, выглядывающих из-под коротких штанишек. Как он по-девичьи опускал глаза, когда другие превозносили его. И потом, когда он повзрослел, от нее не утаилось то, что он так хотел скрыть: каким пунцовым, неловким, косноязычным становился он, когда Рудашевские или некоторые из его кузенов заходили к нему в комнату.

Устраивая сватовство, помолвку, планируя свадьбу, она ждала от Менделя знаков тревоги или нежелания. Но он оставался верен своим обязанностям и ее планам. Иногда саркастичный, иногда непочтительный, вышучивая ее непоколебимую веру в то, что Священное Имя, пусть будет Он благословен, проводит время, словно старая домоседка, устраивающая помолвки душам еще не рожденных. Как-то раз он схватил клочок белого тюля, забытый ее дочками в гостиной, покрыл им голову и голосом, до мурашек похожим на голос его нареченной, изложил список физических недостатков Менделя Шпильмана. Все смеялись, но в ее сердце трепетала птичка страха. Если не считать этого случая, он оставался самим собой, безграничный в своей верности всем шестистам тринадцати заповедям, учению Торы и Талмуда, в преданности родителям, тем, кто веровал в него, кому он был звездой. Конечно же, даже сейчас Менделя можно еще найти.

Она надела чулки, натянула платье, поправила лифчик. Вынула парик, который заказала специально для свадьбы. Это было произведение искусства ценой в три тысячи долларов. Пепельно-белокурый с рыжевато-золотыми прядями, заплетенный в косы, какие носила она в молодости. И когда она опускала на стриженую голову эту сияющую авоську с деньгами, ее охватила паника.

На столе из сосновых досок стоял черный телефон без диска. Если снять трубку, то такой же телефон зазвонит в кабинете ее мужа. За десять лет жизни в этом доме она воспользовалась им только три раза, один раз от боли и дважды в гневе. Над телефоном висела в рамке фотография ее деда, восьмого ребе, в компании ее бабушки и матери в возрасте пяти или шести лет, позирующих под шаткой ивой на берегу нарисованного ручья. Черная одежда, сонное облако дедушкиной бороды, и на всех — сияющий пепел времени, который обычно покрывает старые фотографии умерших. На фотографии отсутствовал брат матери, чье имя было чем-то вроде проклятия, настолько могущественного, что не должно было никогда произноситься. Его отступничество, хотя широко известное, оставалось для нее тайной. Понимала она только, что все началось с книжки под названием «Таинственный остров», обнаруженной в ящике стола, а завершилось сообщением, что ее дядя был замечен на улицах Варшавы, безбородый и в канотье, еще более скандальном, чем любой французский роман.

Она положила руку на трубку телефона без диска. Паника билась во всем теле, так что даже зубы стучали.

— Я бы не ответил, даже если бы мог, — из-за спины ответил ее муж. — Если уж ты должна нарушить Шаббат, по крайней мере, не расходуй грехи по мелочам.

Тогда он еще не отдалился, как в последующие годы, но появление мужа у нее в спальне уже было чудом, явлением второй луны в небесах. Он окинул взглядом кружевные накидки на креслах, зеленый балдахин, белоатласную пустоту кровати, скляночки и кувшинчики. Она заметила, что он старается скрыть насмешливую улыбку. Но выражение лица, которое он сумел изобразить, было и заинтересованным, и неприязненным одновременно. Улыбка эта напомнила ей другую мужнину улыбку, когда он принимал посольство из далекого двора Эфиопии или Йемена, вишневоглазого раввина в кричащем кафтане. Черный до невозможности ребе с его заморской Торой — и царство женщин. Они являли собой дивные причуды, извилины дум Г-дних, доходящие до ереси, невообразимой и непостижимой.

Казалось, чем дольше он стоял там, тем больше озадаченным и потерянным он становился. Наконец ей стало его жалко. Он был здесь чужаком. Видимо, грязное пятно зла расползлось в этот день так обширно, что вынудило его отправиться со своим посольством в такую даль, в эту страну диванов, украшенных кисточками, в край розовой воды.

— Присядь, — сказала она. — Пожалуйста.

Благодарно и медленно он подставил стул под удар.

— Его найдут, — сказал он голосом тихим и пугающим.

Ей не понравилось, как он выглядит. Она знала, что при всех своих чудовищных, подавляющих людей размерах муж ее был человеком опрятным. Сейчас чулки его были перекручены, рубашка застегнута не на те пуговицы. Щеки покрылись пятнами усталости, и пейсы торчали, словно он их дергал.

— Извини меня, дорогой, — сказала она.

Она открыла дверь гардеробной и исчезла за нею. Она терпеть не могла мрачные цвета, которые предпочитали вербовские женщины ее поколения. Комната, куда она удалилась, была отделана индиго, густым фиолетовым, светло-лиловым. Она опустилась на маленький стульчик с бахромчатым покрывалом. Большим пальцем ноги, обтянутой чулком, прикрыла дверь, оставив дюймовую щель.

— Надеюсь, ты не возражаешь. Так будет лучше.

— Его найдут, — повторил муж более безразличным тоном, стараясь убедить ее, но не себя.

— Хорошо бы, — сказала она. — Чтобы я могла его убить.

— Успокойся.

— Я это сказала очень спокойно. Он что, пьян? Была пьянка?

— Он постился. И все с ним было в порядке. Ты бы послушала, как он проповедовал вчера вечером о «Хаей Сара». Потрясающе. Остановившееся сердце могло забиться снова. Но когда он закончил, лицо его было в слезах. Он сказал, что ему трудно дышать и нужно на воздух. С тех пор его никто не видел.

— Я его убью, — сказала она.

Из спальни никто не ответил, доносился только скрежет дыхания, ровный, безжалостный. Она пожалела о сказанном. На ее устах это была лишь риторика, но в его мыслях, в этой библиотеке на дне костяной ямы, фраза обрела опасный колор действия.

— Ты, случайно, не знаешь, где он? — спросил ее муж после паузы, и в легкости его голоса прозвучала угроза.

— Откуда мне знать?

— Он говорит с тобой. Он приходит сюда к тебе.

— Никогда.

— Я знаю, что приходит.

— Откуда ты знаешь? Если только не заставил шпионить служанок.

Его молчание подтвердило ее подозрения в масштабности домашнего подкупа и предательства. Она ощутила отрадный приступ решимости больше никогда не покидать гардеробную.

— Я пришел сюда не ссориться или осуждать тебя. Напротив, я надеялся, что одолжу у тебя чашу твоего обычного спокойного благоразумия. Теперь же, здесь, я чувствую, что, вопреки моим суждениям раввина и мужчины, но при полной поддержке моего отцовского разумения, вынужден упрекнуть тебя.

— В чем?

— В его отклонениях. Странном характере. Извращении души. Это твоя вина. Подобные сыновья — плоды с материнского дерева.

— Подойди к окну, — попросила она его. — Выгляни за шторы. Эти бедные просители, глупые и сломленные аиды, пришли получить благословение, которым ты, ты, при всей твоей власти, твоей учености, никогда не способен их одарить, говорю тебе как на духу. Но никогда неспособность одаривать не затрудняла тебя в прошлом.

— Я могу благословлять по-другому.

— Посмотри на них.

— Сама посмотри на них. Выйди из шкафа и посмотри.

— Я их видела, — сказала она сквозь зубы. — И у всех у них души извращены.

— Но они это скрывают. Из благопристойности, и покорности, и страха перед Б-гом они это прячут. Г-дь приказал покрывать голову перед Ним. Не стоять с непокрытой головой.

Она услышала шарканье его ног в шлепанцах, скрип ножек стула. Услышала, как натужно щелкает больной сустав его левой ноги. Он застонал от муки.

— Это все, о чем я просил Менделя, — продолжал он. — Что бы там человек ни думал, что бы ни чувствовал, это все не важно, не важно ни мне, ни Б-гу. Не важно ветру, какого цвета флаг — красный или голубой.

— Или розовый.

Снова повисло молчание. Но не такое тяжкое на этот раз почему-то. Наверное, он раздумывал, а может, вспомнил, что когда-то ему нравились ее милые шутки.

— Я его найду, — сказал он. — Усажу его и расскажу, что знаю. Объясню, что, пока он послушен Б-гу и Его заповедям и отдает другим праведно, его место здесь. Что я не отвернусь от него первый. Что если он хочет нас покинуть, то выбор за ним.

— Может ли человек быть цадиком ха-дор, но жить, прячась от себя и всех, кто его окружает?

— Цадик ха-дор скрыт всегда. Это признак его природы. Может, мне следует объяснить это ему. Объяснить, что эти... чувства... которые он переживает и с чем борется, на самом деле доказательство его послушания Закону.

— Может, не брака с этой девушкой он бежит, — сказала она. — Может, не это пугает его. И не с этим он не может сжиться.

Фраза, которую она никогда не говорила мужу, заняла обычное место на кончике ее языка. Она мастерила, и шлифовала, и переставляла элементы ее в мыслях своих все последние сорок лет, словно лишенный пера и бумаги узник в темнице, работающий над строфой стихотворения.

— Может, существует и другой вид самообмана, с которым он не может смириться и жить.

— У него нет выбора, — ответил ей муж. — Даже если он впал в неверие. Даже если, оставаясь здесь, он рискует впасть в лицемерие и ханжество. Человеку с его талантами, его даром нельзя позволить уйти, и работать, и испытывать судьбу там, среди нечистот внешнего мира. Он станет опасен всем. И больше всего самому себе.

— Я говорю не о том самообмане. А о том... во что вовлечены все на Вербове.

Наступило молчание, зловещее — ни тяжкое, ни легкое, просто огромное молчание дирижабля, прежде чем проскочит искра статического электричества.

— Мне неизвестно, — сказал он, — чтобы кто-нибудь противостоял ему.

Она не стала договаривать свою фразу: слишком долго она перебирала ногами в воздухе, чтобы опустить глаза дольше чем на секунду.

— Выходит, его надо держать здесь, — сказала она. — Хочет он того или нет.

— Поверь мне, моя милая. И пойми меня правильно. Любая альтернатива намного хуже.

Она запнулась на мгновение и выбежала из гардеробной поглядеть на то, что было в его глазах, когда он угрожал жизни собственного сына (как она истолковала его слова) за грех быть тем, кем Б-г его с таким удовольствием создавал. Но ребе уже отбыл — беззвучно, как дирижабль. Вместо мужа она обнаружила только Бетти с напоминанием о визите двух дам. Бетти была отличная горничная, но на извечный филиппинский лад упивалась разгорающимся скандалом. И ей трудно было сдержать удовольствие, передавая новости.

— Госпожа Шпильман, одна из них говорит, что принесла известие от Менделя, — сказала Бетти. — Что он сожалеет. Что не вернется домой. Свадьба отменяется.

— Он вернется, — возразила госпожа Шпильман, борясь с искушением дать Бетти пощечину. — Мендель никогда... — Она остановила себя, прежде чем смогла сложить слова: «Мендель никогда бы не ушел не попрощавшись».

Женщина, принесшая весть от ее сына, была не из вербовских. Это была современная еврейка, одетая скромно из уважения к соседям. В узорной юбке и модном темном плаще. На десять или пятнадцать лет старше госпожи Шпильман. Темноглазая, темноволосая женщина, которая когда-то, наверное, была очень красива. Едва госпожа Шпильман вошла, дама вскочила с кресла с подголовником, стоящего у окна, и назвалась — Брух. На ее подруге, толстушке, с виду благочестивой, скорее всего сатмарской, было надето длинное черное платье, черные чулки и широкополая шляпа, надвинутая на немыслимый шейтль. Чулки пузырились, и пряжка со стразами на шляпе висела, бедная, на одной нитке. Вуаль, сбившаяся набок, поразила госпожу Шпильман и вызвала сострадание. Глядя на несчастное существо, она забыла на секунду, что эти две женщины принесли к ней в дом ужасные новости. Благословение вскипело в ней с такой силой, что она еле сдержала его. Ей хотелось обнять эту убогую женщину и поцеловать так, чтобы поцелуй длился, пока не выжжет печаль напрочь. Не так ли все время чувствовал себя Мендель?

— Что за ерунда? — спросила она. — Садитесь.

— Нам очень жаль, госпожа Шпильман, — сказала женщина по имени Брух, возвращаясь в кресло и устраиваясь на краешке, словно желая показать, что не планирует надолго задерживаться.

— Вы видели Менделя?

— Да.

— И где же он?

— Он остановился у друга. Но он там долго не задержится.

— Он вернется.

— Нет, нет. Мне очень жаль, госпожа Шпильман. Но вы можете сообщаться с Менделем через эту даму. Когда хотите. Куда бы он ни отправился.

— Какую даму, скажите? Что за друг?

— Если я вам скажу, вы должны обещать, что никому не передадите. Иначе, Мендель предупреждает, — она посмотрела на подругу в надежде получить моральную поддержку, прежде чем вымолвить следующие шесть слов, — вы никогда о нем не услышите.

— Но я не хочу больше ничего о нем слышать, милочка. Тогда нет никакого смысла говорить мне, где он сейчас, так ведь? — сказала госпожа Шпильман.

— Полагаю, что так.

— Но если вы не скажете мне, где он, вместо того чтобы болтать чепуху, я отошлю вас в гараж к Рудашевским и позволю им добыть информацию так, как они умеют.

— О, помилуйте, я вас не боюсь, — сказала госпожа Брух с удивительным намеком на улыбку в голосе.

— Нет? И почему же?

— Потому что Мендель сказал мне, что вас не следует бояться.

Она чувствовала уверенность, эхо уверенности в голосе и манерах этой госпожи Брух. И намек на подтрунивание, шутливость — так всегда Мендель обращался с матерью и даже со страшным отцом.

Миссис Шпильман всегда думала, что это говорит бес, в нем сидящий, но теперь поняла, что, может, это был просто способ выжить, защититься. Перья птички.

— Хорошо ему советовать другим «не бояться». Убежав от своего долга и семьи подобным образом. Почему бы ему не свершить чудо с самим собой? Объясните мне. Притащить сюда свою жалкую, трусливую душонку и избавить от позора семью, не говоря уже о красивой, невинной девушке.

— Он пришел бы, если бы мог, — сказала госпожа Брух, и вдова рядом с ней, которая не говорила ничего, тяжело вздохнула. — Я правда верю этому, госпожа Шпильман.

— И почему он не может вернуться? Объясните.

— Вы сами знаете.

— Я ничего не знаю.

Но она знала. И очевидно, знали обе эти странные женщины, пришедшие наблюдать, как плачет госпожа Шпильман, рухнув в белое кресло Людовика XIV, прямо на расшитую подушку, не обращая внимания на то, как смялся шелк ее платья после этого внезапного движения. Она закрыла лицо руками и зарыдала. От стыда и бесчестья. Потому что годы планов, и надежд, и бесед, и бесконечных переговоров между вербовским двором и штракензским прошли впустую.

Но в основном, признается она, оплакивала она себя. Так как постановила с обычной для нее решимостью, что никогда больше не увидит своего единственного сына, любимого и порочного.

Вот же эгоистка! Только позднее она подумает на мгновение, что надо бы пожалеть и мир, который Мендель никогда уже не спасет.

После того как госпожа Шпильман поплакала с минуту или две, неопрятная женщина встала с другого кресла с подголовником и подошла к ней.

— Пожалуйста, — сказала она низким голосом и положила пухлую ладонь на плечо госпоже Шпильман — ладонь с костяшками, покрытыми тонкими золотыми волосками.

Трудно было поверить, что всего двадцать лет назад госпожа Шпильман могла уместить ее во рту.

— Ты играешь в игры, — сказала госпожа Шпильман, когда вновь обрела способность мыслить рационально.

Вслед за первоначальным шоком, остановившим ее сердце, она ощутила странное чувство облегчения. Если Мендель состоит из девяти слоев, то восемь из них — слои чистой добродетели. Добродетели получше, чем она и ее муж — люди жестокие, выжившие и преуспевшие в жестоком мире, смогли бы породить из собственной плоти без всякого чудесного вмешательства. Но самый глубокий пласт, девятый слой Менделя Шпильмана, всегда был от беса, шкоца, и этому бесу нравилось доводить мать до инфаркта.

— Ты играешь в игры! — повторила она.

— Нет.

Он поднял вуаль и позволил ей увидеть боль, неуверенность. Она увидела, как он страшится, что совершает смертельную ошибку. Она узнала собственную решительность, с которой он готов совершать ошибки.

— Нет, мама, — сказал Мендель. — Я пришел попрощаться. — И потом, видя выражение ее лица, с неуверенной улыбкой прибавил: — И нет, я не трансвестит.

— Неужели?

— Нет!

— А мне вот именно так кажется.

— Ты признанный эксперт.

— Я хочу, чтобы ты убрался из моего дома.

Но она хотела только одного: чтобы он остался, спрятался на женской половине, одетый в неопрятные тряпки, ее дитя, ее наследник, ее бесовский мальчик.

— Я ухожу.

— Я не хочу тебя больше видеть. Не хочу звонить тебе. Не хочу, чтобы ты мне звонил. И не хочу знать, где ты находишься.

Стоило ей только послать за мужем, и Мендель остался бы. В каком-то смысле это было не более недопустимо, чем фундаментальные факты ее удобной жизни, они с мужем могли бы принудить его остаться.

— Хорошо, мама, — согласился он.

— Не называй меня так.

— Хорошо, госпожа Шпильман, — сказал он, и в его устах это прозвучало так нежно, так знакомо; она опять заплакала. — Просто чтобы ты знала. Я живу с другом.

То есть с любовником? Неужели Мендель давно вел жизнь настолько тайную?

— С другом? — переспросила она.

— Со старым другом. Он просто помогает мне. Госпожа Брух вот сейчас тоже помогает мне.

— Мендель спас мне жизнь, — сказала госпожа Брух. — Однажды.

— Делов-то, — сказала госпожа Шпильман. — Итак, он спас вам жизнь. Много хорошего это ему принесло?

— Госпожа Шпильман... — произнес Мендель.

Он взял ее руки и крепко сжал в своих теплых ладонях. Температура его кожи была на два градуса выше, чем у всех людей. Когда она измеряла ему температуру, термометр вечно показывал тридцать восемь и шесть.

— Убери руки, — сумела она выдавить. — Немедленно.

Он поцеловал ее в макушку, и даже через слой чужих волос след этого поцелуя, казалось, не стирался. Потом он убрал руки и опустил вуаль и неуклюже пошел к выходу в своих обвисших чулках. Госпожа Брух засеменила следом.

Госпожа Шпильман сидела в кресле Людовика XIV долго — часы, годы. Холод наполнял ее, ледяное отвращение к Творению, к Г-ду и скверным плодам трудов Его. Сначала ужас, который завладел ею, будто бы сошелся на ее сыне и грехе, с которым он отказывался бороться, но потом она ужаснулась самой себе. Она подумала о преступлениях и боли, совершенных и причиненных ради нее, и что все это зло — только малая капля в бескрайнем черном море.

И ужасное место, это море, эта бездна между Намерением и Действием, которое люди называют «миром». Побег Менделя не был отказом капитулировать, это уже была капитуляция. Цадик ха-дор объявлял об отставке. Он не мог быть тем, кем хотел его видеть этот мир, с его евреями под дождем, с их болью в сердце и их зонтиками, не мог быть тем, кем хотели видеть его отец с матерью. Он даже не мог быть тем, кем хотел видеть себя сам. Она надеялась на то — она молилась о том, — что, может быть, когда-нибудь он хотя бы найдет путь к тому, чтобы стать самим собой. Как только молитва покинула ее сердце и взлетела, она заскучала по сыну.

Батшева горько корила себя за то, что отпустила Менделя, так и не узнав, где он остановился и куда пойдет, не договорившись о связи с ним или о том, как услышать его голос, хоть иногда. Потом она разжала руки, которые он в последний раз сжимал в своих, и нашла свернутый в правой ладони обрывок нитки.

26

— Да, я получала от него весточки. Время от времени. Не хочу показаться циничной, детектив, но обычно это случалось, когда он был в беде или нуждался в деньгах. А у Менделя, да будет благословенно имя его, эти обстоятельства чаще всего имели обыкновение совпадать.

— И когда это произошло в последний раз?

— В начале этого года. Весной. Да, помнится, это было накануне Песаха.

— Значит, в апреле. Приблизительно...

Девушка Рудашевская достает шикарный шойфер «Мацик», нажимает кнопочки и находит дату дня, предшествовавшего первому вечеру Пасхи. Ландсман чуть вздрагивает, вспомнив, что это также был последний полный день жизни его сестры.

— Откуда он звонил?

— Из больницы, наверное. Не знаю. Я слышала шум, объявления, громкоговоритель на заднем плане. Мендель сказал, что собирается исчезнуть на время, что не сможет звонить. Попросил прислать денег на ящик у «Поворотны», которым он иногда пользовался.

— У него был испуганный голос?

Вуаль дрожит, как театральный занавес, тайное движение происходит по ту сторону. Госпожа Шпильман медленно кивает.

— Он не сказал, почему должен исчезнуть? Не сказал, что кто-то его преследует?

— Не думаю. Нет. Просто сказал, что ему нужны деньги и что собирается исчезнуть.

— И это все?

— Насколько мне... Нет. Да. Я спросила его, кушает ли он. Он иногда... Они ведь забывают покушать.

— Я знаю.

— И он ответил, он сказал: не волнуйся, я только что слопал большущий кусок пирога с вишнями.

— Пирог, — повторяет Ландсман. — Пирог с вишнями.

— Это что-то для вас значит?

— Может быть, кто знает, — отвечает он; он чувствует, как грудная клетка его звенит под ударами молота сердца. — Госпожа Шпильман, вы сказали, что слышали громкоговоритель. Как вы думаете, не мог ваш сын звонить из аэропорта?

— Знаете... да, мог.

Машина замедляет ход и останавливается. Ландсман придвигается вперед и выглядывает в запотевшее окно. Они напротив гостиницы «Заменгоф». Госпожа Шпильман нажатием кнопки опускает стекло со своей стороны, и серый вечер задувает в салон автомобиля. Она поднимает вуаль и всматривается в гостиничный фасад. И долго не отводит взгляд. Парочка опустившихся алкоголиков, одному из которых Ландсман как-то не дал нечаянно помочиться на штанину другого, вывалились из гостиничного холла, подпирая друг друга, — живой навес, выставленный под дождь. Они устраивают водевиль с газетой и ветром, улетая в сумерки, как пара драных мотыльков. Королева острова Вербов опускает вуаль и поднимает стекло. Ландсман чувствует, как полные укора вопросы прожигают черную кисею. Как может он жить в этой помойке? Почему он не справился со своей работой и не защитил ее сына?

— Кто сказал вам, что я здесь живу? — додумывается он спросить у нее. — Ваш зять?

— Нет, он об этом не упоминал. Я слышала это от другого детектива по фамилии Ландсман. От той, на которой вы были женаты.

— Она говорила вам обо мне?

— Она звонила сегодня. Когда-то, много лет назад, у нас случилась беда — один человек обижал женщин. Очень злой человек, больной. Это было еще в Гаркави, на улице Семена Ан-ского. Женщины, которые от него пострадали, не хотели обращаться в полицию. Ваша бывшая жена очень помогла мне тогда, я до сих пор перед ней в долгу. Она прекрасная женщина. И прекрасный полицейский.

— Несомненно.

— Она предположила, что вы можете оказаться рядом со мной и я не совершу ошибку, если буду кое в чем с вами откровенна.

— Как это мило с ее стороны, — совершенно искренне замечает Ландсман.

— Она о вас куда более высокого мнения, чем я могла бы представить.

— Как вы уже сказали, госпожа Шпильман, она прекрасная женщина.

— Но вы все-таки оставили ее.

— Не потому, что она прекрасная женщина.

— Потому что вы плохой мужчина?

— Думаю, да, я был плохим, — говорит Ландсман. — Она была слишком вежлива, чтобы это сказать.

— Хоть это было и давно, — говорит госпожа Шпильман, — но, насколько я помню, вежливость — не самая сильная черта этой еврейки.

Она нажимает кнопку, открывая дверной замок. Ландсман распахивает заднюю дверцу и вылезает из лимузина.

— Во всяком случае, я рада, что никогда раньше не видела этой ужасной гостиницы, иначе я бы ни за что не позволила вам и близко ко мне подойти.

— Какой-никакой, — отвечает Ландсман, а дождь барабанит по краям его шляпы, — но все же дом.

— Нет, неправда, — качает головой Батшева Шпильман. — Но я уверена, вам легче так считать.

27

— «Союз еврейских полисменов»? — произносит продавец пирогов.

Он разглядывает Ландсмана из-за металлического прилавка своей лавочки, скрестив руки, чтобы показать: он способен раскусить любую еврейскую хитрость. Он щурится, словно пытается отыскать опечатку на циферблате фальшивого «Ролекса». Американский Ландсмана достаточно хорош для того, чтобы это уже было подозрительно.

— Совершенно верно, — подтверждает Ландсман, остро сожалея, что отломился уголок от его членского билета ситкинского отделения «Рук Исава» — международного братства еврейских полицейских.

В одном уголке билета шестиконечный щит. Текст напечатан на идише. Организация эта не имеет никакой власти, никакого веса, даже для самого Ландсмана — ее постоянного и уважаемого члена с двадцатилетним стажем.

— Мы действуем по всему миру, — добавляет Ландсман.

— Это меня нисколько не удивляет, — говорит пирожник, не скрывая раздражения, — но, мистер, я просто продаю пироги.

— Так вы пирог берете или нет? — спрашивает жена пирожника.

Как и ее супруг, она сдобная и белая. Волосы у нее того же неопределенного цвета, что и у куска фольги под тусклым фонарем. Дочка их где-то в глубине между тестом и начинкой. Среди пилотов, егерей, спасателей и прочих завсегдатаев аэродрома Якоби возможность увидеть ненароком дочку пирожника почитается большой удачей. Ландсман не видел ее много лет.

— Если вы не хотите пирога, то нечего тут прохлаждаться у окошка. Люди в очереди за вами на самолет опаздывают.

Она отбирает карточку у мужа и возвращает ее Ландсману. Он не в претензии за ее грубость. Аэродром Якоби — ключевой пункт на северном маршруте у всякого рода жуликов, шарлатанов, аферистов и теневых торговцев недвижимостью. Браконьеры, контрабандисты, своенравные русские. Наркокурьеры, местные преступники, сомнительные личности американского разлива. Юрисдикция Якоби никогда не имела четкого определения. Евреи, индейцы и клондайкцы — все предъявляли на него свои права. Здешние пироги куда порядочнее половины здешних клиентов. Торговка пирогами имеет все основания не доверять Ландсману, с его сомнительным членским билетом и выбритым лоскутом на затылке, и не няньчаться с ним. И все-таки от ее грубости боль сожаления об утраченном значке вспыхнула с новой силой. Будь у Ландсмана полицейский жетон, он сказал бы: «Люди в очереди за мной могут валить нахер, мадам, а вы можете поставить себе большую и приятную ягодную клизму». Вместо этого он изображает понимание нужд индивидуумов, выстроившихся в умеренно длинной очереди у него за спиной. Рыбак, каякер, мелкий бизнесмен, какие-то офисные крысы.

Каждый из них — кто ропотом, кто движением бровей — сигнализирует, что им не терпится отведать пирога и они недовольны Ландсманом с его липовыми полномочиями.

— Дайте мне кусок тертого яблочного, — говорит Ландсман. — Помнится, я его любил.

— Тертый — и мой любимый, — говорит жена пирожника, слегка смягчаясь.

Она кивком отправляет мужа к дальнему столу. Там на мерцающем пьедестале стоит яблочный пирог — свежеиспеченный, нетронутый.

— Кофе?

— Да, пожалуй.

— С мороженым?

— Нет, благодарю.

Ландсман толкает через стойку фотографию Менделя Шпильмана:

— А вы? Вы видели его когда-нибудь?

Женщина смотрит на фото, осмотрительно спрятав руки под мышками. Ландсман сразу сечет, что она узнала Шпильмана с первого взгляда. Потом она отворачивается, чтобы взять у мужа бумажную тарелку с куском пирога. Ставит ее на поднос рядом с пенопластовой чашечкой кофе и пластиковой вилкой, завернутой в бумажную салфетку.

— Два пятьдесят, — говорит она. — Идите присаживайтесь возле медведя.

Медведь был застрелен какими-то аидами в шестидесятых. Врачами, судя по виду, в лыжных шапочках и пендлтоновских фуфайках. Они излучают странную мужественность очкариков того золотого периода истории округа Ситка. Карточка, отпечатанная на идише и американском, прикреплена кнопкой к стене под фотоснимком роковой для медведя пятерки мужчин. Она сообщает, что бурый медведь, убитый неподалеку от острова Лисянского, был ростом 3 м 70 см и весил 400 кг. Сохранился лишь его скелет, представленный здесь в стеклянном ящике, возле которого и уселся Ландсман с куском тертого пирога и чашкой кофе. Он множество раз сиживал тут в прошлом, созерцая поверх тарелки с пирогом этот жуткий костяной ксилофон. Последний раз он сидел здесь вместе с сестрой, кажется, за год до ее гибели. Он тогда расследовал дело Горсетмахера. А сестрица только что доставила партию рыбаков из тундры. Ландсман думает о Наоми. Это — роскошь, такая же, как и кусок тертого пирога. Опасная и желанная, как выпивка. Он выдумывает реплики для Наоми, вспоминая словечки, которыми она могла бы подтрунивать над ним или дразнить его, будь она рядом сейчас. За его кувыркания в снегу с идиотами Зильберблатами. За то, что пил имбирный лимонад со старухой на заднем сиднье громадного лимузина. За то, что считает себя способным продержаться без выпивки столько, сколько нужно, чтобы отыскать убийцу Менделя Шпильмана. За потерю значка. За отсутствие должной ненависти к Возвращению, за то, что вообщс пс имеет никакой позиции по отношению к нему. Наоми утверждала, что она презирает евреев за их овечью покорность судьбе, за слепое доверие к Б-гу или к язычникам. Но у Наоми было собственное мнение обо всем на свете. Она холила и лелеяла свои мнения, берегла и наводила на них глянец. А еще, думает Ландсман, сестрица наверняка покритиковала бы его за то, что взял пирог без мороженого.

— Союз еврейских полисменов? — говорит дочь пирожника, садясь на скамейку возле Ландсмана.

Она сняла фартук и вымыла руки. Выше локтя ее веснушчатые руки обсыпаны мукой. Мука и на светлых бровях. Волосы у нее туго стянуты на затылке черной резинкой. Незабываемо некрасивая женщина с водянистыми голубыми глазами приблизительно одних лет с Ландсманом. От нее пахнет маслом, табаком и квашней, и этот запах кажется Ландсману извращенно-эротическим. Она прикуривает ментоловую сигарету и выдыхает дым в его сторону.

— Это что-то новенькое.

Она сжимает сигарету губами, и берет карточку, и притворяется, что без труда читает надпись.

— А знаете, я умею читать на идише, — говорит она наконец. — Это же не какой-нибудь там гребаный ацтекский или еще что.

— Я действительно полицейский, — говорит Ландсман, — просто сегодня я веду частное расследование. Поэтому без жетона.

— Покажите мне фотографию, — просит она.

Ландсман протягивает ей фото Менделя Шпильмана. Она кивает, и панцирь ее усталости дает мгновенную глубокую трещину.

— Мисс, вы знали его?

Она возвращает снимок. Качает головой и пренебрежительно хмурится.

— Что с ним случилось? — спрашивает она.

— Его убили, — отвечает Ландсман. — Выстрелом в голову.

— Как жестоко, — вздыхает она. — Ох, господи Исусе.

Ландсман достает новую упаковку бумажных салфеток из кармана пальто и протягивает ей. Она сморкается и комкает салфетку в кулаке.

— Как вы с ним познакомились?

— Я подвезла его. Однажды. Вот и все.

— Куда подвезли?

— До мотеля на Третьем шоссе. Мне понравился этот парень, забавный такой. И очень милый. Немножко неказистый. И в раздрае. Он рассказал мне, что у него, ну, вы понимаете, проблемы. С наркотиками. Но что он пытается справиться с этим. Вылечиться. Он казался таким... не знаю, он просто...

— Утешал?

— Мм... Нет. Он просто, ох, ну правда, я не знаю. Честное слово. Но целый час я думала, что влюблена в него.

— Но на самом деле не были?

— Думаю, у меня не было возможности это понять.

— У вас был секс?

— А вы таки коп, — отвечает она. — «Ноз» — так это по-вашему?

— Так точно.

— Нет, у нас с ним не было секса. Я хотела. Я напросилась к нему в номер в том мотеле. Думаю, я вроде как, ну, вы знаете... Я предлагала ему себя. Но безответно. Хотя, как я сказала, он был очень милым и все такое, но был в ужасном раздрае. Его зубы... В любом случае, думаю, он все просек.

— Просек — что именно?

— Что у меня... у меня тоже есть маленькая проблема. С мужчинами. Поэтому я стараюсь особо с ними и не общаться. Не подумайте ничего такого, вы мне совсем не нравитесь.

— Хорошо, не буду.

— Я прошла терапию, двенадцать шагов. Нашла Бога. Но единственное, что по-настоящему помогало, — это когда я пекла пироги.

— Неудивительно, что они такие вкусные.

— Ха!

— Так он не принял ваше предложение?

— Он не смог. Он был такой милый. Застегнул мне все пуговки на рубашке. Я казалась себе маленькой девочкой. А потом он кое-что мне дал. И сказал, что я могу это сохранить.

— И что же это было?

Она опускает глаза, и кровь приливает к ее лицу так сильно, что Ландсману кажется, он слышит ток этой крови. Следующие слова она произносит хриплым шепотом.

— Благословение, — говорит она. А потом повторяет отчетливее: — Он сказал, что дает мне свое благословение.

— Я совершенно уверен, что он был геем, — говорит Ландсман. — Кстати.

— Я знаю. Он мне сказал. Он не использовал это слово. Он вообще слов не использовал никаких, или это я их не помню. Думаю, он сказал, что это его больше не волнует и не беспокоит. Сказал, что героин проще и гораздо надежнее. Героин и шашки.

— Шахматы. Он играл в шахматы.

— Не важно. У меня все еще есть его благословение, ведь правда?

Казалось, она отчаянно нуждается в том, чтобы на этот вопрос ей ответили: «Да».

— Да, — говорит Ландсман.

— Смешной еврейчик. Самое странное то, что... вот я даже не знаю. Ведь оно вроде как подействовало.

— Что подействовало?

— Благословение его. Понимаете, у меня теперь есть парень. Настоящий. Мы взаправду встречаемся, это так странно!

— Рад за вас обоих, — говорит Ландсман, чувствуя укол зависти к ней, ко всем тем, кому посчастливилось получить благословение от Менделя Шпильмана.

Он думает о том, сколько раз, наверное, он проходил мимо Менделя, проходил совсем рядом, упуская свой шанс.

— Итак, вы говорите, что когда подвозили его в мотель, то просто, как бы это сказать, собирались его подцепить. Имели на него некие, ну, виды.

— В смысле, перепихнуться? Нет. — Она давит окурок носком подбитого цигейкой ботинка. — Это была услуга. Одна моя подруга просила. В смысле, подвезти его. Она знала этого парня. Фрэнк — так она его звала. Она его на своем самолете привезла откуда-то. Она была пилотом. И попросила подсобить ему, помочь найти место, чтобы перекантоваться. Какое-нибудь местечко поближе к земле, как она сказала. Ну вот я и сказала, что помогу.

— Наоми. Так звали вашу подругу?

— Угу. Вы ее знали?

— Я знаю, как сильно она любила пироги. А этот Фрэнк, он был ее клиентом?

— Кажется, да. Вообще-то, я не знаю. Я не спросила. Но летели они вместе. Думаю, он ее нанял. Вы, наверное, сами можете все узнать, с этой вашей крутой карточкой.

Ландсман чувствует, как все тело его немеет, члены охватывает благодатный паралич, чувство гибели, которое неотличимо от безмятежности, как после укуса хищной змеи, предпочитающей пожирать добычу живой и умиротворенной.

Дочка пирожника наклоняет голову к нетронутому куску тертого яблочного пирога на бумажной тарелке, занимая пространство, остававшееся между ними на скамейке.

— Как же вы меня огорчаете, — говорит она.

28

Почти на всех фотографиях, снятых за долгую пору их детства, Ландсман покровительственно приобнимает сестру за плечи. На самых ранних ее макушка едва достает ему до пупка. На последней над верхней губой Ландсмана уже мерещатся усики, а его преимущество в росте равно всего одному дюйму, от силы двум. Когда впервые усматриваешь это сходство позы, оно кажется трогательным — старший брат оберегает сестренку. После седьмого-восьмого снимка братский жест кажется несколько зловещим. После десятка начинаешь беспокоиться за этих детишек Ландсман. Жмущихся друг к дружке, браво улыбающихся в объектив, словно отборные сироты в газетной колонке по усыновлению.

— Двое очаровательных малюток, — сказала Наоми однажды вечером, перелистывая альбом. (Страницы были из вощеного картона, с шероховатыми полиуретановыми уголками, державшими фотографии. Прозрачная пленка, проложенная между страницами, придавала семейству, изображенному в этом альбоме, законсервированный вид, будто его упаковали в качестве улики.) — Осиротевшие в результате трагедии, ищут дом.

— Вот только Фрейдл еще не умерла, — сказал Ландсман, понимая, что упрек слишком очевиден.

Их мама умерла после короткой и жестокой схватки с раком, прожив достаточно долго для того, чтобы Наоми успела разбить ей сердце, бросив колледж.

— Спасибо, что напомнил, — сказала Наоми тогда.

В последнее время, когда Ландсман пересматривает эти снимки, ему кажется, что на них он пытается удержать сестру на земле, не дать ей улететь и разбиться в сопках.

В детстве Наоми была крута, гораздо круче, нежели требовалось даже самому Ландсману. Она была лишь на два года младше, и все, что Ландсман делал или говорил, являло в ее глазах планку, которую надо превзойти, или теорию, которую следует развенчать. Из девочки с мальчишескими повадками она выросла в мужественную женщину. Когда какой-то пьяный кретин спросил, не лесбиянка ли она, Наоми ответила: «Во всем, кроме сексуальных предпочтений».

Первый парень Наоми и заразил ее страстью к полетам. Ландсман никогда не спрашивал, что за радость так долго и тяжко трудиться ради получения коммерческой лицензии и пробиться в этот гомоидиотический мирок пилотов-мужчин, летающих в тундру. Она не годилась для праздных размышлений, его лихая сестрица. Но насколько понимал Ландсман, крылья ее маленького самолета вели непрерывную битву с окружающим воздухом, взрезая, перемешивая, взрыхляя, прорывая и корежа его. Так сражается с течением идущий на нерест лосось, стремящийся в реку на верную свою смерть. Подобно лососю — этому речному сионисту, вечно грезящему о своем роковом доме, — Наоми всю свою силу и энергию отдала борьбе.

Но эти усилия никак не проявлялись в ее прямолинейной манере общения, в ее дерзкой повадке, улыбке. Подобно Эрролу Флинну, шутила она с непроницаемой, невозмутимой миной, а когда дело было швах, ухмылялась, словно игрок, сорвавший джекпот. Намалюй этой еврейке усики, дай в руки клинок — и хоть сейчас пускай ее прыгать по вантам трехмачтовика. Она не была сложной натурой, его сестричка, и в этом отношении резко выделялась среди всех знакомых Ландсману женщин.

— Ну, блин, и бедовая она была, — говорит диспетчер станции службы обеспечения полетов аэропорта Якоби по имени Ларри Спиро — тощий, сутулый еврей из Шорт-Хиллс, что в Нью-Джерси.

Евреи Ситки называют своих южных сородичей «мексиканцами», а те в ответ величают их «айсбергерами» или «морожеными избранными». У Спиро очки с толстыми линзами, корректирующими астигматизм, глаза его за этими линзами скептически подрагивают. Седая щетка волос дыбом — так на карикатурах в газете изображают перепуг. На нем белая оксфордская рубашка с монограммой на кармане и красный в золотистую полоску галстук. Медленно, предвкушая стопку виски, стоящую перед ним, он закатывает рукава. Зубы у него того же цвета, что и рубашка.

— Господи Исусе.

Подобно большинству мексиканцев, работающих в округе, Спиро упорно цепляется за американский язык. Для евреев Восточного побережья округ Ситка — место ссылки изгоев, Хотцплотц, край света, чертовы кулички. Еврей вроде Спиро держится за американский язык словно за ниточку, связывающую его с реальным миром, и обещает себе, что вскоре туда вернется. Он улыбается.

— В жизни не видел, — говорит он, — чтобы женщина так вляпывалась в неприятности.

Они сидят в гриль-баре Эрни Скагуэя, расположенном в приземистом алюминиевом бараке, что служил аэровокзалом в те давние времена, когда здесь была только взлетно-посадочная полоса посреди тундры. В кабинке у дальней стенки они дожидаются, когда подадут стейк. Многие считают, что от Анкориджа до Ванкувера только Эрни Скагуэй может предложить приличный ужин со стейком.

Эрни доставляет стейки из Канады самолетом ежедневно — сочащиеся кровью и обложенные льдом. Декор здесь минималистичен, словно в какой-нибудь закусочной, — винил, ламинат и сталь. Тарелки пластиковые, салфетки мятые, как бумажки на столе у врача. Заказываешь еду у стойки и сидишь с номерком на штырьке. Официантки здесь славятся своим преклонным возрастом, язвительностью и физическим сходством с кабинами шоссейных большегрузов. Атмосфера заведения в целом соответствует лицензии на алкоголь и клиентуре: летчики, охотники, рыбаки и обычная для Якоби смесь штаркеров и подпольных дельцов. Вечером пятницы в сезон можно купить или продать что угодно — от лосятины до кетамина — и услышать самые отъявленные враки, какие только облекали когда-либо в слова.

В понедельник после шести вечера стойку бара подпирают персонал аэропорта и несколько пилотов-одиночек. Молчаливые евреи, трудяги, мужики в вязаных галстуках и один пилот-американец, утверждающий, что однажды пролетел три сотни миль, пока не осознал, что летит вверх тормашками. Сама стойка — дубовая нелепость, глумливо-викторианское чудо-юдо, реликт разорившейся в Ситке франшизы ковбойского стейк-хауса.

— И вляпалась, — говорит Ландсман. — С концами.

Спиро хмурится. Он как раз был дежурным диспетчером, когда самолет Наоми врезался в сопку Дункельблюм. Спиро никак не мог предотвратить аварию, но все равно ему больно вспоминать об этом. Он расстегивает молнию на своем нейлоновом портфеле и достает толстую синюю папку. В папке лежит пухлый документ, стиснутый массивным зажимом, и множество разрозненных листков.

— Я еще раз просмотрел отчет, — мрачно говорит он. — Погода была хорошая. Самолет у нее лишь чуточку подзадержался с техобслуживанием. Последний выход в эфир был самым обычным, рабочим.

— Угу, — говорит Ландсман.

— Вы хотите найти что-то новое? — Голос у Спиро не слишком сочувственный, но близок к тому, если потребуется.

— Не знаю, Спиро. Я просто ищу.

Ландсман берет папку и быстро перелистывает толстый документ — копию окончательного вывода следователя ФАА, — потом откладывает его в сторону и вытаскивает из-под низа один из разрозненных листков.

— Это план полета, о котором вы спрашивали. На утро перед аварией.

Ландсман изучает бланк, в котором подтверждается намерение пилота Наоми Ландсман лететь на своем «пайпер-суперкабе» из Перил-Стрейта, Аляска, в Якоби, округ Ситка, с одним пассажиром на борту. Бланк выглядит как компьютерная распечатка, пробелы в нем аккуратно заполнены шрифтом «таймс-роман», двенадцатый кегль.

— Выходит, она сообщила это по телефону? — Ландсман сверяется с отметкой времени. — Тем утром в пять тридцать.

— Она использовала автоматическую систему, да. Многие так делают.

— Перил-Стрейт — это где? Около Тенаки, да?

— Южнее.

— То есть лететь оттуда сюда часа где-нибудь два?

— Примерно.

— Полагаю, она была настроена оптимистически, — говорит Ландсман. — Указала предположительное время прибытия — четверть седьмого. Через сорок пять минут после того, как заполнила это.

Спиро, с его складом ума, не может пройти мимо аномалии; подобные вещи одновременно и притягивают его, и отталкивают. Он берет папку у Ландсмана и пролистывает кипу документов, которые собрал и скопировал после того, как согласился, чтобы Ландсман угостил его стейком.

— Она и в самом деле прилетела в четверть седьмого, — говорит он. — Это отмечено вот прямо здесь, в журнале АССОП. Шесть семнадцать.

— Итак, давайте-ка уточним. Либо она проскочила двухчасовой перелет из Перил-Стрейта в Якоби меньше чем за сорок пять минут, — говорит Ландсман, — либо летела куда-то еще, а уже в пути решила сесть в Якоби и передала новый полетный план.

Приносят стейки. Официантка забирает номерок на штырьке и оставляет вместо него толстые кусманы канадской говядины. Они приятно пахнут и приятны на вид. Спиро на них даже не смотрит. Забыл и о выпивке. Он перелопачивает кипу бумажек:

— О'кей, вот предыдущий день. Она летела из Ситки в Перил-Стрейт с тремя пассажирами. Взлетела в четыре и закрыла полетный план в шесть тридцать. О'кей, значит, когда они сели, было уже темно. Она планировала остаться на ночь. Потом, на следующее утро... — Спиро замолкает. — Ах вот оно...

— Что?

— Вот оно что! Думаю, это ее первоначальный полетный план. Похоже, что на следующее утро она планировала вернуться в Ситку. Первоначально. Не лететь сюда, в Якоби.

— И сколько у нее было пассажиров?

— Ни одного.

— А потом, пролетев немного, якобы в сторону Ситки и в одиночестве, но на самом деле с неким таинственным пассажиром на борту, она внезапно меняет направление и летит в Якоби.

— Похоже на то.

— Перил-Стрейт. А что там, в Перил-Стрейте? — спрашивает Ландсман.

— Да то же, что и повсюду. Лоси, медведи. Олени. Рыба. Все, что еврею угодно убить.

— Не думаю, — говорит Ландсман. — Не думаю, что
они на рыбалку отправились.

Спиро хмурится, затем встает и направляется к стойке
бара.

Он подсаживается к американскому летчику, и они о чем-
то беседуют. У пилота опасливый вид, наверное, это вообще свойство его характера. Но он кивает и идет следом за
Спиро к кабинке.

— Рокки Китка, — знакомит их Спиро, — детектив
Ландсман.

Затем Спиро усаживается и принимается за стейк. На
Китке черные кожаные штаны и такой же жилет, надетый
прямо на голое тело, от кистей до шеи и далее до пояса
штанов покрытое татуировками в индейском стиле. Зубастые киты, бобры, а вдоль левого бицепса — змея или угорь
с хитрым выражением на морде.

— Вы летчик? — спрашивает Ландсман.

— Нет, я полицейский. — Китка с трогательной искрен-
ностью смеется над собственной остротой.

— Перил-Стрейт — вы бывали там?

Китка трясет головой, но Ландсман мгновенно перестает ему верить.

— Знаете что-нибудь о нем?

— Только как он выглядит с неба.

— Китка. Индейское имя.

— Отец у меня тлинкит. А мать — шотландско-ирланд-
ских, шведских и немецких кровей. Всего понамешано, кроме еврейской крови.

— Много индейцев в Перил-Стрейте?

— Да сплошь, — выпаливает Китка с простоватым
апломбом, потом, вспомнив свое уверение, что ничего не
знает о Перил-Стрейте, отводит взгляд от Ландсмана и жад-
но вперяется в стейк. Вид у Китки голодный.

— И ни одного белого?

— Один-два, может, и ныкаются по бухтам.

— А евреи?

Взгляд Китки тяжелеет, становится непроницаемым.

— Я уже говорил, что только мимо пролетал.

— Я провожу небольшое расследование, — поясняет Ландсман. — По всей видимости, там может оказаться нечто интересующее евреев из Ситки.

— Там повсюду Аляска, — говорит Китка. — Еврейский коп, при всем уважении, может хоть день-деньской задавать свои вопросы, но никто не обязан ему отвечать.

Ландсман придвигается к нему.

— Давай, дорогуша, — говорит он на идише. — Хватит на псго смотреть. Он твой. Я к нему не прикасался.

— Вы не будете его есть?

— У меня нет аппетита, сам не знаю почему. Это же «Нью-Йорк», да? Люблю «Нью-Йорк».

Китка усаживается, и Ландсман пододвигает к нему тарелку. Он потягивает кофе и наблюдает, как двое мужчин истребляют свой ужин. Доев, Китка значительно веселеет. Вид у него уже не такой настороженный, не такой испуганный и нервный.

— Блин, вкуснятина это мясо, — говорит он и делает большой глоток ледяной воды из красного пластикового бокала. Он смотрит на Спиро, потом в сторону, потом снова на Ландсмана, потом снова отводит взгляд. Смотрит в стакан с водой. — В оплату ужина, — говорит он горестно. — Я слыхал, у них там что-то вроде исправилки — «ферма доверия» называется. Для верующих евреев, которые подсели на наркотики и всякое такое. Думаю, даже у этих ваших бородачей нет иммунитета от наркотиков, или выпивки, или мелких преступлений.

— А что, это имеет смысл, наверняка им хочется это как-то подальше с глаз убрать, — говорит Спиро. — Это ведь позор какой.

— Не знаю, — говорит Ландсман. — Не так-то легко еврею получить разрешение начать любого рода бизнес по ту сторону от Линии. Даже такой добродетельный, как этот.

— Я ж и сказал, — говорит Китка. — Я только кое-что об этом слышал. Может, это и треп.

— Хрень тут какая-то... — произносит Спиро.

Он снова погрузился в бумажки, вертит страницы туда-сюда.

— Что за хрень, расскажите, — просит Ландсман.

— Я вот это все листаю, и знаете, чего я тут не вижу? Я не вижу тут ее полетного плана — того самого, когда это случилось. Из Якоби в Ситку. — Он достает шойфер, тычет в две кнопки и ждет. — Я знаю, она его подавала. Я помню, что видел его... Белла? Спиро говорит. Ты занята? Угу. О'кей. Слушай, можешь проверить кое-что? Достань, пожалуйста, из системы один полетный план. — Он называет дежурному диспетчеру фамилию Наоми, дату и время ее последнего полета. — Посмотришь? Ага.

— Вы знали мою сестру, мистер Китка? — спрашивает Ландсман.

— Можно сказать и так, — говорит Китка, — она надрала мне задницу однажды.

— Добро пожаловать в клуб, — говорит Ландсман.

— Этого быть не может, — говорит Спиро в трубку сдавленным голосом. — Проверь, пожалуйста, еще раз.

Теперь все молча смотрят на Спиро, слушающего Беллу на том конце телефонной линии.

— Что-то неправильно, Белла, — говорит наконец Спиро. — Я скоро приду.

Он отключается, и вид у него такой, как будто его чудесный стейк стал ему поперек горла.

— В чем дело? Что случилось? — спрашивает его Ландсман.

— Она не может найти в компьютере полетный план. — Он встает и собирает разлетевшиеся листки из файла Наоми. — Но я знаю, что так быть не может, потому что номер его зафиксирован в отчете об аварии... — Он осекается. — Или нет.

Он снова перебирает странички в толстой стопке испещренных мелким шрифтом бумаг, содержащих отчет о результатах расследования рокового столкновения Наоми с северо-западным склоном сопки Дункельблюм.

— Кто-то подчистил эти документы, — говорит он наконец, поначалу неохотно, сквозь зубы. А когда вывод окончательно утверждается в его сознании, он расслабляется. Обмякает. — Кто-то, обладающий весом.

— Весом, — повторяет Ландсман. — Таким весом, к примеру, чтобы получить разрешение на строительство еврейского центра реабилитации на нееврейской территории?

— Огромным весом, как по мне, — говорит Спиро. Он захлопывает папку и засовывает ее под мышку. — Я не могу больше с вами оставаться, Ландсман. Прошу прощения. Спасибо за ужин.

После его ухода Ландсман достает мобильник и набирает номер и код Аляски. Когда женский голос на том конце отвечает, он произносит:

— Уилфреда Дика.

— Господи Исусе, — говорит Китка. — Полегче, а?

Но трубку взял лишь дежурный сержант.

— Инспектор отсутствует, — говорит сержант. — Вы по какому делу?

— Может быть, ты слышал что-то, ну, не знаю, о некой ферме доверия в Перил-Стрейте?— спрашивает Ландсман. — О бородатых докторах?

— «Бет Тикен»? — говорит сержант, словно произносит имя и фамилию американской цыпочки. — Знаю, да. — Судя по его тону, знание это не принесло ему счастья и, похоже, не скоро принесет.

— Пожалуй, я нанесу туда краткий визит, — говорит Ландсман, — скажем, завтра утром. Как думаешь, нормально будет?

Похоже, у сержанта не нашлось адекватного ответа на этот простой вопрос.

— Завтра, — говорит он наконец.

— Да. Я думал полететь туда. Оглядеться на местности.

— Да?

— В чем дело, сержант? Это место, этот «Бет Тикен», он же достоин доверия?

— Вы просите высказать свое мнение, — говорит сержант. — Инспектор Дик не разрешает нам иметь мнения. Я обязательно передам ему, что вы звонили.

— Рокки, у вас есть самолет? — спрашивает Ландсман, прерывая связь средним пальцем.

— Теперь нету, — отвечает Китка. — Продул в покер. Потому-то я сейчас и пашу на хозяина-еврея.

— Без обид.

— Верно, без обид.

— Итак, если мне, скажем, захотелось нанести визит в этот храм исцеления в Перил-Стрейте?

— Вообще-то, завтра я должен кое-что забрать во Фрешуотер-Бэй, — говорит Китка. — Наверное, мог бы сделать по пути небольшой крюк. Но я не собираюсь дожидаться с включенным счетчиком, — ухмыляется он бобровым оскалом. — И это обойдется вам гораздо дороже ужина со стейком.

29

Травяная бляха — зеленый значок, скалывающий воротник просторного елового плаща сопки. Посреди этой вырубки сгрудилась вокруг фонтана кучка бурых строений, соединенных между собой дорожками и разделенных заплатками газона и щебня. Спортивная площадка с футбольной разметкой на краю просеки окольцована овальной беговой дорожкой. Все это напоминает пансион, запрятанную в глухомани школу для строптивых детишек богатеев. По дорожке бегут трусцой с полдюжины мужчин в шортах и куртках с капюшоном. Другие сидят или лежат ничком в центре поля, разминаются, вытянув руки и ноги, — падшие ангелы. Человеческий алфавит на зеленой странице. Когда крыло самолета кренится над футбольным полем, капюшоны нацеливаются на его фюзеляж, как стволы зениток. С неба толком не разглядеть, но Ландсман почти уверен: те, кто стоит и разминает свои длинные бледные конечности, — сплошь молодежь в отличной физической форме. Какой-то тип в темном комбинезоне выходит из лесных зарослей. Он следит за тем, как «сессна» по дуге заходит на посадку, его правая рука уже приложена к уху: разрешите, мол, доложить — у нас гости. За деревьями Ландсман замечает отдаленный зеленый блик — крышу и разрозненные белые ошметки, наверное комья снега.

Китка мордует самолет, тот заходит на круг с ревом, грохотом и стоном, потом падает с неба сначала разом, затем снижается по чуть-чуть и наконец смачно шлепается на воду. А может, это Ландсман стонет.

— Никогда не думал, что скажу это, — произносит Китка, как только лайкоминговский мотор успокаивается и они начинают слышать друг друга, — но за такое и шести сотен, кажись, маловато.

Через полчаса после отлета из Якоби Ландсман решил, что благоразумно было бы поблевать, дабы как-то скрасить путешествие. Самолет за двадцать лет работы насквозь провонял тухлой лосятиной, а Ландсмана терзало раскаяние из-за нарушенного обета, который он дал после смерти Наоми: никогда больше не летать на маленьких самолетах. И результат его воздушной болезни весьма внушителен, если учесть, как мало Ландсман съел за последние несколько дней.

— Прости, Рокки, — говорит Ландсман, пытаясь возвысить голос над уровнем своих носков, — думаю, я пока еще не готов снова летать.

Последнее Ландсманово путешествие по воздуху, совершенное им на сестричкином «суперкабе», не имело никаких пагубных последствий. Но то был хороший самолет, Наоми была классным пилотом, а Ландсман был в стельку. Теперь же он отважился взвиться в небеса, будучи в состоянии горестной трезвости. После трех урыльников отвратного мотельного кофе нервы его расходились. Он полетел, отдавшись на совместную милость немилосердного резкого встречного ветра с Юкона и плохого пилота, безрассудного от излишней осмотрительности и храброго от неуверенности в себе. Ландсман болтался на брезентовых лямках изношенной «Сессны-206», которую управление «Местных авиалиний Теркеля» сочло возможным доверить Рокки Китке. Самолет громыхал, вибрировал и содрогался.

Все винтики и шпунтики разболтались в Ландсмановом скелете, голова отвинтилась, руки отвалились, а глазные яблоки закатились под отопитель кабины. Где-то над Болотными сопками Ландсманов обет отпустил его.

Китка распахивает дверцу и спрыгивает из кабины на гидропланный причал. Следом на посеревшие кедровые доски вываливается и Ландсман. Он стоит, моргая, пошатываясь, набирает полные легкие здешнего воздуха, настоянного на терпких запахах сосновой хвои и морских водорослей. Поправляет галстук и водружает шляпу на голову.

Перил-Стрейт — это скопище лодок, топливная заправка, ряд продуваемых всеми ветрами домишек цвета ржавого паровоза. Домишки ютятся на сваях, точно девицы на тощих ножках. Паршивенькие дощатые мостки виляют между домиками, прежде чем добраться до лодочного спуска и там залечь. Кажется, что все это удерживается вместе путаницей тросов, мотками лески, обрывками кошелькового невода с нанизанными на него поплавками. И сама деревенька кажется обломками и обрывками, принесенными бурей из какого-то далекого затонувшего города.

Гидропланный причал физически будто никак не связан ни с мостками, ни с деревенькой Перил-Стрейт. Это надежное, современное сооружение из белого бетона и выкрашенных серой краской балок. Щеголяет добротностью, соответствующей потребностям людей с деньгами. В конце причала — стальные ворота. За воротами витая металлическая лестница стежками внахлест обтачивает склон холма до прогалины на его вершине. Бок о бок с лестницей на холм взбирается вертикальная рельсовая колея с платформой для транспортировки того, что не может воспользоваться лестницей. Металлическая табличка, прикрученная болтами к ограждению причала, сообщает на идише и на американском: «РЕАБИЛИТАЦИОННЫЙ ЦЕНТР „БЕТ ТИККУН“», а рядом на американском: «ЧАСТНАЯ СОБ-

СТВЕННОСТЬ». Ландсман вглядывается в еврейские буквы. Они кажутся неуместными и уродливыми в этом диком углу острова Баранова, сборище покачивающихся идише-полисменов в черных костюмах и фетровых шляпах.

Китка набирает в свой стетсон воды из технического крана на пирсе и выплескивает в салон, одной полной шляпы мало, он наливает еще одну. Ландсман сгорает от стыда за то, что пилоту приходится это делать, но Китка и блевотина, похоже, старые знакомцы, и улыбка не сходит с его лица. Краем ламинированного путеводителя «Киты и тюлени Аляски» Китка выгоняет из кабины потеки рвоты и морской воды, споласкивает путеводитель и отряхивает его хорошенько. Затем застывает в проеме, держась одной рукой за притолоку, и смотрит на Ландсмана, стоящего на причале. Море шлепает о поплавки «сессны» и о причальные сваи. Ветер, дующий с реки Ситкин, гудит у Ландсмана в ушах, треплет поля его шляпы. Из деревни доносится женский голос — сорванный, рыдающий то ли по мужу, то ли по ребенку. Крику вторит пародийный собачий лай.

— Думаю, они уже в курсе, что ты на подходе, — говорит Китка, — те, что на верхотуре. — Улыбка его становится робкой, похожей на недовольную гримасу. — Мы приняли к этому все меры, кажись.

— На этой неделе я уже нагрянул кое-куда с неожиданным визитом, и не особенно удачно, — замечает Ландсман. Он достает «беретту» из кармана, выщелкивает обойму, проверяет магазин. — Сомневаюсь, что их можно застать врасплох.

— Ты знаешь, кто они? — спрашивает Китка, поглядывая на шолем.

— Нет, — отвечает Ландсман. — Не знаю, а ты?

— Ну серьезно, брательник, — говорит Китка. — Кабы я знал, так сказал бы, хоть ты и заблевал мне самолет.

— Кем бы они ни были, — говорит Ландсман, вставляя обойму на место, — думается мне, это они убили мою сестренку.

Китка обмозговывает это заявление, как будто отыскивая в нем лазейки или слабые места.

— Я должен быть во Фрешуотере к десяти, — говорит он, изображая сожаление.

— Да. Понимаю.

— Иначе я бы тебя прикрыл, брательник.

— Да ладно тебе. О чем ты? Не твоя это беда.

— Да, но Наоми... Она была, конечно, оторва.

— Ты мне рассказываешь.

— Вообще-то, она никогда меня особенно не жаловала.

— Ну, она впадала в крайности, — говорит Ландсман, пряча пистолет в карман пиджака, — порой.

— Ладно тогда, — говорит Китка, носком сапога изгоняя последнюю волну из самолета. — Эй, ты там, слышь, поосторожней.

— Честно говоря, я не знаю, как это, — признает Ландсман.

— Значит, это семейное. У вас с сестрой.

Ландсман с грохотом шагает по мосткам к стальным воротам и дергает ручку — из чистого интереса. Потом перебрасывает рюкзачок через решетчатую ограду и сам перелезает следом на ту сторону. Когда он оказывается на верхушке ограды, нога его застревает меж прутьев решетки. У него слетает ботинок. Ландсман кувыркается и шлепается на землю, смачно чавкающую при его приземлении. Рот наполняется соленым вкусом крови из прикушенного языка. Ландсман отряхивается и оглядывается — убедиться, что Китка все это видит. Он машет Китке, мол, все в порядке. Чуть помедлив, Китка машет ему в ответ и захлопывает дверцу самолета. Мотор со стуком пробуждается. Пропеллер исчезает в темном ореоле собственного вращения.

Ландсман начинает долгое восхождение по лестнице. Если что, он сейчас в худшей форме, нежели в пятницу утром, когда попытался одолеть лестницу высотки «Днепр», ведущую к квартире Шемецев. Прошлую ночь он пролежал без сна на жестком бугристом матрасе мотеля. Два дня назад его подстрелили, избили и бросили на снегу. У него все болит. Он тяжко, хрипло дышит. Да еще эта загадочная боль в ребре и в левом колене. Он останавливается ненадолго на полпути, чтобы взбодриться сигаретой, и оборачивается поглядеть, как «сессна», жужжа и вихляя, уносится прочь сквозь низкие утренние облака, бросая Ландсмана на самый что ни на есть произвол судьбы.

Ландсман свешивается с перил высоко над пустынным берегом и деревней. Далеко внизу, на кривых мостках, какие-то люди выходят из домов, чтобы посмотреть на его восхождение. Он машет им, и они любезно машут в ответ. Он затаптывает окурок и возобновляет свой размеренный путь наверх. Его сопровождает плеск воды в заливе и отдаленные насмешки ворон. Потом звуки меркнут. Он слышит лишь свое дыхание, звон ступенек под ногами, скрип ремней рюкзачка.

На верхотуре на белоснежном флагштоке развеваются два флага.

Один — флаг Соединенных Штатов Америки. Другой — скромный белый, с голубой звездой Давида. Флагшток стоит в кольце беленых камней, окруженных бетонной площадкой. У основания флагштока маленькая металлическая пластинка сообщает: «ФЛАГШТОК ВОЗДВИГНУТ БЛАГОДАРЯ ЩЕДРОСТИ БАРРИ И РОНДЫ ГРИНБАУМ, БЕВЕРЛИ-ХИЛЛЗ, КАЛИФОРНИЯ». Дорожка ведет от круглой площадки к зданию покрупнее, которое Ландсман видел с воздуха. Все прочие строения — жалкие халупы, обшитые кедровой дранкой, но это не лишено претензий на стиль. Скатная крыша покрыта рифленой сталью, окрашенной в темно-зеленый цвет. Окна с переплетами. Глубокая веранда окружает дом с трех сторон, ее стойки сделаны из неокоренных еловых бревен. В центре веранды — широкая лестница, и бетонная дорожка подводит прямо к ней.

На верхней ступеньке лестницы стоят двое, наблюдая, как Ландсман приближается. У обоих окладистые бороды, но пейсов нет. Нет ни чулок, ни черных шляп. Тот, что слева, — молод, лет тридцати от силы, рослый, даже длинный, у него лоб как бетонный бункер и отвислая челюсть. Его необузданная борода скручивается в черные кольца, оставляя завиток голой кожи на каждой щеке. Руки, безвольно висящие по швам, пульсируют, как пара головоногих. На нем черный костюм свободного покроя и галстук в узкую косую полоску. Ландсман прочитывает тоскливое нетерпение в подергивающихся пальцах рослого и пытается угадать под жилетом очертания пистолета. Чем ближе подходит Ландсман, тем холоднее и светлее становятся темные глаза рослого.

Второй человек приблизительно Ландсмановых лет, его веса и сложения. В талии он, в отличие от Ландсмана, чуть расплылся и опирается на витую трость из какого-то черного лакированного дерева. Борода у него цвета древесного угля, присыпанного золой, аккуратно подстриженная, даже щеголеватая. На нем твидовая тройка, образ дополняет затейливая трубка, которой он задумчиво попыхивает. Похоже, он доволен зрелищем Ландсманова восхождения, а то и в восторге от него — любознательный врач, предугадывающий легкую аномалию, отклонение во время обычного осмотра. Обут он в лоферы на кожаных шнурках.

Ландсман останавливается у нижней ступеньки веранды и поправляет рюкзачок на плече. Где-то дятел тарахтит бочонком с игральными костями. На миг стук дятла и шуршание еловой хвои — единственные звуки вокруг. Словно их всего трое человек на всю юго-восточную Аляску. Но Ландсман чувствует, что за ним наблюдают сквозь щелку занавесок на окне, сквозь прицелы винтовок, окуляры перископов, линзы дверных глазков. Он чувствует нарушенный ход жизни, прерванную утреннюю зарядку, недомытые кофейные чашки. Слышит шкварчащее в масле яйцо, подгорающие тосты.

— Не знаю, как вам и сказать, — говорит каланча с курчавой бородой. Кажется, что голос слишком долго околачивается у него в груди, прежде чем выйти наружу. Неповоротливые слова вытекают медленно и вязко, как из ковша. — Но ваш попутчик только что улетел без вас.

— А я разве куда-то собирался? — интересуется Ландсман.

— Здесь вы не останетесь, друг мой, — говорит человек в твиде.

Едва он произносит слово «друг», как его дружелюбие напрочь иссякает.

— Но у меня забронировано, — не сводя глаз с беспокойных рук великана. — Я моложе, чем кажусь.

В лесу будто кости ссыпали в ведерко.

— Ладно, я не мальчик, и брони у меня нет, но я действительно страдаю от серьезной зависимости, — говорит Ландсман. — Разумеется, все не бесплатно, я понимаю.

— Мистер... — Человек в твиде делает шаг в направлении Ландсмана, и тот чувствует вонь крепкого табака.

— Послушайте, — продолжает Ландсман, — я слыхал, какое доброе дело вы, ребята, здесь делаете, ясно? Я уже все перепробовал. Знаю, это безумие, но я на грани, и мне больше некуда идти.

Твидовый костюм оглядывается на каланчу, стоящего на верхней ступени лестницы. Похоже, им невдомек, кто такой Ландсман и что с ним делать. Веселуха последних нескольких дней и особенно мучительный перелет из Якоби, кажется, несколько размыли нозовскую ауру Ландсмана. Он надеется и опасается, что у него видок опустившегося бедолаги, волочащего свои невзгоды в захудалой переметной суме за спиной.

— Мне нужна помощь, — говорит он и, к собственному удивлению, чувствует, как глазам становится горячо от слез. — Я на грани... — Голос его срывается. — И уже готов это признать.

— Как вас зовут? — спрашивает великан, медленно выцеживая слова.

Взгляд у него теплый, но лишен дружелюбия. Он сочувствует Ландсману, но тот ему не слишком интересен.

— Фельнбойгер. — Ландсман выуживает фамилию из древнего полицейского отчета. — Лев Фельнбойгер.

— Кто-нибудь знает, что вы здесь, господин Фельнбойгер?

— Только моя жена. И пилот, разумеется.

Ландсман замечает, что эти двое достаточно хорошо знают друг друга, чтобы устроить яростный спор одними только глазами, не проронив ни слова и не сделав ни одного тслодвижения.

— Меня зовут доктор Робой, — говорит наконец каланча.

Он выбрасывает руку по направлению к Ландсману, словно стрелу подъемного крана с грузом на конце. Ландсмана так и подмывает уклониться, но он пожимает эту сухую прохладную громадину.

— Прошу вас, пройдемте внутрь, мистер Фельнбойгер.

Он следует за ними по гладко ошкуренному еловому настилу веранды. Вверху, под навесом, он замечает осиное гнездо и приглядывается, есть ли там жизнь, но гнездо кажется таким же опустевшим, как и любое другое строение на вершине этой сопки.

Они проходят в пустой вестибюль, обставленный с ортопедической чуткостью продолговатыми предметами из бежевой пены. Скучный коврик с коротким ворсом цвета картонной упаковки для яиц. Стены увешаны традиционными, набившими оскомину сюжетами из жизни Ситки: рыбацкие лодки, бакалавры иешивы, публика в кафе на Монастырской улице, свингующий клезмер, который вполне мог оказаться стилизованным Натаном Калушинером. И снова у Ландсмана возникает неприятное ощущение, что все это расставлено и вывешено не далее как сегодня утром. В пепельницах ни пылинки пепла. Стопки брошюр под названиями «Наркозависимость: кому она нужна?» и «Жизнь: взаймы или в собственность?». Термостат на стене вздыхает, будто от скуки. Пахнет новым ковром и погасшей трубкой. Над входом в застланный ковровой дорожкой коридор самоклеящаяся табличка объявляет: «МЕБЛИРОВАНО НА ПОЖЕРТВОВАНИЯ БОННИ И РОНАЛЬДА ЛЕДЕРЕР, БОКА-РАТОН, ФЛОРИДА».

— Присаживайтесь, пожалуйста, — льет доктор Робой свой густой и темный голос-сироп. — Флиглер?

Человек в твидовом костюме отходит к застекленной двери, открывает левую створку и проверяет задвижки вверху и внизу. Потом закрывает створку, запирает ее и прячет ключ в карман. На обратном пути, проходя мимо Ландсмана, слегка задевает его подбитым ватой твидовым плечом.

— Флиглер, — произносит Ландсман, нежно вцепившись в его ладонь, — а вы тоже врач?

Флиглер стряхивает руку Ландсмана, высвобождаясь. Он извлекает книжечку со спичками из кармана.

— Чтоб вы не сомневались, — говорит он весьма неискренне и неубедительно.

Пальцами правой руки он отслаивает спичку от коробки, чиркает ею и окунает в недра своей трубки одним сплошным движением. Пока его правая рука завораживает Ландсмана этим нехитрым трюком, левая ныряет в карман Ландсманова пиджака и возвращается уже с «береттой».

— Вот она, ваша проблема, — говорит он, поднимая пистолет для всеобщего обозрения. — Теперь следите за доктором в оба.

Ландсман послушно следит за тем, как Флиглер поднимает пистолет и изучает дотошным докторским взором. Но в следующую минуту дверь грохает где-то внутри Ландсмановой головы, и его отвлекает — буквально на полсекунды — гудение роя из тысячи ос, влетающего сквозь веранду его левого уха.

30

Ландсман приходит в себя. Он лежит на спине, глядя на ряд железных чайников, аккуратно свисающих с прочных крюков на полке в трех футах от его головы. В ноздрях Ландсмана стоит ностальгический запах лагерной кухни, баллонного газа, хозяйственного мыла, прожаренного лука, жесткой воды, слабая вонь из ящика для рыболовных снастей. Под затылком металл — холодом предзнаменования. Ландсман растянут на длинном стальном столе. Руки скованы за спиной, прижаты к крестцу. Босой, обслюнявившийся, он готов к ощипу и фаршировке лимоном и, может быть, веточкой шалфея по вкусу.

— Чего только о вас не рассказывают, — говорит Ландсман. — Но о людоедстве я никогда не слышал.

— Вас, Ландсман, я бы и в рот не взял, — подтверждает Баронштейн. — Даже если бы я был самый голодный человек на Аляске и мне подали вас с серебряной вилкой. Не люблю квашни.

Он сидит слева от Ландсмана на барном стуле, руки скрещены под оборками его буйной черной бороды.

Сейчас он не в подобающем ребе костюме, взамен на нем новые синие рабочие брюки из саржи, фланелевая рубашка, заправленная в брюки и застегнутая на все пуговицы. Широкий пояс из натуральной кожи с тяжелой пряжкой и черные берцы. Рубашка слишком велика для его остова, брюки жесткие, как железная плита. За вычетом ермолки, Баронштейн выглядит как худенький мальчик, наряженный дровосеком для школьного спектакля, накладная борода и все остальное. Каблуки сапог уперты в перемычку стула, манжеты брюк подтянуты, а под ними виднеются несколько бледных дюймов гусиной кожи на тонких щиколотках.

— Кто он такой, этот аид? — спрашивает тощий гигант Робой.

Ландсман вытягивает шею и впускает образ доктора, если это доктор, взгромоздившегося на высокий железный табурет в ногах у Ландсмана. Мешки под глазами словно пятна графита. Рядом с ним стоит медбрат Флиглер с тростью на сгибе локтя. Он наблюдает, как папироса гаснет на попечении правой руки, левая же зловеще спрятана в кармане твидового пиджака.

— Откуда вы его знаете?

Целый арсенал колюще-режущего оружия — ножи, секачи, колуны и другие инструменты — аккуратно прикреплен к магнитной доске на стене кухни, всегда под рукой у профессионального повара или шлоссера.

— Сей аид — шамес по имени Ландсман.

— Полицейский? — уточняет Робой с таким выражением лица, словно только что раскусил конфету, начиненную кислятиной. — У него же не было с собой значка. Флиглер, был у него значок или нет?

— Я не нашел при нем ни значка, ни другого какого удостоверения принадлежности к силам охраны правопорядка, — говорит Флиглер.

— Это потому, что я отобрал у него значок, — отвечает Баронштейн. — Так ведь, детектив?

— Вопросы здесь задаю я, — говорит Ландсман, ворочаясь, чтобы найти положение, в котором было бы удобнее лежать на скованных руках. — Если не возражаете.

— Какая разница, есть у него значок или нет, — высказывается Флиглер. — Здесь что его еврейский значок, что козлиное дерьмо — один хрен.

— Прошу вас воздержаться от подобных выражений, друг Флиглер, — укоряет его Баронштейн. — Уверен, что говорил об этом уже не раз.

— Может, и говорили, да я недослышал, видать, — отвечает Флиглер.

Баронштейн пристально смотрит на Флиглера. В глубинах его черепа тайные железы выделяют яд.

— Друг Флиглер настойчиво предлагал застрелить вас и выбросить ваше тело в лесу, — дружески сообщает Баронштейн, не сводя глаз с человека с пистолетом в кармане.

— Далеко в лесу, — уточняет Флиглер. — Поглядеть, кто там набежит и обглодает ваш скелет.

— Это и есть ваш курс лечения, доктор? — говорит Ландсман, крутя головой, чтобы поглядеть в глаза Робоя. — Неудивительно, что Мендель Шпильман так быстро выписался отсюда прошлой весной.

Они съедают эту ремарку, оценив ее вкус и количество витаминов. Баронштейн позволяет капельке упрека влиться в его ядовитый взгляд. «Аид был у тебя в руках, — говорит взгляд, брошенный на доктора Робоя. — И ты позволил ему уйти».

Баронштейн наклоняется поближе к Ландсману, вытягиваясь на табурете, и говорит с присущей ему ужасающей нежностью. Его застоявшееся дыхание ядовито. Сырные корки, хлебные крошки, опивки со дна стакана.

— Что вы тут делаете, друг Ландсман, — допытывается он, — здесь, где делать вам совершенно нечего?

Баронштейн выглядит искренне озадаченным. Еврей желает понять, что происходит. Это, думает Ландсман, наверное, единственное желание, которое этот человек может себе позволить.

— Я могу задать вам тот же вопрос, — говорит Ландсман, думая, что, может быть, и Баронштейну тут делать
нечего, он здесь проездом, как и Ландсман; может, он идет
по тому же следу, восстанавливая недавнюю траекторию
Менделя Шпильмана, пытаясь найти место, где сын ребе
пересекся с тенью, убившей его. — Это что, пансион для
заблудших вербовских? Кто эти типы? Кстати, у вас одна
шлевка для ремня пустая.

Пальцы Баронштейна направляются к поясу, потом он
откидывается на стуле и изображает на лице что-то вроде
улыбки.

— Кто знает, что вы здесь? — спрашивает он. — Кроме
летчика?

Ландсмана пронизывает страх за Рокки Китку, летяще-
го через жизнь сотни миль вверх тормашками, сам того не
замечая. Ландсман мало что знает об этих аидах Перил-
Стрейта, но ясно, что церемониться с летчиком малой авиа-
ции они не будут.

— Какого летчика? — спрашивает он.

— Полагаю, нам следует ожидать худшего, — говорит
доктор Робой. — Эта площадка, видимо, скомпрометиро-
вана.

— Вы провели слишком много времени с этими людьми, — говорит Баронштейн. — Вы уже говорите, как они. —
Не отводя глаз от Ландсмана, он расстегивает ремень и
пропускает его через петлю, которая была пуста. — Может,
вы и правы, Робой. — Он туго затягивает ремень с явно ма-
зохистским наслаждением. — Но готов побиться об заклад,
что Ландсман никому ничего не сказал. Даже этому жир-
ному индейцу, своему напарнику. Ландсман пустился в аван-
тюру один-одинешенек. Поддержки у него никакой. Закон за ним не стоит, и даже значка у него нет. Он не мог
никому рассказать, что отправляется в Страну Индейцев,
поскольку боялся, что его попытаются отговорить. Или,

что еще хуже, запретят ему. Они сказали бы ему, что его способность здраво мыслить ослаблена жаждой мести за смерть сестры.

Брови Робоя взлетают над носом, как пара порывистых рук.

— Сестры? — восклицает он. — Кто его сестра?

— Я прав, Ландсман?

— Жаль, что не смогу вас обнадежить, Баронштейн. Но все, что произошло, я полностью описал, все о вас и об этой афере.

— Неужели?

— Об этом липовом реабилитационном центре для молодежи.

— Я понял, — говорит Баронштейн с издевательским нажимом. — Липовый реабилитационный центр для молодежи. Весьма поразительное известие.

— Прикрытие для ваших махинаций с Робоем и Флиглером и их могущественными друзьями.

Сердце Ландсмана колотится от неистовой этой пальбы наугад. Он думает, какая нужда евреям в таком огромном предприятии здесь и как они смогли уговорить аборигенов, чтобы разрешили строительство. Прикупили, что ли, кусок индейских земель, чтобы построить новый Макштетл? Или тут предполагается перевалочный пункт для незаконной переправки людей, что-то вроде вербовского воздушного моста с Аляски, без виз и паспортов?

— Тот факт, что вы убили Менделя Шпильмана и мою сестру, чтобы они не разгласили то, что вы тут творите. И потом использовали связи с правительством через Робоя и Флиглера, чтобы скрыть причины аварии.

— И вы все это записали, не так ли?

— Да, и отослал моему адвокату с указанием вскрыть в случае, если я, к примеру, исчезну с лица земли.

— Вашему адвокату.

— Совершенно верно.

— И что это за адвокат?

— Сендер Слоним.

— Сендер Слоним. Понятно, — кивает Баронштейн, будто слова Ландсмана убедили его. — Хороший еврей, но дурной адвокат.

Он сползает с табурета, и стук его сапог ставит точку в допросе заключенного.

— С меня достаточно, друг Флиглер.

Ландсман слышит шлепанье и скрип подошв по линолеуму, затем у самого его правого глаза возникает тень. Расстояние между острием стали и роговицей можно измерить морганием ресниц. Ландсман отдергивает голову, но с другой стороны острие ножа. Флиглер хватает Ландсмана за ухо и дергает. Ландсман сжимается в клубок и пытается скатиться со стола. Флиглер бьет по перевязанной ране Ландсмана набалдашником трости, и зазубренная звезда вспыхивает на сетчатке его глаз. Пока Ландсман занят звоном колокола боли, Флиглер переворачивает его па живот. Он садится ему на спину, резко оттягивает голову Ландсмана и приставляет нож к горлу.

— Может, у меня и нет значка, — хрипит Ландсман; он обращается к доктору Робою, в ком чувствует самого нерешительного человека в этом помещении, — но я все еще ноз. Вы, ребята, меня убьете, и мир станет для вас адом, что бы тут ни происходило.

— Может, и не станет, — говорит Флиглер.

— Вероятность пренебрежимо мала, — соглашается Баронштейн. — Да и никто из вас, аидов, не будет полицейским через два месяца.

Тонкая струйка углеродных и железных атомов, последовательных признаков лезвия ножа, становится на градус теплее рядом с трахеей Ландсмана.

— Флиглер... — говорит Робой, вытирая губу огромной клешней.

— Давай, Флиглер, — просит Ландсман, — режь. Я тебе спасибо скажу. Давай же, сука.

Из-за двери в кухню доносится мешанина раздраженных мужских голосов. Чьи-то ноги скрипят по полу, кто-то хочет постучать и колеблется. Ничего не происходит.

— Что там такое? — горько вопрошает Робой.

— На два слова, доктор, — слышен голос, молодой голос, американский, говорящий на американском языке.

— Ничего не делай, — распоряжается Робой. — Просто жди.

Ландсман слышит голос, слова, поток витиеватых слов, которые фиксируются в его мозгу как бессмысленные горловые звуки.

Флиглер перемещает вес, поудобнее усаживаясь на поясницу Ландсмана. Дальше следует неловкое молчание посторонних попутчиков в лифте. Баронштейн смотрит на свои дорогущие швейцарские часы.

— Так в чем я оказался прав? — спрашивает Ландсман. — Просто из любопытства.

— Гы, — отвечает Флиглер. — Смех, да и только!

— Робой — профессиональный врач-реабилитолог, — объясняет Баронштейн, являя образец снисходительного терпения, как Бина, когда она обращается к одному из тех пяти миллиардов людей, и Ландсман в их числе, каковые, по ее мнению, являются в общем и целом идиотами. — Они и вправду пытались помочь сыну ребе. Мендель пришел сюда по своей воле. Когда он решил уйти, никто не мог его остановить.

— Уверен, что новость разбила вам сердце, — говорит Ландсман.

— И что вы имеете в виду?

— Я полагаю, что выздоровевший Мендель Шпильман опасности для вас не представлял? В качестве явного наследника?

— Ой-вей, — говорит Баронштейн. — Чего только вы не знаете!

Дверь кухни открывается, и Робой проскальзывает внутрь, брови дугой. Прежде чем дверь захлопывается, Ландсман замечает двух юношей, бородатых и одетых в мешковатые костюмы. Взрослые мальчики, один с черной змейкой наушника за ухом. На внешней стороне двери небольшая пластинка гласит: «КУХНЯ ОБОРУДОВАНА БЛАГОДАРЯ ВЕЛИКОДУШИЮ МИСТЕРА И МИССИС ЛАНС ПЕРЛШТЕЙН, ПАЙКСВИЛЛЬ, МЭРИЛЕНД».

— Восемь минут, — говорит Робой, — максимум десять.

— Ждем гостей? — спрашивает Ландсман. — И кого же? Гескеля Шпильмана? Да знает ли он, что вы здесь, Баронштейн? Вы сговариваетесь с этим народом у ребе за спиной? Они думают потеснить вербовских? Что им нужно было от Менделя? Вы хотели использовать его, чтобы нажать на ребе?

— Мне кажется, вам пора перечитать это ваше письмо, — замечает Баронштейн. — Или попросить Сендера Слонима прочесть его вам.

Ландсман слышит, как везде снуют люди, ножки стульев скрипят по доскам пола. Вдалеке жужжание и стук электрического мотора, звон отъезжающего гольфмобиля.

— Придется повременить с этим, — говорит Робой, приближаясь к Ландсману и нависая над ним; его густая борода стекает со щек, закрывая все лицо, пышно расцветает в ноздрях, курчавится тонкими завитками у мочек ушей. — Он совершенно не терпит бардака. Ладно, детектив.

Его медленно текущий голос-сироп становится совершенно приторным, неожиданно теплеет. Небрежная симпатия наполняет этот голос, предвещая худшее, и Ландсман цепенеет, ожидая этого худшего, а оно оказывается просто уколом в руку, быстрым и умелым.

В сонные секунды перед тем, как Ландсман теряет сознание, гортанная речь Робоя звучит как аудиозапись в наушнике, и Ландсман ослепительным усилием умудряется постичь непостижимое — так иногда во сне внезапное прозрение рождает великие теории или прекрасные стихи, которые утром превращаются в абракадабру. Эти евреи по ту сторону дверей обсуждают розы и благовония. Они стоят на ветру пустыни под финиковыми пальмами, и Ландсман рядом с ними, просторные хитоны защищают их от палящего библейского солнца, они беседуют на иврите, и все они вместе, друзья и братья, и горы скачут, словно барашки, и холмы подобны ягнятам.

31

Ландсман пробуждается ото сна, в котором он скармливает правое ухо лопастям пропеллера «Сессны-206». Он ворочается под сырым одеялом, электрическим, но не включенным в розетку, в комнатушке едва ли большей, чем койка, на которой он распростерт. Мейер касается головы осторожным пальцем. В том месте, куда саданул его Флиглер, вздулась шишка, кожа мокнет и саднит. Левое плечо тоже болит адски.

В узком окне над койкой металлические жалюзи пропускают разочарованную мглу ноябрьского предвечерья юго-восточной Аляски. В комнату сочится даже не свет, а останки света, день, одолеваемый воспоминаниями о солнце.

Ландсман пытается встать, и до него доходит: плечо болит оттого, что какой-то добрый человек приковал кисть его левой руки наручниками к раме койки. В метаниях сна Ландсман произвел над этой своей заломленной за голову рукой сеанс какой-то зверской хиропрактики. Та же самая добрая душа, которая приковала его, заботливо освободила его от брюк, рубашки и куртки, снова низведя до «неизвестного в трусах».

Ландсман садится на корточки у изголовья койки. Потом спиной вперед сползает с матраса и на корточках устраивается на полу, чтобы левая рука висела под более естественным углом, кисть в наручнике упирается при этом в пол. Который покрыт желтым линолеумом цвета прокуренного сигаретного фильтра. Пол холоден, как стетоскоп врача. На линолеуме представлена коллекция пыльных леммингов, и пыльных париков, и крылатых мазков черной мушиной грязи. Стены сделаны из шлакоблоков и густо покрашены краской, напоминающей глянцевую тень голубой зубной пасты. На стене на уровне Ландсмановой головы, в известковом проеме между шлакоблоками, знакомой рукой написано небольшое сообщение для Ландсмана: «ЭТОТ КАРЦЕР СООРУЖЕН БЛАГОДАРЯ ЩЕДРОСТИ И ВЕЛИКОДУШИЮ НИЛА И РИСЫ НУДЕЛЬМАН, ШОРТ-ХИЛЛЗ, НЬЮ-ДЖЕРСИ».

Он хочет засмеяться, но при виде забавных каракуль сестры в таком месте волосы у него на голове становятся дыбом.

Помимо койки, в комнате всего-то и мебели что мусорная корзина в углу у двери. Мусорная корзина предназначена для детской: голубая и желтая с мультяшной собакой, выделывающей курбеты посреди ромашкового поля. Ландсман смотрит на нее долго и пристально, ни о чем не думая, думая о мусоре в детских и о мультяшных собаках. От Плуто ему всегда было немного не по себе — пес в подчинении у мыши, ежедневно сталкивающийся с ужасом Гуфи и его мутаций. Невидимое газовое облако заволакивает его мысли, словно выхлопные газы автобуса, оставленного с работающим двигателем на парковке в середине мозга.

Ландсман корячится возле койки около минуты, собирая себя, как нищий собирает разбросанные на тротуаре монеты. Потом он подтягивает койку к двери и садится на нее. И методично и неудержимо начинает бить по двери голой пяткой. Это глухая стальная дверь, и удары по ней производят громоподобный звук, поначалу приятный, но потом удовольствие приедается. Далее Ландсман затевает громко вопить: «Помогите, я порезался и истекаю кровью!» — снова и снова. Он орет, пока не срывает голос, и колотит в дверь, пока нога не начинает болезненно пульсировать. Наконец он устает вопить и стучать. Он должен помочиться. Срочно. Он смотрит на мусорную корзину, а потом на дверь. Возможно, все дело в следах наркотика в его организме или в ненависти, которую он чувствует к этой крошечной каморке, где его сестра провела последнюю в ее жизни ночь на земле, и к людям, приковавшим его намертво, оставив только трусы. Может, собственные яростные крики и породили в нем настоящий гнев. Но мысль о необходимости мочиться в корзину с песиком Шнапишем бесит Ландсмана.

Он подтягивает койку к окну и сдвигает дребезжащие жалюзи в сторону. Окно затянуто толстым пузырчатым стеклом. Рябь зелено-серого мира упрятана в тяжелую стальную раму. Некогда — может быть, совсем недавно — к окну прилагалась задвижка, но заботливые хозяева ее убрали. Теперь остается один способ открыть окно. Ландсман дотягивается до мусорной корзины, волоча койку взад-вперед за собой как удобный символ. Он подхватывает мусорную корзину, прицеливается и швыряет ее в толстое стекло высокого окна. Корзина отскакивает, и летит к Ландсману, и бьет его прямо в лоб. Секундой позднее он второй раз за день ощущает вкус крови, та стекает по щеке к уголку рта.

— Шнапиш, ах ты, недоносок, — шипит Ландсман.

Он толкает койку, располагая ее вдоль длинной стены, и, работая свободной рукой, сбрасывает матрас с рамы. Матрас прислоняет к стене, противоположной окну. Он перехватывает раму койки поперек и, присев, поднимается вместе с ней, оторвав от пола. Так он стоит секунду-другую, удерживая скрипучую раму параллельно телу. Он шатается под ее неожиданным весом, который не так уж велик, но для него, в его нынешнем состоянии, все равно чрезмерен. Он делает шаг назад, опускает голову и бросает койку в окно. Зеленая лужайка и туман врываются в ослепленные глаза Ландсмана. Деревья, вороны, разлетающиеся осколки стекла, серые, как ружейный ствол, во́ды пролива, ярко-белый с красными полосками гидроплан. Затем рама койки вырывается из рук Ландсмана и улетает через ощеренные стеклянные клыки в утро.

Когда Ландсман учился в школе, он получал хорошие оценки по физике. Ньютонова механика, тела в состоянии покоя и в движении, действие и противодействие, сила тяжести и масса. Он находил в физике больше смысла, чем во всем остальном, чему его пытались научить. Такая идея, как импульс, к примеру, инерция, склонность движущегося тела оставаться в движении. Так что, возможно, Ландсман не сильно удивляется, когда рама койки не довольствуется разбитым окном. Болезненный треск в плечевом суставе — и вот Ландсман охвачен тем же безымянным чувством, какое ощутил, забираясь на ходу в лимузин миссис Шпильман, — неожиданное просветление, сатори наоборот, осознание, что он совершил ужасную, если не смертельную ошибку.

Ландсману везет: он приземляется в сугроб. Это незаметная упорствующая кучка снега, скрытая в тени с северной стороны барака. Единственный, похоже, снег во всем лагере, и Ландсман падает именно туда. Его челюсти схлопываются, и каждый зуб звенит собственной чистой нотой, тогда как от удара задницы о землю весь остальной скелет вибрирует самым ньютоновым образом.

Ландсман поднимает голову из снега. Холодный ветер обвевает ему затылок. Впервые после того, как отправился в полет, он замечает, что замерз. Он встает, его челюсти еще звенят. Снег исполосовал ему спину, как рубцами от бичевания. Вес коечной рамы тянет шатающегося Ландсмана влево. Рама предлагает ему снова усесться в снег. Утонуть в нем, погрузить гудящую голову в холодный, чистый сугроб. Закрыть глаза. Расслабиться.

И тут из-за угла доносится тихий скрип подошв, словно пары ластиков, стирающих собственные следы. Неровная походка, характерные подскок и шарканье хромого. Ландсман ухватывается за раму и, подняв ее, отступает к обшитой стене барака. В поле зрения появляется туристский ботинок, твидовый манжет брючины Флиглера, и Ландсман выкидывает раму вперед. А как только из-за угла появляется сам Флиглер, стальной край рамы врезается ему в лицо. Кровавая пятерня растопыривает пальцы на щеках и на лбу Флиглера. Его суковатая палка взлетает в воздух и бьет тротуар с характерным гулом маримбы. Коечная рама, словно испугавшись, что останется без лучшего друга, тащит Ландсмана за собой, и тот валится на Флиглера. Запах его крови заполняет ноздри Ландсмана, и тот с трудом поднимается, свободной рукой выдергивая шолем из ослабевших пальцев Флиглера.

Он поднимает автоматический пистолет, обдумывая убийство лежащего на земле человека с некой черной готовностью. Потом глядит на главное здание в пяти сотнях футов. Несколько темных теней движутся за створчатыми дверьми с той стороны. Двери распахиваются; изумленные, с распахнутым ртом рожи крупных молодых аидов в костюмах заполняют дверной проем. Ландсман завидует им, их юной способности любопытствовать, но все же направляет на них оружие. Пригнувшись, они отступают за края проема, и между ними возникает оставшийся без прикрытия высокий стройный блондин. Новоприбывший, только что с ярко-белого гидроплана. Прическа его — действительно нечто, солнечный сполох на стальном листе. Пингвины на свитере, мешковатые вельветовые штаны. Он озадаченно хмурится при виде Ландсмана. Потом кто-то оттаскивает его от двери, когда Ландсман пытается прицелиться.

Наручники глубоко вгрызаются в запястье, сдирая кожу. Он поворачивает пистолет, направляя его на свою левую руку. Осторожно спускает курок, и наручники распадаются, браслет остается на запястье. Ландсман опускает раму на землю с чувством умеренного сожаления, словно это был неуклюжий, но верный вассал. Потом он устремляется в лес, к просвету в деревьях. Должно быть, не меньше двадцати юных здоровых евреев преследуют его, крича, ругаясь, отдавая приказы. Сначала он ожидает увидеть ветвистую молнию вспыхивающей в его мозгу пули и пасть под медленным раскатом ее грома. Но ничего не происходит, — должно быть, они получили приказ не стрелять.

Он совершенно не терпит бардака.

Ландсман приходит в себя на бегу, он бежит по аккуратной, ухоженной грунтовке, маркированной красными рефлекторами на металлических стояках. Он помнит далекую полоску зелени, замеченную им с воздуха, за лесом, в пятнах сугробов. Вероятно, эта дорожка ведет туда. Куда-то же она ведет, во всяком случае.

Ландсман бежит по лесу. Грунтовка завалена опавшими иголками, заглушающими топот его голых ступней. Он почти видит жар, покидающий его тело, мерцающие волны его, остающиеся позади. В горле вкус крови, подобный воспоминанию о запахе крови Флиглера. Звено разорванной цепочки, позванивая, свисает с наручника. Где-то дятел выколачивает себе мозги о дерево. Собственные мозги Ландсмана скрипят на пределе мощности, пытаясь понять, что это за люди и чего им надо. Хромой профессор, чей полуавтоматический «интратек» Ландсман тащит с собой. Доктор с непробиваемым лбом. Пустые комнаты бараков. Ферма доверия, которая никакая не ферма доверия. Рослые парни, прохлаждающиеся в этих владениях. Ухоженный блондин в свитере с пингвинами, не терпящий бардака.

В то же время другой отдел его мозга занят измерением температуры окружающего воздуха — скажем, тридцать семь или тридцать восемь градусов по Фаренгейту — и, отталкиваясь от этого, подсчетами или попыткой вспомнить, как выглядит таблица, виденная однажды, которая показывала, сколько времени нужно гипотермии, чтобы покончить с еврейским полицейским в трусах. Но ведущие клеточки этого пришедшего в негодность органа, одурманенного наркотиком и заторможенного, подсказывают ему, что надо бежать и бежать.

Лес неожиданно кончается, и Ландсман стоит перед каким-то большим зданием, вроде складского: стены из шаблонных стальных пластин, без окон, рифленая пластиковая крыша. Пара пропановых баллонов лежит у стены, словно два яичка в мошонке. Ветер здесь покрепче, и тело Ландсмана ощущает его как струю кипятка. Он бежит к другой стороне сооружения. Оно стоит на краю пустого пространства, заросшего стерней. Вдалеке полоса зеленой травы растворяется в наползающем тумане. Гравийная тропка убегает вдоль поля стерни. В пятидесяти ярдах тропа раздваивается, и одна дорожка ведет на восток к зеленой полосе. Другая — прямо в темный древостой и там исчезает. Ландсман возвращается к складу. С громыханием сдвигает в сторону большую дверь на роликах. Видит запасные части холодильной техники, загадочные детали механизмов, одна стена покрыта мотками черного резинового шланга, змеящимися, как арабские письмена. И прямо у двери — один из трехколесных электрокаров, которые называют «зумзумы» (второй по объему экспорта товар ситкинского производства после шойферов-мобилок). Этот снабжен прицепом, дно которого устлано черной резиной в брызгах грязи. Ландсман усаживается за руль. Ландсманов зад уже и так стылый, как ветер с Юкона, и даже холоднее, но сиденье этого «зумзума» еще промозглей. Ландсман поворачивает ключ зажигания. Он наступает на педаль, машина содрогается, шестеренки дифференциала урчат, приходят в зацепление, и «зумзум» выезжает. Догрохотав до развилки тропы, Ландсман раздумывает, какую из дорожек выбрать — в лес или к той мирной полоске зелени, исчезающей вдалеке как обещание покоя в тумане. И жмет на педаль.

Перед тем как вломиться в древостой, Ландсман оборачивается и видит аидов из Перил-Стрейта, догоняющих его в большом черном «форде-каудильо»: разбрызгивая колесами гравий, тот круто выворачивает из-за склада с запчастями. Ландсман не представляет, откуда он взялся, этот «форд», и как они вообще сюда доехали. С борта самолета он не видел ни одной машины. «Форд» всего в пяти сотнях метров позади «зумзума» и легко нагоняет.

В лесу гравий переходит в утрамбованную тропу, которая бежит меж красивых елей Ситки, высоких и таинственных. Стрекоча вдоль по ней, Ландсман замечает между деревьями проблески высокой сетчатой изгороди, увенчанной весело сверкающими завитками колючей проволоки. В сетку забора вплетены планки зеленого пластика, но не сплошь: кое-где видны щели. Через щели Ландсман замечает еще один то ли склад, то ли гараж, прогалину, столбы, поперечины, сплетение кабелей. Огромный каркас, обтянутый паутиной грузовой сетки, растянутые кольца колючей проволоки, качели. Возможно, это гимнастическая площадка, что-то вроде спорткомплекса для реабилитации пациентов. Ну да, а люди в «каудильо» как раз везут ему брюки.

Черная машина уже в двухстах ярдах позади. Пассажир на переднем сиденье опускает стекло и высовывается из машины, опираясь телом на дверцу и удерживаясь одной рукой за полозья на крыше. Ландсман замечает, что в другой руке у пассажира пистолет и он готовится стрелять. Это красивый бородатый юноша в черном костюме, собранные волосы, неяркий галстук, как у Робоя. Он не спешит с выстрелом, оценивая сокращающуюся дистанцию. Цветок расцветает у его руки, и заднее стекло «зумзума» разлетается фибергласовыми осколками. Ландсман вскрикивает и убирает ногу с педали. Совершенно не терпит бардака, говорите, ага...

Он трясется еще пять или десять футов по инерции и останавливается. Юноша, висящий на двери «каудильо», подымает оружие и оценивает результат стрельбы. Зазубренная дыра в фибергласе, вероятно, разочаровывает бедного дитятю. Но он должен радоваться — движущаяся мишень превратилась в стационарную. Следующий выстрел будет легче. Парнишка опять опускает руку с терпеливой медлительностью, почти нарочитой, почти жестокой. В этой озабоченности и бережливости по отношению к пулям Ландсман видит признаки скрупулезной тренировки и атлетического устремления в вечность.

Мысль о капитуляции полощется в сердце Ландсмана, как тень флага. Нет никаких шансов выиграть забег с «каудильо», абсолютно — и в лучшие дни «зумзум» мог развить только пятнадцать миль в час. Теплое одеяло, может, чашка чая — адекватная компенсация за поражение. «Каудильо» приближается все быстрее и, хлюпая, замирает в брызгах опавших иголок. Три дверцы распахиваются, и три человека вылезают из машины, неуклюжие юные аиды в мешковатых костюмах и в ботинках черных, как метеор, наставляют свои автоматические пистолеты на Ландсмана. Кажется, что оружие вырывается, дергаясь в их руках, словно в нем содержится живая природа гироскопов. Стрелки́ еле обуздывают пистолеты. Крутые парни: галстуки развеваются, бороды аккуратно подстрижены, кипы похожи на вязанные крючком блюдца.

Одна дверца остается плотно закрытой, но за ней Ландсман примечает контуры четвертого преследователя. Крутые парни уже рядом с Ландсманом, в одинаковых костюмах и при одинаковых серьезных стрижках. Ландсман встает и поворачивается с поднятыми руками.

— Вы ведь клоны, признайтесь? — говорит он, когда крутые парни окружают его. — В конце фильма они всегда оказываются клонами.

— Заткнись, — говорит ближний крутой по-американски, и Ландсман готов повиноваться, но тут слышит звук: как будто что-то волокнистое и рыхлое разрывается надвое.

За то время, пока в глазах крутых парней проявляется понимание того, что они тоже это слышат, звук усиливается и переходит в рубящий без остановки — что твой лист бумаги, попавший в лопасти вентилятора. Звук становится все громче и слоистей. Надсадный старческий кашель. Тяжелый разводной ключ, упавший на бетонный пол. Вырвавшийся из рук незавязанный воздушный шарик, который стал метаться по комнате и опрокинул торшер. Между деревьями виден свет, стрекочущий и вихляющий, как шмель, и вдруг Ландсман понимает, что это такое.

— Дик, — говорит он, просто и не без удивления, и дрожь охватывает его до костей.

Свет исходит от старой шестивольтной фары, не ярче обычного фонаря, слабо мерцающей во мраке ельника. А несет этот свет к компании евреев двигатель мотоцикла «В-Твин» ручной сборки. Слышно, как пружины передней вилки скрипят, отзываясь на каждый ухаб.

— Чтоб он пропал, — бормочет один из парнишек. — Вместе со своим долбаным игрушечным моциком.

Ландсман слышал разные истории про инспектора Вилли Дика и его мотоцикл. Одни говорили, что изготовлен он для взрослого бомбейского миллионера, рост у которого был гораздо ниже среднего. Другие — что для принца Уэльского в качестве подарка на тринадцатилетие, а еще — что он принадлежал рисковому карлику-мотоакробату из цирка в Техасе или Алабаме или еще из каких-то экзотических мест. На первый взгляд это просто винтажный «роял-энфилд-крусейдер» образца 1961 года, отливающий под солнцем ствольным серым блеском, с тщательно восстановленной оригинальной хромировкой. К нему надо подойти поближе или видеть его рядом с мотоциклом обычного размера, чтобы понять: это уменьшенная на треть копия. Вилли Дик — вполне взрослый тридцатисемилетний мужик, по росточку в нем всего четыре фута и семь дюймов.

Дик громыхает мимо «зумзума», со скрипом останавливается и вырубает дряхлый британский двигатель. Слезает с мотоцикла и враскачку идет к Ландсману.

— Что за нахрен? — спрашивает он, стаскивая перчатки, черные кожаные краги, которые мог бы носить Макс фон Сюдов, играя Эрвина Роммеля. Голос Дика всегда на удивление низкий и густой, при таком мальчишеском теле. Дик не спеша описывает круг почета вокруг красы и гордости еврейской полиции. — Детектив Мейер Ландсман! — Он поворачивается к крутым парням и оценивает их крутизну. — Джентльмены.

— Инспектор Дик, — говорит тот, что советовал Ландсману заткнуться. Выражение лица у пацана тюремное, заостренное и скрытное, заточка из зубной щетки. — Что привело вас в наше захолустье?

— Прошу прощения, мистер Голд — Голд ведь, не так ли?.. — но это *мое*, блин, долбаное захолустье.

Дик покидает группу, окружающую Ландсмана. Он вглядывается в тень, наблюдающую за ними из-за закрытой дверцы «каудильо». Ландсман не уверен, но, кто бы там ни был, он недостаточно велик, чтобы быть Робоем или ухоженным блондином в свитере с пингвинами. Сгорбленная маленькая тень, притаившаяся и выжидающая.

— Я был здесь раньше тебя и буду после того, когда вы, аиды, уберетесь к чертям.

Инспектор полиции Уилфред Дик — чистокровный тлинкит, ведущий род от вождя Дика, который стал виновником последней зарегистрированной смерти в истории русско-тлинкитских отношений, выстрелив в истощенного русского подводника, полумертвого от голода, которого застал в 1948 году за похищением добычи из крабовых ловушек вождя в Оленьей бухте. Вилли Дик женат, и у него девятеро детей от первой, и единственной жены, которую Ландсман никогда не видел. Естественно, у нее репутация великанши. В 1993 году или в 1994-м Дик успешно участвовал в Айдитароде — гонках на собачьих упряжках, придя девятым среди сорока семи финишировавших. Он защитил кандидатскую по криминологии в Университете Гонзага в Спокане, штат Вашингтон. Первым, что он совершил как взрослый член племени, было путешествие на старом бостонском китобое от деревни Дика в Оленьей бухте к Племенному управлению полиции в Ангуне, предпринятое с целью уговорить суперинтенданта сделать исключение и поменять в случае Дика минимальные требования к росту офицеров племенной полиции. Истории о том, как это произошло, оскорбительны, непристойны, невероятны или же всё одновременно. Вилли Дик обладает всеми дурными качествами очень маленьких и очень умных людей — тщеславие, заносчивость, чрезмерный дух соперничества, злопамятность за нанесенные раны или неуважение. Но он также честняга, упрям и бесстрашен, и он обязан Ландсману. Одолжения он тоже не забывает.

— Пытаюсь понять, чем это вы, сумасшедшие иудеи, тут заняты, и каждая следующая из моих теорий все бредовее, чем предыдущая, — говорит он.

— Этот человек — наш пациент, — вступает Голд. — Он пытается выписаться слишком рано, и все тут.

— И вы решили его застрелить, — говорит Дик. — Это вроде как-то через жопу, какая-то у вас хреновая терапия, ребята. Черт! Прям фрейдистская, а?

Он оборачивается к Ландсману и оглядывает с головы до ног. Лицо Дика красиво в своем роде, цепкие глаза, глядящие из-под чела мудреца, подбородок с ямочкой, нос прямой и правильный. Последний раз, когда Ландсман видел его, Дик имел привычку вытаскивать очки для чтения из кармана рубашки и надевать их. Сейчас, начиная дряхлеть, он приобрел отличные, итальянского производства, «хамелеоны» в блестящей оправе, вроде тех, в каких дают интервью стареющие британские рок-гитаристы. На Дике плотные черные джинсы, черные ковбойские сапоги и рубашка в красно-черную клетку с расстегнутым воротником. На плечах у него, как обычно, удерживаемая плетеным ремнем сыромятной кожи короткая накидка из шкуры медведя, которого он сам убил на охоте. Вышендрежник он, Вилли Дик, — курит черные сигареты, — но он отличный детектив уголовного розыска.

— Господи помилуй, Ландсман, ты похож на тот хренов зародыш свиньи, который я видел однажды в банке со спиртом.

Он развязывает плетеный ремень одной рукой и выскальзывает из-под накидки. Потом бросает ее Ландсману. На мгновение она ошпаривает Ландсмана холодом, а затем чудесным образом согревает. Дик все так же язвительно усмехается — усмешка предназначена только Ландсману, — но в глазах его ни намека на веселье.

— Я разговаривал с твоей бывшей, — говорит он почти шепотом; этот шепот пугал подозреваемых и ужасал свидетелей. — После того, как получил твое сообщение. У тебя меньше долбаных прав быть здесь, чем у долбаного слепого африканского крота. — Он театрально возвышает голос. — Детектив Ландсман, помнишь, что я обещал сделать с твоим еврейским задом, если опять будешь бегать голяком по Стране Индейцев?

— Я... я не п-помню, — говорит Ландсман, отчаянно содрогаясь от благодарности и холода. — Ты н-наобещал тогда так много.

Дик подходит к «форду-каудильо» и стучит в закрытую дверцу, словно собирается войти. Дверца открывается, и Дик стоит за ней и беседует тихим голосом с тем, кто сидит в машине, в тепле. Через минуту Дик возвращается и говорит Голду:

— Старшой хочет с вами поговорить.

Голд подходит к открытой дверце и разговаривает со «старши́м». Возвращается он с таким видом, словно его высморкали через уши и он винит в этом Ландсмана. Голд кивает Дику.

— Детектив Ландсман, — объявляет Дик, — боюсь, едрить твою через колено, что ты, блин, арестован.

32

В неотложке индейской больницы в поселении Святого Кирилла индийский доктор, осмотрев Ландсмана, признает его годным для тюремного заключения. Фамилия доктора Рау, он родом из Мадраса и слышал уже все бородатые шутки на этот счет. Красавец, чем-то напоминающий Сэла Минео, — большие обсидиановые глаза, а рот что твоя розочка на торте. Легкое обморожение, сообщает он Ландсману, ничего серьезного, хотя даже через час и сорок семь минут после спасения Ландсман все еще пс в силах подавить толчки, возникающие в изболевшихся недрах его организма и сотрясающие все тело. Холод пробрал его до костей.

— А где же большая собака-спасатель с притороченной к ошейнику фляжечкой бренди? — интересуется Ландсман, когда доктор говорит, что он может уже вылези из-под одеяла и надеть тюремную одежду, аккуратной стопкой сложенную возле умывальника. — Когда же она появится?

— Вам нравится бренди? — спрашивает доктор Рау, словно цитируя разговорник. Ни вопрос, ни ответ его нимало не интересуют.

Ландсман моментально отмечает эту манеру классического допроса — тон так холоден, что оставляет ожоги.

Взгляд доктора Рау решительно уставился в пустой угол палаты.

— Вы ощущаете нужду в нем?

— Кто сказал хоть слово о нужде? — интересуется Ландсман, нащупывая пуговицы на ширинке видавших виды сержевых штанов.

Рабочая рубашка из хлопка, холщовые спортивные тапки без шнурков. Хотят нарядить его, как алкаша, или пляжного шаромыжника, или еще какой вид отбросов, оказавшихся голяком у них в приемной, бомжа без видимых средств поддержки. Обувка ему очень велика, но остальное впору.

— Значит, тяги нет? — На докторском бейджике, прямо на букве «а», — пылинка пепла. Он аккуратно снимает ее кончиком ногтя. — Не чувствуете потребности выпить прямо сейчас?

— Может, это никакая не потребность, а я просто хочу выпить, такого вам в голову не приходило?

— Может быть, — соглашается доктор. — А может, вы просто любите больших слюнявых собак.

— Ладно, док, хватит уже в игры-то играть.

— Хорошо. — Доктор Рау обращает к Ландсману свой лунный лик. Радужки у него как черный чугун. — По результатам моего обследования, полагаю, вы переживаете алкогольный синдром отмены, детектив Ландсман. Вдобавок к переохлаждению вы страдаете от обезвоживания, у вас тремор, учащенное сердцебиение, зрачки расширены. Уровень сахара в крови понижен, это говорит о том, что вы, по всей вероятности, давно не ели. Артериальное давление повышено, а ваше недавнее поведение, судя по всему, представляется мне весьма непредсказуемым. И даже буйным.

Ландсман оттягивает сморщенные уголки воротника холщовой рабочей рубашки, стараясь их как-то расправить.

Как дешевые оконные роллеты, они так и норовят снова свернуться.

— Доктор, как один человек с глазом-алмазом другому, позвольте выразить почтение вашей догадливости, но вот скажите мне, пожалуйста, если бы страну Индию собирались упразднить и через два месяца вам вместе со всеми, кого вы любите, велено было бы убираться на все четыре стороны и всем было бы насрать, а полмира последние тысячу лет пыталось бы стереть индийцев с лица земли, разве вы бы не запили?

— Вероятно. Или разглагольствовал бы перед незнакомыми врачами.

— Да, собака с фляжкой бренди никогда не станет мудрствовать перед замерзающим, — тоскливо вздыхает Ландсман.

— Детектив Ландсман.

— Да, док.

— За одиннадцать минут моего осмотра вы произнесли три пространных монолога. Я бы сказал, три тирады.

— Да, — соглашается Ландсман, чувствуя, как кровь — впервые — начинает приливать к лицу. — Такое случается порой.

— Вы любите произносить речи?

— Бывает, накатывает. Потом отпускает.

— Словесное недержание?

— Да, иногда это так называют.

Тут Ландсман впервые замечает, что доктор что-то незаметно жует. Из розовых лепестков рта веет анисом. Врач делает пометки в карте Ландсмана.

— Наблюдаетесь ли вы у психиатра, принимаете ли какие-нибудь лекарства от депрессии?

— Депрессии? Вам кажется, что у меня депрессия?

— На самом деле депрессия — всего лишь слово, я рассматриваю возможные симптомы. Мне кажется, исходя из того, что рассказал инспектор Дик, и из моих собственных наблюдений, что у вас по меньшей мере наблюдается расстройство настроения.

— И вам не первому так кажется. Простите, что вынужден вас разочаровать.

— Принимаете ли вы какие-нибудь лекарства?

— Нет, вообще-то.

— Не принимаете?

— Нет, не хочу.

— Не хотите.

— Не хочу. Понимаете, я боюсь потерять хватку.

— Тогда это объясняет ваше пристрастие к спиртному, — говорит доктор, сардонически дыша ароматом лакрицы. — Говорят, действенное средство для поддержания хватки. — Он подходит к двери и впускает индейца-ноза, пришедшего конвоировать Ландсмана. — По моему опыту, детектив Ландсман, если позволите, — делает доктор заключение, резюмируя собственное словесное недержание, — люди, которые боятся потерять хватку, часто не замечают, что они уже давным-давно ее потеряли.

— Так говорит свами, — кивает индеец-ноз.

— Забирайте его, — говорит доктор, швыряя папку Ландсмана в ящик у стены.

У индейского ноза голова как нарост на стволе у секвойи и ужаснейшая стрижка из всех, когда-либо виденных Ландсманом, — какой-то нелепый гибрид «помпадура» и «милитари». Он ведет Ландсмана пустыми коридорами, они поднимаются один пролет по стальной лестнице к помещению в дальнем конце местной тюрьмы. Камера довольно чистая и сравнительно хорошо освещена. На койке имеются матрас, подушка, аккуратно сложенное одеяло. На унитазе есть стульчак. К стене прикручено металлическое зеркало.

— ВИП-апартаменты, — сообщает индейский ноз.

— Видели бы вы, где я живу, — замечает Ландсман, — там почти так же уютно, как здесь.

— Ничего личного. Инспектор хотел убедиться, что вы это понимаете.

— А где он сам?

— Улаживает ваше дело. Когда те типы подают жалобу, ему нужно разобраться в девяти разных вкусах дерьма. — Его лицо кривится в угрюмой ухмылке без тени юмора. — Вы здорово вхерачили этому коротышке-еврею.

— Кто они такие? Сержант, какого ляда они там обтя-пывают?

— Центр реабилитации это, — отвечает сержант с той же обжигающей холодностью, с которой доктор Рау задавал свои вопросы насчет Ландсманова алкоголизма. — Для за-блудших евреев, погрязших в преступлениях и наркомании. Во всяком случае, так я слыхал. Желаю приятно вздрем-нуть, детектив.

После ухода ноза Ландсман заползает на койку, натя-гивает одеяло на голову, и, прежде чем он успевает поме-шать себе, даже почувствовать хоть что-то и сообразить, что именно он чувствует, рыдание вырывается на волю от-куда-то из глубокой потайной ниши и наполняет горло. Слезы, обжигающие глаза, подобны алкоголическому тре-мору — такие же бесполезные и необратимые, и он не в си-лах совладать с ними. Он вжимает лицо в подушку и впер-вые чувствует, каким безысходно одиноким стал он после смерти Наоми.

Чтобы успокоиться, он возвращается мысленно в но-мер 208, к Менделю Шпильману. Представляет, как он, Ландсман, лежит на откидной кровати в той оклеенной обоями клетушке и обдумывает ходы второй алехинской партии 1927 года против Капабланки в Буэнос-Айресе, по-ка героин превращает его кровь в поток сахара, а мозг — в лижущий язык. Итак. Однажды ему пришелся впору ко-стюмчик цадика ха-дор, а потом он решил, что это смири-тельная рубашка. Ладно. Дальше много лет коту под хвост. Играет в шахматы ради наркоты. Дешевые гостиницы.

Скрывается от противоположных призваний, избранных для него генами и Б-гом. Потом кто-то выкапывает его, отряхивает от пыли и отправляет в Перил-Стрейт. Туда, где есть доктор, оборудование и здания, построенные на щедрые пожертвования барри, марвинов и сьюзи еврейской Америки, где его освобождают от зависимости, приводят в чувство. Зачем? Затем, что они в нем нуждаются. Затем, что они собираются извлечь из него практическую пользу. И он не против пойти с ними, с этими людьми. Он соглашается. Наоми никогда бы не полетела со Шпильманом и его сопровождающими, если бы унюхала хоть малейшее принуждение. Значит, было что-то — деньги, обещание исцеления или возврата к былой славе, воссоединения с семьей, вознаграждения в виде наркотиков, — на что Шпильман купился. Но когда он попадает в Перил-Стрейт, чтобы начать новую жизнь, что-то кардинально меняется в его сознании. Что-то такое он там увидел. А может, просто передумал. И тогда он обращается за помощью к женщине, которая у многих, по большей части потерянных, душ почитается единственным другом на всем белом свете. Наоми улетает с ним назад, изменив на ходу свой полетный план, и находит ему попутчицу в лице дочери пирожника, доставившей его в дешевый мотель. И тогда таинственные евреи мстят Наоми за высокомерие, устраивают ей авиакатастрофу. А потом отправляются на охоту за Менделем Шпильманом, который снова залег на дно. Прячась от себя самого, от своих вероятных ипостасей. Лежа ничком на кровати в номере «Заменгофа», он слишком глубоко погружается в мысли об Алехине, о Капабланке и о новоиндийской защите. Слишком глубоко, чтобы услышать стук в дверь.

— Тебе не нужно стучать, Берко, — бормочет Ландсман. — Это тюрьма.

Слышится скрежет ключей, а потом индейский ноз распахивает дверь. Позади него стоит Берко Шемец. Он одет, будто собрался на сафари в тундру. Джинсы, фланелевая рубашка, высокие походные ботинки на шнурках, серо-коричневый рыбацкий жилет, снаряженный семьюдесятью двумя карманами, карманчиками и кармашками. На первый взгляд Берко не отличишь от типичного аляскинского туриста. Рубашку его украшает почти невидимая эмблема с игроком в поло. Обычно довольно незаметная ермолка уступила место более крупной, красиво отделанной цилиндрической микрофеске. Берко всегда чуточку крепче налегает на свое еврейство, когда ему приходится наведаться в Страну Индейцев. Ландсман не видит отсюда, но, скорее всего, его напарник надел и свои запонки в виде звезд Давида.

— Сожалею, — винится Ландсман. — Знаю, я вечно только и делаю, что сожалею, но я никогда в жизни так не сожалел, как теперь.

— Поживем — увидим, — отвечает Берко. — Давай, пошли, он хочет нас видеть.

— Кто?

— Император Франции.

Ландсман встает с кровати, идет к раковине и плещет себе в лицо пригоршню воды.

— Так, значит, я могу идти? — спрашивает он у индейского ноза, выходя из камеры. — Вы говорите, что я могу уйти?

— Вы — свободный человек.

— Не вздумайте в это поверить, — говорит Ландсман.

33

Из углового кабинета на первом этаже полицейского участка в Святом Кирилле перед инспектором Диком открывается живописный вид на парковку. Шесть мусорных баков, обшитых металлом и скрепленных обручами, словно «железные девы», вышедшие на медведя. За мусорными баками лежит субальпийская роща, а дальше увенчанная снегом стена гетто, сдерживающая евреев. Дик горбится, откинувшись на стуле, изготовленном в две трети натуральной величины, руки скрещены, подбородок опущен на грудь. Дик глядит в створчатое окно. Не на горы или на рощу, серо-зеленую в сумерках, украшенную клоками тумана, и даже не на бронированные мусорные баки. Его взор блуждает не дальше парковки, не дальше его «рояйл-энфилд-крусейдера» образца 1961 года. Ландсман узнает выражение на лице Дика. Такое же выражение возникает на лице самого Ландсмана, когда он смотрит на свой «шевилл-суперспорт» или на лицо Бины Гельбфиш. Лицо человека, который понимает, что был рожден не в том мире. Случилась ошибка, он находится не там, где следует. Он часто чувствует, что его сердце застряло, как воздушный змей на проводах, в чем-то, что как будто сулит ему дом в этом мире или хоть путь к нему. Американский автомобиль, произведенный в его далеком детстве, к примеру, или мотоцикл, некогда принадлежавший будущему королю Анг-

лии, или лицо женщины, достойной любви куда больше
его самого.

— Надеюсь, ты одет, — говорит Дик, не отрывая взгляда от окна. Зловещее мерцание в его глазах померкло. Больше вообще на его лице ничего не происходит. — Потому
что то, чему я был свидетелем в лесу... Господи, я чуть не
сжег нахер мою блядскую медвежью шкуру. — Он прямо-
таки трясется от волнения. — Нация тлинкитов не настолько хорошо платит мне, чтобы я согласился смотреть
на тебя в одних трусах.

— Нация тлинкитов, — произносит Берко, словно речь
об известной афере или претензии на открытие местополо-
жения Атлантиды. Он втыкает свое громадье в мебель кабинета Дика. — Они что, еще и зарплату здесь платят? А то
Мейер как раз говорил мне, что, может, это уже и не они.

Дик поворачивается медленно и лениво и задирает
левый уголок верхней губы, обнажив несколько резцов
и клыков.

— Джонни Еврей! — восклицает он. — Ну-ну, тюбете-
ечка, все дела. А вчера еще небось кадил филиппинскому
пончику?

— Едрить твою, Дик, ты карликовый антисемит!

— Твою едрить, Джонни, и твое очко с его инсинуация-
ми насчет моей квалификации как офицера полиции.

Берко своим богатым, но подзабытым уже родным языком выражает пожелание, чтобы однажды Дик сдох босой
в снегу.

— Иди просрись в океан, — отвечает Дик на безупреч-
ном идише.

Они делают шаг навстречу, и большой обнимает маленького. Они лупят друг друга по спине, отыскивая туберку-
лезные пятна в медленно умирающей дружбе, выстукивая
глубину древней вражды, словно барабаны. В год невзгод,
предшествующий переходу Берко на сторону еврейства
в сути своей, перед тем как мать задавил грузовик евреев-

погромщиков, юный Джон Медведь открыл для себя баскетбол и Уилфрида Дика, тогда четырехфутового с гаком защитника. Это было отвращение с первого взгляда, что-то вроде великой романтической ненависти, неотвратимо постигающей тринадцатилетних мальчиков, ненависти к ближнему, от которой до любви — один шаг.

— Медведь Джонни, — говорит Дик, — какого хера, ты, огромный евреище.

Берко пожимает плечами, застенчиво потирая затылок, и сразу делается похож на тринадцатилетнего мальчика, центрового игрока, который только сейчас заметил что-то маленькое и свирепое, промелькнувшее мимо него по пути к баскетбольной корзине.

— Поди ж ты! Вилли Ди...

— Сядь уже, скотина, — говорит Дик. — Ты тоже, Ландсман, и усади все эти уродливые веснушки на своей жопе.

Берко ухмыляется, и они садятся. Дик со своей стороны стола, еврейские полицейские — с другой. Два стула для посетителей нормального размера, как и книжные полки и все остальное в кабинете, кроме стола и стула Дика. Эффект комнаты смеха, от него мутит. Или, может, это еще один симптом алкогольного воздержания. Дик достает черные сигареты и пододвигает пепельницу к Ландсману. Он откидывается на стуле и задирает ноги в сапогах на стол. Рукава его вулричской рубашки закатаны, предплечья под ними жилистые и коричневые. Курчавые седые волосы проглядывают из расстегнутого ворота, а шикарные очки сложены в нагрудном кармане.

— А ведь на свете так много людей, на которых я предпочел бы сейчас смотреть, — говорит он. — Буквально миллионы.

— Тогда закрой свои долбаные зенки, — предлагает Берко.

Дик подчиняется. Веки его, темные и блестящие, выглядят помятыми.

— Ландсман, — спрашивает он, словно наслаждаясь слепотой, — тебе понравилась твоя комната?

— Простыни сбрызнуты лавандовой водой чуть обильнее, чем я привык, — отвечает Ландсман. — Помимо этого, у меня нет претензий.

Дик открывает глаза.

— Мне, как представителю правоохранительных органов этой резервации, до сих пор как-то везло все эти годы — я относительно редко вожжался с евреями, — начинает оп. — Ох, и прежде чем кто-то из вас начнет сжимать и разжимать сфинктер насчет моего якобы антисемитизма, позвольте оговорить прямо сейчас, что мне с прибором положить на то, оскорбляю я ваши блестящие свинячьи жопы или нет, и для ясности скажу: надеюсь, что оскорбляю. Жиртрест этот прекрасно знает или должен знать, что я ненавижу всех одинаково и не отдаю никому предпочтения, независимо от убеждений или ДНК.

— Мы понимаем, — говорит Берко.

— Это взаимно, — подтверждает Ландсман.

— Я хочу сказать, что евреи для меня — дерьмо собачье. Тысячи слоев политики и лжи, отполированных до блеска. Следовательно, я на ноль процентов и шиш десятых верю тому, что сообщил мне этот якобы доктор Робой, чьи ксивы, кстати, вроде бы натуральные, но какая-то грязь у дна болтается, включая эту его историю о том, как так вышло, что ты удирал по этой дороге в одном бельишке, Ландсман, пока еврейский ковбой палил в тебя через окно машины.

Ландсман начинает объяснять, но Дик поднимает одну из своих девичьих рук, с аккуратно подстриженными и блестящими ногтями:

— Позволь мне закончить. Эти джентльмены... нет, Джонни, они не платят мне зарплату, так что иди к той самой матери. Но по причинам, которых они мне не поведали и о которых я даже думать боюсь, у них есть друзья, тлинкитские друзья, которые действительно платят мне зарплату или, еще точнее, сидят в совете, который и выдает эту самую зарплату. И если мудрые племенные старейшины намекнут мне, что они не будут возражать, если я посажу этого твоего напарника и обвиню его в нарушении прав владения и грабеже, не говоря уж о ведении нелегального и несанкционированного расследования, то именно это мне и придется сделать. Эти еврейские белки Перил-Стрейта, и я понимаю, что вы понимаете, как трудно мне это сказать, но это *мои* долбаные еврейские белки. И это *их* владения до тех пор, пока они их занимают и находятся под полной защитой племенного, бляха-муха, права. А после того как я пустился во все тяжкие, чтобы спасти твой конопатый зад, Ландсман, и затащил тебя сюда, и устроил на побывку, эти долбаные евреи вдруг бац — и теряют к тебе всякий интерес.

— К слову о словесном недержании, — обращается Ландсман к Берко. А Дику он советует: — У вас тут есть один доктор, я думаю, тебе надо ему показаться.

— И хотя мне страсть как хочется сплавить тебя, чтобы твоя бывшая подвесила твою жопу на крюк, Ландсман, — разливается Дик, — а я постараюсь при первой возможности, я, кажется, не могу отпустить тебя, не задав только один вопрос, даже зная заранее, что вы оба — евреи, так или иначе, и что любой ответ только добавит еще один слой дерьма, которое уже ослепляет меня всем своим еврейским блеском.

Они ожидают вопроса, и он созревает, и манеры Дика ужесточаются. Все следы красноречия и подтрунивания исчезают.

— Мы говорим об убийстве? — спрашивает он.

— Да. — Ландсман отвечает одновременно с Берко, который говорит:

— Официально нет.

— О двух, — настаивает Ландсман. — Два, Берко. Я подозреваю их и насчет Наоми.

— Наоми? — удивляется Берко. — Мейер, какого хрена?

Ландсман рассказывает с самого начала, не выпуская ничего существенного, — от стука в дверь его комнаты в «Заменгофе» до беседы с госпожой Шпильман, от пирога дочери булочника, направившей его проверить записи ФАА, до явления Арье Баронштейна в Перил-Стрейте.

— Иврит? — спрашивает Берко. — Мексиканцы, говорящие на иврите?

— Похоже на то, — говорит Ландсман. — Не такой иврит, как в синагоге, конечно.

Ландсман узнаёт иврит, когда его слышит. Но иврит, ему знакомый, — это классический иврит, тот, что его прародители несли с собой через тысячелетия европейского исхода, масленый и соленый, как кусок рыбы, закопченной на зиму, его плоть со специями идиша. Этот вариант иврита никогда не использовался для человеческого общения. Только в разговоре с Б-гом. Язык, который Ландсман слышал в Перил-Стрейте, — это был не древний соленый селедочный язык, но некий догматический диалект, язык солончаков и скал. Он напоминал ему иврит, принесенный сионистами после 1948 года. Суровые евреи пустыни отчаянно пытались удержаться за этот язык и в изгнании, но, как немецкие евреи до них, были погублены массовым, громогласным бурлением идиша и болезненной ассоциацией с недавними поражениями и катастрофами. Насколько Ландсман понимает, эта разновидность иврита практически вымерла и звучит разве что в считаных, наиболее стойких залах собраний, и то не чаще раза в год.

— Я понял только слово или два. Говорили быстро, и я не успевал за ними. Так, наверно, и было задумано.

Он рассказывает им о том, как пробудился в комнате, где Наоми нацарапала эпитафию на стене, о бараках, и о спорткомплексе, и о группах праздных юношей с оружием.

Пока он это рассказывает, Дик поневоле все больше вовлекается, суя нос в дело с инстинктивной, необоримой любовью к вони.

— Я знал твою сестру, — говорит он, когда Ландсман заканчивает своим освобождением в лесу Перил-Стрейта. — Я скорбел, когда она умерла. И этот несчастный педик кажется мне именно такой бездомной шавкой, ради кого она не задумываясь рискнула бы задницей.

— Но чего они хотели от Менделя Шпильмана, эти евреи, с их важным гостем, который не терпит бардака? — спрашивает Берко. — Вот этого я не понимаю. И что они вообще здесь делают?

Вопросы напарника представляются Ландсману неминуемыми, логичными и ключевыми, но они же охлаждают жар Дика и его интерес к делу.

— У вас ничего нет, — говорит он, и рот его складывается в бескровный дефис, — и скажу я тебе, Ландсман, с этими перил-стрейтскими евреями дела не наваришь. За ними такой вес, джентльмены, скажу я вам, что они могут сделать бриллиант из окаменевшего дерьма.

— Что тебе известно о них, Вилли? — спрашивает Берко.

— Да ни хрена я не знаю.

— Человек в «каудильо», — говорит Ландсман, — к которому ты подошел и с которым разговаривал. Он тоже американец?

— Я бы не сказал. Аид, скукоженный, как изюминка. Он не озаботился назвать свое имя. И мне не пристало спрашивать. Вся официальная политика племенной полиции, о чем, полагаю, я уже упоминал, сводится тут к следующему: «Ни хрена я не знаю».

— Да ладно, Уилфред, — говорит Берко. — Речь идет о Наоми.

— При всем уважении к ней. Но я слишком хорошо знаю Ландсмана... блин, я слишком хорошо знаю детективов уголовной полиции, и точка, — чтобы не понимать: сестра или не сестра, это не о поисках истины. Это не про то, чтобы разобраться. Потому что все мы знаем, джентльмены: как мы с вами решим, так и будет записано. Можно сколь угодно аккуратно свести концы с концами, но для мертвых-то уже нет никакой разницы. Ведь ты, Ландсман, на самом деле хочешь только отплатить этим гадам. Но такому ведь не бывать. Ты никогда не ущучишь их. Хоть раком стань.

— Вилли, малыш, — говорит Берко, — давай колись. Хорошо — пусть не ради Ландсмана. Не ради того, что Наоми, его сестра, была классной девкой.

В наступившем вслед за этим молчании звучит третья, невысказанная причина, чтобы Дик навел их на след.

— Ты хочешь сказать, — говорит Дик, — что я это должен для вас сделать.

— Хочу.

— Потому что когда-то, на заре нашей жизни, мы много значили друг для друга.

— Я бы не заходил так далеко.

— Это так трогательно, мать вашу, — говорит Дик. Он наклоняется и нажимает кнопку интеркома. — Минти, вытащи мою медвежью накидку из мусорника и принеси сюда, я сейчас блевану. — Он отпускает кнопку, прежде чем Минти успевает ответить. — Я не сделаю ни хрена для тебя, детектив Берко Шемец. Но только потому, что мне правилась твоя сестра, Ландсман, я завяжу в твоем мозгу тот же узел, который эти белки завязали в моем, и уж изволь сам догадаться, что этот узел, гори он синим пламенем, означает.

Дверь открывается, и крепкая молодая женщина, в полтора раза выше, чем ее начальник, входит в комнату, неся медвежью шубу так, словно она содержит отпечаток воскресшего тела Иисуса Христа. Дик вскакивает, хватает накидку и с гримасой омерзения, будто боясь замараться, набрасывает на плечи и завязывает ремешком на шее.

— Найди этому пальто и шапку, — говорит он, тряся пальцем в направлении Ландсмана. — Что-нибудь, чтобы хорошо воняло лососиной требухой там или мускатом. Сними пальто с Марвина Клага, он валяется в отрубе в А-семь.

34

Летом 1987 года итальянские альпинисты из группы Абруцци, только что совершившей восхождение на вершину горы Святого Ильи, взбудоражили завсегдатаев кабаков и телеграфистов городка Якутат россказнями о том, что со склонов второй по высоте горы Аляски они видели в небесах город. Улицы, дома, башни, деревья, людскую сутолоку, дымящие трубы. Великую цивилизацию средь облаков. Некий Торнтон, один из альпинистов, пустил по рукам фотографию — запечатленный на мутной карточке город, в котором впоследствии был распознан английский Бристоль, что в двух с половиной тысячах трансполярных миль от этого места. Через десять лет полярный исследователь Пири, вложив целое состояние, вознамерился покорить Землю Крокера, край высочайших вершин, которые он и его люди видели свисающими с неба в предыдущем путешествии. Фата-моргана — так называется этот феномен. Зеркало, созданное в воображении людей погодой и светом, провоцировало на сказки о небесах.

Мейер Ландсман видит коров, бело-рыжих молочных коров, толпящихся, словно ангелы, в высокой призрачной траве.

Трое полицейских проделали весь путь обратно в Перил-Стрейт, чтобы Дик мог поразить их этим сомнительным видением. Сжатые в кабине Дикова пикапа, они курили и оскорбляли друг друга, подпрыгивая на ухабах Племенной дороги номер 2. Среди непроходимых чащ. По рытвинам величиной с ванну. Дождь хлестал ладонями вандала по ветровому стеклу. Позади осталась деревенька Джимс — скопище стальных крыш рядом с заливом, дома, стоящие вразнобой, словно последние десять банок с бобами на полке бакалейной лавки перед ураганом. Собаки, и мальчики, и баскетбольные корзины, древний грузовик, украшенный сорняками и колючими ростками вороники, лиственно-автомобильная химера. Сразу за передвижной церковкой Собрания Божия мощеная племенная дорога уступила место песку и щебенке. Пятью милями дальше тропа превратилась в узкую косую черту, протоптанную через ил. Дик выругался и налег на передачи, когда его огромный внедорожник забуксовал в грязи и песке. Педали тормоза и газа были сконструированы в расчете на человека именно таких размеров, и Дик управлялся с ними, словно Горовиц, усмиряющий Листовскую бурю. Каждый раз, когда машина попадала на ухаб, какую-нибудь важную часть Ландсмана расплющивал какой-нибудь кувыркающийся кусок Шемеца.

Когда и так называемая грунтовка сошла на нет, они вылезли из машины и двинулись пешком сквозь густую поросль болиголова. Дорожка была скользкой, обрывки желтой полицейской ленты на деревьях указывали им путь. После десяти минут хлюпанья и брызг тропа привела в густой туман, плавно переходящий в самый настоящий дождь, к забору, обтянутому электрической проволокой. Бетонные столбы врыты надежно и глубоко, проволока тугая и ровная. Добротный забор, вечный. Наглый жест пришлых аидов. Подобная еврейская жестикуляция в Стране Индейцев, насколько известно Ландсману, совершенно беспрецедентна и неправомочна.

По ту сторону электрической ограды мерцает фата-моргана. Трава. Пастбище, обильное и гладкое. Сотни холеных пятнистых коров с изящными головами.

— Коро-о-овы, — озадаченно мычит Ландсман.

— Дойные, похоже, — говорит Берко.

— Это айрширские, — говорит Дик. — Я их сфотографировал, когда был здесь в последний раз. Профессор-агроном из Дэвиса, что в Калифорнии, идентифицировал их по моей просьбе. «Шотландская порода. — Дик гнусавит фальцетом, передразнивая калифорнийского профессора. — Известны выносливостью и способностью выживать в северных широтах».

— Коровы, — повторяет Ландсман.

Он не может стряхнуть суеверное чувство неуместности, миража, ощущение, будто видит нечто несуществующее. Какую-то знакомую деталь, полузабытую реальность из легенд о Небесах или из его прошлого. Времен «Колледжей Икеса», когда Корпорация развития Аляски раздавала трактора, семена и мешки удобрений толпам беженцев. Еврейские фермы — сладкая мечта и горькое разочарование аидов округа.

— Коровы на Аляске...

Поколение Полярных Медведей пережило два великих разочарования. Первое — и глупейшее — связано с полным отсутствием здесь, на сказочном севере, айсбергов, полярных медведей, моржей, пингвинов, тундры, снега в огромных количествах, и в довершение всего тут не было эскимосов. До сих пор в Ситке нет-нет да и встретишь горькие и причудливые названия — аптеку «У моржа», парикмахерскую «Эскимос» или таверну «Умка».

Второе разочарование было прославлено в популярных песнях того времени, вроде «Зеленой клетки». Два миллиона евреев сошли с кораблей и не нашли здесь холмистых прерий с пасущимися тут и там бизонами. Не оказалось здесь и украшенных перьями индейцев верхом на мустангах. Только хребты омываемых дождем гор и пятьдесят тысяч селян-тлинкитов, уже занявших всю плоскую землю, пригодную для возделывания. Некуда расселиться, негде прирасти, сделать что-нибудь большее, чем толпиться, как в битком набитых Вильно или Лодзи. Поселенческие мечты миллионов безземельных евреев, подогретые фильмами, легким чтивом и буклетами, которыми их снабжало Министерство внутренних дел Соединенных Штатов, испарились по прибытии. Раз в несколько лет то или иное утопическое общество приобретало полоску зелени, отдаленно напоминавшую мечтателям пастбище. Они основывали колонию, импортировали скот, писали манифест. И потом климат, рынок и злая судьба в полосатом явлении еврейской жизни произносили свое заклятие. Ферма мечты хирела и разорялась.

Ландсману чудится, что он воочию видит эту мечту, блестящую и зеленеющую. Мираж былого оптимизма, надежду на будущее, с которой он рос. И это будущее само по себе кажется ему фата-морганой.

— Какая-то корова интересная, — говорит Берко, глядя в бинокль, который захватил с собой Дик, и Ландсман угадывает напряжение в его голосе — точно рыба трепещет на конце лески.

— Дай-ка мне, — говорит Ландсман, беря бинокль и поднимая его к глазам.

Он вглядывается. Коровы как коровы, ничего такого.

— Вон та. Рядом с двумя, которые задом стоят.

Берко бесцеремонной рукой сдвигает бинокль, и в поле Ландсманова зрения возникает корова, чья рыжесть кажется гуще, чем у ее товарок. И белые пятна более яркие, и голова крупнее, не такая точеная. Губы ее рвут траву, словно алчные пальцы.

— Да, отличается, — соглашается Ландсман. — Ну и что?

— Не знаю пока, — не вполне искренне говорит Берко. — Вилли, ты уверен, что эти коровки принадлежат нашим таинственным евреям?

— Мы видели евбойчиков-ковбойчиков собственными глазами, — говорит Дик. — Тех, из лагеря или школы, или как это они называют. Они гнали стадо по этой дороге, к этому пастбищу. Была при них еще большая шотландская овчарка, помогала им. Мы с ребятами проводили их до забора.

— Они вас не заметили?

— Уже темнело. В любом случае ты охренел, что ли? Конечно не заметили, мы же индейцы, чтоб они провалились все. В половине мили отсюда стоит современнейшая молочная ферма — как картинка. Пара силосных ям. Это сравнительно небольшое производство, и определенно все еврейское.

— Ну и что у них тут такое? — спрашивает Ландсман. — Это реабилитационная клиника или молочная ферма? Или это какой-то странный лагерь для подготовки коммандос, маскирующийся и под клинику, и под ферму?

— Твои коммандос предпочитают парное молоко, — усмехается Дик.

Они стоят и смотрят на коров. Ландсмана так и подмывает облокотиться на электрическую изгородь. Какой-то дьявольский шут в нем хочет ощутить журчание тока. Его внутренний ток хочет ощутить дьявола в проволоке. Что-то беспокоит Ландсмана в этом видении коровьей Земли Крокера. Какой бы реальной она ни казалась, она все же невозможна. Ее не должно быть здесь, никакой аид не способен провернуть номер таких масштабов. Ландсман знал многих или имел дело со многими великими или безумными евреями своего поколения, богачами, сумасшедшими утопистами, с так называемыми визионерами, политиками, которые вытачивали законы на своих токарных станках. Ландсман думает о генералах русской преступности с их складами оружия, алмазов и осетровой икры. Он мысленно перебирает всех королей контрабанды, могулов черного рынка, гуру малозначительных культов. Мужей, обладающих влиянием, связями, неограниченными денежными фондами. Никто из них не смог бы устроить подобное, даже Гескель Шпильман или Анатолий «Зверюга» Московиц. Не важно, насколько могуществен еврей, он сидит на поводке с 1948 года. Его царствие заключено в скорлупу ореха. Его небеса — это раскрашенный купол, его горизонт — электрический забор. Он летит, но свобода его, как у воздушного шара, на ниточке. Берко же начинает рвать узел на галстуке, что для Ландсмана верный признак надвигающейся теории.

— Что там, Берко? — спрашивает он.

— Это не белая корова с рыжими пятнами, — говорит Берко с окончательной уверенностью. — Это *рыжая* корова с белыми пятнами.

Он сдвигает шляпу на затылок, надувает губы. Отходит на несколько шагов от забора и подтягивает брючины. Сначала медленно он бежит вприпрыжку к забору. И потом, к ужасу, шоку и отчасти восторгу Ландсмана, Берко взлетает. Его туша отрывается от земли. Он вытягивает одну ногу и поджимает другую. Поддернутые штанины являют зеленые носки и бледные голени. Потом он приземляется, радостно ухнув, по другую сторону забора. Восстановив равновесие после жесткой посадки, он окунается в мир коров.

— Ни хрена себе, — говорит Ландсман.

— Вообще-то, я должен его сейчас арестовать, — замечает Дик.

Коровы реагируют на вторжение жалобами и протестами, но не слишком эмоциональными. Берко направляется к той, которая его заинтересовала, и сразу переходит к делу. Корова пугается, мычит. Берко растопыривает руки ладонями вверх. Он уговаривает на идише, американском, тлинкитском, на старо- и новобычьем. Он ходит вокруг коровы, осматривая ее с головы до ног. Ландсман начинает понимать Берко — эта корова не похожа на остальных ни сложением, ни мастью.

Корова не противится инспекции Берко. Он кладет руку ей на хребтину, и корова ждет, ноги расставлены, колени вывернуты, голова наклонена под углом, будто прислушивается. Он пробегает пальцами по ребрам, по шее, к загривку, потом обратно по бокам к шатрообразной оснастке ляжек. И тут рука его замирает в середине белого пятна. Берко подносит пальцы правой руки ко рту, слюнявит кончик пальца, а потом кругами трет пальцем белое пятно на крестце. Осматривает свою руку, улыбается и хмурится. Потом он топочет по полю и останавливается у забора напротив Ландсмана.

Он поднимает правую руку торжественным жестом деревянного индейца у табачной лавки, и Ландсман видит на его пальцах белые хлопья.

— Фальшивые пятна, — говорит Берко.

Он снова отступает от забора. Ландсман и Дик расходятся в стороны, и Берко взлетает, а потом земля звенит от удара.

— Показушник, — говорит Ландсман.

— И всегда был, — подтверждает Дик.

— Итак, — начинает Ландсман, — что ты говоришь? Корова носит камуфляж?

— Вот именно.

— Кто-то нарисовал рыжей корове белые пятна.

— Похоже на то.

— И это представляется тебе важным.

— В определенной степени, — уточняет Берко. — В определенном контексте. Я думаю, что эта корова — *рыжая телица*.

— Да иди ты, — говорит Ландсман. — Рыжая телица.

— Небось еврейские штучки, — отзывается Дик.

— Когда Иерусалимский Храм будет отстроен, — говорит Берко, — и придет время для традиционного обряда искупительной жертвы, как говорит Писание, нужно будет добыть корову особой породы. *Рыжую телицу без порока.*

Чистую. Думаю, что это большая редкость — непорочные рыжие телицы. Кажется, таких было всего девять с начала истории. Найти такую было бы ужасно круто. Все равно что найти цветок клевера с пятью лепестками.

— Когда Храм будет отстроен, — говорит Ландсман, думая о дантисте Бухбиндере и его безумном музее.

— Это после прихода Мессии?

— Некоторые люди говорят, — медленно произносит Берко, начиная понимать то же, что начинает понимать Ландсман, — что Мошиах будет медлить, пока Храм не отстроят. Пока не восстановят жертвенный алтарь. Кровавые приношения, жречество, все эти песни и пляски.

— Так что, если при вас рыжая телка, например? И все инструменты готовы, так? Все эти уморительные шляпы и все такое. И если... мм... отстроить Храм... можно заставить Мессию прийти поскорее?

— Не то чтобы я был сильно религиозен, видит бог, — встревает Дик. — Но я вынужден напомнить, что Мессия уже приходил и вы, псдоноски, убили этого придурка.

Они слышат голос человека в отдалении, усиленный громкоговорителем; человек говорит со странным акцентом евреев пустыни. Сердце Ландсмана переворачивается от этого звука, и он делает шаг к грузовику.

— Давайте уносить ноги, — говорит он. — Я пообщался с этими ребятами, и у меня сложилось стойкое впечатление, что они не самые приятные люди.

Когда они благополучно забираются в машину, Дик заводит мотор, но не включает скорость, держа ногу на тормозе. Они сидят и наполняют кабину сигаретным дымом. Ландсман стрельнул одну из черных сигарет Дика и должен признать, что это прекрасный экземпляр табачного искусства.

— Я сейчас кое-что скажу, Вилли, — говорит Ландсман, выкурив «Нат Шерман» до половины. — И будь так добр, попробуй это опровергнуть.

— Приложу все усилия.

— По пути сюда ты намекнул на определенный избыток... мм... запаха исходящего из этого места.

— Намекнул.

— Запаха денег, сказал ты.

— За этими ковбоями стоят большие деньги, без всякого сомнения.

— Но с первой минуты, как я услышал об этом месте, что-то меня беспокоило. Теперь, полагаю, я видел почти все, что у них тут есть, от таблички на гидропланном причале до этих вот коров. И я беспокоюсь еще больше.

— Отчего бы это?

— Видишь ли, мне дела нет, сколько денег они разбрасывают. Я уверен, что член вашего Племенного совета постоянно берет взятки у евреев. Бизнес есть бизнес, доллар есть доллар и так далее. Кто знает — говорят, что поток нелегальных вложений, текущий через границу, есть лучший способ укрепить мир, дружбу и взаимопонимание между евреями и индейцами.

— Какая прелесть.

— Очевидно, эти евреи, что бы они здесь ни делали, не намерены делиться новостями с другими евреями. А округ подобен дому, где битком людей и не хватает спален. Все про всех всё знают. В Ситке ни у кого нет секретов, это просто большой штетл. А если у тебя есть секрет, имеет смысл спрятать его здесь.

— Но?..

— Но запах или не запах, бизнес или не бизнес, секрет или не секрет, извини меня, но абсолютно немыслимо, чтобы тлинкиты позволили куче евреев прийти сюда, в сердце Индейской Страны, и все это построить. И меня не интересует, сколько еврейских монет тут крутится.

— Ты говоришь, что даже мы, индейцы, не настолько трусливы и унижены, чтобы отдать злейшему врагу такую точку опоры?

— Я говорю: допустим, мы, евреи, самые гадкие в мире жулики. Мы управляем миром из наших тайных штабов на темной стороне Луны. Но даже у нас есть какие-то пределы. Так лучше изложено?

— Не стану оспаривать этот довод.

— Индейцы никогда не разрешили бы это, если бы не ожидали получить огромное отступное. Действительно огромное. Размером, скажем, с округ.

— Скажем, — отзывается Дик напряженным голосом.

— Я полагаю, что американский интерес во всем этом деле, какой бы канал ни был задействован, заключался в том, чтобы уничтожить документы о гибели Наоми. Но ни один еврей никогда не сможет гарантировать такое отступное.

— «Свитер с пингвинами», — говорит Берко. — Он проследит, чтобы индейцы получили в свое управление округ, когда мы уйдем. И за это индейцы помогли вербовским и их друзьям устроить здесь молочную ферму.

— Но что «Свитер с пингвинами» с этого получит? — задается вопросом Ландсман. — Какая выгода для Соединенных Штатов?

— Тут ты прибыл в место великого мрака, брат Ландсман, — говорит Дик, трогая грузовик с места. — И туда, боюсь, ты должен войти без Вилли Дика.

— Не хочу этого говорить, кузен, — обращается Ландсман к Берко, положив ему руку на плечо, — но я думаю, что мы должны отправиться на Место Побоища.

— Мать твою налево, чтоб ему пропасть! — ругается по-американски Берко.

35

Этот дом, срубленный из горбыля и прочих древесных отходов и крытый серой дранкой, раскорячился над топью на своих двух дюжинах опор в сорока двух милях южнее городской черты Ситки. Безымянный медвежий угол, болото, то и дело пускающее метановые ветры. Кладбище лодок, рыболовных снастей, ржавых пикапов и, где-то в самой глубине, дюжины русских заготовителей пушнины вкупе с алеутами-проводниками и их собаками. На краю болота, подальше в лес, ветшает величественный тлинкитский общинный дом, одолеваемый морошкой и заманихой. По другую сторону вытянулся скалистый берег, заваленный тысячью черных камней, на которых древние высекли фигурки животных и звезд. На этом самом берегу в 1854 году двенадцать промышленников и алеутов под предводительством Евгения Симонова приняли свою кровавую погибель от рук тлинкитского вождя по прозванию Коклукс. Минуло сто лет с гаком, и праправнучка вождя Коклукса, миссис Пульман, стала второй индейской женой невысокого — метр семьдесят всего — еврея, шахматиста и шпиона Герца Щемеца.

И в шахматах, и в шпионском ремесле дядя Герц славился своим чувством времени, предельной осмотрительностью и поистине изматывающей тщательностью подготовки. Он выяснял о сопернике все, составлял на него фатальное досье. Нащупывал слабые места, выискивал неизбытые комплексы, нервные тики. Двадцать пять лет он дирижировал секретной кампанией против целого народа по ту сторону Линии разграничения, пытаясь ослабить его позиции на исконно индейских землях, и в то же самое время стал признанным авторитетом в области истории и культуры коренного населения. Он научился наслаждаться тлинкитским языком, его леденцовососущими гласными и причмокивающими согласными. Он с головой окунулся в глубокие исследования духа и тела тлинкитских женщин.

Женившись на миссис Пульман (никто и никогда не звал эту даму, да покоится ее душа с миром, госпожой Шемец), он проявил недюжинный интерес к победе ее прапрадеда над Симоновым со товарищи. Он часами просиживал в библиотеке Бронфмана, роясь в русских картах эпохи царизма. Он аннотировал записи, сделанные миссионерами-методистами со слов без году столетних тлинкитских старух, бывших шестилетними девчонками, когда боевые палицы тлинкитов обрушились на крепкие русские черепа. Он сделал открытие: в обзоре Географического общества США за 1949 год, устанавливавшем точные границы округа Ситка, Место Побоища почему-то было записано как земля, принадлежащая тлинкитам. И вот, располагаясь на западной стороне гряды Баранова, Место Побоища по закону принадлежало индейцам — зеленая индейская безделушка, прилепившаяся на еврейском лацкане острова Баранова. Обнаружив эту ошибку, Герц велел мачехе Берко выкупить эту землю за те самые деньги — как выяснил позднее Деннис Бреннан, — что фонд КОИНТЕЛПРО выделил ему на подмазывание должностных лиц, и выстроил на ней свой дом на паучьих лапах. А когда миссис Пульман умерла, Герц Шемец унаследовал Место Симоновского Побоища. Он объявил его самой захудалой индейской резервацией, а себя — самым захудалым индейцем.

— Сволочь, — произносит Берко, созерцая ветхое отцовское жилище сквозь ветровое стекло «суперспорта», причем в голосе его куда меньше злости, чем ожидал Ландсман.

— Когда ты его видел в последний раз?

Берко поворачивается к напарнику, закатив глаза, словно выискивая во внутренней своей картотеке какой-нибудь менее риторический вопрос:

— А давай я тебя спрошу, Мейер. Будь ты на моем месте, когда бы ты в последний раз его видел?

Ландсман пристраивает «суперспорт» позади стариковского «бьюика-роудмастера» — заляпанного грязью синего ископаемого с обшивкой под дерево и наклейкой на бампере, сообщающей на идише и на американском: «ВСЕМИРНО ИЗВЕСТНОЕ МЕСТО СИМОНОВСКОГО ПОБОИЩА И ПОДЛИННЫЙ ОБЩИННЫЙ ДОМ ПЛЕМЕНИ ТЛИНКИТОВ».

Несмотря на то что сама достопримечательность уже давно пришла в упадок и заброшена, наклейка на бампере сияет как новенькая. В общинном доме валяется еще с десяток коробок с такими же наклейками.

— Хоть намекни, — просит Ландсман.

— Шутки о крайней плоти.

— Ага, понял.

— Самое полное собрание анекдотов об обрезании.

— Я и не знал, что их так много, — говорит Ландсман, — это было очень познавательно.

— Хрен с ним, — говорит Берко, выгружаясь из машины, — давай, двинулись. Раньше сядем — раньше выйдем.

Ландсман разглядывает останки «подлинного общинного дома» — поросшую колючими ягодными кустами аляписто размалеванную развалину. На самом деле в общинном доме подлинностью и не пахнет. Герц выстроил его сам, а помогали ему двое его свояков-индейцев, племянник

Мейер и сын Берко, случилось это однажды летом, уже после того, как Берко поселился на Адлер-стрит. Выстроил развлечения ради, не собираясь превращать «общинный дом» в придорожную достопримечательность, — это он попытался сделать потом, когда его сместили с должности, но затея не выгорела. А тем достопамятным летом Берко было пятнадцать лет, а Ландсману — двадцать, и младший ваял каждую черточку своей личности по образу и подобию старшего. Целых два месяца он посвятил нелегкому делу — учился управляться с циркуляркой по-ландсмановски: стискивал папироску в углу рта и мучился от разъедавшего глаза дыма. Ландсман тем летом уже навострился сдавать экзамены в полицейскую академию, и Берко заявил, что тоже мечтает стать полицейским, правда, соберись Ландсман стать навозной мухой, Берко извертелся бы на пупе, но приучил бы себя любить фекалии.

Подобно большинству полицейских, Ландсман плывет беде навстречу, как бронированный танкер, не боясь ни дрейфа, ни шторма. И тревожат его только отмели, да микроскопические трещинки, да мелкие причуды крутящего момента. Например, воспоминание о том лете или мысль о том, до какой степени он за эти годы истощил терпение ребенка, готового некогда прождать тысячу лет, чтобы часок вместе с ним пострелять из воздушки по банкам на заборе. Зрелище общинного дома задевает прежде нетронутую струну в душе Ландсмана. Все то, что они создали вместе в этой точке на карте, ветшает, исчезая под натиском колючего ягодника и забвения.

Под ногами у них хрустит подмерзшая грязь самой захудалой индейской резервации на свете.

— Берко, — Ландсман трогает двоюродного брата за локоть, — прости меня, я такого понатворил.

— Не извиняйся, ты не виноват.

— Теперь-то все хорошо. Я вернулся, — говорит Ландсман и в эту минуту сам верит собственным словам. — Не знаю, что помогло. Перемерз, наверное. А может, вся эта заваруха со Шпильманом. Или, ладно-ладно, — дело в том, что я перестал бухать. Но я снова стал сам собой.

— Угу.

— А тебе так не кажется, Берко?

— Конечно, — соглашается Берко, так он соглашается с ребенком или с больным на голову. Не соглашаясь вовсе. — На вид ты вполне себе.

— Поддержал, ничего не скажешь.

— Слушай, я не хочу сейчас все это рассусоливать, давай не будем, а? Я просто хочу зайти внутрь, огорошить старика нашими вопросами и вернуться домой к Эстер-Малке и мальчикам. Тебя устраивает?

— Прекрасно, Берко. Конечно, так и сделаем.

— Большое спасибо.

Они идут тяжелой поступью, приминая окоченевшие комья грязи, давя тонкие мембраны льда, затянувшего лужи между заплатками гравия. Шаткое крыльцо с разбитыми ступенями ведет к посеревшей от дождя и ветра двери из кедровых досок. Покосившийся дверной проем грубо заделан толстыми полосками пористой резины.

— Так ты говоришь, я не виноват? — начинает было Ландсман.

— Мужик! Я пи́сать хочу.

— Стало быть, ты считаешь, что я свихнулся. Я — сумасшедший. Не отвечающий за свои действия...

— Все, я стучу в дверь.

Берко дважды барабанит в дверь так, что чуть не выбивает петли.

— ...и не гожусь для того, чтобы носить жетон, — заканчивает Ландсман свою мысль, искренне жалея, что вообще завел этот разговор. — Иначе говоря.

— Это не я позвонил, а твоя бывшая.

— Но ты с ней согласен.

— Да что я понимаю в сумасшествии? — говорит Берко. — Меня же не арестовывали за то, что я бегал голяком по лесу в трех часах езды от дома, предварительно размозжив мужику башку железной койкой.

Герц Шемец показывается в дверях. Он свежевыбрит, о чем свидетельствуют два свеженьких пореза на подбородке. На нем серый фланелевый костюм поверх белой рубашки и маково-алый галстук. Герц благоухает витамином B, крахмалом, копченой рыбой. Он кажется совсем крошечным, и движения у него дерганые, как у деревянного человечка на палочке.

— А, старина, — говорит он Ландсману, дробя пару-тройку костей племянниковой ладони своим рукопожатием.

— Смотришься молодцом, дядя Герц, — отвечает Ландсман.

Приглядевшись внимательнее, он замечает, что костюм поблескивает на локтях и на коленях. Галстук усеян свидетельствами некой былой трапезы, где подавали суп, и повязан он не поверх рубашки, а вокруг бесформенного воротника белой пижамной сорочки, наспех заправленной в брюки. Но не Ландсманова бы корова мычала. На нем самом его «запасной костюм», вызволенный из пронафталиненного загашника в багажнике, — черная вискоза с шерстью и с золотыми пуговицами, которые должны изображать римские монеты. Когда-то он взял его взаймы у одного невезучего игрока по имени Глюксман, в последнюю минуту вспомнив о похоронах, на которые обещал прийти. Костюм смотрится одновременно траурно и китчево, ужасно мнется и воняет детройтским багажником.

— Спасибо, что предупредили, — говорит дядя Герц, отпуская на волю обломки Ландсмановой руки.

— Вот этот хотел сделать вам сюрприз, — кивает Ландсман на Берко. — Но я помню, что вы любите выйти и подстрелить кого-нибудь.

Дядя Герц складывает ладони вместе и кланяется. Как всякий истинный отшельник, он очень серьезно воспринимает свои обязанности хозяина. Если охота не заладится, он достанет из ледника какую-нибудь мраморную заднюю часть и поставит на огонь с морковью, луком и пучком измельченных трав, которые сам выращивает и потом развешивает сушить в сарае позади дома. Он должен подготовить и лед для виски, и холодное пиво к жаркому. Мало того, он предпочитает побриться и повязать галстук.

Старик велит Ландсману зайти в дом, и тот подчиняется, оставляя Герца Шемеца один на один с его сыном. Ландсман наблюдает в качестве заинтересованной публики, как все еврейство наблюдает с той минуты, когда Авраам распластал Исаака на вершине горы и обнажил под небесами его пульсирующую грудную клетку. Старик тянется к рукаву Берковой рубашки лесоруба и ощупывает ткань, теребя ее между пальцами. Берко подчиняется обследованию с выражением неподдельной боли на лице. Ландсман знает, какая мука для Берко предстать пред ясны очи отца одетым во что угодно, кроме лучшего итальянского костюма.

— А где же Большой Синий Бык? — наконец произносит старик.

— Не знаю, — говорит Берко, — но думаю, это он сжевал твои пижамные штаны.

Берко разглаживает измятый отцовскими пальцами рукав. Он обходит старика и устремляется прямо в дом.

— Сволочь, — бурчит он как бы себе под нос, извиняется и ретируется в туалет.

— Сливовицы? — предлагает старик, поворачиваясь к бутылкам, столпившимся на черном эмалевом подносе, словно миниатюрная копия высоток Шварцер-Яма на фоне горизонта. — Да?

— Газировки, — говорит Ландсман и пожимает плечами в ответ на удивленный взмах дядиных бровей. — У меня новый доктор. Индиец. Хочет, чтобы я завязал.

— А когда это ты слушался докторов, да еще индийских?

— Никогда, — признает Ландсман.

— Самолечение — семейная традиция Ландсманов.

— И еще быть евреем, — говорит Ландсман, — и вот посмотри, куда это нас завело.

— Странное нынче время, чтобы быть евреем, — соглашается старик.

Он поворачивается к Ландсману и протягивает ему высокий стакан, украшенный желтой ермолкой лимонной дольки. Затем наливает себе щедрую порцию сливовицы и поднимает рюмку с хорошо знакомой Ландсману гримасой жестокой веселости, в которой Мейер уже давно не видит ни капли веселья.

— За странные времена, — провозглашает старик.

Осушив рюмку, он торжествующе смотрит на Ландсмана, словно сказал нечто настолько остроумное, что комната разразилась бурными аплодисментами. Ландсман знает, как больно Герцу видеть, что ялик, которым он столько лет правил, правил старательно и искусно, дрейфует все ближе к водопадам Возвращения. Герц немедленно наливает себе вторую, выпивает и стучит рюмкой об стол с явным удовольствием. Теперь уже очередь Ландсмана воздевать бровь.

— У тебя свой доктор, — объясняет дядя Герц, — а у меня — свой.

Хижина дяди Герца — это одна большая комната с чердачной галереей вдоль трех стен. Обстановка и отделка — рог, кость, жила, кожа и мех. На галерею можно взобраться по крутому трапу позади кухоньки. В одном углу комнаты стоит аккуратно заправленная кровать старика. Рядом с ней на низком круглом столике — шахматная доска. Фигуры вырезаны из клена и палисандра. Один из белых кленовых коней лишился левого уха. У одной черной палисандровой пешки на голове белый шрам. Вид у доски заброшенный, хаотический, на одном ее конце среди фигур затесался ингалятор «Викс», по всей видимости угрожая белому королю на *е1*.

— Я смотрю, вы тут играете Ментолиптовую защиту, — говорит Ландсман, поворачивая доску, чтобы получше разглядеть. — Партия по переписке?

Герц напирает на Ландсмана, теснит его, выдыхая послевкусие сливового бренди с ноткой селедки, до того жирной и острой, что чувствуются ее колкие косточки. От неожиданности Ландсман сбивает доску, и все со стуком валится на пол.

— Твой всегдашний коронный ход! — говорит Герц. — Гамбит Ландсмана.

— Блин, дядя Герц, простите.

Ландсман ползает на корточках вокруг стариковского ложа, нашаривая фигурки.

— Не волнуйся, все в порядке, — говорит старикан. — Это не партия никакая, так — дурака валял. Я больше не играю по переписке. Мне жертву подавай. Люблю ослеплять их какой-нибудь головоломной красивой комбинацией. Мудрено проделать это с помощью открытки. Узнаешь набор-то?

Герц помогает Лндсману сложить фигурки в шкатулку — тоже кленовую, — выстланную зеленым плюшем. Прячет ингалятор в карман.

— Нет, — говорит Ландсман, а ведь именно один из очередных гамбитов Ландсмана во время детской вспышки гнева много лет назад стоил этому белому коню уха.

— А сам-то как думаешь? Это ведь ты их ему подарил.

На тумбочке у кровати лежат пять книг. Чандлер в переводе на идиш. Французская биография Марселя Дюшана. Беспощадное развенчание злокозненной политики Третьей Российской Республики — книжка в мягкой обложке,

популярная в США в прошлом году. «Справочник морских
млекопитающих» Петерсона и что-то по-немецки под названием «Kampf»[1] авторства Эмануэля Ласкера.

Доносится звук сливного бачка, а потом шум воды из-
под крана — Берко моет руки.

— Внезапно все стали читать Ласкера, — замечает
Ландсман.

Он берет в руки книгу — увесистую, черную, с тиснен-
ным золотисто-черными буквами названием на обложке —
и беззлобно поражается тому, что она не имеет ни малейшего отношения к шахматам. Ни диаграмм, ни силуэтов фер-
зей и коней, просто страница за страницей тернистой прозы
на немецком языке.

— Значит, он еще и философом был? — спрашивает
Ландсман.

— Он считал философию своим истинным призванием.
Даже будучи гением шахмат и непревзойденным математиком. К сожалению, должен сказать, что как философ он
был далеко не гений. Да, а кто еще читает Эмануэля Ласкера? Его теперь вообще никто не читает.

— Теперь это гораздо больше похоже на правду, чем неделю назад, — замечает Берко, выходя из уборной с полотенцем в руках.

Он испытывает естественное притяжение к обеденному
столу. Большой деревянный стол накрыт на троих. Эмали-
рованные миски, пластиковые стаканы, а ножи с костяными
ручками и жуткими лезвиями, такими впору вырезать еще
теплую печень из брюха убитого тобой медведя. Кувшин
охлажденного чая и эмалированный кофейник. Трапеза, при-
готовленная Герцем Шемецем, обильна, горяча, и лосятина
тут — основной ингредиент.

— Чили из лосятины, — объявляет старик. — Фарш
я накрутил сам, еще осенью, в вакуумных мешках сунул

---

[1] «Борьба» (нем.).

в ледник. Ну и лося сам подстрелил, разумеется. Лосиха, тысяча фунтов весу. А чили сделал сегодня: взял красную фасоль, прибавил туда банку черной фасоли, у меня была припасена. Правда, я побоялся, что нам этого маловато будет, так что разогрел еще кое-что из своих заморозок. Киш-лорен, это пирог такой: яйца, ясное дело, помидорчики, бекон — бекон лосиный. Сам коптил.

— И яйца тоже лосиные, — вторит Берко, великолепно имитируя чуть напыщенный тон своего папаши.

Старик указывает на белую стеклянную миску, доверху заполненную аккуратными фрикадельками-близнецами с красно-бурой подливкой:

— Шведские фрикадельки. Лосиные. И еще холодная жареная лосятина, если кто-то захочет сэндвичей. Хлеб я сам пеку. И майонез у меня домашний — терпеть не могу эту жижу в банках.

Они садятся за трапезу с одиноким стариком. Когда-то давно его столовая была полным-полна гостей, только за этим столом — единственным на всю разделенную островную округу — регулярно собирались вместе индейцы и евреи, чтобы вкусно поесть, мирно посидеть бок о бок. Пили калифорнийское вино, разглагольствовали, подстрекаемые радушным хозяином. Неразговорчивые типы, темные личности, загадочные секретные агенты или лоббисты из Вашингтона вперемежку с резчиками тотемов, заядлыми шахматистами, индейцами-рыболовами. Герц благодушно принимал беззлобные подначивания от миссис Пульман, словно отъявленный старый головорез, безропотно устроившийся под каблуком у супружницы. Почему-то это придавало ему солидности.

— Я тут сделал пару-тройку звонков, — говорит Герц после того, как истекли долгие минуты глубочайшей шахматной сосредоточенности на еде. — Сразу, как вы позвонили, что приедете.

— Пару-тройку? — переспрашивает Берко. — Да неужто?

— Вот именно.

Герц изображает некое подобие улыбки, приподнимая
верхнюю губу с правой стороны, обнажив на полсекунды
желтый резец. Как будто кто-то подцепил его губу на невидимый рыболовный крючок и резко дернул за леску.

— По моим сведениям, ты крепко вляпался, Мейерле, — произносит он. — Нарушение профессиональной эти-
ки, сомнительное поведение. Потеря значка и пистолета.

Кем бы ни был дядя Герц, но сорок лет он отдал кадро-
вой службе в органах правопорядка, сорок лет он проносил удостоверение федерала в бумажнике. Он особо не нажимает, но в его голосе безошибочно чувствуется упрек.
Он поворачивается к сыну.

— А где твои мозги, я вообще не понимаю, — говорит
он. — Два месяца до падения в пропасть. Двое деток, и третий, мазел тов и кайнахора, на подходе.

Берко и не думает спросить, как папаша проведал о бе-
ременности Эстер-Малке, нечего потакать стариковскому
тщеславию. Он только кивает и налегает на фрикадельки.
Очень уж они замечательные, эти фрикадельки, сочные,
с розмарином, с дымком.

— Твоя правда, — соглашается Берко. — Чистое безумие.
И я не могу сказать, что люблю этого бугая — глянь на него: ни пистолета, ни значка, пристает к людям, носится по
лесам с отмороженным задом — или забочусь о нем больше,
чем о своей жене и детях, потому что это не так. Или что
я вижу смысл в том, чтобы рисковать их будущим из-за него, потому что смысла я не вижу. — Он задумчиво созерцает
миску с фрикадельками, и утроба его издает утомленный,
чисто еврейский звук — полуотрыжку-полустон. — Но,
к слову о пропасти, не хотелось бы мне стоять на ее краю
без Мейера.

— Ты смотри, какой преданный, — говорит дядя Герц Ландсману. — Вот и я так же любил твоего отца, мир его праху, но этот трус бросил меня одного на произвол судьбы.

Голос его звучит светло, но повисшее следом молчание темным пятном омрачает сказанное. Они старательно жуют, думая о том, как длинна и тяжела жизнь. Герц встает и наливает себе еще рюмашку. Подходит к окну и глядит на небо, которое кажется мозаикой, сложенной из осколков тысяч разбитых зеркал, тонированных в разные оттенки серого. Зимнее небо северо-восточной Аляски — это Талмуд серости, неистощимый комментарий к Торе дождевых туч и умирающего света.

Ландсман всегда считал дядю Герца образцом высочайшей компетентности и уверенности в себе, ловкий, как самолетик-оригами — сложенная со всем тщанием стремительная бумажная игла, неподвластная турбулентности. Аккуратный, методичный, бесстрастный. При нем всегда находилась едва заметная тень — тень иррациональности и жестокости, но она оставалась за стеной его таинственных индейских авантюр, он прятал ее в дальнем углу, за Линией разграничения, заметал, как звери заметают собственный след. Но сейчас память Ландсмана выносит на поверхность воспоминание о днях после смерти его отца: дядя Герц, скорчившийся, как смятая бумажка, в углу кухни на Адлер-стрит, рубашка выбилась из брюк, пуговицы оторваны, волосы растрепаны, на столе бутылка сливовицы, понижающийся уровень содержимого которой, подобно барометру, отражает резкое падение атмосферного давления дядиного горя.

— У нас тут, дядя Герц, возникла одна головоломка, — говорит Ландсман. — Из-за нее, собственно, мы и приехали.

— И еще из-за майонеза, — прибавляет Берко.

— Головоломка? — Старик отворачивается от окна. Взгляд у него снова колючий и подозрительный. — Ненавижу головоломки.

— А мы и не просим тебя решать их, — говорит Берко.

— Сейчас же оставь подобный тон, Джон Медведь. Я этого не потерплю, — чеканит старик.

— Тон? — переспрашивает Берко, голосом изображая некий сложный такт в музыкальной партитуре, громоздкий кластер из полудюжины тонов, камерный ансамбль дерзости, возмущения, сарказма, вызова, наивности, удивления. — Тон?

Ландсман пристально смотрит на Берко, чтобы напомнить — нет, не о его годах, не о статусе, но о том, как выбивают из колеи препирательства с родственниками. Это старое и сильно поношенное выражение лица давно знакомо Берко — с первых лет в семье Ландсмана, трудных лет непонимания, раздоров и противостояния. Когда бы они ни столкнулись, каждому хватало нескольких минут, чтобы вернуться в первобытное состояние, подобно команде, потерпевшей кораблекрушение. Это и есть семья. Со штормами, и кораблями, и неведомыми берегами. Шляпы и самогонные аппараты из бамбука и кокоса, сделанные своими руками. И добытый трением огонь, чтобы отгонять хищников.

— Мы как раз пытаемся прояснить одну ситуацию, — начинает Ландсман заново. — И кое-что в этой ситуации напомнило нам о вас.

Дядя Герц снова наливает себе сливовицы, идет к столу и садится.

— Начни-ка с самого начала, — велит он.

— А началось все с мертвого наркомана у меня в гостинице.

— Ага.

— Вы в курсе.

— Кое-что слыхал по радио, а кое-что в газетах прочел. — Старик вечно ссылается на газеты как на главный источник своих знаний. — Он был сыном Гескеля Шпильмана. Тот самый вундеркинд, что подавал большие надежды.

— Его убили, — продолжает Ландсман, — вопреки тому, что вы, наверное, читали в газетах. А перед смертью он скрывался. Он почти всю жизнь был в бегах — то от одного, то от другого, но перед самой смертью он пытался, как мне кажется, скрыться от неких людей, которые его преследовали. Я смог проследить его передвижения до аэропорта Якоби. Он появился там в апреле этого года — всего за день до гибели Наоми.

— Это как-то связано с Наоми?

— Те же самые люди, которые преследовали Шпильмана и которые, судя по всему, его и убили, в апреле наняли Наоми, чтобы она доставила этого парня в Перил-Стрейт — на ферму, якобы обустроенную этими молодчиками для реабилитации проблемной молодежи. Но, оказавшись там, он испугался. Захотел уехать. Позвал Наоми на помощь, и та умыкнула его и переправила назад в цивилизацию. В Якоби. А на следующий день погибла.

— Перил-Стрейт? — переспрашивает старик. — Так эти люди — индейцы? Хочешь сказать, индейцы убили Менделя Шпильмана?

— Нет, — отвечает Берко. — Те самые люди, из молодежного центра. Добрых тысячу акров к северу от деревушки. Построено все, похоже, на деньги американских евреев. Хозяйничают тоже евреи. И, судя по всему, это прикрытие их реальных делишек.

— Каких именно? Коноплю выращивают?

— Ну, во-первых, у них имеется стадо. Айрширской молочной породы, — говорит Берко. — Голов сто, наверное.

— Это во-первых.

— А во-вторых, у них, похоже, там базируется и тренируется некое военизированное формирование. Главарь у них, возможно, старик-еврей. Уилфред Дик его там видел. Но лицо его Дику ни о чем не говорит. Кем бы он ни был, у него, похоже, крепкие связи с вербовскими, — по крайней мере, с Арье Баронштейном он точно в контакте. Но мы не знаем, кто он и что собой представляет.

— Еще там есть один американец, — говорит Ландсман. — Он прилетал на встречу с Баронштейном и прочими загадочными евреями. Все они, кажется, побаивались этого американца, беспокоились, что ему не понравятся они сами и то, как они ведут дела.

Старик встает и направляется к комоду, отгораживающему его спальное место от места для принятия пищи. Из хьюмидора он извлекает сигару и прокатывает ее меж ладоней. Катает долго, туда-сюда, пока она, по всей видимости, напрочь не исчезает из его мыслей.

— Ненавижу головоломки, — произносит он наконец.

— Мы знаем, — говорит Берко.

— Вы знаете.

Дядя Герц подносит сигару к носу, поводит ею из стороны в сторону, вдыхает глубоко, зажмурив глаза и получая удовольствие не только от аромата, но, как замечает Ландсман, и от прохладного прикосновения сигарного листа к ноздрям.

— Так, вопрос первый, — говорит дядя Герц, открывая глаза, — а может, и единственный.

Они ждут вопроса, пока он обрезает сигару, подносит ее к тонким губам, приоткрыв их, и тут же сжимает.

— Какой масти коровы?

36

— Одна была рыжая, — говорит Берко, будто недоуме-
вая, как же это он не заметил, что монетка появилась на ладони фокусника, ведь он неотрывно следил за его руками.

— Вся рыжая? — уточняет старик. — Рыжая от рогов до
хвоста?

— Ее замаскировали, — говорит Берко. — Покрасили
какой-то белой краской кое-где. Не могу найти ни одной
причины для этого, если только в ней нет чего-то, что хочется скрыть. Ну, словно она, понимаешь... — он поморщился, — без порока.

— О г-ди, — сказал старик.

— Кто эти люди, дядя Герц? Ты же знаешь, правда?

— Кто эти люди? Они аиды. Евреи-жулики. Я понимаю, что это тавтология.

Вроде бы он никак не решится зажечь сигару. Он откладывает ее, опять берет и снова откладывает. У Ландсмана
возникает ощущение, что старик взвешивает секрет, туго
завернутый в темный лист с прожилками. Какой-то план,
хитроумный обмен деталями.

— Ладно, — говорит Герц наконец, — я соврал. У меня другой вопрос к тебе, Мейер. Помнишь, когда ты был
мальчиком, некий аид приходил в шахматный клуб «Эйнштейн». Он шутил с тобой, и он вроде нравился тебе. Аид
по имени Литвак.

— А я на днях видел Альтера Литвака, — говорит Ландсман. — В «Эйнштейне».

— Ты его видел?

— Он потерял голос.

— Да, он попал в аварию, и ему горло раздавило рулем. Жена его погибла. Это случилось на бульваре Рузвельта, там, где насажали виргинской черемухи. Одно деревце только и принялось — то, в которое они врезались. Единственное во всем округе Ситка.

— Помню, как сажали эти деревца. Перед Всемирной выставкой, — вздыхает Ландсман.

— Только не надо мне тут грусти-тоски, — говорит старик. — Один Б-г знает, до какой степени мне надоели тоскливые евреи, начиная с меня самого. Вот в жизни не видел тоскующего индейца.

— Это потому, что они прячутся, заслышав, что ты поблизости, — говорит Берко. — Женщины и тоскливые индейцы. Уймись уже и расскажи нам о Литваке.

— Он на меня работал. Много-много лет.

Тон Герца становится резким, и Ландсман удивляется его гневу. Как все Шемецы, Герц унаследовал горячий нрав, но это не помогало ему в работе, и в какой-то момент он смирил его.

— Альтер Литвак был федеральным агентом? — спрашивает Ландсман.

— Нет. Не был. Он не получал официально зарплату от государства, насколько я знаю, с тех пор как был с почестями уволен из армии США тридцать пять лет тому назад.

— Почему ты так злишься на него? — спрашивает Берко, наблюдая за отцом сквозь блестящие щелки век.

Герц застигнут вопросом врасплох и старается это скрыть.

— Я никогда ни на кого не злюсь. Кроме тебя, сынок. — Он улыбается. — Значит, он еще ходит в «Эйнштейн». Не знал. Он всегда был скорее картежник, чем пацер. Он лучше играет там, где можно блефовать. Обманывать. Утаивать.

Ландсман вспоминает пару крепких парней, которых Литвак представил как своих внучатых племянников, и вдруг соображает, что это один из них был в лесу Перил-Стрейта, за рулем «форда-каудильо» с тенью на заднем сиденье. Тенью человека, который не хотел, чтобы Ландсман рассмотрел его лицо.

— Он был там. — Ландсман сообщает Берко. — В Перил-Стрейте. Это он тот загадочный тип в машине.

— А что именно он для тебя делал? — интересуется Берко. — Литвак этот. Много-много лет.

Герц колеблется, переводя взгляд с Берко на Ландсмана:

— Немного тут, немного там. И все неофициально. Он обладал многими полезными способностями. Альтер Литвак, пожалуй, самый талантливый человек, которого я встречал в жизни. Он понимает систему и как она контролируется. Он терпелив и методичен. Прежде был невероятно силен. Отличный пилот, хорошо обученный механик. Великолепно ориентируется. Способный учитель. И тренер. Чтоб тебя!

Он смотрит с кротким удивлением на разломленную сигару — по половинке в каждой руке. Он бросает их на тарелку с остатками соуса и расправляет салфетку над свидетельством своих эмоций.

— Аид предал меня, — говорит он. — Сдал тому репортеру. Он годами собирал на меня компромат, а потом передал его Бреннану.

— Зачем это ему? — спрашивает Берко. — Если он был твой аид.

— Я правда не могу ответить на этот вопрос. — Герц трясет головой, он ненавидит головоломки, вынужденный до конца жизни биться над одной, нерешенной. — Деньги, может быть, хотя такие вещи его никогда не интересовали. И уж точно не по убеждению. У Литвака нет убеждений.

И верований нет. И никакой верности другим, за исключением тех, кто ему подчиняется. Он почуял, чем дело пахнет, когда эта банда взяла верх в Вашингтоне. Он знал, что мне конец, знал даже раньше, чем я сам это понял. Полагаю, он решил, что время пришло. Может, он устал работать на меня и захотел меня подсидеть. Даже когда американцы от меня избавились и прекратили все официальные операции, им нужен был свой человек в Ситке. И они не смогли бы найти никого лучше за свои деньги, чем Альтера Литвака. Может, ему надоело проигрывать мне в шахматы. Может, он увидел шанс победить меня и воспользовался им. Но он никогда не был моим аидом. Постоянный статус ничего для него не значит. Как и то дело, я уверен, которым он занят сейчас.

— Рыжая телица, — говорит Берко.

— Так вот оно что, простите меня, — говорит Ландсман, — но я не возьму в толк. Прекрасно, у вас есть рыжая телица без порока. И каким-то образом вы привозите ее в Иерусалим.

— Потом вы ее убиваете, — продолжает Берко. — И сжигаете до пепла, и готовите из пепла помазание, и мажете им священников. Иначе они не могут войти в Святилище. В Храм. Потому что они нечисты. Я правильно излагаю? — поворачивается он к отцу.

— Более или менее.

— Хорошо, но я одного не понимаю. Разве там сейчас не эта, как ее? — вмешивается Ландсман. — Не мечеть? На холме, где раньше был Храм.

— Не мечеть, Мейерле. Святилище, — говорит Герц. — Куббат-ас-Сахра, «Купол скалы». Третье по значению святое место в исламе. Построен в седьмом столетии Абдал Маликом, точно в том месте, где стояли два еврейских Храма. В месте, где Авраам собирался пожертвовать Исааком, где Иаков узрел лестницу, ведущую в небо. Пуп земли. Да. Если вы хотите восстановить Храм и возродить древние ритуалы, чтобы ускорить пришествие Мошиаха, тогда придется что-то делать с «Куполом скалы». Он мешает.

— Бомбы, — говорит Берко с напускным равнодушием. — Взрывчатка. Это все прилагается к Альтеру Литваку?

— Снос, — говорит старик. Он тянется к выпивке, но рюмка пуста. — Да, в этом он эксперт.

Ландсман отодвигается от стола и встает. Он снимает шляпу с двери.

— Нам надо возвращаться, — говорит он. — Надо хоть с кем-то поговорить. Надо рассказать Бине.

Он открывает шойфер, но так далеко от Ситки сигнала нет. Он подходит к телефону на стене, но номер Бины сразу отсылает его к автоответчику.

— Ты должна разыскать Альтера Литвака, — диктует он. — Найди его, задержи и не отпускай.

Когда он возвращается к столу, то видит, что отец и сын так и сидят рядом. Берко о чем-то безмолвно вопрошает Герца Шемеца. Руки Берко сложены на коленях, как у послушного ребенка, но он не послушный ребенок, и если пальцы его сплетены, то только потому, что он удерживает их от свершения зла или не разрешает им проказничать. После паузы, показавшейся Ландсману бесконечной, дядя Герц опускает глаза.

— Молитвенный дом в Святом Кирилле, — говорит Берко. — Погромы.

— Погромы в Святом Кирилле, — соглашается Герц Шемец.

— Будь они прокляты.

— Берко...

— Будь они прокляты! Индейцы всегда говорили, что евреи сами взорвали.

— Ты должен понимать, под каким давлением мы находились, — говорит Герц. — В те времена.

— О, я-то понимаю, — говорит Берко. — Уж поверь. Балансировали. На тонкой проволоке.

— Те евреи, те фанатики, проникшие на спорные территории, ставили под угрозу статус всего округа. Подтверждая страхи американцев о том, что произойдет, если они дадут нам Постоянный статус.

— Ага, ага, — говорит Берко. — Конечно, хорошо. А как же мама? Мама тоже представляла опасность для округа?

И тогда дядя Герц что-то произносит, или, скорее, это ветер из его легких проходит через врата зубов, немного напоминая человеческую речь. Он смотрит на свои колени и снова издает этот звук, и Ландсман понимает, что он просит прощения. Говоря на языке, которому его никогда не учили.

— А знаешь, мне кажется, я всегда это знал, — говорит Берко, вставая. Он срывает шляпу и пальто с крюка. — Потому что я никогда не любил тебя. С первой минуты, слышишь, ты, ублюдок! Пошли, Мейер.

Ландсман следует за напарником к выходу. В дверях ему приходится отступить, чтобы впустить вернувшегося Берко. Берко отбрасывает шляпу и пальто. Он бьет себя по голове дважды и обеими руками сразу. Потом он раздавливает невидимую сферу между ладонями, приблизительно размером с отцовский череп.

— Я старался всю мою жизнь, — говорит он наконец. — Серьезно, твою мать, посмотри на меня!

Он сдергивает кипу с макушки и держит ее в руках, созерцая ее с ужасом, словно содранный скальп. Он швыряет кипу в старика. Кипа попадает Герцу в нос и падает на кучу салфеток, на поломанную сигару, на подливку жаркого из лосятины.

— Взгляни на это дерьмо!

Он хватает отворот рубашки и распахивает ее, отрывая пуговицы. Демонстрирует окаймленный бахромой талес, как самый непрочный в мире бронежилет, его святой белый кевлар, украшенный полосками цвета синих тварей морских.

— Ненавижу эту хренову одежку.

Он снимает талес через голову и отбрасывает в сторону, оставаясь в одной белой хлопковой майке.

— Каждый б-жий день я встаю утром и натягиваю это дерьмо, прикидываясь тем, кем не являюсь. Тем, кем я никогда не буду. Ради тебя.

— Я не заставлял тебя ничего соблюдать, — говорит старик, не поднимая головы. — Вообще не...

— Дело совсем не в религии, — говорит Берко. — Дело в отцах, будь ты проклят.

Конечно, оно определяется по матери, это самое еврейство. О чем Берко хорошо осведомлен. Он знает это с того дня, когда появился в Ситке. Он видит это всякий раз, когда смотрит в зеркало.

— Ерунда все это, — бормочет старик, обращаясь больше к себе самому. — Религия рабов. Добровольные вериги. Орудие неволи! Я никогда в жизни не носил эту хрень.

— Никогда? — спрашивает Берко.

Он застает Ландсмана врасплох, рванув от двери хижины к обеденному столу. Прежде чем Ландсман понимает, что происходит, Берко натягивает ритуальное нательное белье на голову старика. Он обматывает ему голову одной рукой, а другой обвивает бахрому с узелками еще и еще, очерчивая тонкими нитями шерсти контуры лица старика. Словно пакует статую для отправки. Старик сучит ногами, хватается руками за воздух.

— Никогда не носил, а? — говорит Берко. — Ты никогда, мать твою, не носил такой? Примерь мой! Примерь мой, ты, хрен собачий!

— Стоп! — Ландсман бросается выручать человека, чья неистребимая склонность к тактике жертвенности, может, и непредвиденно, но самым прямым образом привела к смерти Лори-Джо Медведицы. — Берко, стой! Прекрати немедленно!

Он хватает Берко за локоть, оттаскивает его в сторону, и, когда ему удается втиснуться между отцом и сыном, он начинает подталкивать того, что покрупнее, к двери.

— Ладно! — Берко вскидывает руки и позволяет Ландсману отпихнуть себя на несколько футов ближе к двери. — Ладно, все! Отпусти меня, Мейер.

Ландсман ослабляет хватку, отпуская напарника. Берко запихивает майку в брюки и пытается застегнуть рубашку, но все пуговицы отлетели. Он бросает это занятие, приглаживает черный ершик волос широкой ладонью, нагибается за шляпой и пальто и выходит. Ночь с клубящимся туманом вплывает в старый дом на паучьих лапах.

Ландсман возвращается к старику, который сидит с обернутой в талес головой, как заложник, которому не позволяют видеть лица похитителей.

— Помощь нужна, дядя Герц? — спрашивает он.

— Я в порядке, — говорит старик слабым голосом, приглушенным тканью. — Спасибо.

— Так и будете сидеть?

Старик не отвечает. Ландсман натягивает шляпу и уходит.

Они уже садятся в машину, когда доносится выстрел, грохот во мраке, который очерчивает горы, освещает их отражающимся эхом, а потом стихает.

— Блин! — вскрикивает Берко.

Он влетает в дом раньше, чем Ландсман добирается до ступенек. Когда Ландсман вбегает в комнату, Берко уже стоит на коленях около отца, который находится в странной позе на полу у кровати, как у бегуна с препятствиями, одна нога его прижата к груди, другая вытянута за спиной. В правой руке он слабо сжимает черный тупорылый револьвер, в левой — ритуальную бахрому. Берко выпрямляет отца, переворачивает на бок и прощупывает пульс на шее. На правой стороне лба виднеется скользкий красный лоскут, как раз над глазом. Опаленные волосы перепачканы кровью. Неудачный выстрел, судя по всему.

— О черт, — говорит Берко. — О черт, старый хрен. Ты промахнулся нахер.

— Он промахнулся нахер, — соглашается Ландсман.

— Старик! — выкрикивает Берко, потом понижает голос и гортанно напевает что-то, слово или два, на языке, который он забыл.

Они останавливают кровь и накладывают бинты на рану. Ландсман оглядывается в поисках пули и находит сквозное отверстие, прогрызенное в фанере стены.

— Откуда он это взял? — спрашивает Ландсман, поднимая револьвер. Это грубая штука, истертая по краям, старая машина. — «Детектив спешиэл» тридцать восьмого калибра?

— Я не знаю. У него много оружия. Ему оно нравится. Единственное, что у нас с ним общее.

— Думаю, это револьвер, который Мелех Гайстик употребил в кафе «Эйнштейн».

— Вот уж не удивлюсь, — говорит Берко.

Он взваливает отца на плечи, и они несут его в машину и укладывают на заднем сиденье на кучу полотенец. Ландсман включает полицейскую сирену, которой пользовался от силы дважды за пять лет. Потом они едут восвояси через перевал.

В Найештате есть отделение скорой помощи, но там постоянно кто-то умирает, так что они решают отвезти Герца в Центральную больницу Ситки. По дороге Берко звонит жене. Он объясняет ей, не очень-то внятно, что его отец и человек по имени Альтер Литвак были ответственны за смерть его матери во время худших еврейско-индейских столкновений за шестидесятилетнюю историю округа и что отец выстрелил себе в голову. Он объясняет ей, что они собираются бросить старика в неотложке Центральной больницы Ситки, потому что он, Берко, полицейский.

И черт побери, у него есть чем заняться, и ему до лампочки, если старик загнется. Эстер-Малке вроде бы принимает проект без поправок, и Берко заканчивает разговор. Они исчезают минут на десять-пятнадцать в зоне, где нет мобильной связи, и, когда выезжают из нее, ничего не говоря друг другу, они уже в пригороде, и звонит шойфер.

— Нет, — говорит Берко и потом более сердито: — Нет!

Он слушает доводы жены, но недолго, меньше минуты. Ландсман понятия не имеет, что́ Эстер-Малке говорит мужу: читает она ему лекцию о профессиональном поведении, или о человеческой порядочности, или о прощении, или о сыновнем долге, которые превыше или прежде всего остального. В конце разговора Берко трясет головой. Он оглядывается на старого еврея, вытянувшегося на заднем сиденье.

— Ладно, — уступает он. И захлопывает телефон. — Высади меня у больницы, — говорит он, признавая поражение. — Просто позвони, когда найдешь этого суку Литвака.

37

— Могу я поговорить с Кэтрин Суини? — спрашивает Бина по телефону.

Суини — помощник федерального прокурора — серьезный и знающий профессионал, она способна выслушать и правильно понять все, что собирается сообщить ей Бина. Ландсман наклоняется, стремительно выбрасывает руку через стол и кончиком пальца обрывает соединение. Бина пристально смотрит на него, размеренно помахивая крыльями ресниц. Он застал ее врасплох. Нечастое явление.

— Они же за этим и стоят, — поясняет он, удерживая кнопку пальцем.

— И Кэти Суини? — спрашивает Бина, не отрывая трубку от уха.

— Ну, она, скорее всего, ни при чем.

— Значит, за всем этим стоит офис окружного прокурора Ситки?

— Вероятно. Не знаю. А может, и нет.

— Но ты говоришь, замешан Департамент юстиции.

— Да. Не знаю, Бина. Прости. Я даже не знаю, насколько высоко тянутся нити.

Удивление развеялось. Бина сверлит его немигающим взглядом:

— О'кей. А теперь слушай. Для начала убери свой гадкий волосатый палец с моего телефона.

Ландсман отдергивает руку, пока лазерные лучи Бининых глаз не отрезали преступный палец подчистую.

— Руки прочь от моего телефона, Мейер.

— Больше не буду, клянусь.

— Если все, что ты мне тут рассказываешь, правда, — говорит Бина тоном училки, обращающейся к целому классу пятилетних дебилов, — то я должна пообщаться с Кэти Суини. И скорее всего, надо передать информацию в Госдепартамент. Или даже в Министерство обороны.

— Но...

— Потому что, хотя ты, вероятно, и не знаешь, Святая земля располагается за пределами этого участка.

— Ну разумеется, конечно. Но выслушай меня. Кто-то, обладающий весом, и немалым весом, проник в базу данных аэропорта и уничтожил конкретный файл. И кто-то не менее влиятельный пообещал тлинкитскому Совету вождей, что они снова получат под свой контроль весь округ, если позволят Литваку с его подручными недолго пошуровать в Перил-Стрейте.

— Это Дик тебе сказал?

— Намекнул. И весьма недвусмысленно. И, не умаляя заслуг всех этих Ледереров из Бока-Ратона, я уверен, что те же влиятельные персоны и подписывают чеки, финансируя секретную часть этой операции. Тренировочную базу. Оружие и обеспечение. Содержание коровьего стада. За всем этим стоят одни и те же люди.

— Правительство США.

— Вот и я о том же.

— Поскольку они полагают, что было бы очень здорово заслать банду чокнутых аидов в Арабскую Палестину, пусть себе носятся там за своими Мошиахами, взрывают тамошние святыни и развязывают третью мировую.

— Они там наверху действительно чокнутые, Бина. Сама же знаешь. Может быть, они надеются на третью мировую, может, хотят устроить новый крестовый поход. Может, они считают, что все это приведет ко второму пришествию Иисуса. А может быть, ни то, ни другое, ни третье, а все дело в нефти — обеспечить доступ к тамошним запасам раз и навсегда. Я не знаю.

— Заговор в правительстве, Мейер.

— Я понимаю, это кажется невероятным.

— Говорящие курицы, Мейер.

— Прости меня, Бина.

— Ты же обещал.

— Я помню.

Она снимает трубку и снова набирает номер офиса окружного прокурора.

— Бина, пожалуйста, повесь трубку.

— Я с тобой, Мейер, уже намыкалась по темным углам. Больше не собираюсь.

Дозвонившись до Суини, Бина вкратце пересказывает ей сообщение Ландсмана: вербовские и группа мессианских евреев стакнулись и планируют нападение на важнейшие мусульманские святилища Палестины. Она опускает сверхъестественные детали и домыслы. Не упоминает и о смерти Наоми и Менделя Шпильмана. В изложении Бины рассказ звучит ровно настолько невероятно, чтобы в него поверили.

— Посмотрим, удастся ли нам выследить этого Литвака, — говорит она Суини. — О'кей, Кэти. Спасибо. Я знаю. Я надеюсь на это.

Она вешает трубку. Берет со стола сувенирный стеклянный шар с миниатюрной панорамой Ситки внутри, встряхивает его и смотрит, как падает снежок. Она выкинула из кабинета все безделушки и фотографии, только этот снежный шар остался, да еще ее дипломы в рамках на стене. Каучуковое дерево, фикус и розовая с белыми крапинками орхидея в зеленом стеклянном горшке. По-прежнему помойка помойкой. Бина восседает в центре всего этого в дежурном брючном костюме угрюмой расцветки, буйная шевелюра зачесана наверх и удерживается на месте металлическими скрепками, канцелярскими резинками и прочими подходящими предметами из ящика стола.

— Она не посмеялась над нами? Или посмеялась?

— Это не в ее стиле, — отвечает Бина. — Но нет, не посмеялась. Ей нужно больше сведений. Как бы то ни было, у меня сложилось такое ощущение, что я не первая, кто сообщил ей об Альтере Литваке. Она сказала, что хотела бы поговорить с ним, если мы его найдем.

— Бухбиндер, — произносит Ландсман. — Доктор Рудольф Бухбиндер. Помнишь, он выходил из «Поляр-Штерна» в тот вечер, а ты как раз входила.

— Тот дантист с улицы Ибн Эзры?

— Он сообщил мне, что переселяется в Иерусалим. Я решил, что просто ерунду болтает.

— Какой-то там институт, — припоминает Бина. — На «М» вроде.

— Мириам...

— Мориа...

Она лезет в компьютер и находит Институт Мориа в закрытом телефонном справочнике: улица Макса Нордау, 822, седьмой этаж.

— Восемьсот двадцать два, — повторяет Ландсман, — н-да...

— Это твой райончик? — спрашивает Бина, набирая указанный в справочнике номер.

— Дом напротив, — подтверждает Ландсман, робея. — Гостиница «Блэкпул».

— Машину! — Бина бросает трубку и набирает другой номер, из четырех цифр. — Гельбфиш.

Она велит патрульным и агентам в штатском взять под наблюдение входы и выходы гостиницы «Блэкпул», кладет трубку на рычаг и сидит, молча уставившись на нее.

— Хорошо, — встает Ландсман. — Пошли.

Но Бина не двигается с места.

— Ты не представляешь, как хорошо мне было без всей этой твоей фигни. Не страдать Ландсманией двадцать четыре часа в сутки.

— Как я тебе завидую.

— Герц, Берко, твоя мать, твой отец. Вся ваша семейка. Кучка долбаных шизиков, — прибавляет она по-американски.

— Знаю.

— Наоми была единственным нормальным человеком в этой кодле.

— То же самое она говорила о тебе, — говорит Ландсман. — Правда, обычно прибавляла «во всем мире».

Два быстрых коротких удара в дверь. Ландсман встает, предполагая, что это Берко.

— Всем привет, — говорит по-американски человек в дверях. — Не думаю, что имел удовольствие...

— Вы кто? — спрашивает Ландсман.

— Я есть ваш похоронный общество, — сообщает пришелец на скверном, но напористом идише.

— Мистер Спейд наблюдает за передачей дел, — говорит Бина. — Кажется, я уже упоминала, что он должен прийти, детектив Ландсман.

— Кажется, упоминали.

— Детектив Ландсман, — говорит мистер Спейд, милосердно сползая обратно в американский. — Тот самый.

Он вовсе не похож на пузатого гольфиста, каким его навоображал себе Ландсман. Молод, даже слишком, простоват лицом, широк в плечах и груди. Застегнутый на все пуговицы костюм из тонкой шерсти, белая рубашка, галстук в синюю, как помехи на экране, полоску. Шея пестрит порезами от бритвы и несбритыми кустиками. Выпуклость адамова яблока предполагает глубокую искренность и серьезность. К лацкану приколота булавка в форме стилизованной рыбки.

— Если не возражаете, давайте присядем на минуту и побеседуем с вами и вашим начальником.

— Не возражаю, — говорит Ландсман. — Но я лучше постою.

— Как угодно. Может, все же не будем стоять в дверях?

Ландсман сторонится, жестом приглашая Спейда войти. Тот плотно затворяет дверь за собой.

— Детектив Ландсман, у меня есть основания считать, — начинает Спейд, — что вы осуществляете несанкционированное расследование, притом что в данный момент отстранены...

— С сохранением содержания.

— Проводите его незаконно, причем по делу, которое официально объявлено закрытым. При поддержке детектива Берко Шемеца, также несанкционированной. И если уж делать совсем безумные предположения... э-э-э... я не удивлюсь, узнав, что вы тоже склонны оказывать ему содействие, инспектор Гельбфиш.

— Она только палки в колеса вставляет, — отзывается Ландсман. — Говоря по правде, содействия от нее никакого.

— Я только что звонила в офис окружного прокурора, — сообщает Бина.

— Неужели?

— Возможно, они сами займутся этим делом.

— Да что вы говорите.

— Это вне моей юрисдикции. Это теракт — вероятный теракт. И возможная цель его находится за пределами страны. Но планируют угрозу жители округа.

— Ну и ну! — Вид у Спейда одновременно возмущенный и довольный. — Террористы? Да идите!

Взгляд Бины окутывает стылая поволока, что-то среднее между свинцом и шугой.

— Я пытаюсь разыскать человека по имени Альтер Литвак, — говорит она, и в каждом закоулке ее голоса таится тяжкая усталость. — Он может быть причастен к этой угрозе, а может и не быть. В любом случае я хотела бы знать, что ему известно об убийстве Менделя Шпильмана.

— Угу, — произносит Спейд доброжелательно, но рассеянно, как человек, который притворяется, что ему интересны мелочи вашей жизни, а сам тем временем увлеченно роется в интернете собственного сознания. — О'кей. Но видите ли, мэм, если судить с позиции — как это у вас называется? Человек из похоронной конторы, который сидит около покойника-еврея?

— У нас он называется «шомер», — говорит Бина.

— Точно. Будучи здешним шомером, я должен сказать: нет. Вы поступите вот как — оставите это скользкое дело, а заодно и мистера Литвака в покое.

Кажется, что усталостью наливаются и плечи Бины, и челюсть, и скулы.

— Вы замешаны в этом, Спейд?

— Лично я? Нет, мэм. Переходная команда? Ни-ни. Комитет по Возвращению Аляски? Ни в коем случае! Честно говоря, я вообще мало знаю об этом. А о том, что знаю, я не имею права рассказывать. Я — инспектор управления ресурсами. Это моя обязанность. И я должен сказать, несмотря на глубокое почтение к вам, чтобы вы больше не тратили зря ресурсов на это дело.

— Это мои ресурсы, мистер Спейд, — говорит Бина. — И в ближайшие два месяца я могу допросить любого свидетеля, какого пожелаю допросить. И арестовать того, кого пожелаю арестовать.

— Нет, если окружная прокуратура прикажет вам отступить.

Звонит телефон.

— А вот и окружная прокуратура, — предрекает Ландсман.

Бина снимает трубку:

— Привет, Кэти.

Она слушает примерно минуту, кивая и не произнося ни слова. Затем говорит: «Понятно» — и вешает трубку. Голос у нее спокойный и лишенный эмоций. Она натянуто улыбается и понуро вешает голову, словно признавая поражение в честной борьбе. Ландсман чувствует, что она старательно избегает его взгляда, потому что если она посмотрит на него, то не выдержит — и расплачется. А уж он-то знает, как сильно нужно довести Бину Гельбфиш, чтобы она проронила хоть слезинку.

— А я тут так мило все обустроила, — вздыхает она.

— И здесь, должен сказать, — поддакивает Ландсман, — до вашего прихода была помойка.

— Я просто хотела все подчистить для вас, — говорит она Спейду. — Все свернуть, подобрать все крошки, все ниточки.

Она так старалась, набирала очки, вылизывала задницы, которые следовало вылизывать, разгребала авгиевы конюшни. Упаковала Главное управление полиции и украсила сверху собой, как роскошным бантом.

— Даже выбросила тот мерзкий диван, — прибавляет она. — Что тут, блин, творится, Спейд, не расскажете?

— Честное слово — не знаю, мэм. А если бы и знал, то все равно не сказал бы.

— Вам приказано проследить, чтобы все на этом конце было шито-крыто, тихо-мирно.

— Да, мэм.

— А другой конец находится в Палестине.

— Я не слишком много знаю о Палестине, — говорит Спейд. — Сам-то я из Люббока. Правда, жена моя из Накодочеса, а оттуда до Палестина миль сорок.

Бина кажется озадаченной, но потом щеки ее заливаются краской понимания и негодования.

— Так вы явились сюда шуточки шутить? — произносит она. — Да как вы смеете!

— Нет-нет, мэм, — говорит Спейд. Теперь его черед слегка зардеться.

— Я очень серьезно отношусь к этой работе, мистер Спейд. И должна вас предупредить, что в ваших же долбаных интересах принимать меня всерьез.

— Да, мэм.

Бина встает из-за стола и срывает с вешалки свою оранжевую парку.

— Я собираюсь доставить сюда Альтера Литвака. Допросить его. Возможно, арестовать. Хотите меня остановить — попробуйте.

Шелестя паркой, она проходит мимо, чуть не задев Спейда, а тот отшатывается, застигнутый врасплох.

— Но если вы попытаетесь остановить меня, то не будет никакого «тихо-мирно», это я вам обещаю.

Она на секунду выходит, а потом просовывает голову в дверь, натягивая свою вырвиглазную парку.

— Эй, ты, аид, — говорит она Ландсману. — Мне нужно прикрытие.

Ландсман надевает шляпу и выходит следом, по пути кивая Спейду.

— Слава б-гу, — говорит он.

38

Институт Мориа — единственный насельник седьмого, и последнего этажа гостиницы «Блэкпул». На стенах коридора еще лежит свежая краска, а на полу — незапятнанный розовато-лиловый ковер. В самом конце, рядом с дверью номера 707, на скромной бронзовой табличке располагаются черные буквы — название института на американском и идише, а ниже латиницей: «ЦЕНТР СОЛА И ДОРОТИ ЦИГЛЕР». Бина давит на звонок. Она смотрит снизу вверх на камеру наблюдения, которая смотрит на них сверху вниз.

— Ты помнишь уговор, — говорит ему Бина.

Это не вопрос.

— Заткнуться.

— Это только часть его.

— Меня тут даже нет. Я вообще не существую.

Она звонит снова, и, как раз когда она заносит кулак, чтобы постучать, Бухбиндер открывает дверь На нем уже другой огромный свитер-куртка, васильково-голубого цвета в бледно-зеленую и коралловую крапинку, поверх штанов и трикотажной рубашки фирмы «Бронфман Ю». Лицо и руки Бухбиндера выпачканы не то чернилами, не то машинным маслом.

— Инспектор Гельбфиш, — говорит Бина, показывая ему значок. — Полицейское управление Ситки. Я ищу

Альтера Литвака. У меня есть основания считать, что он здесь.

Дантист не способен на хитрость, — как правило, лицо Бухбиндера читается легко и ясно: он их ждал.

— Уже очень поздно, — делает он робкую попытку. — Если, конечно...

— Альтер Литвак, доктор Бухбиндер. Он здесь?

Ландсман видит, как Бухбиндер борется с механикой и траекториями, с порывами ветра лжи.

— Нет-нет. Его здесь нет.

— Вы знаете, где он?

— Нет-нет, инспектор, я не знаю.

— Ну-ну. Ладно. Есть ли вероятность того, что вы мне лжете, доктор Бухбиндер?

Следует короткая напряженная пауза. Потом он захлопывает перед нозами двери. Бина стучит, ее кулак подобен неумолимой клювастой голове дятла. Минутой позднее Бухбиндер открывает дверь, засовывая шойфер в карман свитера. Он кивает, его щеки, челюсти и огоньки в глазах единодушны в доброжелательности. Кто-то плеснул малую толику расплавленной стали в его позвоночник.

— Пожалуйста, заходите, — говорит он. — Мистер Литвак с вами встретится. Он наверху.

— Разве это не верхний этаж? — спрашивает Бина.

— Еще есть пентхаус.

— В ночлежках не бывает пентхаусов, — говорит Ландсман.

Бина бросает на него сердитый взгляд. Он обещал быть невидим, неслышен, как призрак.

Бухбиндер понижает голос:

— Кажется, раньше там был технический этаж. Но его перестроили. Сюда, пожалуйста, тут лестница с черного хода.

Все внутренние стены снесены. Бухбиндер ведет Бину и Ландсмана по коридорам Центра Циглеров. Это холод-

ное, темноватое помещение, выкрашенное белым и близко
не похожее на чумазую писчебумажную лавочку на улице
Ибн Эзры. Свет исходит из стеклянных колосников или
из люцитовых кубов, стоящих на обитых ковролином пье-
десталах. В каждом кубе представлен предмет: серебряный
черпак, медная чаша, невиданное одеяние, вроде того, что
украшало посланника с планеты Зорвольд в космической
мыльной опере. Более сотни экспонатов, многие из золота
и драгоценных камней. Каждый подписан именами американских евреев, чья щедрость позволила все это сотворить.

— А вы здорово приподнялись, доктор! — восхищается Ландсман.

— Да, это прекрасно, — соглашается Бухбиндер. —
Чудо.

В дальнем конце комнаты дюжина больших упаковоч-
ных клетей пенится неудержимыми кольцами сосновой
стружки. Изящная серебряная рукоять, гравированная золотом, выглядывает из-под опилок. В центре комнаты, на
низком широком столике, — уменьшенная модель каменистого голого склона всасывает свечение дюжины галоге-
новых ламп. Вершина холма, где Исаак ждал, когда отец
вырвет мускул жизни из его тела, плоская, как коврик на
столе. На склонах теснятся каменные домики, каменистые
улочки, оливковые деревца и кипарисы с пушистой листвой.
Крошечные евреи, завернутые в крошечные молитвенные
покрывала, созерцают пустоту на вершине холма, словно
иллюстрируют идею того, думает Ландсман, что у каждого
еврея есть личный Мошиах, который никогда не придет.

— Я не вижу здесь Храма, — невольно вырывается
у Бины.

Бухбиндер издает странное хрюканье, животное и до-
вольное. Потом нажимает кончиком мокасина кнопку в полу. Следует тихий щелчок и гул крошечного вентилятора.
И вот он, в соответствующих пропорциях, — Храм, возве-
денный Соломоном, разрушенный вавилонянами, отстро-

енный и возрожденный тем самым царем иудейским, что осудил Христа на смерть, снесенный римлянами, замурованный Аббасидами, застроившими его руины, — Третий Храм, уменьшенная его копия, возвращается в праведное место, в пуп мироздания. Технология, воссоздающая образ, сообщает модели чудесный блеск. Она мерцает, как фата-моргана, как северное сияние. Архитектура Третьего Храма — сдержанный образец мощи каменотесов, кубы, и колонны, и широкие площадки. Тут и там изваяния шумерских чудищ придают ему варварский оттенок. Это документ, который Б-г оставил евреям в наследство, думает Ландсман, обещание, о котором мы Ему уже все уши прожужжали и никак не остановимся. Тура, сопровождающая короля в эндшпиле мироздания.

— Осталось запустить паровозик, — говорит Ландсман.

В конце зала вдоль стены располагается узкая лестница, без перил с одной стороны. Дверь открывает один из «эйнштейновских» внучатых племянников, водитель «каудильо», упитанный широкоплечий американский парнишка с розовым загривком.

— Полагаю, мистер Литвак ожидает меня, — говорит Бина радостно. — Я инспектор Гельбфиш.

— У вас пять минут, — заявляет юноша на корявом, но сносном идише. Вряд ли ему больше двадцати; левый глаз у него скошен к носу, и на младенческих щеках больше угрей, чем щетины. — Мистер Литвак занятой человек.

— А вы кто такой?

— Можете называть меня Микки.

Она подходит к нему вплотную и чуть не упирается подбородком в его кадык.

— Микки, я понимаю, что выгляжу плохим человеком в твоих глазах, но мне до лампочки, насколько занятой человек мистер Литвак. Мне надо с ним поговорить, и я буду с ним говорить столько, сколько мне необходимо. А теперь

проведи меня к нему, лапочка, или тебе вообще очень долгое время нечем будет заняться.

Микки бросает взгляд на Ландсмана, словно делясь
впечатлениями: «Крутая телка». Ландсман делает вид, что
не понимает.

— Если позволите, — говорит Бухбиндер, кланяясь
всем. — У меня много работы.

— Вы куда-то собираетесь, доктор? — спрашивает
Ландсман.

— Я вам уже говорил, — отвечает дантист. — Вы бы
хоть записывали куда-нибудь.

Пентхаус гостиницы «Блэкпул» не представляет собой
ничего особенного. Двухкомнатный номер. В передней комнате раскладной диван, стойка с умывальником, маленький
холодильник, кресло и семеро скверно постриженных молодых людей в темных костюмах. Диван собран, но можно
унюхать, что юноши на нем и спят, может, и вся семерка.
Отделанный кантом угол простыни торчит из прорехи между подушками дивана, словно край рубашки, прихваченный
ширинкой.

Молодые люди смотрят очень большой телевизор, вклю-
ченный на новостной канал спутникового телевидения. На
экране премьер Маньчжурии трясет руки пяти маньчжур-
ским астронавтам. Коробка, в которой привезли телевизор,
стоит на полу рядом со своим недавним содержимым. Бу-
тылочки витаминных напитков и кульки с подсолнечными
семечками разбросаны на журнальном столике среди кучек
шелухи. Ландсман замечает три автоматических пистолета,
два за поясом, один в носке. Может быть, рукоятка четвертого на чьем-то бедре. Никто не рад приходу детективов.
Более того, юноши выглядят угрюмыми, взвинченными.
Одержимыми желанием оказаться где угодно, только не
здесь.

— Покажите нам ордер.

Это Голд, заостренная мексиканская тюремная заточка из Перил-Стрейта. Он слезает с дивана и направляется к ним. Когда он узнает Ландсмана, одна из его бровей достигает высшей точки.

— Госпожа, этот не имеет никакого права здесь быть. Выгоните его.

— Это Голд, — говорит Ландсман.

— А, ну да. Голд, оцените ситуацию. Тут вас один, два, три, семь. И нас двое.

— И меня здесь нет, — говорит Ландсман. — Я тебе привиделся.

— Я пришла побеседовать с Альтером Литваком, и мне не нужен кусок бумаги для этого, лапушка. Даже если я захочу его арестовать, то всегда могу получить ордер позднее. — Она одаряет его победоносной улыбкой, слегка утратившей товарный вид. — Честно.

Голд сомневается. Он начинает советоваться с товарищами, что они думают и как им поступить, но какой-то аспект этого процесса, а может, и жизни вообще поражает его своей тщетностью. Он идет к двери спальни и стучит. По ту сторону двери дырявая волынка издает предсмертный хрип всеми своими трубками.

Комната имеет такой же спартанский вид и так же опрятна, как хижина Герца Шемеца, довершает убранство шахматная доска. Ни телевизора. Ни радио. Просто стул, да книжная полка, да раскладушка в углу. Стальная штора, достигающая пола, бренчит под ветром с пролива. Литвак сидит на раскладушке, колени сжаты, на коленях открытая книжка, и цедит из баночки через соломинку какой-то питательный коктейль. Когда Бина и Ландсман входят, он ставит банку на полку рядом с крапчатым блокнотом. Он закладывает страницу ленточкой и закрывает книгу. Ландсман видит, что это старая, в твердом переплете книга Тарраша — возможно, «Триста шахматных партий». Потом Литвак поднимает взгляд. Глаза его — две тусклые монеты.

В лице только впадины и углы, комментарии на желтой коже черепа. Он выжидает, словно они пришли показать ему
карточный фокус. На лице его непростое выражение — как
у дедушки, готового разочароваться и притвориться удив-
ленным.

— Я Бина Гельбфиш. А Мейера Ландсмана вы знаете.

Я и тебя знаю, говорят глаза старика.

— Рав Литвак не говорит, — поясняет Голд. — У него
перебиты связки.

— Понимаю, — говорит Бина.

Она измеряет разрушения, произведенные временем,
травмами и медициной, в человеке, с которым семнадцать-
восемнадцать лет тому назад она отплясывала румбу на
свадьбе двоюродной сестры Ландсмана Шифры Шейн-
фельд. Напористая леди-шамес на время уступает место
другой Бине, но не исчезает насовсем. Она никогда не исчезает насовсем. Прячет свои дерзкие повадки, так сказать,
в расстегнутой кобуре, держит наготове со спущенным
предохранителем, поигрывая пальцами свободной руки на
бедре.

— Господин Литвак, вот этот детектив рассказывает
мне про вас какие-то дикие истории.

Литвак дотягивается до блокнота, на котором наис-
кось лежит скользкая, цвета эбенового дерева сигара — ав-
торучка «Уотерман». Он открывает блокнот одной рукой
на колене, изучая Бину, будто шахматную доску в клубе
«Эйнштейн». Пока он обдумывает дебют, в голову ему приходит двадцать вариантов, девятнадцать из них он отвергает. Он отвинчивает колпачок ручки. Осталась последняя
страница. Пишет:

Вы же не любите дикие истории

— Да, господин Литвак. Не люблю. Это верно. Я в полиции уже много лет, но могу пересчитать по пальцам одной руки те случаи, когда чьи-то дикие истории оправды-
вались или приносили пользу.

*Не повезло вам трудно искать простые объяснения в ми-
ре полном евреев*

— Согласна.

Стало быть нелегкая доля быть еврейским полицейским

— Мне нравится, — искренне говорит Бина. — И я буду
скучать по этой работе, когда все закончится.

Литвак пожимает плечами, словно намекает, что он по-
сочувствовал бы ей, если бы умел. Его тяжелые глаза с по-
красневшими веками обращаются к двери, и одной поднятой бровью он формулирует вопрос Голду. Голд трясет головой. И снова оборачивается к телевизору.

— Я понимаю, что это нелегко, — говорит Бина. — Но
предположим, вы расскажете нам, что вы знаете о Менделе
Шпильмане, господин Литвак.

— И о Наоми Ландсман, — вставляет Ландсман.

*Если вы думаете, что я убил Менделя то вы заблуждае-
тесь как и он заблуждался*

— Я вообще ничего не думаю, — говорит Бина.

Счастливица

— Это мой дар.

Литвак смотрит на часы и издает надтреснутый звук,
который Ландсман воспринимает как болезненный вздох.
Литвак щелкает пальцами и, когда Голд поворачивается,
взмахивает исписанным блокнотом. Голд уходит в другую
комнату и возвращается с новым блокнотом. Он несет его
через комнату и вручает Литваку, а взглядом предлагает
избавиться от назойливых посетителей любым из многочис-
ленных интересных способов. Литвак машет рукой, чтоб
мальчик убрался, гоня его к двери. Потом он подвигается
и похлопывает по месту рядом с собой. Бина расстегивает
парку и садится. Ландсман подтаскивает гнутый стул. Литвак открывает блокнот на первой чистой странице.

Каждый Мошиах обречен в ту же минуту, пишет Литвак, *когда попытается спасти себя*

39

У них был, разумеется, собственный пилот, и отличный, — кубинский ветеран по имени Фрум, выполнявший рейсы из Ситки. Фрум служил под началом Литвака в Матанзасе и во время кровавого разгрома при Сантьяго. Верный и начисто лишенный веры во что бы то ни было — комбинация качеств, особенно ценимая Литваком, которому вечно приходилось сталкиваться с вероломством верующих, иногда добровольным. Пилот Фрум верил только в то, что сообщала ему приборная панель. Он был трезв, педантичен, компетентен, спокоен, надежен. Когда он выгрузил рекрутов в Перил-Стрейте, ребята покинули самолет Фрума с чувством, что именно такими солдатами они хотят стать.

Пошлите Фрума, написал Литвак, получив от руководителя проекта мистера Кэшдоллара весть о чудесном отёле в Орегоне. Фрум вылетел во вторник. А в среду — верующие ни за что бы не поверили, что это могло быть случайным совпадением, — в среду Мендель Шпильман, спотыкаясь, вошел в бухбиндеровскую кунсткамеру чудес света на седьмом этаже гостиницы «Блэкпул» и сообщил, что у него почти закончились благословения и последнее он готов истратить на себя самого. Но пилот Фрум уже был за тысячу миль от Ситки, на ранчо вблизи Корвалисса, где Флиглер и Кэшдоллар, прилетевшие из Вашингтона, мучительно торговались со скотоводом, что вывел священное рыжее животное. Имелись, конечно, и другие пилоты, способные переправить Шпильмана в Перил-Стрейт, но все они были чужаки или новообращенные. Чужаку верить нельзя никогда, и Литвак был обеспокоен, что Шпильман может разочаровать юного неофита и тот начнет трепать языком почем зря. Согласно оценке доктора Бухбиндера, Шпильман находился в крайне неустойчивом состоянии. Он был то возбужден и раздражителен, то вял и апатичен и весил всего пятьдесят пять килограммов. Нипочем не скажешь, что это цадик ха-дор.

На скорую руку Литваку ничего не оставалось, как вспомнить о единственном пилоте — также ни во что не верящем, благоразумном и надежном и к тому же связанном с Литваком древними узами, на которые он и решился возложить свои надежды.

Поначалу он пытался стереть из своих мыслей это имя, но оно возвращалось. Его тревожило, что из-за своих колебаний они снова потеряют Шпильмана, — уже дважды аид нарушил обещание искать помощи у Робоя в Перил-Стрейте. Так что Литвак приказал найти своего неверующего и надежного летчика и предложить ему работу. Она согласилась, затребовав с Литвака на тысячу долларов больше, чем тот намеревался заплатить.

— Женщина, — сказал доктор, двигая ладью со стороны ферзя; сей ход, с точки зрения Литвака, не давал никаких преимуществ.

Доктор Робой, по наблюдениям Литвака, имел слабость, общую с верующими, — сплошная стратегия и никакой тактики. Он делал ход ради самого хода, слишком концентрируясь на цели, не беспокоясь о последствиях.

— Здесь, — добавил доктор. — В таком месте.

Они сидели в кабинете на втором этаже главного корпуса, с видом на пролив, и на разношерстное индейское поселение с его неводами и растрескавшимся настилом на берегу, и на выступающую полосу новенького причала для гидропланов. Кабинет принадлежал Робою, в углу стоял стол для Мойше Флиглера, когда он забегал в кабинет и его удавалось усадить за стол. Альтер Литвак предпочитал обходиться без лишней роскоши — рабочего стола, кабинета, дома. Он спал в комнатах для гостей, гаражах, на чьих-то диванах. Рабочим столом ему служил стол кухонный, а кабинетом — тренировочная площадка, или шахматный клуб «Эйнштейн», или задняя комната в Институте Мориа.

Мало кто из здешних мужчин мог бы тягаться с ней в мужестве, написал Литвак в блокноте, *давно надо было нанять ее*

Он вынудил противника на размен слонов, пробив брешь в центре белых, и теперь видел явную возможность мата в четыре хода в двух вариантах. Перспектива победы оказалась утомительной. Наверное, думал он, шахматы всегда были ему безразличны. Он взял ручку и записал оскорбление, хотя за пять лет убедился, что Робоя невозможно вывести из себя.

Будь у нас сотня таких как она я сейчас добивал бы тебя на террасе с видом на гору Елеонскую

— Гм... — произнес доктор Робой, перекатывая пешку в руке и глядя в лицо Литвака, а Литвак глядел в небеса.

Доктор Робой сидел спиной к окну, тень его темными круглыми скобками замыкала шахматную доску, вытянутое лицо доктора обмякло в усилиях предвидеть свое ближайшее мрачное шахматное будущее. Позади него закатное небо окрасилось в цвета мармелада и дыма. На фоне заката морщинились горы, зеленые и фиолетовые складки казались черными, голубые расщелины сверкали белым снегом. На юго-западе всходила ранняя полная Луна, остро очерченная и мрачная, словно черно-белая фотография самой себя, приклеенная к небу.

— Каждый раз, когда вы смотрите в окно, — сказал Робой, — я думаю, что они уже здесь. Перестаньте, прошу вас.
Вы меня нервируете.

Он положил своего короля, отодвинулся от доски и рас-
правил свое величественное тело богомола, сустав за суставом.

— Больше не могу играть. Извините. Вы выиграли.
Я слишком взвинчен.

Он начал ходить по кабинету взад-вперед.

Я не понимаю почему вы обеспокоены работа ведь легкая

— Вы уверены?

*Он должен спасти Израиль а вам надо всего-навсего спас-
ти его*

Робой перестал сновать и уставился на Литвака, который отложил ручку и собрался уложить фигурки в коробку
из клена.

— Триста парней готовы идти за ним и умереть, — раз-
дражительно сказал Робой. — Тридцать тысяч вербовцев
поставят жизнь и состояние на этого человека. Выкорчевав
свои дома и рискуя семьями. Если и другие пойдут за ним,
то мы говорим о миллионах. И я рад, что вы способны шутить по этому поводу. Рад, что вы безмятежно глядите в окно и созерцаете небо, зная, что он наконец уже в пути.

Литвак перестал укладывать шахматные фигурки и снова выглянул в окно. Бакланы, чайки, дюжина причудливых
вариаций обычной утки, не имеющих названия на идише.
В любой момент каждая из них, расправив крылья на фоне
заката, могла показаться легкомоторным самолетом, низко
летящим с юго-запада. Литвак тоже нервничал, глядя на
небо.

Но их предприятие по определению вряд ли привлекло бы людей, умеющих ждать.

Я надеюсь, что он ц-х-д искренне надеюсь

— Нет, вы не надеетесь, — сказал Робой. — Это ложь.
Вы всё делаете ради ставок, азарта. Ради игры.

После аварии, отнявшей у Литвака жену и голос, именно доктор Рудольф Бухбиндер, сумасшедший дантист с улицы Ибн Эзры, восстановил ему челюсть, возродил ее кирпичную кладку в акриле и титане. И когда оказалось, что Литвак не может обходиться без болеутоляющего, именно Бухбиндер отправил его на лечение к старому своему другу доктору Максу Робою. Через много лет, когда Кэшдоллар искал в Ситке человека, который помог бы осуществить божественную миссию президента Америки, Литвак сразу подумал о Бухбиндере и Робое.

Однако потребовалась уйма времени, не говоря уж о всей литваковской хуцпе до последней капли, чтобы включить в этот план Гескеля Шпильмана. Бесконечные пилпулы и пререкания через Баронштейна. Упорное сопротивление кадровых минюстовцев, которые рассматривали Шпильмана и Литвака, и справедливо, как главаря мафии и наемного убийцу соответственно. Наконец после месяцев ложных тревог и отмен в банях на Рингельблюм-авеню состоялась встреча с важным человеком.

Утро вторника, снег петляет слякотными спиралями, четыре дюйма свежевыпавшего снега на земле. Слишком свежего, слишком раннего для снегоочистителей. На углу Рингельблюм и Глатштейна продавец каштанов. Снег лежит на его красном зонтике, жаровня шипит и шкварчит, параллельные колеи колес его повозки очерчивают размазню его следов. Так тихо, что можно расслышать позвякивание часового механизма в светофоре или вибрацию пейджера на бедре бандита у двери. Одного из пары вооруженных бандитов, крупных рыжих медведей, специально натасканных оберегать тело вербовского ребе.

Когда быки Рудашевские пропускают Литвака в двери, ведут по бетонным ступенькам, покрытым защитными виниловыми ковриками, вниз шахтой коридора к входу в бани, сквозь кулаки их физиономий сочится неясный свет. Озорство, жалость, проблеск проказника, мучителя, жреца, готового снять покров с бога-людоеда. Что касается древнего русского кассира в стальной клетке и дюжего банщика в бункере сложенных белых полотенец, то эти аиды вообще безглазы, насколько известно Литваку. Они держат лица долу, ослепленные страхом и благоразумием. Их вообще здесь нет, они где-то еще: пьют кофе в «Поляр-Штерне», лежат дома в кроватях рядом с женами. Бани еще даже не открыты в этот час. Тут нет никого, вообще никого, и банщик, протянувший Литваку через стойку пару ветхих полотенец, — это привидение, вручающее саван покойнику.

Литвак разделся и повесил одежду на два свинцовых крюка. На него уже дохнуло банным приливом — хлор, подмышки и терпкие соляные испарения, правда с другой стороны; такой же дух квашни мог бы долететь из какой-нибудь подвальной фабрики по засолке огурцов. Даже если и было такое намерение, предложение раздеться не смогло бы ни ослабить старого наемника, ни испугать. Шрамы покрывали все его тело, некоторые из них были ужасны, и это производило эффект. Он услышал, как присвистнул один из Рудашевских, трудившихся в раздевалке. Тело Литвака напоминало пергамент, исчерченный письменами боли и жестокости, которые эти быки едва ли смогли бы даже поверхностно растолковать. Он достал блокнот из кармана куртки, уже висящей на крюке.

Нравится зрелище?

В попытке подобрать достойный ответ Рудашевские расходятся. Один кивает, другой мотает головой. Затем делают наоборот, к обоюдному неудовлетворению. Потом они сдаются и отсылают Литвака через затуманенную дверь в парную, на встречу с телом, которое охраняют.

Это тело, во всем ужасе и великолепии его, нагое, как огромное глазное яблоко в красных прожилках без глазницы. Литвак однажды уже видел его, много лет назад, увенчанное мягкой шляпой, плотно спеленатое, словно кокон сигары «Пинар-дель-Рио», в тесное черное пальто, полы которого бились об изысканные черные сапоги. Сейчас тело это вздымалось из пара, валун мокрого известняка, покрытый черным лишайником. Литваку почудилось, что сам он — заблудившийся в тумане аэроплан, в восходящем потоке пытающийся разминуться с нежданной горой на пути. Чрево беременно тройней слонят, груди полные и свисают, каждая увенчана розовой чечевицей соска. Бедра — огромные ручной выделки мраморные батоны халвы. Между ними в тени теряется толстый валик серовато-красного мяса.

Литвак опустил неизолированную арматуру своего остова на горячую шахматную доску из кафельных плиток напротив ребе. В тот раз, когда Литвак прошел мимо Шпильмана на улице, глаза этого человека находились в границах тени, отброшенной солнечными часами его широкополой шляпы. Сейчас они сфокусировались на Литваке, на его изувеченном теле. Это добрые глаза, подумал Литвак, или глаза, обученные хозяином, как применять доброту. Они читали шрамы Литвака, сморщенную пурпурную ротовину на правом плече, рубцы красноватого велюра на бедре, ямку на левой голени, достаточно глубокую, чтобы вместить унцию джина. Глаза сулили сочувствие, уважение, даже благодарность. Война на Кубе прославилась тщетностью, жестокостью и бессмысленными потерями. Ее ветеранов по возвращении сторонились. Никому не предложили ни прощения, ни понимания, ни шанса на исцеление. Гескель Шпильман обещал Литваку и его ободранной войной шкуре и то, и другое, и третье.

— Природу ваших затруднений, — сказал ребе, — мне объяснили, как и суть вашего предложения.

Его девичий голосок, приглушенный паром и кафельными плитками, казалось, исходил откуда угодно, только не из барабана шпильмановской грудной клетки.

— Я вижу, что вы захватили блокнот и ручку, несмотря на мои ясные инструкции, чтобы при вас ничего не было.

Литвак отложил преступные предметы, украшенные бисером пара. Страницы блокнота уже коробились, становились мятыми на ощупь.

— Они вам не понадобятся.

Птицы рук Шпильмана устроились на скале его чрева, и он закрыл глаза, лишив Литвака их сочувствия, настоящего или притворного, оставив его поджариваться в пару на минуту или две. Литвак ненавидел швиц. Но эта достопримечательность старого Гаркави, извечная и убогая, была единственным местом, где вербовский ребе мог обтяпать личное дельце, вдалеке от своего двора, от своих габаев, от своего мира.

— Я не планирую востребовать от вас дальнейших разъяснений или ответов, — пояснил ребе.

Литвак кивнул и приготовился встать. Разум подсказывал ему, что Шпильман не озаботился бы призвать его к этой беседе нагишом тет-а-тет, если бы планировал отвергнуть предложение Литвака. Но в глубине души Литвак чувствовал, что все предприятие обречено и что Шпильман позвал его на Рингельблюм-авеню, чтобы отказать ему лично, во всем слоновьем величии своем.

— Хочу, чтобы вы знали, господин Литвак: я много раздумывал над вашим предложением. И пытался рассматривать его логику под всеми углами.

Начнем с наших южных друзей. Достаточно просто было бы понять их желание чего-то, какого-то осязаемого преимущества или ресурса... нефти, например. Или если бы ими двигали чисто стратегические намерения касательно России или Персии. В обоих случаях они, очевидно, в нас не нуждаются. С какими трудностями они бы ни встретились при покорении Святой земли, наше физическое присутствие, наша готовность сражаться, наше оружие особо не повлияют на их военные планы. Я изучал их заявления о поддержке евреев в Палестине, их теологию, насколько это возможно, на основании донесений рава Баронштейна и пытался сформулировать суждение об этих язычниках и их целях. И единственное, что я могу сказать: когда они говорят, что хотели бы видеть восстановление в Иерусалиме власти евреев, они не лгут. Их доводы, их так называемые пророчества и апокрифы, на которых они при этом основываются, поразительно смехотворны. Омерзительны даже. Мне жаль этих язычников за их детскую веру в неминуемое возвращение того, кто изначально никуда не уходил, не говоря о том, что и не приходил. Но я вполне уверен, что они, в свою очередь, жалеют нас, нашего собственного запоздавшего Мошиаха. Как основанием для партнерства взаимной жалостью пренебрегать не стоит.

Что касается вашего подхода к этой проблеме, то все просто, так ведь? Вы наемник. Вы наслаждаетесь сложностью и ответственностью полководства. Я это понимаю. Действительно понимаю. Вам нравится воевать, и вам нравится убийство, если убитые — не ваши люди. И смею сказать, после всех этих лет с Шемецем — и сейчас, на вольных хлебах, — вы все еще по привычке как будто стараетесь ублажить американцев.

Ибо вербовским это грозит большими неприятностями. Вся наша община может потеряться в этой авантюре. Исчезнуть с лица земли за несколько дней, если ваша армия не будет готова или попросту, и это не кажется мне маловероятным, окажется малочисленна. Но если мы тут останемся, что ж, нам тоже конец. Разлетимся на все четыре стороны. Наши друзья на юге недвусмысленны на этот счет. Это и есть кнут. Возвращение — как огонь в заднице, да? Возрожденный Иерусалим — как ведро со льдом. Кое-кто из нашей молодежи призывает оставаться и бороться, мол, пусть только попробуют нас сковырнуть. Но это безумие.

С другой стороны, если мы придем к согласию и вы преуспеете, тогда мы достигнем этого бесценного сокровища — я имею в виду Сион, конечно, — ибо простая мысль о нем отворяет в моей душе давно закрытое шторами окно. И я вынужден заслонять глаза при виде его сияния.

Он прижал кисть левой руки к глазам тыльной стороной. Тонкое обручальное кольцо тонуло меж фаланг его пальца, словно лезвие топора, поглощенное древесной плотью. Литвак почувствовал, как у него что-то пульсирует в горле, большой палец, снова и снова щиплющий басовую струну арфы. Головокружение. Ощущение, что у него раздуваются руки и ноги, будто воздушные шары. Это все жар, наверное, подумал он и несколько раз робко и коротко вдохнул плотный, обжигающий воздух.

— Я ослеплен этим видением, — сказал ребе. — Может, так же ослеплен, как евангелисты, но только на свой лад. Так драгоценно это сокровище. Так неизмеримо нежно.

Нет. Это не жар или не только жар и ядреность швица заставляли барабанить пульс Литвака и кружили ему голову. Он уверился в мудрости своего нюха — Шпильман готов был отвергнуть его предложение. Но с приближением вероятного отказа новые возможности начинали кружить ему голову, курсировать в нем. Это было упоение ослепительного хода.

— Но этого по-прежнему недостаточно, — говорил ребе. — Я в ожидании Мошиаха, я жду его так страстно, как ничего другого не ждал в этом мире. — Он встал, и его брюхо пролилось на бедра и пах, словно пеной кипящее молоко через кромку кастрюли. — Но я боюсь. Боюсь неудачи. Боюсь поражения аидов и абсолютного уничтожения всего, над чем мы трудились все эти шестьдесят лет. В конце войны осталось всего одиннадцать вербовских, Литвак. Одиннадцать. Я обещал отцу моей жены, когда он лежал на смертном ложе, что впредь никогда не допущу подобного истребления.

И наконец, честное слово, я боюсь, что все это окажется дурацкой затеей. Существуют многочисленные и убедительные учения, отвергающие действия, которые могут подстегнуть приход Мошиаха. Иеремия порицает подобные действия. Как и Проклятие Соломона. Да, конечно, я хочу видеть моих аидов в новых домах, обеспеченными финансовой поддержкой из Соединенных Штатов, предложениями о помощи, доступом ко всем невообразимо огромным новым рынкам, который откроется в результате успеха вашей операции. И я жажду прихода Мошиаха так же сильно, как жажду окунуться в воду после этого жара, окунуться в холодные темные воды миквы в соседней комнате. Но, и пусть Г-дь простит мне эти слова, я боюсь. Так боюсь, что мне недостаточно вкуса Мошиаха на устах моих. И я могу сказать все это тем людям в Вашингтоне. Сказать им, что вербовский ребе боится. — Идея этого страха, казалось, заворожила его своей новизной, как подростка, думающего о смерти, или как шлюху, возмечтавшую о чистой любви. — Что?

Литвак поднял указательный палец правой руки. Он мог предложить ребе еще кое-что. Еще один пункт контракта. Он понятия не имел, как донести это предложение и возможно ли вообще его донести. Но когда ребе приготовился повернуться спиной к Иерусалиму и замысловатой огромности планов, которые Литвак готовил месяцами, он почувствовал, как оно оформилось в нем, словно особенно удачный шахматный ход, отмеченный двумя восклицательными знаками. Он стал наспех открывать блокнот. Он нацарапал два слова на первом чистом листе, но в спешке и панике нажал слишком сильно, и перо прорвало влажную бумагу.

— Что там? — спросил Шпильман. — У вас есть еще что предложить?

Литвак кивнул, один раз, второй.

— Что-то большее, чем Сион? Мошиах? Дом, богатство?

Литвак встал и потопал по кафельному полу, пока не дошел до ребе. Голые люди, несущие истории своих изуродованных тел. Каждый из них по-своему обездолен, одинок. Литвак протянул руку и, с силой и вдохновением этих одиночеств, кончиком пальца накорябал два слова на запотевшем белом квадрате плитки.

Ребе прочел их и поднял голову, а слова покрылись бусинами влаги и исчезли.

— Мой сын, — произнес ребе.

Это больше чем игра, написал Литвак, теперь уже сидя в кабинете в Перил-Стрейте, когда он и Робой ожидали прибытия этого заблудшего и неискупленного сына. *Я скорее буду сражаться за награду пусть сомнительную чем ждать какими объедками меня накормят*

— Полагаю, что тут где-то есть некое кредо, — сказал Робой. — Может, найдется и надежда для вас.

В ответ на снабжение людьми, Мошиахом и финансами в объеме, который им и не снился, единственное, о чем Литвак когда-либо просил своих партнеров, клиентов, работников и помощников в этом предприятии, — чтобы они не ожидали от него веры в нонсенс, в который верили сами. Когда они видели плод Божественных желаний в новорожденном рыжем теленке, он видел продукт ценой в миллион долларов, заплаченных налогоплательщиками и потраченных тайно на бычью сперму и экстракорпоральное оплодотворение. В предстоящем сожжении этой маленькой рыжей коровы они видели очищение Израиля и исполнение обещания, данного тысячелетие тому. Литвак же видел по большей части необходимый ход в древней игре, где на кону — выживание евреев.

О так далеко я не загадываю

Раздался стук в дверь, и внутрь просунул голову Микки Вайнер.

— Пришел напомнить вам, сэр, — сказал он на приличном американском иврите.

Литвак невидяще смотрел на его розовое лицо с шелушащимися веками и младенчески пухлым подбородком.

— Пять минут до сумерек. Вы просили напомнить.

Литвак подошел к окну. Небо было исполосовано розовым, зеленым, искристо-серым, словно чешуя осетра. Вполне отчетливо можно было разглядеть над головой какую-то звезду или планету. Он благодарно кивнул Микки. Потом закрыл шахматную доску и накинул крючок.

— При чем тут сумерки? — встревожился Робой. Он обернулся к Микки Вайнеру. — Какой сегодня день?

Микки Вайнер пожал плечами — насколько он знал, по лунному календарю это был обычный день месяца нисана. Хотя его самого и его юных друзей тренировали верить в предопределенное восстановление библейского царства Иудеи и в предназначение Иерусалима быть вечной столицей иудеев, он, соблюдая традиции, не был ни строже, ни добродетельнее, чем остальные. Молодые американские евреи Перил-Стрейта отмечали основные праздники и по большей части постились, как предписано Законом. Они носили ермолки и талесы, а бороду стригли на армейский манер. Они избегали работы и тренировок в Шаббат, но не без исключений. После сорока лет воинской службы без мундира Литвак переваривал это спокойно. Даже пробудившись после аварии, когда ветер свистел в дыре, которую гибель Зоры оставила в его жизни, Альтер Литвак, жаждущий осмысления и терзаемый голодом осознания перед пустой чашкой и порожней тарелкой, не нашел себе места среди истинно верующих — к примеру, в обществе черных шляп. Более того, он их на дух не переносил и после встречи в банях свел контакты с вербовскими до минимума, пока они тайно готовили исход в Палестину воздушным путем.

День сегодня обычный, написал он, прежде чем спрятать блокнот в карман и выйти из комнаты. *Позвоните мне когда они прибудут*

У себя в комнате Литвак снял зубные протезы и со стуком игральной кости опустил их в стакан с водой. Он расшнуровал берцы и тяжело опустился на раскладушку. Когда бы он ни появлялся в Перил-Стрейте, он спал в этой комнатушке — на чертежах она значилась как чулан для инструментов — в конце коридора, где располагался кабинет Робоя. Он повесил одежду на дверной крюк, забросил ранец под раскладушку.

Он прижимал спину к холодной стене, к угольно-черному блоку, и смотрел на железную полку, на которой стоял стакан с протезом. В комнате не было окон, и Литвак воображал первую звезду. Вертлявую утку. Фотографию луны. Небо, медленно окрашивающееся в цвет оружейной стали. И самолет, приближающийся с юго-востока, несущий человека, который по плану Литвака будет и заключенным, и динамитом, башней и люком в полу, яблочком и стрелой.

Литвак медленно встал, застонав от боли. В бедренных суставах его стояли винты, и это было больно. Его колени приглушенно клацали, как педали старого пианино. В шарнирах его челюсти постоянно бренчала проволока. Он провел языком по пустотам рта и ощутил вкус гладкой замазки. Он привык к боли и ломоте в костях, но после аварии собственное тело казалось Литваку чужим. Его как будто сбили-сколотили из запасных частей, ему не принадлежащих. Насаженный на шест сколоченный из щепок скворечник, в котором билась его душа, летучая мышь-изгнанница. Как всякий еврей, он был рожден в неподходящем мире, в неподходящей стране, в неподходящее время, а теперь он жил в неподходящем теле. В конце концов, именно это чувство неуместности, этот кулак в еврейском чреве и понуждали Альтера Литвака вести этих евреев, поставивших его своим генералом.

Он подошел к железной полке, привинченной к стене под воображаемым окном. Рядом со стаканом, содержащим доказательство гения Бухбиндера, стоял другой стакан. Тот, в котором содержалось несколько унций парафина, затвердевшего вокруг куска белой бечевки. Литвак купил эту свечу в лавке почти через год после смерти жены с намерением зажечь в годовщину ее смерти. Теперь, когда прошло уже много годовщин, Литвак завел собственную причудливую традицию. Каждый год он доставал йорцайт-свечку и смотрел на нее, обдумывая, не зажечь ли. Он воображал слабое колебание пламени. Он воображал, как лежит во мраке при плещущем свете поминальной свечи над головой, при свете, разбрасывающем алфавит теней на потолке комнатушки.

Он вообразил стакан пустым: после двадцати четырех часов фитиль вберет в себя весь парафин, и металлическая крышечка утонет на дне в остатке воска. И после этого... но здесь воображение уже отказывало. Литвак порылся в карманах костюмных брюк, ища зажигалку, просто пытаясь понять, сможет ли он заставить себя это сделать. Каково это — сжечь последнюю память о жене? Стальная зажигалка «Зиппо» с десантной эмблемой с одной стороны (черная гравировка местами стерлась) и с глубокой вмятиной с другой, там, где зажигалка воспрепятствовала какому-то обломку машины, или дорожного покрытия, или черемухового дерева пронзить литваковское сердце. Литвак бросил курить, бросил из-за горла. Зажигалка оставалась как привычка, знак благодарности за его живучесть, иронический амулет, никогда не покидавший бокового кармана брюк. Но сейчас ее нигде не было. Он мысленно прошел по всему дню, добрался до утра, когда он обычно совал зажигалку в карман брюк. А сегодня утром? Он совершенно не помнил, как этим утром прятал «Зиппо» в карман или как выкладывал на железную полку вчера вечером, когда шел спать. Может, он не обращал на нее внимания уже много дней. Она могла остаться в Ситке, в комнате в конце коридора гостиницы «Блэкпул». Да где угодно. Литвак опустился на корточки, вытянул ранец из-под раскладушки и с бьющимся сердцем обшарил его. И спичек нет. Только свеча в стакане для сока и человек, который не знает, как ее зажечь, даже если будет чем. Литвак обернулся к двери, как только услышал чьи-то шаги. Тихий стук. Он сунул йорцайт-свечку в карман куртки.

— Рав Литвак... Они здесь, сэр, — сообщил Микки Вайнер.

Литвак вставил протез в рот и заправил рубашку.

Всем разойтись по казармам Я не хочу чтобы его видели

— Он не готов, — сказал Микки Вайнер, чуть сомневаясь, желая, чтобы его убедили.

Он не был в курсе, он никогда не видел Менделя Шпильмана. Он только слышал давние истории о чудесах, творимых мальчиком, и, возможно, улавливал затхлый душок, который иногда витал в воздухе при упоминании его имени.

Он нездоров но мы его исцелим

Вера евреев Перил-Стрейта, включая Микки Вайнера, в то, что Мендель Шпильман и есть цадик ха-дор, не являлась частью их доктрины или залогом успеха Литвакова плана. Когда Мошиах действительно приходит, добра от того нет никому. Надежда сбывшаяся — уже наполовину разочарование.

— Мы понимаем, что он просто человек, — почтительно сказал Микки Вайнер. — Мы все это знаем, рав Литвак. Только человек, и ничего больше. А то, чем мы тут занимаемся, — больше чем любой человек.

Да не о человеке я пекусь, написал Литвак, *всем в казармы*.

Стоя на гидропланном причале и глядя на то, как Наоми Ландсман помогает Менделю Шпильману выбраться
из кабины на помост, Литвак думал, что, если бы он хорошо не знал обоих, можно было бы принять их за давних
любовников. В том, как она бесцеремонно схватила его за
локоть, как вытянула воротник его рубашки из-под лацка-
нов измятого пиджачишки в тонкую полоску, убрала лоскут целлофана с его волос. Она смотрела ему в лицо, только
ему в лицо, пока Шпильман всматривался в Робоя и Литвака. Она была нежна, как инженер, выискивающий трещины, признаки усталости в металле. Было невозможно
поверить, что они знакомы, насколько знал Литвак, не более трех часов. Три часа. И для нее этого было достаточно,
чтобы скрепить две судьбы.

— Добро пожаловать, — сказал доктор Робой, стоя за
инвалидной коляской.

Галстук доктора реял на ветру.

Голд и Тертельтойб, парнишка из Ситки, спрыгнули
с самолета на помост. Под грузным Тертельтойбом помост
зазвенел, будто мобильник захлопнулся. Вода отдавала по-
моями. А воздух — гнилыми неводами и солоноватыми лу-
жами на днищах ветхих лодок. Уже было почти темно, и
все присутствующие казались мутно-зелеными в мерцании
воды у опор причала, все, кроме Шпильмана, белого, как
перышко, как пустота.

— Искренне рады вам, — добавил доктор.

— Незачем было посылать самолет, — сказал Шпильман. Голос у него был насмешливый, драматический, дик-
ция хорошо поставлена, с низким, мягким пульсирующим
тембром многострадальной Украины. — Я и сам в состоянии летать.

— Да, однако...

— Рентгеновское зрение. Пуленепробиваемость. Вся
прочая лабуда. Для кого эта коляска, для меня?

Он опустил руки по швам, поставил ступни вместе и медленно оглядел себя с ног до головы, готовый ужаснуться зрелищу. Мешковатый костюм в тонкую полоску, отсутствие головного убора, плохо повязанный галстук, одна пола рубашки выбилась, что-то подростковое в его неукротимых рыжих волосах. Невозможно было усмотреть в этом изящном, хрупком скелете, в этом сонном лице хоть что-то общее с монструозным отцом. Или разве чуть-чуть — вокруг глаз. Шпильман повернулся к пилоту, притворяясь, что удивлен, даже оскорблен предположением, будто он дошел до такого состояния, когда необходима инвалидная коляска. Но Литвак видел: это он пытается скрыть, что и вправду удивлен и оскорблен.

— Вы же сказали, что я выгляжу прекрасно, мисс Ландсман, — сказал Шпильман, поддразнивая ее, взывая к ней, умоляя ее.

— Ты выглядишь великолепно, малыш, — сообщила ему Ландсман. На ней были голубые джинсы, заправленные в высокие черные сапоги, мужская белая рубашка из вискозы, старая стрелковая куртка из запасов Главного полицейского управления Ситки, на кармане которой значилось «ЛАНДСМАН». — Просто сказочно.

— Ох, вы врете, врунья вы.

— А по мне, вы выглядите на все три тысячи пятьсот долларов, Шпильман, — сказала Ландсман не без нежности. — Может, на том и порешим?

— Мне не понадобится инвалидная коляска, доктор, — без упрека сказал Шпильман. — Но спасибо за заботу.

— Вы готовы, Мендель? — спросил Робой кротко и нравоучительно, как всегда.

— Мне нужно быть готовым? — осведомился Мендель. — Если я должен быть готов, нам бы стоило вернуться на пару-тройку недель назад.

Непроизвольные слова вырвались из горла Литвака, будто словесный смерч, порыв смешанного с песком возду-

ха. Ужасный звук, как если бы ком горящей резины плюхнулся в ведро со льдом.

— Тебе не нужно быть готовым, — сказал Литвак. —
Нужно просто быть здесь.

Все казались потрясенными, испуганными до ужаса, даже Голд, который мог бы беззаботно читать комикс при
свете горящего человека. Шпильман медленно повернулся, улыбка таилась в уголке рта, как у младенца, сидящего
на руках.

— Альтер Литвак, я полагаю, — сказал он, протягивая
руку и сердито глядя на Литвака, стараясь казаться суро-
вым и мужественным, словно посмеиваясь и над суровo-
стью, и над мужественностью, и над тем, что сам он почти
лишен и того и другого. — Вот же хватка, ой, просто кремень.

Рука у Менделя была мягкой, теплой, чуть влажной —
вечный школьник. Что-то в Литваке сопротивлялось этому — теплоте и мягкости ее. Он сам испугался птерозав-
рового эха своего голоса, испугался того, что вообще спo-
собен говорить. А еще его ужаснуло что-то в Менделе
Шпильмане, что-то в его пухлом лице, в его скверном костюме, в его улыбке вундеркинда и в его отважных попыт-
ках спрятать свой страх, — ужаснуло и побудило Литвака заговорить впервые за многие годы. Литвак знал, что
харизма реальна, хоть и не поддается объяснению, как хи-
мическое пламя, которым самовозгораются некоторые не-
счастные счастливчики. И что она аморальна, как всякий
огонь дарования, и не связана ни с добром, ни со злом, ни
с властью, ни с пользой или силой. Сжимая горячую руку
Шпильмана, Литвак лишний раз уверялся, как разумна
была его тактика. Если Робой сможет поднять Шпильмана
на ноги и заставить его жить снова, тогда Шпильман сможет вдохновить и повести за собой в поисках новой территории не просто несколько сот вооруженных верующих

или тридцать тысяч авантюристов в черных шляпах, но весь потерянный и скитающийся народ. План Литвака должен был сработать, поскольку в Менделе Шпильмане было нечто, заставившее человека без голоса заговорить. И этому нечто в Шпильмане противилось другое нечто — в самом Литваке, оно отрицало первое нечто, отвергало его. И Литваку хотелось раздавить эту руку школьника в своей, раздробить каждую ее косточку.

— Как делишки, аид? — спросила Литвака Ландсман. — Сколько зим.

Литвак кивнул и пожал ей руку. Он, как всегда, разрывался между естественным импульсом восхититься компетентным профессионалом и подозрениями, что она лесбиянка. А эту категорию людей он почти принципиально не понимал.

— Ну, тогда хорошо, — сказала она. Она все еще прижималась к Шпильману, и, когда ветер усилился, прижалась еще тесней, положила руку ему на плечо, притягивая к себе, обнимая. Скользнула взглядом по зеленоватым лицам мужчин, ждущих, чтобы она передала им ценный груз. — Тогда все с тобой будет в порядке?

Литвак написал что-то в блокноте и протянул его Робою.

— Уже поздно, — сказал Робой. — И темно. Давайте мы устроим вас на ночь.

Казалось, она несколько минут обдумывала, не отказаться ли от предложения. Потом кивнула.

— Отличная идея, — сказала она.

У основания длинной витой лестницы Шпильман остановился, прикидывая детали восхождения и разглядывая платформу подъемника, от которого отказался, и на него накатило явное сомнение по поводу всего, что с этой минуты от него ожидают. Он плюхнулся в инвалидную коляску с наигранным драматизмом.

— Суперплащ забыл дома, — сказал он.

Когда они достигли вершины, он остался в коляске и позволил Ландсман отвезти его в главный корпус. Трудности путешествия, или шаг, на который он отважился наконец, или понижение уровня героина в крови начали сказываться. Но когда они дошли до приготовленной для него комнаты на первом этаже — кровать, письменный стол, стул и прекрасные английские шахматы, — он собрался. Залез в карман помятого костюма и достал ярко-желтую коробку.

— Ну, я полагаю, должен последовать мазелтов? — сказал он, раздавая с полдюжины прекрасных на вид сигар «коиба».

Аромата сигар, даже нераскуренных, даже в трех футах от его ноздрей, было достаточно, чтобы нашептать Литваку обещание честно заслуженной передышки: чистые простыни, горячая вода, темнокожие женщины, отдохновение после жестоких битв.

— Мне говорили, — добавил Шпильман, — что будет девочка.

С минуту никто не понимал, о чем это он, а потом все нервно засмеялись, исключая Литвака и Тертельтойба, щеки которого окрасились в цвет борща.

Тертельтойб знал, как и каждый из них, что Шпильману не сообщат никаких деталей плана, включая и новорожденную телицу, пока Литвак не отдаст приказ.

Литвак выбил сигару из мягкой ладони Шпильмана. Он посмотрел на Тертельтойба, насупившись, почти не видя его через кроваво-красный борщ собственного гнева. Определенность, которую он ощущал на причале, уверенность, что Шпильман послужит их нуждам, неожиданно сошла на нет. Человек, подобный Шпильману, талант, как у Шпильмана, никогда никому не служит. Можно только служить этому дару, отринув все остальное, и первым слугой станет сам его обладатель. Неудивительно, что бедолага так долго прятался от своего дара.

Вон

Они прочли сообщение и потянулись один за другим из комнаты; последней ушла Ландсман — спросила, где ей спать, и, повернувшись к Менделю, сказала, что найдет его утром. В тот момент Литваку показалось, что она хочет устроить свидание, но он всегда считал ее лесбиянкой и потому не задумываясь отверг эту мысль. Ему и в голову не пришло, что эта еврейка, всегда готовая на авантюры, уже готовит дерзкий побег, которого сам Мендель еще даже не задумал. Ландсман, чиркнув спичкой, запалила сигару. И неторопливо ушла.

— Не сердитесь на парнишку, рав Литвак, — сказал Шпильман, когда они остались одни. — Люди всегда мне все рассказывают. Но полагаю, вы уже и сами заметили. Пожалуйста, возьмите сигару. Ну же. Это очень хорошая сигара.

Шпильман поднял «коибу», которую Литвак выбил у него из рук, и когда Литвак заколебался, аид поднес ее ко рту Литвака и осторожно просунул между губами. Там она и торчала, источая запахи соуса, и пробки, и мескитового дерева, благоухание влагалища, которые возбудили давние вожделения. Раздался щелчок, скрип, а потом Литвак заинтересованно подался вперед и окунул кончик сигары в пламя своей собственной зажигалки «Зиппо». И мгновенно оторопел от этого чуда. Потом ухмыльнулся, ощущая головокружительную легкость от запоздалого логического объяснения. Наверно, он оставил зажигалку в Ситке, где Голд или Тертельтойб нашел ее и забрал в самолет. Шпильман взял ее прикурить папиросу, ну и прикарманил по наркоманской повадке. Да, хороша сигара.

Та зашкварчала и вспыхнула. Когда Литвак поднял взгляд от мерцающего пепла, то увидел, что Шпильман пристально смотрит на него своими диковинными мозаичными глазами с искрами золотого и зеленого. Хороша, мысленно повторил Литвак. Очень хорошая сигара.

— Давайте-ка, — сказал Шпильман. Он положил зажигалку в ладонь Литвака и сжал ее. — Вперед, рав Литвак. Зажгите свечу. Не надо молитв. Вам ничего не надо делать или чувствовать. Просто зажгите ее. Давайте.

Пока логика вытекала из мироздания, чтобы никогда больше не вернуться во всей полноте, Шпильман засунул руку в карман куртки Литвака и достал стакан с воском и фитилем. Литвак не мог найти объяснения этому трюку. Он взял свечу из рук Шпильмана и поставил ее на стол. Провернул кремень царапинами на большом пальце. Он ощущал сильное тепло руки Шпильмана на плече. Кулак его сердца начал ослаблять хватку, как если бы уже пришел день, когда он ступил на порог дома, где ему и было суждено обитать. И это было потрясающее ощущение. Он открыл рот.

— Нет, — произнес он голосом, в котором, к его собственному удивлению, звучали человеческие нотки.

Он захлопнул колпачок зажигалки и оттолкнул руку Шпильмана с такой яростью, что Шпильман потерял равновесие, споткнулся и ударился головой о металлическую полку. Сила удара сотрясла свечу и сбросила, круша, на плитки пола. Стакан разбился на три части. Восковой цилиндр сломался пополам.

— Я не хочу, — прохрипел Литвак. — Я не готов.

Но когда он взглянул на Шпильмана, без сознания растянувшегося на полу с кровоточащим правым виском, он знал, что уже поздно.

40

Как раз когда Литвак кладет ручку, снаружи доносится грохот и возня: приглушенная ругань, звон стекла, пыхтение ветра, выдуваемого чьими-то легкими. Затем в комнату прогулочным шагом входит Берко. Под мышкой у него голова Голда цвета доброго ростбифа с кровью, а весь остальной Голд волочится где-то позади. Каблуки ганефа оставляют глубокие борозды в ковровом покрытии. Берко захлопывает дверь. Шолем в его руке, словно стрелка компаса, поворачивается к магнитному полюсу своего севера — Альтеру Литваку. Пятна крови Герца расплылись на охотничьей рубашке и джинсах Берко, словно материки на карте. Шляпу Берко заломил так, что на лице видны только лоб да белки глаз. Голова Голда пророчествует, словно оракул.

— Чтоб ты кровью просрался! — вещает Голд. — Чтоб тебя чирьями обкидало, как Иова!

Берко разворачивает пистолет — пусть изучит содержимое мозгов юного аида в их хрупком контейнере. Голд перестает трепыхаться, и зеница пистолета возобновляет инспекцию грудной клетки Альтера Литвака.

— Берко, что за дурдом? — спрашивает Ландсман.

Берко воздевает на Ландсмана взгляд, словно тяжкую ношу. Он открывает рот, закрывает, делает глубокий вдох.

Кажется, он хочет сообщить нечто очень важное — имя, заклинание, формулу, способную искривить поток времени или распустить житейские узлы. Или, может, он пытается не дать распуститься себе самому?

— Этот аид... — говорит он, а затем продолжает с мягкой хрипотцой в голосе: — Моя мамочка...

Ландсману доводилось видеть фотографии Лори-Джо Медведицы. Ему удалось выцарапать из памяти копну черных волос, розоватые стекла очков, хитрую улыбку. Но эта женщина даже не призрак для него. Раньше Берко рассказывал о своей индейской жизни. Баскетбол, тюленья охота, пьянки, дядья, рассказы про Вилли Дика и отрезанном человеческом ухе на столе. Но Ландсман не мог припомнить ни одной истории о матери Берко. Наверное, он всегда знал: такова была своеобразная плата Еврейского Медведя за то, что вывернулся наизнанку, за этот своего рода подвиг забвения. Просто он никогда не удосуживался считать это утратой. Недостаток воображения — грех для шамеса еще более тяжкий, чем сунуться в бандитское логово без прикрытия. Или тот же грех, но в другом обличье.

— Кто б сомневался. — Ландсман делает шаг к напарнику. — На такую сволочь и пули не жаль.

— У тебя двое мальчишек, Берко, — произносит Бина ровнейшим тоном. — И Эстер-Малке. И будущее, которое нельзя выбрасывать псу под хвост.

— Нет у него, — говорит Голд, вернее, пытается сказать.

Берко усиливает зажим, и Голд хрипит, пытаясь вывернуться, скребет ногами по полу, не в силах нащупать опору. Литвак что-то шкрябает на обложке блокнота, не отрывая взгляда от Берко.

— Что? — переспрашивает Берко. — Что он сказал?

Нет здесь никакого будущего для евреев

— Ага, ага. Мы это уже уяснили, — говорит Ландсман и вырывает ручку и блокнот из рук Литвака.

Он переворачивает последнюю страницу блокнота и пишет на американском:

не будь идиотом! не делай как я!

Вырывает листок и швыряет блокнот и ручку Литваку. Затем подносит листок к самому лицу Берко, чтобы напарник мог прочесть надпись. Это весьма убедительный аргумент, и Берко отпускает Голда как раз в тот момент, когда аид уже синеет. Голд падает на пол, хватая воздух ртом. Берко взмахивает пистолетом:

— Он убил твою сестру, Мейер?

— Не знаю, Берко, он это или нет. — Ландсман поворачивается к Литваку. — Это ты ее убил?

Литвак трясет головой и начинает что-то черкать в блокноте, но не успевает дописать. Из соседней комнаты доносится вопль радости. Искренний, самоуверенный клич юнцов, увидевших по телевизору нечто замечательное. Гол в ворота. Девушку, потерявшую лифчик в разгар игры в пляжный волейбол. Мгновение спустя Ландсман слышит эхо этого вопля, оно доносится сквозь отворенное окно пентхауса словно ветер, прилетевший издалека — из Нахтазиля, из Гаркави. Литвак улыбается и бросает блокнот и ручку, как будто ему больше нечего сказать. Как будто все его признания вели к этому единственному моменту и стали возможными только благодаря ему. Голд ползет к двери, цепляется за ручку, поднимается на ноги и выпадает в соседнюю комнату. Бина подходит к Берко, протягивает к нему руку ладонью вверх, и Берко немедленно кладет на эту ладонь пистолет.

В передней комнате пентхауса юные верующие обнимаются и выпрыгивают из штанов, роняя ермолки с макушек. Лица их блестят от слез.

На огромном телеэкране Ландсман в первый раз видит картинку, которая вскоре появится на передовицах газет всего мира. По всему городу праведные руки вырежут изоб-

ражение из газеты и наклеят на двери и окна. Вставят его
в рамку и повесят за прилавками своих магазинов. Какие-
то ушлые деляги, конечно же, не преминут сварганить из
него плакат два фута на три. Склон горы в Иерусалиме,
с улочками и домиками на нем. Широкая плоская, как
стол, каменистая вершина. Оскаленные челюсти с обуглен-
ными зубами. Величественный султан черного дыма. И по-
низу синими буквами подпись «Наконец!». В киосках плакаты будут продавать от десяти до двенадцати долларов
девяноста пяти центов за штуку.

— Милосердный б-же... Что они делают? Что они наде-
лали?

Многое ужасает Ландсмана в этом тслсвизионном изо-
ражении, но самое страшное то, что объект, который находится за восемь тысяч миль отсюда, подвергся воздейст-
вию евреев из Ситки. Это явное нарушение всех известных
Ландсману фундаментальных законов эмоциональной фи-
зики. Пространственно-временной континуум Ситки ис-
кривлен. Аид мог бы вытянуть руку в любом направлении
так далеко, как ему будет угодно, но в конце концов хлоп-
нет себя же самого по спине.

— А как же Мендель? — спрашивает Ландсман.

— Наверное, они слишком далеко зашли, чтобы остановиться. Видимо, просто двинулись вперед без него, — предполагает Бина.

Как это ни дико, но Ландсман почему-то чувствует оби-
ду за Менделя. Всё и вся отныне будет происходить без
него.

Еще несколько минут Бина, скрестив руки, с непроницаемым лицом наблюдает за беснующимся молодняком,
лишь в уголках ее глаз брезжит нечто. Выражение Бини-
ного лица напоминает Ландсману день помолвки, на которую их пригласили много лет тому назад, пригласила подруга Бины. Будущая невеста обручалась с мексиканцем,

и шутки ради вечеринку праздновали в духе Синко де Майо. На дерево во дворе подвесили пингвина-пиньяту из папье-маше. Детишкам завязали глаза и, вооружив палками, отправили колотить пингвина, пока тот не лопнет. Дети лупили пингвина с яростью дикарей, и конфеты посыпались сверху дождем. Это были дешевые леденцы, помадки да ириски в бумажных обертках, вроде тех, что завалялись в пыльных закоулках старой сумки двоюродной бабушки, но то, что они падали прямо с неба, привело детишек в неописуемый, дикий восторг. Тогда Бина тоже стояла и наблюдала за ними, скрестив руки на груди, и чуть заметные морщинки собрались в уголках ее глаз.

Она возвращает Берко его шолем и вытаскивает из кобуры собственный.

— Заткнитесь, все! — командует Бина на американском. — Заткнитесь, мать вашу!

Некоторые из юнцов, достав шойферы, пытаются кому-то дозвониться, но все в Ситке, похоже, пытаются кому-то дозвониться. Юнцы показывают друг другу телефонные дисплеи с сообщением об ошибке сети. Сеть перегружена. Бина подходит к телевизору и пинает шнур. Вилка выдергивается из розетки. Телевизор вздыхает.

Какое-то темное горючее, похоже, тут же вытекает из топливных баков молодчиков, едва гаснет экран телевизора.

— Вы арестованы, — мягко сообщает Бина, став центром внимания наконец. — Всем подойти и положить руки на стену. Мейер.

Ландсман обыскивает одного за другим, наклоняясь и приседая, словно портной, снимающий мерки. С шестерых у стены он собрал урожай из восьми пистолетов и двух весьма дорогих охотничьих ножей. Каждому обысканному он велит сесть на пол. У третьего по счету он находит ту самую «беретту», которую дал ему Берко перед отъездом в Якоби. Ландсман показывает ее Берко — пусть порадуется.

— Крошка моя! — говорит Берко, держа свой большой шолем на прежнем уровне.

После обыска трое юнцов сидят на диване, двое — в креслах, а один — на стуле, вытащенном из ниши в стене. В сидячем положении вид у них детский и растерянный. Недомерки, которых бросили. Они сидят с пылающими щеками, и все как один не сводят глаз с двери в комнату Литвака, будто ждут указаний. Дверь закрыта. Бина открывает ее, затем распахивает носком ботинка. Целых пять секунд она стоит, осматривая внутренность комнаты.

— Мейср. Берко.

На окне дребезжат жалюзи. Дверь в ванную нараспашку, в ванной темно. Альтер Литвак исчез. Они заглядывают в туалет. Заглядывают в душевую кабинку. Бина подходит к дребезжащей шторе и поднимает ее до конца. Раздвижная стеклянная дверь приоткрыта достаточно, чтобы пропустить непрошеного гостя или беглеца. Они выбираются на крышу и осматриваются. Обыскивают пространство за кондиционерами, за резервуаром с водой и под брезентом, прикрывающим гору складных стульев. Выглядывают за карниз. На парковке не видно силуэта Литвака, распластанного в лужицах машинного масла. Они возвращаются в пентхаус «Блэкпула».

Посреди раскладушки Литвака валяются ручка с блокнотом и покореженная латунная зажигалка «Зиппо». Ландсман берет блокнот, чтобы прочесть последнее послание, оставленное Литваком.

Я не убивал ее она была отличным парнем

— Они умыкнули его, — говорит Бина. — Суки. Его гадские дружки из американского спецназа.

Бина опрашивает тех, кто караулил у дверей гостиницы. Полицейские не заметили, чтобы кто-то выходил и вообще ничего необычного — никаких вояк в камуфляже, свесившихся на тросах из черных вертушек.

— Суки! — шипит она, на этот раз по-американски. — Библейские, мать их, выблядки, злоебучие янки.

— Фигасе, ну и словарь у вас, леди.

— Ага, вы бы того, полегче, притормозили бы, мэм.

Какие-то американцы в костюмах, их слишком много и они слишком скучены, чтобы Ландсман смог подсчитать их точное количество, человек, скажем, шесть, протиснулись в двери передней комнаты. Крупные, откормленные, рьяные. Один из них нацепил оливковый пыльник и извиняющуюся улыбочку под золотисто-белой шевелюрой. Ландсман с трудом узнает его без пингвиньего свитера.

— О'кей, а теперь, — произносит тот, кого, вероятно, зовут Кэшдоллар, — давайте-ка все по возможности возьмем себя в руки.

— ФБР, — предполагает Берко.

— Почти, — кивает Кэшдоллар.

41

Ландсмана двадцать четыре часа мурыжат в шуме и гаме белоснежной комнаты с молочно-белым ковровым покрытием на седьмом этаже Фсдсрального здания имени Гарольда Икеса на Сьюард-стрит.

Попарно шесть человек с разнообразными фамилиями обреченных моряков из кино про подводную лодку сменяют друг друга каждые четыре часа. Один черный и один латино, а остальные — подвижные розовые великаны с прическами, занимающими аккуратный промежуток между стрижками астронавтов и скаутских вожатых-педофилов. Жвачные мальчики-переростки с хорошими манерами и улыбками воспитанников воскресной школы. И в каждом Ландсман унюхивает дизельное сердце полицейского, но сбивает с толку обтекаемость их южного варварского обаяния. Несмотря на дымовую завесу резкостей, которые позволяет себе Ландсман, эти люди заставляют его чувствовать себя колымагой, старой двухтактной колотушкой.

Никто ему не угрожает и даже не пытается запугать. Каждый обращается к нему по званию, стараясь произносить его имя так, чтобы не обидеть. Когда Ландсман становится грубым, непочтительным или уклончивым, американцы изображают снисходительность и самообладание школьного учителя. Но когда Ландсман смеет выдать собственный вопрос, на него проливается сокрушительное молчание, подобно тысячам галлонов воды, сброшенным с самолета. Американцы умалчивают и о местонахождении детектива Шемеца или инспектора Гельбфиш, и о том, что с ними происходит. Им нечего сказать и о загадочном исчезновении Альтера Литвака, и, похоже, они никогда не слышали о Менделе Шпильмане или Наоми Ландсман. Они хотят узнать, что известно Ландсману об участии США в нападении на Куббат-ас-Сахру, о заказчиках, руководителях, исполнителях и жертвах этого нападения. Но не хотят, чтобы он узнал, что́ об этом известно им. Они так хорошо обучены этому искусству, что только в разгар второй смены Ландсман начинает соображать: американцы задают почти одну и ту же дюжину вопросов снова и снова, выворачивая их, перефразируя и подходя к ним с разных углов. Их вопросы — точь-в-точь основные ходы шести шахматных фигур, бесконечно переставляемых, пока число комбинаций не сравняется с количеством нейронов мозга.

В строго отмеренных перерывах Ландсману предоставляют ужасный кофе и набор с каждым разом все более черствых пирожных с абрикосовой или вишневой начинкой. Однажды его провожают в комнату отдыха и приглашают расположиться на диване. Кофе и пирожные чередуются в белоснежной комнате головы Ландсмана, пока он сжимает веки и притворяется спящим. Потом наступает время возврата к несмолкаемому белому звуку стен, слоистой поверхности стола, скрипу винила под задом.

— Детектив Ландсман.

Он открывает глаза и видит одуревший черный муар на коричневом фоне. Скула онемела от соприкосновения с поверхностью стола. Он поднимает голову, оставляя лужицу слюны. Липкая нить соединяет его губу со столешницей. Потом обрывается.

— Фу, — морщится Кэшдоллар.

Он вынимает пакетик гигиенических салфеток из правого кармана свитера и толчком отправляет его Ландсману мимо открытой коробки с пирожными. На Кэшдолларе новый кардиган, темно-золотой, с лацканами кофейно-коричневой замши, с кожаными пуговицами и кожаными заплатами на локтях. Он сидит выпрямившись на металлическом стуле, галстук завязан, щеки гладкие, голубые глаза смягчены приятными морщинками летчика-истребителя. Волосы золотые, как фольга на пачке «Бродвея». Он улыбается без энтузиазма или жестокости. Ландсман обтирает лицо, вытирает со стола слюну, которую он пустил, задремав.

— Вы голодны? Пить не хотите?

Ландсман не против стакана воды. Кэшдоллар лезет в левый карман кардигана и достает бутылочку минералки. Он толкает ее, и бутылочка катится к Ландсману. Кэшдоллар немолод, но что-то есть мальчишески серьезное в том, как он нацеливает бутылку и всем телом направляет ее. Ландсман откручивает крышечку и глотает. Вообще-то, он не любитель минеральной воды.

— Я раньше работал на одного человека, — говорит Кэшдоллар. — На человека, который руководил здесь до меня. У него имелось много милых словечек, которые он любил вставлять в разговор. Это, кстати, общая черта многих людей, которые занимаются нашим делом. Людей с армейским или бизнес-прошлым. Нам нравятся наши словечки. Шибболеты. Это на иврите, вы же знаете. Судьи, глава двенадцать. Вы точно не голодны? Я могу принести пакетик картофельных чипсов. Или китайского супа. Тут есть микроволновка.

— Нет, спасибо, — говорит Ландсман. — Итак. Шибболеты.

— Тот человек, до меня. Он говаривал: «Мы рассказываем истории, Кэшдоллар. Вот чем мы занимаемся».

Голос, которым он цитирует своего бывшего начальника, пониже и не такой простецкий, как его собственный чопорный петушиный тенор. Более солидный голос.

— «Расскажи им историю, Кэшдоллар. Бедным сосункам только того и нужно». Только он не говорил «сосунки».

— Люди, которые занимаются вашим делом? — переспрашивает Ландсман. — И что это значит? Поддерживают террористические атаки на мусульманские святыни? Затевают новые крестовые походы? Убивают невинных женщин, которые всегда только и делали, что летали на крохотных самолетах и время от времени пытались выручить кого-то, попавшего в передрягу. Стреляют в голову беззащитному наркоману? Простите меня, я забыл, что еще вы делаете, вы с вашими шибболетами?

— Во-первых, детектив, мы не имеем никакого отношения к смерти Менаше Шпильмана. — Он произносит еврейское имя как «Мэн-аши», на американский манер. — Я был потрясен и озадачен, как никто другой. Я никогда не встречал этого парня, но знаю, что личность он примечательная, с примечательными способностями, и что без него мы в крайне трудном положении. Как насчет сигареты? — Он достает открытую пачку «Уинстона». — Не упрямьтесь. Я знаю, что вы курильщик. Ну вот, так-то лучше. — Он достает коробок со спичками и подталкивает его Ландсману вместе с сигаретами. — Теперь о вашей сестре... нет, послушайте! Мне очень жаль вашу сестру. Нет, в самом деле. Я понимаю, что мои искренние соболезнования не стоят ломаного гроша, но примите их. Это мой предшественник принял неверное решение, тот парень, о котором я упоминал. И он за это поплатился. Не жизнью, конечно. — Кэшдоллар скалит свои широкие квадратные резцы. — Может, вы бы именно этого хотели. Но поплатился. Он ошибся. Он во многом ошибался. Вот в этом, скажем... Как мне ни жаль, но... — Он слегка покачал головой. — Но на самом деле не мы рассказываем эту историю.

— Да ну?

— Угу. История, детектив Ландсман, рассказывает нас. С самого начала. Мы — часть истории. Вы. Я.

Спичечный коробок родом из заведения в Вашингтоне, округ Колумбия, которое называлось «Морепродукты Хогейта», на углу Девятой и Мейн-авеню, что на юго-западе. Тот самый ресторан, если он правильно помнит историю, перед которым аляскинского делегата Энтони Даймонда, главного противника Закона о поселении, сбило такси, когда он преследовал выкатившуюся на улицу сдобную пышку.

Ландсман чиркает спичкой.

— А Иисус? — говорит он, искоса глядя сквозь пламя.

— Иисус тоже.

— Ничего не имею против Иисуса.

— Я рад. Я тоже ничего не имею против Него. И Иисус не стремился убивать или обижать людей, разрушать. Куббат-ас-Сахра была прекрасным образцом древней архитектуры, и ислам — освященная веками религия, и, несмотря на тот факт, что она в корне ошибочна, у меня нет к ней претензий по сути. Жаль, что не нашлось другого способа выполнить эту работу. Но иногда это невозможно. И Иисус это знал. «А кто соблазнит одного из малых сих, верующих в Меня, тому лучше было бы, если бы повесили ему жерновный камень на шею и бросили его в море». Так ведь? Это слова Иисуса. Он мог быть и жестоким, когда это необходимо.

— Крутой парень, — поддакивает Ландсман.

— Ага. Так вот, вы можете не согласиться, но наступают последние времена. И я сам ожидаю этого с нетерпением. Но чтобы это случилось, Иерусалим и Святая земля снова должны принадлежать евреям. Ибо так предсказывает Писание. Печально, но невозможно обойтись без кровопролития, к сожалению. Без определенного разрушения. Ведь все предначертано, понимаете? Но я, в отличие от моего непосредственного предшественника, прилагаю все усилия, чтобы свести разрушения к абсолютному минимуму. Ради Иисуса, и ради моей души, и ради всех нас. Чтобы все было чисто. Управлять этой операцией, пока мы не наведем порядок. Пока не создадим, так сказать, новые реалии на месте.

— Но вы хотите, чтобы никто не знал, что за этим стоите вы. Что это именно ваших рук дело.

— Что ж, таков наш *modus operandi*[1], если вы меня понимаете.

— И хотите, чтобы я заткнулся.

— Я понимаю, что требую слишком многого.

— Пока вы не создадите эти реалии в Иерусалиме. Выселите оттуда арабов и заселите туда вербовцев. Переименуете несколько улиц.

— Пока мы не приведем в движение некую критическую массу. Направим на путь истинный несколько заблудших нозов. И тогда займемся делом. Следуя тому, что предписано.

Ландсман делает еще один глоток минеральной воды. Она теплая и на вкус как подкладка кармана Кэшдолларова кардигана.

— Я требую вернуть мне пистолет и значок, — говорит он. — Это все, чего я хочу.

— Обожаю полицейских, — говорит Кэшдоллар без всякого энтузиазма. — Я не шучу. — Он прикрывает рот одной рукой и задумчиво глубоко зевает через нос. Его рука щеголяет маникюром, но один ноготь обгрызен. — Я становлюсь совершенно индейцем здесь, мистер. Но между нами. Вы получите пистолет и значок, но все равно это ненадолго. Племенное управление не наймет слишком много еврейских пацанов, чтобы служили и защищали.

— Может, и нет. Но они наймут Берко.

— Они не наймут тех, у кого нет бумаг.

— О, кстати, — говорит Ландсман, — это мне тоже необходимо.

---

[1] Образ действия *(лат.)*.

— Вы говорите о большом количестве бумаг, детектив Ландсман.

— Ну так и молчание мое тоже немаленькое.

— Ваша правда, — говорит Кэшдоллар.

Кэшдоллар изучает Ландсмана несколько секунд, и Ландсман понимает по некоторой тревоге в его глазах, по выражению предвкушения, что Кэшдоллар при пистолете и что у него так и чешутся руки им воспользоваться. Существует столько разных способов заставить Ландсмана заткнуться. Кэшдоллар встает со стула и тщательно задвигает его на место под столом. Он начинает ковырять в зубах большим пальцем, но тут ему приходит в голову идея получше.

— Не вернете ли мне мой «клинекс»?

Ландсман кидает пачку салфеток, но она сбивается с курса, и Кэшдоллар неуклюже пытается ее поймать. Пакетик шлепается на засохшие пирожные, на блестящую полоску красного повидла. В мирном взоре Кэшдоллара гнев открывает щель, сквозь которую можно разглядеть изгнанные тени монстров и отвращения. Он совершенно, помнит Ландсман, не терпит бардака. Кэшдоллар выщипывает салфетку из пакетика и обтирает пакстик, потом прячет ее в укрытие правого кармана. Он нервно просовывает нижнюю пуговицу кардигана в нижнюю петельку, и, когда шерстяной пояс сдвигается, Ландсману открывается выпуклость шолема.

— Вашему напарнику, — сообщает он Ландсману, — есть что терять. Очень много. Как и вашей бывшей жене. И они это прекрасно понимают. Может, пришло время и вам разобраться с самим собой.

Ландсман подсчитывает, что́ он еще может потерять — шляпу с плоскими полями. Карманные шахматы и поляроидную фотографию мертвого мессии. Карту кордонов Ситки, профанную, импровизированную, энциклопедическую, места преступлений, и притоны, и кусты ежевики, отпечатанные в переплетениях его мозга. Зимний туман, окутывающий его сердце, летние полдни, бесконечные, как еврейские споры. Призрак имперской России, обнаруженный в луковице купола кафедрального собора Святого Михаила, и призрак Варшавы — в пиликающем дерганом фидлере из кафе. Каналы, рыбацкие лодки, острова, бродячие собаки, консервные заводы, молочные кафетерии. Неоновый шатер театра Баранова, глядящийся в мокрый асфальт, текучий акварельный вечер, когда возвращаешься после «Сердца тьмы» Орсона Уэллса, виденного уже в третий раз, в обнимку с девушкой твоей мечты.

— Клал я на ваши предначертания, — говорит Ландсман. — Знаете что?

Вдруг он ощущает, что страшно устал от ганефов, пророков, пистолетов и жертв, и чувствует безмерный бандитский вес Б-га. Ему надоело слушать о Земле обетованной и неизбежном кровопролитии, необходимом для ее спасения.

— Плевал я на то, что там написано. Плевал я на то, что там якобы было обещано какому-то идиоту в сандалиях, который прославился лишь тем, что был готов перерезать горло собственному сыну во имя завиральной идеи. Плевал я на рыжих телиц, и на патриархов, и на саранчу. Куча древних костей в песке. Моя родина в моей шляпе. И в хозяйственной торбе моей бывшей жены.

Он садится. Запаливает вторую сигарету.

— Идите нахер, — заключает Ландсман. — И пусть Иисус идет туда же, размазня он был, слабак.

— Рот на замок, Ландсман, — тихо говорит Кэшдоллар, изображая поворот ключа в скважине своего рта.

42

Когда Ландсман выходит из Федерального здания Икеса и водружает шляпу на свою опустошенную голову, оказывается, что мир уплыл в густой туман. Ночь — липкая и холодная субстанция — пробирается в рукава пальто. Корчак-плац подобен миске, в которой плещется яркая дымка тумана, тут и там измаранная отпечатками лап натриевых фонарей. Продрогнув до костей, почти вслепую он пробирается по Монастырской, по Берлеви, сворачивает на улицу Макса Нордау. Спину ломит, голова болит, и невыносимо саднит израненное чувство собственного достоинства. Там, где в последнее время обитал его разум, теперь шипение тумана, гудеж трубчатых флуоресцентных ламп. Ему чудится, что это душа его так мучительно шумит в ушах.

Ландсман вползает в вестибюль «Заменгофа», и Тененбойм вручает ему два письма. Одно со штампом дисциплинарной комиссии, гласящее, что слушания об обстоятельствах смерти Зильберблата и Фледерман состоятся завтра в девять утра. Второе письмо — уведомление от новых владельцев гостиницы. Некая мисс Робин Навин из гостиничной сети «Джойс-дженерали» сообщает о восхитительных переменах, ожидающих в ближайшие месяцы гостиницу «Заменгоф», которая с первого января будет именоваться «Люксингтон-парк Ситка». Одной из составляющих общего восторга является тот факт, что ландсмановский договор о ежемесячной арендной плате прекращает действовать с первого декабря. Из каждой ячейки в стене позади стойки администратора торчат длинные белые конверты, в каждый из них втиснуты одни и те же сложенные вдвое роковые листки гербовой бумаги верже. Кроме ячейки под номером 208. В этой пусто.

— Слыхали, что случилось? — говорит Тененбойм, когда Ландсман возвращается из своего эпистолярного путешествия в радужные, безоблачные перспективы гостиницы «Заменгоф».

— Видел по телевизору, — отвечает Ландсман, хотя воспоминания кажутся ему уже не первой свежести, заплесневевшими; образы, навязанные ему его дознавателями в процессе бесконечных и настойчивых допросов.

— Сперва сказали, что это случайность, — продолжает Тененбойм, гоняя золотую зубочистку в уголке рта. — Вроде какие-то арабы мастырили бомбы в туннеле под Храмовой горой. Потом говорят, что все нарочно. Эти, которые с другими воюют.

— Сунниты с шиитами?

— Может быть. Кто-то оплошал с ракетной установкой.

— Сирийцы с египтянами?

— Кто их разберет. Президента показывали, вынуждены, говорит, вступиться, святой город, мол, для всех и каждого.

— С них станется, — соглашается Ландсман.

Вся его остальная почта — одинокая открытка, рекламирующая бешеные скидки на пожизненный абонемент в тренажерный зал, куда Ландсман несколько месяцев ходил сразу после развода. Это было время, когда ему показалось, что упражнения поднимут его упавший дух. Хорошая мысль была. Ландсман не в состоянии припомнить, оправдались ли его надежды. Слева на открытке изображен толстый еврей, а справа — худой еврей. Еврей слева —

измученный, невыспавшийся, малокровный и всклокоченный, щеки у него как два половника сметаны, а глазки блестящие и злобные. Еврей справа — подтянут, загорел, расслаблен, уверен в себе, борода аккуратно подстрижена. Ни дать ни взять — один из молодцов Литвака. Еврей будущего, думает Ландсман. Картинка намекает, что еврей справа и еврей слева — один и тот же еврей, но это маловероятно.

— А наших видал? Что в городе творится? — (Золотая зубочистка щелкает Тененбойма по зубам.) — Тоже по телику показывали.

Ландсман качает головой:

— Представляю себе эти пляски.

— Не то слово! Пляски, обмороки, вопли, коллективный оргазм.

— Тененбойм, умоляю, только не на голодный желудок.

— Благословения арабам за то, что воюют друг с другом. Благословения памяти Мухаммеда.

— Это жестоко.

— Какой-то черношляпник разорялся, что поедет в землю Израильскую, чтобы занять место получше и лицезреть явление Мошиаха. — Тененбойм вытаскивает зубочистку, изучает ее кончик в поисках сокровища, а потом разочарованно возвращает на прежнее место. — Кабы меня спросили, так я бы сказал: собрать всех этих бесноватых, посадить в один большой самолет и отослать туда поскорее, холера им в живот.

— Так бы и сказал?

— Да я сам за штурвал сяду!

Ландсман засовывает письмо от «Джойс-дженерали» обратно в конверт и толкает его Тененбойму через стойку:

— Выбрось, пожалуйста.

— У вас есть тридцать дней, детектив. Что-нибудь найдете.

— Найду, не сомневайся. Мы все что-нибудь найдем.

— Если только что-нибудь не найдет нас раньше, да?
— А ты-то как? Они собираются оставить тебя здесь?
— Мой статус в стадии рассмотрения.
— Обнадеживающе.
— Скорее безнадежно.
— Так или иначе.

Элеваторо поднимает Ландсмана на пятый этаж. Ландсман идет по коридору, на согнутом пальце одной руки он держит за вешалку пальто, забросив его через плечо за спину, другая рука ослабляет узел галстука. Дверь в его номер мурлычет свой незатейливый стишок: пять-ноль-пять. Бессмыслица. Фонари в тумане. Три арабские цифры. Придуманные в Индии, кстати, как и шахматы, но разнесенные по свету арабами. Суннитами, шиитами. Сирийцами, египтянами. Интересно, думает Ландсман, как скоро все эти враждующие группировки в Палестине осознают, что никто из них не несет ответственности за нападение? Через день-два, может, через неделю. Достаточно долго, чтобы, воспользовавшись временным замешательством, Литвак отправил туда своих молодчиков, а Кэшдоллар обеспечил им поддержку с воздуха. И вот уже Тененбойм — ночной администратор отеля «Иерусалим Люксингтон-парк».

Добравшись до кровати, Ландсман вынимает карманные шахматы. Его внимание перескакивает с одной силовой линии на другую, с клетки на клетку в погоне за убийцей Менделя Шпильмана и Наоми Ландсман. И вот, к собственному удивлению и облегчению, Ландсман осознает, что ему уже известен убийца — это физик, швейцарец по рождению, лауреат Нобелевской премии и посредственный игрок в шахматы Альберт Эйнштейн. Эйнштейн в туманном облаке волос, в безразмерной вязаной кофте, Эйнштейн, взглядом проникающий в глубины темных туннелей времени. Ландсман преследует Эйнштейна по молочно-белым, мелово-белым льдинам, перескакивает с клетки на затененную клетку по релятивистским шахматным доскам ви-

ны и искупления, гонится за ним по воображаемой земле
пингвинов и эскимосов, которую евреи так и не сподоби-
лись унаследовать.

Сон совершает ход конем, и вот уже сестренка Наоми
с присущим ей жаром принимается втолковывать Ландсману знаменитое эйнштейновское доказательство Вечного Возвращения евреев и что его можно измерить только
по модулю Вечного Исхода евреев — доказательство, которое великий ученый вывел, наблюдая колебания в крыле
маленького самолета и рассеивание черного столба дыма, взметнувшегося с ледяного склона сопки. От айсберга
Ландсманова сна откалываются другие неповоротливые
сны-айсберги, лед гудит и мерцает. В какой-то миг этот гул,
терзающий Ландсмана и весь его народ с незапамятных времен, гул, который иные дураки принимают за глас Б-жий,
увязает в окнах номера 505, как солнечный свет в сердцевине айсберга.

Ландсман открывает глаза. Меж пластинок жалюзи
пойманной мухой гудит дневной свет. Наоми снова мертва,
а этот придурок Эйнштейн невиновен в преступлениях, совершенных в деле Шпильмана. Ландсман ничего не знает,
совсем ничего. Он чувствует боль в животе, которую поначалу принимает за пароксизмы горя, но минутой позже соображает, что это голодные спазмы. До смерти хочется голубцов. Он смотрит на шойфер, чтобы узнать, который час,
но аккумулятор разрядился. Ландсман звонит дневному
дежурному, и тот сообщает, что сейчас девять минут десятого, четверг. Голубцы! Каждую среду в «Ворште» румын-
ские вечера, и у госпожи Калушинер всегда остается что-то
«на потом». Старая карга готовит лучшие сармали в Ситке.
Легкие и сытные, с перевесом острых перцев над кисло-
сладкими, с горкой свежей сметаны, украшенной сверху веточкой молодого укропа. Ландсман бреется, одевается в тот
же самый мешковатый костюм, ночевавший на дверной руч-
ке, и повязывает галстук. Он уже готов собственный язык

проглотить вместе с голубцами. Но, сбежав в вестибюль, он бросает взгляд на часы над почтовыми сотами и понимает, что уже на девять минут опоздал на заседание дисциплинарной комиссии.

К тому времени, как Ландсман, загребая на поворотах, как собака когтями, по скользким плиткам в коридоре административного корпуса, врывается в кабинет под номером 102, он опаздывает уже на двадцать две минуты. В кабинете длинный шпонированный стол с пятью стульями — по одному на каждого члена комиссии — и его непосредственное начальство, сидящее на краю стола и болтающее скрещенными ногами. Острые носы ее ботинок направлены прямо Ландсману в сердце. Пять больших кожаных стульев с высокими спинками пусты.

Видок у Бины аховый, но ах! — до чего соблазнительный. Изжелта-коричневый костюм измят и застегнут не на те пуговицы. Волосы закручены сзади пластиковой соломинкой для коктейлей. Колготок нет, голые ноги усеяны бледными веснушками. Со странным удовольствием Ландсман вспоминает, как она яростно комкала порванные колготки, прежде чем метнуть в мусорную корзину.

— Хватит пялиться на мои ноги, — говорит она. — Достаточно. Посмотри мне в глаза!

Ландсман подчиняется, с готовностью уставившись прямо в двустволку ее взгляда.

— Я проспал, — бормочет он. — Извини. Они продержали меня двадцать четыре часа, и к тому времени, как...

— Меня они продержали тридцать один час. Я только что оттуда вырвалась.

— Тогда какого хера я-то ною?

— Вот именно — какого.

— И как они себя вели с тобой?

— Просто душки, — горько выговаривает Бина. — Я расчувствовалась. И рассказала им. Все.

— Аналогично.

— Ну, — говорит она, радушно обводя руками кабинет, как будто только что заставила нечто исчезнуть. Ее шутливый тон не предвещает ничего хорошего. — Угадай с трех раз.

— Я — труп, — гадает Ландсман, — комиссия засыпала меня негашеной известью и зарыла.

— Дело в том, — говорит она, — что мне позвонили на мобильник сегодня утром в этот кабинет, в восемь пятьдесят девять. После того, как я выставила себя полной идиоткой и орала как резаная, пока они не выпустили меня из федерального здания, чтобы я смогла попасть сюда вовремя, сесть на тот стул позади тебя, а при необходимости встать и защитить своего детектива.

— Хм...

— Отменили твое слушание.

Бина лезет в торбу, роется в ней и вытаскивает оттуда пистолет. Добавляет его к арсеналу двуствольного взгляда и остроконечных ботинок. Тупоносый М-39. Со ствола свисает бирка на веревочке. Бина запускает пистолетом Ландсману в голову. Он ухитряется поймать пистолет, но не успевает схватить значок, полетевший следом. Затем наступает очередь мешочка с обоймой. Порывшись еще немного, Бина извлекает убийственного вида формуляр и его подельников в трех экземплярах.

— После того как вы сломаете голову над этим «дэ-пэ-дэ двадцать два пятьдесят пять», детектив Ландсман, вы будете восстановлены в правах, с полным окладом и привилегиями, как действующий офицер Центрального управления полиции округа Ситка.

— Я снова на службе.

— Как есть, на пять недель. Наслаждайся.

Ландсман взвешивает шолем на ладони, как шекспировский персонаж, задумавшийся над черепом.

— Надо было с него миллион содрать. Он отрыгнул бы и не поморщился.

— Чтоб он сдох. Чтобы они все сдохли. Я всегда чувствовала, что они там, в Вашингтоне, наблюдают. Дергают за ниточки. Определяют повестку дня. Конечно, я знала. Мы все это знали. Мы все выросли с этим знанием, так ведь? Нас только терпели. Как гостей. Но они так долго игнорировали нас, предоставили самим себе. Как легко обмануться, думать, что у тебя есть автономия, крошечная, неказистая, но есть! Я считала, что тружусь ради общего блага. Ты знаешь. Служу народу. Защищаю закон. А на самом деле я просто служила Кэшдоллару.

— Ты считаешь, меня следовало уволить?

— Нет, Мейер.

— Я знаю, что слегка зарвался. Поддался предчувствиям. Пустился во все тяжкие, как обычно.

— Ты думаешь, я злюсь из-за того, что пришлось вернуть тебе жетон и пушку?

— Нет, не думаю, что это так уж тебя разозлило. Но слушания отменили. А я знаю, как ты любишь, чтобы все было по инструкции.

— Я действительно люблю, чтобы все было по инструкции, — говорит она, и голос ее твердеет. — Я верю в инструкции.

— Я знаю.

— Вот если бы мы с тобой почаще поступали по инструкции, — говорит она, и что-то опасное вздымается меж ними. — А ты со своими предчувствиями, холера им в живот.

И ему хочется рассказать ей все. Рассказать историю, которая рассказывала его самого все эти три последних года. Что после того, как Джанго выскоблили из тела Бины, Ландсман остановил врача в коридоре (Бина велела Ландсману спросить этого доброго доктора, имеет ли смысл пожертвовать на благо науки недоразвитый зародыш, его косточки или органы).

— Моя жена спрашивает... — начал было Ландсман, но осекся.

— Есть ли какие-то видимые дефекты? Нет, никаких. Ребенок выглядел совершенно нормальным. — Врач слишком поздно заметил выражение ужаса на лице Ландсмана. — Конечно, это не значит, что все в порядке.

— Да, конечно, — произнес Ландсман.

Он больше никогда не видел этого врача. У него никогда не хватило бы смелости проследить конечную судьбу этого крошечного тельца — тельца мальчика, которого Ландсман принес в жертву божеству своих мрачных предчувствий.

— Я заключила такую же блядскую сделку, Мейер, — говорит Бина, прежде чем он успевает признаться. — Продав свое молчание.

— Чтобы остаться копом?

— Нет. Чтобы копом остался ты.

— Спасибо тебе, Бина. Огромное спасибо. Я так тебе благодарен.

Она вжимает лицо в ладони и массирует виски.

— Я тоже тебе благодарна, — говорит она. — За то, что напомнил, как все на самом деле запутанно.

— На здоровье, рад был помочь.

— Блядский мистер Кэшдоллар. Ни волосинка не шевельнется. Словно приварены к голове.

— Утверждает, что он непричастен к гибели Наоми, — говорит Ландсман. Он замолкает и прикусывает губу. — Говорит, виноват его предшественник.

Он старается не никнуть головой, пока произносит это, но миг спустя уже рассматривает стежки на союзках своих ботинок.

Бина протягивает руку, какое-то время рука повисает в нерешительности, а потом сжимает его плечо. Рука задерживается на целых две секунды, достаточно долго, чтобы разбередить старые шрамы Ландсмана.

— Со Шпильманом он тоже якобы ни при чем. Вот насчет Литвака я его спросить забыл. — Ландсман поднимает глаза, и она убирает руку. — Кэшдоллар не сказал тебе, куда они его дели? Он на пути в Иерусалим?

— Кэшдоллар старался напустить туману, но думаю, он сам без понятия. Я подслушала его разговор по сотовому, как он велел кому-то вызвать из Сиэтла команду криминалистов, чтобы обследовали номер Литвака в «Блэкпуле». А может, это было как раз предназначено для моих ушей. Но должна заметить, все они выглядели так, будто наш друг Литвак обвел их вокруг пальца. Кажется, им невдомек, где он. Может, взял денежки и смылся. И уже на полпути к Мадагаскару.

— Может быть, — говорит Ландсман и повторяет врастяжку: — Может быть.

— Б-же, помоги. Никак ты готов разродиться новым предчувствием.

— Ты сказала, что благодарна мне.

— Это ирония. Ага, благодарна по гроб жизни.

— Слушай, мне не помешает прикрытие. Я хочу снова взглянуть на комнату Литвака.

— Мы не сможем попасть в «Блэкпул». Там все сверху донизу засижено федералами.

— А мне не нужно в «Блэкпул». Я хочу попасть под него.

— Под него?

— Я слыхал, там должны быть, ну, знаешь, какие-то туннели, подземные ходы.

— Подземные ходы?

— Варшавские туннели — я слыхал, они так называются.

— И я нужна, чтобы держать тебя за руку, — говорит она. — В глубоком, темном, страшном старом туннеле.

— Только метафорически, — отвечает он.

43

На верхней ступеньке Бина достает из своей воловьей торбы фонарик-брелок и протягивает его Ландсману. Брелок этот — реклама или, вернее, аллегория услуг похоронного бюро Якоби. Потом она отодвигает какие-то досье, пачку судебных документов, деревянную расческу, мумифицированный бумеранг, который когда-то был бананом в пакете на застежке, журнал «People», извлекает гибкое черное устройство, похожее на реквизит для садомазохистских утех, оборудованное какой-то круглой жестянкой. Она погружает в это устройство голову и облекает волосы сеткой черных ремешков, а когда выпрямляется и поворачивает голову, серебристая линза вспыхивает и гаснет, на миг выхватив из мрака Ландсманово лицо. Ландсман ощущает надвигающийся мрак, чувствует, как слово «туннель» буравит его грудную клетку. Они спускаются по ступеням, проходят через кладовку для забытых вещей. Чучело куницы злобно пялится им вслед. На двери в подполье болтается веревочная петелька. Ландсман силится вспомнить, накинул ли он ее на крючок в прошлый четверг, прежде чем бесславно сбежать отсюда. Он замирает, роясь в памяти, но безуспешно.

— Я иду первой, — говорит Бина.

Она опускается на голые коленки и пробирается в подпол. Ландсман медлит в нерешительности. Его пульс частит, язык пересох, автономная система организма погрязла в изнурительной истории его страхов, но детекторный приемник, вмонтированный в каждого еврея и настроенный на прием трансляций Мошиаха, резонирует при виде задницы Бины, длинной изогнутой дуги, округлой магической буквы неведомого алфавита, руны, сила которой способна откатить надгробный камень, под которым он похоронил свое вожделение к ней. Его пронзает мысль, что не важно, какой мощью наделено заклятие, по-прежнему владеющее им, ему никогда больше не будет позволено, даже во сне, вкусить ее. Задница исчезает во мраке вместе с остальной Биной, и Ландсман остается один-одинешенек. Он бормочет, сам себя уговаривая решиться и последовать за ней, а потом Бина зовет:

— Полезай сюда!

И он подчиняется. Бина поддевает кончиками пальцев фанерный люк, снимает его и передает Ландсману. Лицо ее вспыхивает в мерцающем свете фонарика-брелка, у этого лица озорное и серьезное выражение, которого он не видел уже лет сто. В юности он по ночам влезал в окно ее комнаты, чтобы спать с ней в одной кровати, и именно таким было ее лицо, когда она открывала оконную щеколду.

— Здесь лестница! — говорит она. — Мейер, ты не спускался по ней в прошлый раз?

— Нет, видишь ли, это... как бы сказать... в самом деле...

— Ладно-ладно, — мягко перебивает она. — Я понимаю.

Бина спускается, нащупывая стальные перекладины одну за другой, и Ландсман снова следует за ней. Он слышит, как она кряхтит, спрыгивая, слышит металлический скрежет под каблуками ее ботинок, а затем сам обрушивается во мрак. Она подхватывает его и помогает приземлиться на ноги. Луч во лбу у Бины мечется туда-сюда, туда-сюда, набрасывая небрежный эскиз туннеля.

Это еще одна алюминиевая труба, перпендикулярная той, по которой они сюда забрались. Шляпа Ландсмана чиркает по округлому потолку, когда он выпрямляется в полный рост. Позади них труба упирается в завесу сырой черной земли, а впереди проходит прямо под улицей Макса Нордау к гостинице «Блэкпул». Воздух в трубе холодный и блуждающий, с привкусом железа. Пол выстлан листовой фанерой, и фонарики выхватывают из темноты отпечатки ботинок тех, кто тут прошел.

Добравшись где-то до середины улицы Макса Нордау, Бина и Ландсман оказываются на перекрестке — еще две трубы разбегаются на восток и на запад, направляя этот туннель к комплексу, сооруженному, чтобы предотвратить вероятное уничтожение в будущем. Туннели, перетекающие в другие туннели, склады, бункеры.

Ландсман думает о когорте аидов, прибывших вместе с его отцом. Тех, кого ужасы и страдания не только не сломили, а наоборот — сделали еще решительнее. Бывшие партизаны, подпольщики, коммунисты-боевики, левосионистские диверсанты — отребье, как припечатали их южные газеты, — вулканизированные души, появившиеся в Ситке после войны и потерпевшие поражение в короткой схватке с Полярными Медведями, вроде Герца Шемеца, за контроль над округом. Они знали, эти отважные и опустошенные люди знали, чувствовали так же безошибочно, как вкус родного языка во рту, что их спасители однажды их предадут. Они пришли в этот дикий край, никогда не видавший евреев, и обосновались здесь, готовые к тому дню, когда их выставят со всеми пожитками, готовые оказать сопротивление. Но постепенно, одного за другим, этих умудренных, озлобленных мужчин и женщин кого обманули, кого пристрелили, кого подмазали, настроили друг против друга или обезвредили дядя Герц с его бесчисленными спецоперациями.

— Не всех. — Голоса Бины и Ландсмана мячиками отскакивают от алюминиевых стен туннеля. — Некоторые просто хорошо устроились здесь. И начали забывать потихоньку. Почувствовали себя как дома.

— Думаю, так всегда и бывает, — говорит Ландсман.

— В Египте. В Испании. В Германии.

— Они расслабились. Человеку это свойственно. Просто жили. Ладно тебе.

Они идут, куда ведет их фанерный настил, пока не упираются в другую вертикальную трубу со скобами.

— Теперь ты первый. А я полюбуюсь на твой зад, для разнообразия.

Ландсман подтягивается за нижнюю скобу и взбирается наверх. Слабый свет сочится сквозь неплотно пригнанный люк на этом конце трубы. Ландсман толкает люк, но тот не шелохнется — толстый несдвигаемый кусок фанеры. Он налегает плечом.

— В чем дело? — спрашивает Бина у него из-под ног; ее фонарь брызжет светом ему в глаза.

— Не двигается. Наверное, что-то лежит сверху. А может...

Он просовывает руку в щель и натыкается на что-то холодное и жесткое, отдергивает руку, а потом нащупывает снова — пальцы упираются в стальной прут, туго натянутый провод. Он включает фонарик. Прорезиненный трос завязан узлом и пропущен сквозь щель в люке, после чего накрепко привязан к железной скобе прямо под люком.

— Что там, Мейер? Что они сделали?

— Они закрепили люк, чтобы никто за ними сюда не проник. Привязали хорошим таким куском проволоки.

44

Ветер-ганеф, дунув с материка на Ситку, похитил ее драгоценные украшения из тумана и дождя, оставив позади лишь обрывки кисеи да одно-единственное сверкающее пенни в сокровищнице, выстланной голубым атласом. В три минуты первого солнце уже прокомпостировало свой билет. Оно тонет, мазнув булыжники и серую штукатурку площади трепетными лучами цвета скрипичной деки, и нужно быть камнем, чтобы не расчувствоваться. Ландсман, холера ему в бок, хоть и шамес, но уж точно не каменный.

Они с Биной едут на запад по Двести двадцать пятой авеню, что на острове Вербов, явственно чуя стойкий дух булькающего цимеса, который варится в каждом городском закоулке. Здесь, на острове, этот дух острее, чем где бы то ни было, в нем гуще замешены радость и тревога. Плакаты и транспаранты провозглашают грядущее возрождение Царства Давида и призывают благочестивых верующих готовиться к возвращению в Эрец-Исраэль. Большинство плакатов кажутся сляпанными на скорую руку, надписи выведены потекшими неровными буквами на простынях и листах оберточной бумаги. На боковых улочках толпятся скандалящие женщины и разносчики, пытаясь сбить или вздуть цены на перевозку багажа, жидкое мыло, солнцезащитный крем, батарейки, протеиновые батончики, рулоны тонкой тропической шерсти. Ландсман представляет себе, как в самой глубине переулков, в подвалах и подворотнях буйным цветом расцветает рынок потише — наркотики, золото, автоматическое оружие. Они проезжают мимо сбившихся в кучки уличных гениев, толкующих о том, какому семейству какой контракт перепадет после возвращения на Святую землю, кто из бандитов отожмет подпольную лотерею, контрабанду сигарет, оружейную франшизу. Впервые со времен чемпионства Гайстика и Всемирной выставки, может быть, впервые за последние шесть десятков лет, что-то происходит в округе Ситка, или это Ландсману только чудится. Чем в итоге окажется это что-то, ни один, даже самый дошлый тротуарный ребе не имеет ни малейшего представления.

Однако в сердце острова, точной копии утраченного сердца того, старого Вербова, нет и намека на конец ссылки, войну цен, мессианскую революцию. В широкой части площади дом вербовского ребе стоит, как и прежде, непоколебимый, вечный, словно дом из сна. Дым торопится, как срочный денежный перевод, из его щедрой трубы, а ветер-вор перехватывает его по пути. Мрачные утренние Рудашевские околачиваются на своих постах, а на гребне крыши взгромоздился, сжимая полуавтоматическую мандолину, черный петел с хлопающими на ветру фалдами-крыльями. По всей площади женщины описывают свои обычные ежедневные круги, толкая перед собой коляски, ведя в поводу мальчиков и девочек, которые еще слишком малы для школы. Тут и там они останавливаются, чтобы сплести и распустить пряжу дыхания, связывающую их воедино. Обрывки газет, пожухлые листья и пыль ханукальными волчками крутятся в подворотнях. Двое в длиннополых черных пальто и развевающихся пейсах сутулятся навстречу ветру, направляясь к дому ребе. Поразительно, что впервые традиционная жалоба, равносильная вероучению или по меньшей мере философии ситкинского еврея — «Всем

плевать на нас, застрявших здесь, между Хуной и Хотц-
плотцем», — показалась Ландсману не бедой, как последние шестьдесят лет думали все они здесь, на задворках
истории с географией, а благословением.

— Кто еще захочет жить в этом курятнике? — по-своему откликается Бина на его мысли, застегивая молнию парки под самым подбородком. Она хлопает дверцей ландс-
мановской машины и обменивается ритуальными враждеб-
но-пристальными взглядами с женщинами, собравшимися
через дорогу от лавки кордонного мудреца. — Это же как
стеклянный глаз, деревянная нога — в ломбард не снесешь.

У входа в угрюмый сарай бакалавр истязает тряпку
ручкой от швабры. Этой тряпкой, пропитанной раствором
с психотропным ароматом, юнец сослан оттирать три без-
надежных островка машинного масла на бетонном полу.
Бакалавришка лупит и голубит тряпку концом палки. Он
встречает Бину взглядом, в котором ужас должным образом смешивается с благоговением. Будь Бина не Биной,
а Мошиахом в оранжевой парке, пришедшим спасти его,
выражение на лице пишера было бы приблизительно таким же. Взгляд его прирастает к ней, а затем он отдирает
его с жестокой осторожностью — так отрывают язык, при-
липший в мороз к металлической насосной колонке.

— Рав Цимбалист? — интересуется Ландсман.

— Он здесь, — отвечает бакалавр, кивая на дверь лавки. — Но он крайне занят.

— Занят? Так же, как ты?

Бакалавр снова рассеянно тычет палкой в тряпку.

— Я путался под ногами, — цитирует парнишка чьи-то
слова с налетом жалости к себе, а затем указывает на Бину
скулой, не вовлекая в этот жест прочие черты лица. — Ей
туда нельзя, — говорит он твердо. — Это неуместно.

— Гляди-ка сюда, котеночек, видишь? — Бина выуживает свой значок. — Я всегда уместна. Как деньги в подарок.

Бакалавришка отступает, пряча дрын за спину, словно улику, способную выдать его с головой.

— Вы арестуете рава Ицика?

— Нет, — говорит Ландсман, делая шаг в сторону бакалавра. — А с чего бы это нам его арестовывать?

Если бакалавр иешивы что и умеет, так это отвечать вопросом на вопрос.

— А я знаю? Был бы я законником в модных штанах, скажите мне, пожалуйста, ошивался бы я тут с тряпкой и дрыном?

Внутри все они сгрудились вокруг большого картографического стола — Ицик Цимбалист и его команда — дюжина затянутых в ремни молодцов в желтых комбинезонах. Подбородки молодцов обиты оплетенными сеткой валиками бород. Присутствие женщины в мастерской порхает между ними встревоженным мотыльком. Цимбалист последним отрывает взор от распростертой перед ним на столе проблемы. Когда он видит, кто пришел с новым насущным вопросом к кордонному мудрецу, он кивает и хмыкает чуть ли не с упреком, как если бы Ландсман и Бина опоздали к назначенному часу.

— Утро доброе, господа, — говорит Бина, и флейта ее голоса звучит как-то диковинно и неубедительно в этом большом мужском сарае. — Я инспектор Гельбфиш.

— Доброе утро, — отвечает кордонный мудрец.

Его костлявое бесплотное лицо нечитаемо, как клинок, как голый череп. Отработанным движением он сворачивает в рулон не то карту, не то схему, перетягивает ее куском бечевки и идет к стеллажу, чтобы бросить рулон на полку, где он затеряется среди тысяч собратьев. Движения его старчески размеренны, поспешность для него — давно забытый порок. Походка у Цимбалиста непредсказуемая, подпрыгивающая, но руки затейливы и точны.

— Обед окончен, — сообщает он команде, хотя еды нигде не видать.

Команда нерешительно огораживает кордонного мудреца неправильной формы эрувом, готовая защитить его от мирских бед, которые несет в их обитель эта пара полицейских жетонов.

— Лучше пусть погуляют поблизости, — говорит Ландсман. — Возможно, нам придется побеседовать и с ними.

— Обождите в фургонах, — велит Цимбалист. — Не путайтесь под ногами.

Они неторопливо направляются через мастерскую к гаражу. Один возвращается, неуверенно теребя бороду:

— Раз обед уже закончился, рав Ицик, может, мы поужинаем?

— И позавтракайте заодно, — соглашается Цимбалист. — Вам сегодня всю ночь на ногах.

— Дел невпроворот?

— Шутите? Годы нужны, чтобы упаковать все это безобразие. Контейнер придется заказывать. — Он направляется к электрочайнику и расставляет три стакана. — Ну, Ландсман, я слышал, вроде как вы ненадолго лишились своего жетона.

— Всё-то вы слышите, — говорит Ландсман.

— Что слышу, то слышу.

— А слышали вы о туннелях, прорытых кем-то под Унтерштатом на случай, если американцы ополчатся на нас и решат устроить актион?[1]

— Красм уха, я бы сказал. Вот вы сейчас напомнили.

— То есть у вас вряд ли совершенно случайно имеется план этих туннелей? Куда они ведут, как соединяются и тому подобное.

Старик по-прежнему стоит спиной к ним, разрывая бумажные конвертики с пакетиками чая.

— Какой же я тогда кордонный мудрец, если бы у меня не было этого плана?

---

[1] Aktion *(нем.)* — *зд.* карательная акция.

— Значит, если бы по какой-то причине вам захотелось впустить кого-нибудь, скажем, в подвал гостиницы «Блэкпул» или выпустить оттуда так, чтобы никто этого не заметил, вы смогли бы?

— А зачем мне это? — говорит Цимбалист. — Я бы даже тещину собаку не пустил в этот клоповник.

Он вынимает вилку недокипевшего чайника из розетки и окунает в стаканы чайные пакетики: раз-два-три. Ставит стаканы на поднос с баночкой повидла и тремя чайными ложечками и приглашает гостей за стол в его углу. Чайные пакетики неохотно делятся своим цветом с чуть теплой водой. Ландсман угощает всех папиросами и дает прикурить. Из фургонов долетают не то мужские вопли, не то хохот, поди пойми.

Бина ходит по мастерской, восхищаясь обилием и разнообразием веревок, бечевок и тросов, осторожно переступая, чтобы не угодить в силки перекати-поля из проволоки, серой резиновой обмотки с кроваво-медной начинкой.

— Вы когда-нибудь ошибаетесь? — спрашивает Бина мудреца. — Говорите кому-то, что он может носить в руках там, где нельзя носить? Прочерчиваете линию там, где она не нужна?

— Я не смею ошибиться, — говорит Цимбалист. — Несение в Шаббат — серьезное нарушение. Люди подумают, что моим картам нельзя доверять, и мне конец.

— У нас до сих пор нет баллистической экспертизы оружия, из которого был убит Мендель Шпильман, — осторожно говорит Бина. — Но ты видел рану, Мейер.

— Видел.

— Может так быть, чтобы ее оставил, скажем, «глок», или «интратек», или еще какой-нибудь автоматический пистолет?

— По моему скромному мнению, нет.

— Ты немало времени посвятил команде Литвака и их огнестрельным цацкам.

— И наслаждался каждой минутой.

— Видел ли ты в их ящике с игрушками хоть одну неавтоматическую?

— Нет, инспектор, не видел ни единой.

— И что это доказывает? — интересуется Цимбалист, опуская свой нежный зад на надувную подушку-пончик, лежащую на стуле. — И что более важно — почему это должно волновать меня?

— Не считая, разумеется, вашей личной заинтересованности общего плана в том, чтобы правосудие свершилось в данном конкретном случае? — уточняет Бина.

— Не считая этого, — соглашается Цимбалист. — Детектив Ландсман, вы думаете, что Альтер Литвак убил Шпильмана либо заказал его убийство?

Ландсман смотрит прямо в лицо кордонного мудреца и произносит:

— Он не убивал. Не мог бы. Мендель был не просто нужен ему — аид сам уверовал в Менделя.

Цимбалист моргает, щупает пальцем лезвие переносицы, обдумывая услышанное, словно это был слух о новорожденном роднике, который заставит его перекроить одну из карт.

— Не верю, — заключает он. — Кто-то другой. Кто угодно, но не этот аид.

Ландсман не спорит, не считает нужным. Цимбалист тянется за своим стаканом. Жилка ржавчины извивается в воде, как ленточка внутри стеклянного шарика.

— Как бы вы поступили, если бы одна из линий на вашей карте, — говорит Бина, — оказалась, к примеру, заломом на бумаге? Волосинкой? Случайным росчерком пера? Чем-то подобным. Сказали бы вы об этом кому-нибудь? Пошли бы к ребе? Признались бы, что совершили ошибку?

— Этого никогда бы не случилось.

— А если бы случилось? Смогли бы вы тогда жить в ладу с самим собой?

— А если бы вы, инспектор Гельбфиш, узнали, что посадили за решетку невинного человека, упрятали на много-много лет, на всю оставшуюся жизнь, вы бы смогли жить с собой в ладу?

— Такое происходит постоянно, — отвечает Бина. — Но вот она я.

— Что ж, тогда, мне кажется, вы знаете, что я чувствую. Кстати, термин «невинный» я толкую весьма широко.

— Я тоже, — соглашается Бина, — без всякого сомнения.

— За всю мою жизнь я узнал лишь одного человека, которого могу описать этим словом.

— Тут вы меня опередили, — говорит Бина.

— И меня, — говорит Ландсман, тоскуя по Менделю так, словно они много лет были близкими друзьями. — Как ни печально это признавать.

— Знаете, что толкуют люди? — говорит Цимбалист. — Эти гении, с которыми я живу бок о бок? Они говорят, что Мендель вернется. Что все происходит, как предначертано. Что когда они прибудут в Иерусалим, Мендель уже будет там и встретит их. Готовый править Израилем.

Слезы заливают впалые щеки кордонного мудреца. Мгновение спустя Бина извлекает из торбы чистенький и наглаженный носовой платок. Цимбалист берет платок и какое-то время бездумно смотрит на него. А затем мощно выдувает «текиа» шофаром своего носа.

— Хотел бы я увидеть его еще хоть раз, — говорит он. — Признаюсь вам честно.

Бина взваливает торбу на плечо, и та снова с готовностью принимается тянуть это плечо вниз.

— Собирайте вещи, мистер Цимбалист.

Старик выглядит потрясенным. Губы его надуваются, словно в попытке раскурить невидимую сигару. Он хватает со стола ленту сыромятной кожи, завязывает на ней узел, снова кладет на стол. Затем снова берет и развязывает.

— Вещи? — К нему наконец возвращается дар речи. — Вы говорите, что я арестован?

— Нет, — говорит Бина. — Но я хочу, чтобы вы поехали с нами, и мы побеседуем более подробно. Можете позвонить своему адвокату.

— Моему адвокату?

— Я думаю, это вы вывели Альтера Литвака из его гостиничного номера. Еще я думаю, вы с ним что-то сделали — спрятали, а то и убили. Я хотела бы знать, что именно.

— У вас нет доказательств. Лишь догадки.

— У нас есть одно маленькое доказательство, — говорит Ландсман.

— Около метра, — прибавляет Бина. — Можно ли повесить человека на метре веревки, мистер Цимбалист?

Кордонный мудрец трясет головой — раздраженно и насмешливо. Он уже пришел в себя и обрел прежнюю осанку.

— Вы только попусту теряете время — и мое, и ваше, — говорит он. — У меня работы непочатый край. Да и вы, по вашему же собственному признанию, до сих пор не выяснили, кто же убил Менделе. Так почему бы многоуважаемым детективам не сосредоточить свое внимание на этом и не оставить меня в покое? Возвращайтесь, когда поймаете предполагаемого убийцу, и я скажу вам, что знаю о Литваке, и, кстати сказать, на данный момент я ничего о нем не знаю, ничего — официально и во веки веков.

— Так не пойдет, — говорит Ландсман.

— Ладно, — говорит Бина.

— Ладно! — восклицает Цимбалист.

— Ладно? — вопросительно смотрит на Бину Ландсман.

— Мы ловим убийцу Менделя Шпильмана, — говорит Бина, — а вы даете нам сведения. Полезные сведения об исчезновении Литвака. И отдаете мне Литвака, если он все еще жив.

— По рукам, — соглашается кордонный мудрец, протягивая правую клешню, узловатую и веснушчатую, и Бина пожимает ее.

Ошеломленный Ландсман встает и тоже пожимает руку кордонному мудрецу. Потом он следом за Биной выходит из лавки в угасающий день и впадает в еще большее смятение, увидев, что Бина плачет. Но в отличие от слез Цимбалиста, у Бины это слезы ярости.

— Поверить не могу! — рыдает она, утираясь бумажной салфеткой из своих бездонных запасов. — Это ведь точно в твоем духе!

— У моих близких знакомых нередко случается такое, — говорит Ландсман. — Они начинают вести себя как я.

— Мы — офицеры полиции. Мы на страже закона!

— Люди книги, как говорится.

— Да пошел ты!

— Хочешь, вернемся и арестуем его? Имеем право. У нас есть трос из туннеля. Задержим. Для начала хватит.

Она качает головой. Бакалавришка пялится на них. Поддергивая черные сержевые штаны, он застыл на своей карте с островками машинного масла и старается ничего не упустить. Ландсман решает, что лучше увести Бину. Он обнимает ее за плечи — впервые за три года, — провожает до «суперспорта», усаживает на пассажирское сиденье, затем обходит машину и садится за руль.

— Закон, — говорит она. — Даже не знаю, о каком законе теперь идет речь. Просто разгребаю все это дерьмо.

Оба сидят и молчат, а Ландсман при этом борется с извечной проблемой всех детективов — обязанностью излагать очевидное.

— Вообще-то, мне даже нравится новая Бина — чокнутая и в растрепанных чувствах, — говорит он. — Но должен заметить, что у нас нет никаких зацепок в деле Шпильмана. Ни свидетелей, ни подозреваемых.

— Что ж, тогда бери своего напарника, блин, идите и добудьте мне подозреваемого.

— Слушаюсь, госпожа Гельбфиш.

— Поехали.

Он поворачивает ключ зажигания, включает передачу.

— Погоди, — говорит Бина. — Что это там?

На том конце площади огромный черный джип подъезжает к дому ребе с восточной стороны. Оттуда выскакивают двое Рудашевских. Один обходит машину и открывает багажник. Другой, заложив руки за спину, ждет у подножия боковой лестницы. Через минуту еще двое Рудашевских появляются из недр дома, корячась под тяжестью без малого сотни кубометров багажа — французских чемоданов ручной работы. Быстро и почти не принимая в расчет законы стереометрии, они ухитряются втиснуть все сумки и баулы в багажник внедорожника. Едва они управляются с укладкой багажа, как от дома отваливается солидная его часть, обернутая в роскошное палевое пальто из альпака, и обрушивается им на руки. Вербовский ребе не смотрит ни вперед, ни по сторонам, не оглядывается на этот мир, который он отстроил, а теперь бросает. Он позволяет Рудашевским сложить из его туши квантовое оригами и упихнуть вместе с тростями на заднее сиденье машины. Аид просто присоединяется к своему багажу и уезжает.

Через пятьдесят пять секунд подъезжает еще один джип, и две женщины с покрывалами на голове и в длинных платьях погружаются туда вместе с горой пожитков и кучей детей. Процедура с черным внедорожником, женщинами и детьми повторяется в течение следующих одиннадцати минут.

— Надеюсь, у них очень большой самолет, — говорит Ландсман.

— Я ее не видела, — говорит Бина. — А ты?

— По-моему, нет. И Большую Шпринцл тоже не видел.

Через полсекунды звонит шойфер Бины.

— Гельбфиш слушает. Да. Мы так и подумали. Да, я поняла.

Она захлопывает мобильник.

— Поезжай вокруг дома к заднему крыльцу, — велит Бина. — Она заметила твою машину.

Ландсман сворачивает в узкий проулок и въезжает во внутренний дворик позади дома ребе. Если не считать машины, в этом дворике все так же, как было сто лет тому. Каменные плиты, оштукатуренные стены, витражи, деревянная галерея, обложенная кирпичом. Вода капает на гладкие плиты из дырок в донцах глиняных горшков с папоротником, подвешенных вдоль галереи.

— Она выйдет?

Бина не отвечает, но секунду спустя в приземистой пристройке к большому дому отворяется голубая деревянная дверь. Пристройка расположена под углом к остальному зданию и чуть кренится набок с живописной точностью. Батшева Шпильман одета почти так же, как на похоронах, голову и лицо скрывает длинная прозрачная вуаль. Ребецин не спешит преодолеть почти восьмифутовую пропасть, отделяющую ее от машины. Просто стоит на пороге, а глыба Шпринцл Рудашевской преданно маячит в тени за ее спиной.

Бина опускает стекло:

— А вы не уезжаете?

— Вы поймали его?

Бина не притворяется дурочкой, не играет в игры, просто мотает головой.

— Значит, я не уезжаю.

— Это может затянуться. Нам даже может не хватить оставшегося времени.

— Я очень надеюсь, что хватит, — отвечает мать Менделя Шпильмана. — Этот Цимбалист скоро пришлет своих адиётов в желтых пижамах пронумеровать каждый камень в нашем доме, чтобы разобрать его и снова отстроить в Иерусалиме. Если я задержусь здесь более двух недель, то буду ночевать в гараже у Шпринцл.

— Для меня это большая честь, — произносит из-за спины супруги раввина не то хмурая говорящая ослица, не то Шпринцл Рудашевская.

— Мы возьмем его, — обещает Бина. — Детектив Ландсман только что мне обещал.

— Я знаю цену его обещаниям, — говорит миссис Шпильман. — Как и вы.

— Эй! — восклицает Ландсман, но она уже повернулась спиной и удалилась в глубину покосившегося домишки.

— Ладно, — говорит Бина, сжимая руки. — Поехали. Что теперь будем делать?

Ландсман барабанит по рулю, обдумывая свои обещания и их цену. Он всегда был верен Бине. Но брак их рухнул именно из-за того, что Ландсману не хватило веры. Не веры в Б-га, не веры в Бину и ее характер, но веры в некий основополагающий завет, что все случившееся с ними с момента их встречи, и хорошее и плохое, предначертано свыше. Веры дурачка-волчишки в то, что ты летишь, покуда можешь обманывать себя, что умеешь летать.

— Весь день мне до смерти хочется голубцов, — говорит он.

45

С лета 1986 года и до весны 1988-го, когда они, презрев волю Бининых родителей, стали жить вместе, Ландсман тайком проникал в дом Гельбфишей, чтобы провести ночь вместе с Биной, и так же тайком выскальзывал обратно. Каждую ночь, если только они не были в ссоре — а порой и в самый разгар ссоры, — Ландсман взбирался по водосточной трубе и вваливался в окно Бининой спальни, чтобы разделить с ней ее узкое ложе. Перед самым рассветом она выпускала его тем же путем.

Этой ночью восхождение затянулось и стоило Ландсману бóльших усилий, чем позволило бы признать его тщеславие. На полпути, как раз над окном в гостиную миссис Ойшер, левый ботинок Ландсмана соскользнул, и он повис вверх тормашками над черным провалом заднего двора Гельбфишей. Созвездия Большая Медведица и Змея, сиявшие до этого над головой, поменялись местами с рододендроном и развалинами соседской сукки. Пытаясь снова обрести точку опоры, Ландсман порвал штанину об алюминиевую скобу — давнего своего противника в борьбе за власть над водосточной трубой. Любовная прелюдия началась с того, что Бина скомкала салфетку, чтобы промокнуть ссадину на голени Ландсмана, усыпанной пятнами и веснушками и странными для мужчины среднего возраста соцветиями черных волос.

Они лежат на боку, пара стареющих аидов, прилепившись друг к другу, как две страницы в альбоме. Ее лопатки впиваются ему в грудь. Его коленные чашечки вписались во влажные впадинки у нее под коленями. Губы его нежно приникают к чашке ее уха. И та часть Ландсмана, что долго-долго была символом и местом заточения его одиночества, находит пристанище внутри его начальницы, на которой он когда-то был женат целых двенадцать лет. Однако оставаться внутри ее все сложнее, один хороший чих — и он вылетит.

— Все это время, — говорит Бина. — Два года.

— Все это время.

— Ни разу.

— Ни единого.

— Тебе было одиноко?

— Очень одиноко.

— Тоска?

— Зеленая. Но не настолько, чтобы я сам себе соврал, будто случайный секс с первой попавшейся еврейкой поможет мне избавиться от тоски и одиночества.

— От случайного секса все только хуже.

— Слова опытного человека.

— Ну трахнула я пару мужчин в Якоби. Это ты хотел узнать?

— Странно, — говорит Ландсман задумчиво, — но, кажется, нет, не хотел.

— Пару или тройку.

— Я не требую подробного отчета.

— А ты, ну, ты, значит, просто дрочил?

— Тебя удивит, что такой недисциплинированный аид может быть таким неукоснительным.

— А сейчас?

— Сейчас? Ты с ума сошла. Мало того что это неловко, да еще и нога, кажется, все еще кровит...

— Я не о том, сейчас ты чувствуешь себя одиноко?

— Смеешься, да? Сплюснувшись с тобой в этой хлебнице?

Он зарывается носом в толстую мягкую мочалку Бининых волос и глубоко вдыхает. Изюм, уксус, соленое дуновение ее вспотевшего затылка.

— Ну и чем пахнет?

— Рыжиком.

— Неправда!

— Пахнет, как Румыния.

— Сам ты пахнешь, как румын, с жуткими волосатыми ногами.

— Я уже старикан.

— Я тоже.

— По лестнице тяжело взбираться. Лысею.

— А у меня попа как топографический макет.

Он проверяет пальцами полученную информацию. Бугорки и впадинки тут и там, прыщик довольно выпуклый. Его руки скользят вверх, на талию и выше, и взвешивают в ладонях груди — по одной на каждую. Поначалу он не может припомнить, какой формы и размера они были раньше, ему не с чем сравнить, и он даже немного пугается. Но потом он решает, что они такие, как прежде, какими были всегда, точно по размеру его ладони, помещаются в его растопыренных пальцах, созданные таинственным сочетанием притяжения и податливости.

— Я не полезу обратно по трубе, — говорит он. — Должен тебе признаться.

— А я предлагала тебе подняться по лестнице. Водосток — это твоя идея.

— Конечно моя. Все и всегда — моя идея.

— А то я не знаю.

Они долго лежат в обнимку, не говоря больше ни слова. Ландсман чувствует, как кожа, к которой он прижимается, наполняется темным вином. Несколько минут спустя Бина начинает похрапывать. Ее храп нисколько не изменился за два года. То же двухголосое жужжание, шмелиное континуо монгольского горлового пения. В нем слышится неторопливое величие дыхания косатки. Ландсман начинает

уплывать в постели, окутанный шорохами дыхания Бины. В ее объятьях, в аромате ее простыней — крепком, но
приятном, похожем на запах новых лайковых перчаток, —
Ландсман чувствует себя в безопасности впервые за долгие века. Сонный и удовлетворенный, он думает: «Вот видишь, Ландсман. Этот запах, эту руку на своем животе ты
променял на пожизненное молчание».

Он садится, сна ни в одном глазу. Вдруг его охватывает
ненависть к самому себе, малодушному и еще более недо-
стойному объятий этой женщины с чудесной лайковой кожей. Да, конечно, Ландсман понимает, что нечего теперь
на говно исходить, это был не просто правильный, а единственный выбор. Он понимает, что покрывать темные делишки парней наверху — одна из ветхозаветных нозовских
добродетелей со времен зарождения полиции. Он понимает, что попытайся они рассказать кому-нибудь, например
Деннису Бреннану, то, что им известно, — и ребята наверху найдут способ заткнуть им рот, и теперь уже на своих
условиях. Так почему же его сердце колотится, как стальная кружка уголовника, о решетку грудной клетки? Почему
душистая Бинина постель внезапно кажется мокрым носком, парой тесных трусов, врезающихся в пах, шерстяным
костюмом в жаркий полдень? Ты заключил сделку, бери
что можешь и вали. Смирись и забудь. Не важно, что в далекой солнечной стране людей стравливают друг с другом,
дабы у них за спиной захватить и разделить их солнечную
страну? Не важно, что судьба округа Ситка предрешена.
Не важно, что убийца Менделя Шпильмана, кем бы он ни
был, гуляет на свободе. Что, что с того?

Ландсман вскакивает с кровати. Его раздражение фо-
кусируется, как шаровая молния, на дорожных шахматах
в кармане пальто. Он раскрывает их, задумывается над доской. «Я что-то упустил в той комнате», — думает он. Нет,
он ничего не упустил. А если и упустил, то уже поздно.
Только он ничего не упускал. Хотя, судя по всему, упус-
тил-таки.

Его мысли как татуировочная игла, выкалывающая пикового туза. Они, как торнадо, снова и снова пролетающий над одним и тем же расплющенным в лепешку трейлером, сужаются, темнеют, пока наконец не вычерчивают крошечную черную окружность, дырочку в затылке Менделя Шпильмана.

Ландсман мысленно восстанавливает место преступления, каким он увидел его в ту ночь, когда Тененбойм постучался в дверь его номера. Распростертая бледная веснушчатая спина. Белые подштанники. Разорванная маска на месте глаз, правая рука, безвольно свисающая с кровати, пальцы, касающиеся пола. Шахматы на тумбочке.

Ландсман раскладывает шахматы на ночном столике Бины в тусклом свете желтого фарфорового ночника с большой желтой маргариткой на зеленом абажуре. Белые стоят лицом к стене, черные — Шпильмана, Ландсмана — лицом вглубь комнаты. То ли из-за обстановки, одновременно знакомой и чужой, — крашеная кровать, лампа с маргариткой, маргаритки на обоях, комод, в верхнем ящике которого она обычно держала свою диафрагму. То ли из-за остаточного эндорфина в крови. Но, глядя на шахматную доску, на эту шахматную доску, Ландсман впервые в жизни чувствует себя хорошо. Он по-настоящему наслаждается. Стоя здесь и мысленно двигая шахматные фигуры, он замедляет или хотя бы оттесняет иглу, что снует у него в мозгу, рисуя черную дырочку. Он сосредоточивается на прохождении пешки на *b8*. Что, если сделать эту пешку слоном, ладьей, ферзем, конем?

Ландсман тянется за стулом, чтобы сесть на место игрока белыми в своем воображаемом дружеском матче со Шпильманом. Стул стоит у письменного стола, выкрашенного в тон маргариточно-зеленой кровати, в углу Бининой спальни. Приблизительно на таком же расстоянии от койки Шпильмана стоял раскладной стол в номере гостиницы «Заменгоф». Ландсман садится на зеленый стул, неотрывно глядя на доску.

Конем, решает он. Тогда черные должны куда-то сдвинуть пешку на *d7*, но куда? Он намерен доиграть не из-за какой-то безысходной надежды, что это приведет его к убийце, а потому, что ему внезапно стало действительно необходимо довести эту игру до конца.

Ландсман вдруг вскакивает на ноги, словно сиденье стула ударило его током. Он приподнимает стул одной рукой. Четыре круглые вмятины видны на негустом ворсе белого ковра, неглубокие, но явственные.

Он всегда исходил из того, что Шпильман, как сообщил администратор, никогда не принимал гостей, что расстановка фигур, оставшаяся на доске, — это своего рода шахматный пасьянс, сыгранный по памяти, из книги «Триста шахматных партий», может быть, с самим собой. Но если кто-то действительно навестил Шпильмана, то этот кто-то придвинул стул, чтобы сесть за доску напротив соперника. Напротив своей жертвы. И стул этого призрачного пацера должен был оставить вмятины на ковре. Безусловно, теперь эти следы исчезли, наверняка там уже прошлись пылесосом с тех пор. Но они должны быть видны на одной из шпрингеровских фотографий, тех, что хранятся в коробке в кладовой судебной лаборатории.

Ландсман натягивает штаны, застегивает рубашку, повязывает галстук. Он снимает пальто с крючка на двери, берет в руку ботинки и подходит к кровати, чтобы подоткнуть Бине одеяло.

Когда он наклоняется, чтобы выключить лампу у изголовья, из кармана пальто вываливается квадратная картонка. Та самая открытка, полученная из тренажерного зала, завсегдатаем которого он был когда-то, предлагающая все блага пожизненного абонемента на ближайшие два месяца. Он изучает переливчатую мигающую картинку с волшебным евреем. До — после. Толстый — стройный. Хмурый — счастливый. Хаос — порядок. Изгнание — отчизна.

До — аккуратная диаграмма в книге, тщательные штрихи на черных клетках и аннотация, как на странице Талмуда. После — битая старая шахматная доска и ингалятор «Викс» на *b8*.

И тогда Ландсман чувствует ее. Ладонь, лежащую поверх его руки, на два градуса теплее нормальной температуры тела. И мысли его убыстряют свой бег и разворачиваются, как транспарант. До и после. Прикосновение Менделя Шпильмана — влажноватое, наэлектризованное, дарящее Ландсману какое-то странное благословение. А потом ничего, кроме холодного воздуха детской спаленки Бины Гельбфиш. Цветущая вагина О'Кифф на стене. Плюшевый песик Шнапиш, понурившийся на полке рядом с наручными часами Бины и пачкой сигарет. И Бина, сидящая в кровати и наблюдающая за ним, словно за детишками, колотящими незадачливого пингвина-пиньяту.

— А ты все так же мурлычешь себе под нос, — говорит она. — Когда размышляешь. Как Оскар Питерсон, только без рояля.

— Блин.

— Что такое, Мейер?

— Бина! — Это Гурье Гельбфиш, старый сурок-свистун из комнаты напротив; Ландсмана немедленно сковывает древний ужас. — С кем это ты там?

— Ни с кем, пап, иди спать! — говорит Бина и снова спрашивает, на этот раз шепотом: — Мейер, что?

Ландсман усаживается на край кровати. До и после. Восторг понимания, а потом — бездонное сожаление понимания.

— Я знаю, что за пистолет убил Менделя Шпильмана.

— Хорошо.

— Это была не шахматная партия, — чуть помолчав, говорит Ландсман. — Там, на доске у Шпильмана в номере. Это была задача. Теперь это кажется очевидным. Я должен был сразу понять, расположение фигур было такое дурацкое. Кто-то пришел к Шпильману в ту ночь, и Шпильман выставил ему на доске задачу. Весьма заковыристую. — Быстро и уверенно он передвигает фигуры на карманной шахматной доске. — Смотри, вот у белых проходная пешка. И он хочет превратить ее в коня. Но это называется «слабым превращением», потому что обычно пешку превращаешь в ферзя. «Имея здесь коня, — думает он, — я получаю три варианта поставить мат». Но ошибается, потому что он оставляет черным — то есть Менделю — возможность спасти игру. Если играешь белыми, тебе придется игнорировать очевидное. Просто сделай банальный ход слоном вот сюда — на цэ-два. Сначала ты этого даже не замечаешь. Но как только ты его сделаешь, любой ход черных ведет прямиком к мату. Каждый ход — самоубийство. Нет ни одного хорошего хода.

— Ни одного хорошего хода.

— Это называется цугцванг, — говорит Ландсман. — «Принуждение к ходу». Это значит, что для черных было бы лучше пропустить ход.

— Но ход же нельзя пропускать, правда? Ты должен что-то сделать?

— Да, должен. Даже если знаешь, что тебя ждет мат.

Ландсман видит, как все это начинает обретать для нее смысл, не как улика, или доказательство, или шахматная задача, а как часть истории преступления. Преступления, совершенного против человека, у которого больше не осталось ни единого хорошего хода.

— Как ты до этого додумался? — спрашивает она, не в силах полностью подавить легкое изумление, вызванное этим свидетельством его умственной пригодности. — Как нашел решение?

— Вообще-то, я его увидел, — отвечает Ландсман. — Но в тот момент я не понял, что именно вижу. Это была картинка «после» — неправильная, кстати, — парная к картинке «до» в номере у Шпильмана. На доске стояло три белых коня. Но в шахматном наборе третьего коня нет, поэтому иногда приходится использовать что-то еще для замены отсутствующей фигуры.

— Пенни, например? Или пулю?

— Любую вещь, что лежит у тебя в кармане. Например, ингалятор «Викс».

46

— Знаешь, Мейерле, почему из тебя так и не получился шахматист? Потому что ты недостаточно ненавидел проигрывать.

Герц Шемец, доставленный из Центральной больницы Ситки с неприятной поверхностной раной и запахом больничного лукового супа и мыла из грушанки, полулежит на диване у сына в гостиной. Тощие его голени торчат из штанин пижамы, как две сырые макаронины. Эстер-Малке забронировала большое кожаное кресло Берко, а Бине и Ландсману достались дешевые места — крутящийся барный стул и приставной кожаный пуфик от Беркового кресла. Эстер-Малке, заспанная и смущенная, кутается в махровый халат, теребя что-то в кармане. Ландсман подозревает, что это все тот же тест на беременность недельной давности. Рубашка у Бины не заправлена, волосы растрепаны. Какой-то буйный кустарник, декоративная изгородь. Лицо Ландсмана, отразившееся в трюмо на стене, представляет собой пастозный орнамент из теней и струпьев. И только Берко в этот ранний час свеж как огурчик. Он восседает на кофейном столике у дивана, облаченный в носорожьего цвета пижаму с тщательно заутюженными складками и манжетами и собственными инициалами, вышитыми на кармашке мышино-серыми нитками. Волосы причесаны, щеки будто сроду не ведали ни щетины, ни бритвы.

— Вообще-то, я предпочитаю проиграть, если честно, — говорит Ландсман. — Начиная выигрывать, я сразу жду подвоха.

— А я ненавижу проигрывать. И больше всего я ненавидел проигрывать твоему отцу.

Голос у дяди Герца похож на горестное карканье, будто это его двоюродная прабабка кличет из могилы или из-за Вислы. Герц обезвожен, измучен, удручен, истерзан болью, отказавшись принять хоть что-то сильнее аспирина. В голове у него стоит небось такой звон, будто хлопает капот автомобиля.

— Но проиграть Литваку... Это было почти так же отвратно. — Веки дяди Герца дергаются, а потом падают поверх глаз и замирают.

— Герц, скажите, — окликает его Бина. — Пока вы не устали или не впали в кому, чего доброго. Вы знали Шпильмана?

— Да, — говорит Герц. Его синеватые веки переливаются, как прожилки фиолетового кварца или как крыло бабочки. — Я знал его.

— Как вы с ним познакомились? В «Эйнштейне»?

Сначала он кивает, а потом клонит голову набок, возражая самому себе.

— Я познакомился с ним, когда он был еще мальчиком. Но не узнал, когда снова увидел. Он слишком сильно изменился. Толстый маленький мальчик. А мужчина — худой. Наркоман. Он начал таскаться в «Эйнштейн», чтобы заработать шахматами на наркотики. Там я его и увидел. Фрэнка. Он не был обычным пацером. Время от времени, не помню точно, я проигрывал ему то пятерку, то десять долларов.

— И ненавидели это? — спрашивает Эстер-Малке, и, хотя она вообще ничего не знает о Менделе Шпильмане, похоже, она предвосхитила или предугадала ответ Герца.

— Нет, — отвечает ее свекр. — Как ни странно, я был не против.

— Он вам нравился.

— Мне никто не нравится, Эстер-Малке.

Герц облизывает пересохшие губы, ему явно больно двигать языком. Берко встает и берет с кофейного столика пластиковый стакан. Он подносит стакан к отцовским губам, и слышно, как в стакане шерудят кубики льда. Сын помогает Герцу отпить половину, не пролив ни капли. Герц не благодарит его. Он долго лежит неподвижно. Слышно, как вода булькает внутри его.

— В прошлый четверг, — говорит Бина, щелкая пальцами, — давайте-ка вспомните. Вы пришли к нему в номер. В «Заменгоф».

— Я пришел к нему в номер. Он меня позвал. Он попросил меня принести пистолет Мелеха Гайстика. Хотел на него взглянуть. Не знаю, откуда он знал, что пистолет у меня, я ему не рассказывал никогда. Похоже, он много знал обо мне такого, чего я никогда ему не говорил. И он рассказал мне историю. Как Литвак вынуждал его снова разыгрывать цадика, чтобы заарканить черношляпников. Как он скрывался от Литвака и устал скрываться. Он всю жизнь только и делал, что прятался. И вот он позволил Литваку найти себя снова, но тут же пожалел об этом. Он не знал, что делать. Не хотел продолжать. Не хотел останавливаться. Не хотел быть тем, кем он не был, и не знал, как стать самим собой. И он попросил меня ему помочь.

— Каким образом? — спрашивает Бина.

Герц морщит губы, пожимает плечами и скашивает глаза в темный угол комнаты. Ему почти восемьдесят, и до сих пор он никогда ни в чем не исповедовался.

— Он показал мне свою чертову задачку, этот свой мат в два хода. Сказал, что получил ее от какого-то русского. Сказал, что если бы я попробовал ее решить, то понял бы, что он чувствует.

— Цугцванг, — говорит Бина.

— А что это? — спрашивает Эстер-Малке.

— Это когда у тебя не осталось хороших ходов, — объясняет Бина, — а ходить ты должен.

— Ох эти шахматы, — закатывает глаза Эстер-Малке.

— Это до сих пор сводит меня с ума, — продолжает Герц. — Я так и не смог поставить мат меньше чем за три хода.

— Слон на цэ-два, — произносит Ландсман. — Восклицательный знак.

Герц довольно долго, как показалось Ландсману, с закрытыми глазами обдумывает сказанное, но в конце концов старик кивает:

— Цугцванг.

— Старик, почему ты? — спрашивает Берко. — Вы же едва знали друг друга.

— Он знал меня. Очень хорошо знал, понятия не имею откуда. Знал, как я ненавижу проигрывать. Что я не допущу, чтобы Литвак обтяпал эту глупость. Я не мог. Все, ради чего я трудился всю свою жизнь. — Он кривится, будто у него горько во рту. — А теперь посмотрите, что творится! Они это сделали.

— Ты попал туда через туннель? — спрашивает Мейер. — В гостиницу.

— Какой туннель? Я вошел через парадный подъезд. Может, ты и не заметил, Мейерле, но дом, где ты живешь, не слишком тщательно охраняется.

Еще две или три длинные минуты отматываются со шпули времени. У себя на застекленной лоджии Голди и Пинки бурчат, ругаются и возятся в кроватях, будто гномы в подземелье.

— Я помог ему попасть в вену, — наконец произносит Герц, — дождался прихода. Он был в глубокой отключке, когда я достал пистолет Гайстика. Обернул его подушкой. Гайстиков тридцать восьмой калибр, «детектив спешиэл».

Перевернул парнишку на живот. И в затылок. Быстро. Безболезненно.

Он снова облизывает губы, и Берко снова подносит ему прохладный глоток из стакана со льдом.

— Плохо, что ты сам себе не смог все устроить так же хорошо, — говорит Берко.

— Я думал, что поступаю правильно, что так я смогу остановить Литвака. — Голос у старика по-детски жалостный. — Но ублюдки все-таки решили попробовать и без Менделя.

Эстер-Малке снимает крышку со стеклянной банки на столе у дивана и отправляет в рот пригоршню орешков.

— Не скажу, что я ужасно встревожена или перепугана, дорогие мои, — говорит она, вставая с кресла, — но я усталая мамашка на раннем сроке и пойду спать.

— Я постерегу его, лапочка, — говорит Берко. — Вдруг он придуривается. Мы уснем, а он возьмет — и телевизор свистнет.

— Не беспокойся, — говорит Бина. — Он уже под арестом.

Ландсман стоит у дивана, созерцая, как поднимается и опадает грудная клетка старика. Заострившееся лицо Герца все в рытвинах и впадинах, как облупленный наконечник стрелы.

— Плохой он человек, — говорит Ландсман. — И всегда таким был.

— Да, но он восполнил это тем, что был ужасным отцом.

Берко смотрит на Герца долгим взглядом, полным нежности и презрения. С этой повязкой на голове Герц похож на слабоумного свами.

— Что будешь делать?

— Ничего. А что я, по-твоему, должен сделать?

— Не знаю, после всего, что тут творится. У тебя такой вид, будто ты настроен что-то сделать.

— Что?

— Об этом я тебя и спрашиваю.

— Ничего я не буду делать, — говорит Ландсман. — Что я-то могу?

Эстер-Малке провожает Бину и Ландсмана до входной двери. Ландсман надевает шляпу.

— Ну и... — говорит Эстер-Малке.

— Ну и... — в один голос отзываются Бина с Ландсманом.

— Вижу, вы уходите вместе.

— Хочешь, чтобы мы ушли порознь? — предлагает Ландсман. — Я пойду по лестнице, а Бина поедет в лифте.

— Ландсман, можно я тебе кое-что скажу? — говорит Эстер-Малке. — Видел все эти беспорядки по телевизору в Сирии, Багдаде, в Египте? В Лондоне? Машины жгут, посольства... А в Якоби видел, что стряслось? Бесновались, как маньяки херовы, радовались этим ужасам и доплясались до того, что пол провалился в квартиру этажом ниже. Две маленькие девочки спали в своих кроватках и погибли под обломками. Вот такое дерьмо нас ожидает теперь. Горящие машины и пляски смерти. Не представляю, где мне придется родить этого ребенка. Этот убийца-самоубийца, мой свекр, спит у меня в гостиной. И все-таки я чувствую между вами удивительную вибрацию. И вот что я вам скажу: если вы с Биной снова решили сойтись, то, прошу прощения, мне только того и нужно!

Ландсман обдумывает сказанное. Кажется, возможны любые чудеса. Что евреи поднимутся и отплывут в Землю обетованную, дабы отведать громадных виноградин и развеять бороды на пустынном ветру. Что Храм будет возрожден немедленно, уже сегодня. Утихнет война, повсюду во вселенной воцарятся мир, изобилие и добродетель, и человечество не раз будет свидетелем тому, как возляжет лев с агнцем. Каждый мужчина будет раввином, а каждая женщина — Священной Книгой, и каждому костюму будет положено по две пары брюк. Мейерово семя, может, уже сейчас путешествует сквозь тьму к искуплению, пробиваясь сквозь мембрану, отделяющую наследие евреев, сотворивших его самого, от наследия евреев, чьи ошибки, скорби, и надежды, и бедствия привели к появлению Бины Гельбфиш.

— Может, мне и правда лучше пешком по лестнице? — спрашивает Мейер Бину.

— Давай, Мейер, валяй, — отвечает Бина.

Но в конце этого долгого пути, у подножья лестницы его ждет Бина.

— Чего ты так долго?

— Пришлось пару раз сделать привал.

— Пора тебе бросать курить. В очередной раз.

— Брошу. Обязательно.

Он выуживает из кармана пачку «Бродвея», в которой осталось еще штук пятнадцать папирос, и с размаху бросает ее в мусорную корзину в вестибюле, словно монетку в фонтан на счастье. Он чувствует легкое головокружение, легкий трагизм. Он уже созрел для широкого жеста, для оперного промаха. «Маниакальность» — вот верное слово.

— Но задержало меня не это, — говорит он.

— Тебе же очень больно, скажешь — нет? Тебе, блин, надо в больнице лежать, а не строить из себя крутого мачо. — Бина, как всегда, тянется обеими руками к горлу Ландсмана, готовая придушить его, чтобы показать, как сильно она его любит. — У тебя же все болит, идиот ты этакий.

— Только душа, душенька моя, — отвечает Мейер. Впрочем, он допускает, что пуля Рафи Зильберблата повредила ему не только скальп. — Просто пришлось остановиться пару раз. Подумать. Или чтобы не думать, не знаю. Каждый раз, как я разрешаю себе, ну, понимаешь, вдохнуть секунд на десять этот воздух, который просто смердит их безнаказанностью, не знаю, мне кажется, я малость задыхаюсь.

Ландсман падает на диван, синюшные подушки которого благоухают крепким ситкинским амбре плесени, сига-

рет, замысловатой смесью солей океанского шторма и пота
с подкладки шерстяной шляпы. Вестибюль «Днепра» весь
в кроваво-пурпурном плюше с позолотой, увешан увеличен-
ными изображениями с раскрашенных вручную фотокар-
точек роскошных черноморских курортов царской России.
Дамы с собачками на залитых солнцем дорожках. Гранд-оте-
ли, где никогда не принимали евреев.

— Она у меня как камень в желудке, эта наша сделка, —
говорит Ландсман. — Лежит — и ни с места.

Бина закатывает глаза, уперев руки в боки, оглядывается на двери. Затем бросает сумку и плюхается рядом с ним
на диван. Сколько раз, думает он, она уже бывала сыта им
по горло, и все-таки ее терпение до сих пор не иссякло.

— Не могу поверить, что ты пошел на это, — говорит она.

— Знаю.

— Это ведь я здесь подхалим на ставке.

— А то я не знаю.

— Тухэс-ли́кер.

— Это мне нож в сердце.

— Если я не могу рассчитывать, что ты скажешь большим шишкам: «Валите нахер», зачем я тогда тебя здесь
держу, Мейер?

И тогда он пытается посвятить ее в рассуждения, которые заставили его пойти на собственную версию этой сдел-
ки. Перечисляет те мелочи — консервные заводики, скри-
пачей, афиши кинотеатра на острове Баранова, — что он
лелеял в своей памяти о Ситке, когда соглашался на условия Кэшдоллара.

— Ох уж это мне твое «Сердце тьмы», — вздыхает Бина. — Я больше не высижу этот фильм до конца. — Губы ее
сжимаются в жесткое тире. — Ты кое-что упустил, засра-
нец этакий. В своем драгоценном списочке. Один, так сказать, крохотный пунктик.

— Бина...

— Для меня в твоем перечне не осталось места? Потому что в моем ты, блин, на первом месте!

— Как это возможно? Я просто не понимаю, как такое может быть.

— А почему не может?

— Ты знаешь почему. Я подвел тебя. Ужасно подвел. Смертельно.

— Это каким же образом?

— Я заставил тебя сделать это. С Джанго. Не понимаю, как ты вообще можешь меня видеть после этого.

— Заставил меня? Ты думаешь, что заставил меня убить нашего ребенка?

— Нет, Бина, я...

— Дай я кое-что тебе скажу, Мейер. — Она хватает его за руку и больно впивается ногтями в кожу. — В тот день, когда ты сможешь до такой степени распоряжаться мной, тебя спросят: нужен мне сосновый ящик или я обойдусь простым белым саваном? — Она бросает его руку, но потом снова хватает и гладит маленькие красные полумесяцы, выгравированные ее ногтями на его теле. — Б-же, прости меня, тебе больно, Мейер. Прости меня.

Ландсману тоже хочется сказать «Прости меня». Он уже столько раз просил у нее прощения, наедине и в присутствии других, письменно и устно, выверенными официальными фразами и задыхаясь в безудержном спазме: «Прости меня, прости! Я так виноват, прости!» Он просил прощения за свое безумие, за странные выходки, за уныние и злость, за многолетнюю карусель восторга и отчаяния. Просил прощения за то, что оставил ее, и за то, что просил принять обратно, за то, что выбил дверь на старой квартире, когда она отказалась его впустить. Он унижался, рвал на себе рубаху, валялся у нее в ногах. И чаще всего Бина, добрая и любящая, говорила именно то, что хотел услышать Ландсман. Он молил о дожде, и она посылала освежающие ливни. Но ему на самом деле нужен был целый потоп, чтобы смыть с лица земли его злодеяние. Или благословение аида, который уже больше никого и никогда не благословит.

— Ничего страшного, — отвечает Ландсман.

Она встает, идет к мусорной корзине и выуживает оттуда Ландсманову пачку «Бродвея». Достает из кармана куртки покореженную «Зиппо» с эмблемой 75-го Парашютно-десантного полка и прикуривает папиросы себе и Ландсману.

— Мы сделали то, что казалось правильным тогда, Мейер. У нас было мало фактов. Мы знали свои ограничения. И называли их выбором. Но у нас не было выбора. Вообще. Все, что у нас было, — три паршивеньких фактика и карта эрувов, карта наших собственных ограничений. То, что мы знали, мы бы не смогли пережить. — Она достает шойфер из торбы и вручает его Ландсману. — Вот и сейчас, если ты спросишь меня, а я думаю, ты спросишь, я скажу, что и сейчас у тебя вообще нет выбора.

И пока он так сидит с мобильником в руке, она открывает раскладушку, набирает номер и сует телефон ему в руку. Он подносит его к руке.

— Деннис Бреннан слушает, — говорит глава и единственный сотрудник Ситкинского бюро одного из ведущих американских изданий.

— Бреннан, это Мейер Ландсман.

Ландсман снова медлит. Он зажимает микрофон мобилки пальцем.

— Скажи ему, пусть тащит сюда свою огромную башку, чтобы поглядеть, как мы арестуем твоего дядюшку за убийство, — говорит Бина. — Скажи, что у него двадцать минут.

Ландсман пытается положить на одну чашу весов судьбы Берко, дяди Герца, Бины, евреев, арабов, всей этой бездомной обездоленной планеты, а на другую — обещание, данное миссис Шпильман и самому себе, хотя сам он уже утратил веру и в судьбу, и в обещания.

— Я не обязана была дожидаться, пока ты дотащишь по этой вшивой лестнице свою драную шкуру, — сообщает ему Бина. — Так и знай. Я могла просто взять и выйти в эту гребаную дверь.

— Ага, и почему не вышла?

— Потому что я знаю тебя, Мейер. Я знаю, о чем ты там думал, слушая Герцевы байки. Я видела, что тебе необходимо кое-что сказать. — Она отодвигает мобильник от его губ и прижимается к ним своими губами. — Так скажи же наконец. Я устала ждать.

Сколько раз, сколько дней подряд Ландсман думал о том, что разминулся с Менделем Шпильманом, что, будучи совсем рядом с ним в ссылке в гостинице «Заменгоф», упустил свой единственный шанс на какое-то подобие искупления. Но больше нет Мошиаха в Ситке. У Ландсмана нет иного дома, иного будущего, иной судьбы, кроме Бины. И их земля обетованная — его и ее — была ограничена лишь пределами их свадебного полога, потрепанными уголками удостоверений международного братства, члены которого несут свои пожитки в переметной суме, а мир свой — на кончике языка.

— Бреннан, — говорит Ландсман, — у меня есть для тебя одна история.

От автора

Искренне благодарен за помощь перечисленным ниже людям, произведениям, веб-сайтам, организациям и учреждениям.

Колония Макдауэлла из Питерборо, штат Нью-Гэмпшир; Дэвия Нельсон; Сьюзи Томпкинс-Бьюэлл; Маргарет Грейд и персонал «Манькиного дома в Инвернессе», Инвернесс, штат Калифорния; Филип Павел и персонал отеля «Шато-Мармон», Лос-Анджелес, Калифорния; Бонни Пьетила и все ее земляки из Спрингфилда; Пол Гамбург из отдела иудаики библиотеки Калифорнийского университета; Ари Й. Кельман; Тодд Хасак-Лоуи; Роман Сказкив; Государственная библиотека Аляски, Джуно, штат Аляска; Ди Лонгенбау и книжный магазин «Обзерватори букз», Джуно, Аляска; Джейк Бассет и Управление полиции Окленда; Мэри Эванс; Салли Уилкокс, Мэтью Снайдер и Дэвид Голдсп; Девин Макинтайр; Кристина Ларсен, Лайза Эглинтон и Кармен Дарио; Элизабет Гаффни, Кеннет Туран, Джонатан Летем; Кристофер Поттер; Джонатан Бёрнам; Майкл Маккензи; Скотт Рудин; Леонард Уолдмен, Роберт Шейбон и Шерон Шейбон; Софи, Зик, Ида-Роуз, Абрахам Шейбон и их мать; «Мессианские тексты» Рафаэля Патая (*The Messiah Texts*, Raphael Patai); «Современный англо-идишский и идиш-английский словарь» Уриэля Вайнрайха (*Modern English-Yiddish Yiddish-English Dictionary*, Uriel Weinreich); «Наша компания» Дженны Джослит (*Our Gang*, Jenna Joselit); «Толкование идиша» Бенджамина Гаршава (*The Meaning of Yiddish*, Benjamin Harshav); «Благословения, проклятия, упования и опасения: психоостенсивные формулы на идише» Джеймса Мэтисоффа (*Blessings, Curses, Hopes and Fears: Psycho-Ostensive Expressions in Yiddish*, James Matisoff); «Англо-идишский словарь» Александра Гаркави (*English-Yiddish Dictionary*, Alexander Harkavy); «Американский клезмер» Марка Злобина (*American Klezmer*, Mark Slobin); «Против культуры: развитие, политика и религия индейской Аляски» Керка Домбровски (*Against Culture: Development, Politics, and Religion in Indian Alaska*, Kirk Dombrowski); «Придет ли когда-нибудь время? Сборник тлинкитских первоисточников» под редакцией Эндрю Хоупа III и Томаса Ф. Торнтона (*Will the Time Ever Come? A Tlingit Source Book*, Andrew Hope III and Thomas F. Thornton, eds.); «Шахматный художник» Дж. К. Холлмана (*The Chess Artist*, J. C. Hallman); «Шахматные радости» Хайнриха Френкеля (*The Pleasures of Chess*, Assiac [Heinrich Frenkel]); «Сокровищница шахматного знания» под редакцией Фреда Рейнфилда (*Treasury of Chess Lore*, Fred Reinfield, ed.); «Менделе» (http://shakti.trincoll.edu/~mendele/index.utf-8.htm); «Чессвиль» (www.chessville.corn); Иосиф Гавриил Беххофер и его «Эрувы на территории современных метрополий» (http://www.aishdas.orgjbaistefilajeruvpl.htm); Онлайн-словарь идиша (www.yiddishdictionaryonline.com); Кортни Ходелл, издатель и спасительница этого романа.

Братство «Рýки Исава» появилось в книге с любезного разрешения Джерома Чарина, его председателя и пожизненного президента. Цугцванг Менделя Шпильмана разработан равом Владимиром Набоковым и представлен в его сочинении «Память, говори».

Роман «Союз еврейских полисменов» набран на компьютерах «Макинтош» с использованием программ *Devonthink Pro* и *Nisus Writer Express*.

Словарь

Ав — пятый месяц года, если отсчитывать месяцы от нисана, как требует еврейская традиция. Соответствует приблизительно июлю.

Адиёт — идиот.

Аид — еврей.

Бар-мицва — празднование религиозного совершеннолетия еврейского мальчика.

Бат-мицва — буквально «дочь заповеди», празднование религиозного совершеннолетия еврейской девочки.

Башерт — суженый, суженая.

Бер — медведь.

Бет Тиккун — Бет — буква алфавита, символ центра. Тиккун — возвращение божественных искр Божеству.

Блат — газета, лист.

Воршт — жаргон музыкантов на идише, буквально «колбаса», кларнет.

Габай — должностное лицо в еврейской общине или синагоге, ведающее организационными и денежными делами. В период римского владычества габаями называли, очевидно, евреев-мытарей (сборщиков налогов) на службе имперского фиска. В Новое время габаем именуют преимущественно выборного старосту синагоги (в основном у ашкеназов), а также своего рода управляющего хозяйственными делами при хасидском цадике.

Ганеф — вор, негодяй.

Гой — нееврей.

Диббук — демон.

Досы — ультраортодоксальные евреи.

Йеке — немецкий еврей.

Йорцайт — годовщина смерти. Ряд поминальных обрядов, которыми отмечают йорцайт близких родственников.

Кадиш — молитва «Кадиш» — буквально «освящение», то есть освящение и прославление святости Всевышнего. Главное предназначение кадиша — быть молитвой человека, находящегося в трауре после смерти близкого родственника.

Кайнахора — оберег, заклинание от сглаза.

Клезмер — музыкант, исполняющий еврейскую музыку.

Клезморим — песни на идише.

Кнейч — фетровая шляпа с продольным заломом, которую носят простые любавичские хасиды.

Кибицер — наблюдатель за игрой; посторонний наблюдатель, предлагающий свои советы; болельщик.

Кошер — термин в иудаизме, означающий дозволенность или пригодность чего-либо с точки зрения Галахи.

Креплах — блюдо еврейской кухни, треугольные пельмени, символизирующие трех патриархов: Абрама, Исаака и Якова.

Кундиман — классическая филиппинская любовная песня.

Ладино — сефардский язык.

Латке — картофельные оладьи. Здесь: сленговое слово, означающее полицейского в форме, головной убор которого по форме напоминает оладью.

Литваки — территориально-лингвистическая подгруппа ашкеназских евреев, носители северо-восточного, или литовского, диалекта идиша. Этот диалект был исторически распространен на территории большей части современной Белоруссии, Литвы, Латвии, в некоторых прилегающих районах России и Польши.

Лихт — свет.

Люфтменш — человек без определенного рода занятий.

Мазел — знак удачи. *Мазел тов* — удачи тебе, поздравляю.

Мезуза (*иврь., букв. «дверной косяк»*) — прикрепляемый к внешнему косяку двери в еврейском доме свиток пергамента духсустуса из кожи ритуально чистого (кошерного) животного, содержащий часть текста молитвы «Шма Исроэль». Пергамент сворачивается и помещается в специальный футляр, в котором затем прикрепляется к дверному косяку.

Миква — в иудаизме водный резервуар для омовения (твила) с целью очищения от ритуальной нечистоты.

Момзер — ублюдок, наглец.

Ноз — нос, здесь: полицейский.

Нох амол — еще раз, снова.

Ойсштелюнг — выставка.

Пацер — неопытный игрок в шахматы, плохой игрок.

Пилпул — собирательный термин, обозначающий методы талмудических дискуссий, в частности выявляющие тонкие правовые, концептуальные и тому подобные различия. Название «пилпул» происходит от слова «пилпел» — «перец», что указывает на остроту ума, проявляющуюся в подобных обсуждениях.

Пишер — ссыкун.

Поляр-Штерн — Полярная звезда.

Пушке — коробка для сбора пожертвований.

Ребецин — супруга раввина.

Решус-харабим — все, что находится за пределами дома ортодоксального еврея в Шаббат, место, куда еврею нельзя выходить.

Смиха — документ, подтверждающий звание раввина.

Сукка — крытое зелеными ветвями временное жилище, шалаш, в котором, согласно библейскому предписанию, евреи обязаны провести праздник Суккот.

Талес, или *талит-катан* — четырехугольная ритуальная накидка иудеев с отверстием для головы и четырьмя кистями по краям; может носиться под одеждой, но кисти всегда должны быть выправлены поверх брюк.

Татэ — отец, папа.

Текиа — звук, производимый шофаром.

Тохубоху — хаос.

Тухэс-ликер — жополиз.

Тфилин, или *филактерии* (букв. «охранные амулеты») — элемент молитвенного облачения иудея: две маленькие коробочки (батим, букв. «домики») из выкрашенной черной краской кожи кошерных животных, содержащие написанные на пергаменте отрывки (паршиот) из Торы.

Унтерштат — Нижний город.

Форшпиль — прелюдия, торжество в честь невесты.

«Хаей Сара» — одна из 54 недельных глав — отрывков, на которые разбит текст Пятикнижия (Хумаша). Глава «Хаей Сара» — пятая по счету глава Торы — расположена в первой книге «Брейшит». Имя свое, как и все главы, получила по первым значимым словам текста (ва-ихью хаей Сара — «И была жизнь Сары...»).

Хала — еврейский традиционный праздничный хлеб.

Хаскама — официальное письмо с одобрением раввината.

Хоцплотц — край света, «у черта на рогах», «медвежий угол».

Хупа — свадебный балдахин — кусок ткани, устанавливаемый на четырех шестах, либо талит, — большое молельное покрывало, которое держат натянутым за углы. Как правило, хупа устанавливается под открытым небом. Под этим балдахином происходит обряд бракосочетания, поэтому говорят: «поставить хупу», «стоять под хупой». Непосредственно под хупой стоят жених и невеста, их родители и раввин, проводящий свадьбу. Хупа символизирует дом жениха, в который он вводит невесту.

Хуцпа — наглость, дерзость.

Цадик ха-дор — праведник поколения.

Цимес — сладкое блюдо из моркови, тушенной с черносливом. В переносном смысле — радость, удовольствие.

Шавуот (Швуэс или Швиес) — Пятидесятница — праздник в иудаизме, отмечаемый 6 сивана, на 50-й день омера. Основной религиозный смысл праздника — дарование евреям Торы на горе Синай при Исходе из Египта.

Шамес — служитель синагоги. Иудейский звонарь, к которому должны являться приезжие евреи. Здесь: детектив, служитель закона.

Шварцер-Ям — Черное море.

Швиц — традиционная гигиеническая еврейская баня.

Шейгец — нееврей.

Шейтль — парик, который носят религиозные еврейки.

Шибболет — библейское выражение, в переносном смысле обо-
значающее характерную речевую особенность, по которой
можно опознать группу людей (в частности, этническую),
своеобразный «речевой пароль», который неосознанно выдает человека, для которого язык — неродной.

Шива — семидневный траур (от ивритского слова «шева» —
семь). Это траур самого высокого уровня, что предполагает,
в частности, и то, что в дни шивы в поведении скорбящего —
наибольшее число ограничений. Нельзя весь семидневный
период выходить из дому, надевать кожаную обувь, бриться
и стричься, сидеть на обычных стульях, диванах или в креслах
(принято сидеть на низком табурете или, к примеру, на по-
душке, положенной на пол).

Шкоц — наглец, бес, негодник.

Шлемиль — бесполезный растяпа, которого легко обидеть.

Шлимазл — неудачник, невезучий.

Шлоссер — механик или наемный убийца.

Шойхет — резник в иудейской общине; человек, занимающийся
убоем скота и ритуальной обработкой мяса.

Шолем — мир и гармония, здесь: пистолет.

Шомер — сторож, охранник.

Шофар — древний духовой музыкальный инструмент, бараний
рог, в который трубят во время синагогального богослуже-
ния. В древности шофар использовался как сигнальный инструмент для созыва народа и возвещения важных событий,
а также во время войны. Звуки шофара обрушили стены Иерихона («иерихонская труба»). «Текиа» («трубление») — один
из способов игры на шофаре, начинается «текиа» на нижней
ноте и переходит к верхней ноте с нарастанием звучности.

Шпилькес — булавки, шпильки, *шпилькес ин тухэс* — букв. «булавки в заднице».

Штаркер — букв. «силач», здесь: бандит, вооруженный до зубов.

Штекеле — палочка, здесь: продолговатый пончик, обсыпанный
сахаром.

Штетл — еврейское местечко, небольшое, как правило, поселение полугородского типа, с преобладающим еврейским насе-

лением в Восточной Европе в исторический период до холокоста.

Штинкер — вонючка; в уголовной среде — стукач.

Штраймл — меховая шапка, как правило, из лисьего меха, которую носят последователи большинства течений хасидизма по различным торжественным поводам.

Шуль — синагога, школа.

Элул — двенадцатый месяц еврейского календаря (шестой, считая от Исхода евреев из Египта). Элул длится 29 дней и приходится на вторую половину августа и первую половину сентября григорианского календаря.

Эрец-Исраэль — страна Израильская.

Эрув — особая территория, в пределах которой религиозные евреи могут нести или передвигать какие-либо предметы в Шаббат (который длится от заката в пятницу до заката в субботу), не нарушая еврейского закона, запрещающего делать что-либо в этот период. Есть более 200 эрувов в мире.

Десять лет назад я написал вызвавшее волну нареканий эссе о разговорнике 1958 года издания «Скажите это на идише», который показался мне и горьким, и забавным. «Где бы находилось это сказочнейшее королевство на свете, куда можно было бы захватить сей разговорник для путешественника, если бы никогда не случилось холокоста?» — спрашивал я сам себя. Разговорник подразумевал некую потрясающую «Страну идиша», место, где вам могла пригодиться фраза «Помогите, мне нужно наложить жгут» (вдумчиво предусмотренная разговорником). Едва эссе вышло, как на меня набросились с обвинениями, дескать, я насмехаюсь над языком и преждевременно объявил о его кончине. Я и не подозревал, что почтенные авторы разговорника, Уриэль и Беатрис Вайнрайх составили эту книжку по просьбе издателя, потому что в пятидесятые годы прошлого столетия идиш был довольно распространен в Израиле и в еврейских анклавах по всему миру. Реакция моя была двойственной. Мне не понравилось, что меня ткнули носом в мое невежество. Было стыдно и совестно. Как хороший еврейский мальчик, я ощутил, что неуважительно отнесся к старшим, причинил им боль и заставил за меня стыдиться. Но еще меня охватили раздражение и злость. «Цалоше», если на идише: «Ах, вас оскорбила статья? Вот я сейчас целый роман напишу — будет вам оскорбление чувств. Ну, погодите!»

ПУТЕВОДИТЕЛЬ
ПО СТРАНЕ ПРИЗРАКОВ
Майкл Шейбон

Данная статья, воспроизводящаяся с любезного разрешения автора, была впервые опубликована в журнале «Civilization» в июньско-июльском выпуске 1997 года, а затем в журнале «Harper's» в октябре 1997 года.

Пожалуй, самая печальная книга в моей библиотеке — разговорник «Скажите это на идише» под редакцией Уриэля и Беатрис Вайнрайх, опубликованный издательством «Довер букз». Мой экземпляр был новехоньким, я купил его в 1993 году, но самое первое издание увидело свет еще в 1958-м. Как было сказано на задней стороне обложки, книга является частью «доверовской» серии «Скажите это...», о которой я вообще знать не знал. Мне никогда не попадались ни «Скажите это на суахили», ни «Скажите это на хинди», ни «Скажите это по-сербохорватски», да и не бывал я ни в одной из стран, где эти разговорники мне пригодились бы. И само собой, ни разу я не был и в той стране, где полезно было бы иметь в кармане книжицу «Скажите это на идише». Уверен, что и никто там не бывал.

Впервые увидев «Скажите это на идише» на стеллаже большого сетевого супермаркета в округе Ориндж, Калифорния, я не поверил, что книжка настоящая. Единственный экземпляр пылился в языковой секции, в самом низу алфавита. Точь-в-точь как книга из рассказа Борхеса —

единственная в своем роде, необъяснимая, а может, и вообще фальшивая. С самого начала меня поразила в ней, как ни парадоксально, ее заурядность, те совершенно обыденные выражения, которые вынесены анонсом на обложку. «Никакой другой РАЗГОВОРНИК ДЛЯ ПУТЕШЕСТВЕННИКОВ, — утверждается там, — не обладает всеми важнейшими качествами, присущими данному изданию». И книга похваляется «более чем тысячью шестьюстами актуальных статей» (актуальных!), «простой для произношения транскрипцией» и «прочным переплетом, препятствующим выпадению страниц».

Внутри «Скажите это на идише» исправно преподносит все, что так заманчиво обещает обложка. Воистину предусмотрены все возможности: все случайности, бедствия и приключения (кроме любовных), могущие постичь путешественника, сведены в рубрики «Покупки», «Парикмахерская и салон красоты», «Закуски» и «Затруднения», где содержатся все тысяча шестьсот актуальных статей, от номера 1 — «да» и до номера 1611 — «ширинка», которую «Скажите это на идише» передает латинскими буквами как *BLITS-shleh-s'l*. Есть тут слова, которые помогут чужестранцу посетить почту, купить почтовые марки на идише, сходить к доктору, чтобы облегчить *krahmpf*[1] (1317), случившиеся из-за того, что он объелся *LEH-ber mit TSIB-eh-less*[2] (620) в дешевом *res-taw-RAHN* (495), расположенном на *EH-veh-new*[3] (197), неподалеку от *haw-TEL*[4] (103). Отчасти абсурд и нелепица «Скажите это на идише» объясняется тем, что разговорник содержит дежурный набор фраз серии «Скажите это...» в целом. Если принять как должное существование современного разговорника на идише, то идишские версии таких фраз, как: «Где я могу получить карту

---

[1] Спазмы *(идиш)*.
[2] Печень с луком *(идиш)*.
[3] Проспект *(идиш)*.
[4] Гостиница *(идиш)*.

социального страхования?» и «Не поможете ли поднять машину домкратом?», воспринятые в контексте книги как часть стандартной серии, становятся понятнее. Но, пристальнее вглядываясь в примеры, избранные для разнообразных, якобы стандартных рубрик, обнаруживаешь, что Вайнрайхи, действительно выступавшие здесь редакторами и тщательно отбиравшие предположительно полезные фразы, решили, к примеру, вставить идишский перевод английских названий нижеследующих блюд, ни одно из которых не сыщешь под рубрикой «Продукты питания» в разговорнике суахили, японском или малайском: тушеная капуста, креплах, блинчики, маца, локс, говяжья солонина, селедка, кугель, цимес и зеленые щи. Тот факт, что большинство этих названий без особого труда нашло себе эквивалент на идише, предполагает, что «Скажите это на идише» издавался в расчете на определенного читателя — читателя, который посещает или собирается посетить определенное место, где для него найдутся и *ahn OON-tehr-bahn* (метро), и *geh-FIL-teh FISH* (фаршированная рыба).

Что они имели в виду, эти Вайнрайхи? Был ли оригинальный разговорник 1958 года лишь репринтом более раннего издания, не столь душераздирающе неправдоподобного? В какое время в мировой истории существовало место на земле, которое держали в уме Вайнрайхи, — место, где на идише говорили не только врачи, официанты и кондукторы в троллейбусах, но и клерки авиакомпаний, турагенты, капитаны паромов, служащие казино? Место, где можно снять летний домик у хозяина, говорящего на идише, посмотреть фильм на идише в кинотеатре, завить «волну» у говорящего на идише парикмахера, отполировать ботинки у мальчишки-чистильщика, говорящего на идише, и поставить мост у говорящего на идише дантиста? Если же, что кажется вернее, книга впервые вышла в 1958 году, через десять лет после образования государства, отвер-

нувшегося от идиша раз и навсегда и обрекшего этот язык
наблюдать, как один за другим уходят из жизни последние
его носители в стремительной гонке на вымирание с самим
двадцатым веком, трагические очертания шутки разраста-
ются шире, и намерения Вайнрайхов становится еще труднее угадать. Усилия авторов кажутся совершенно беспплод-
ными, этакий жест горестной надежды, прощальная мечта,
утопический порыв, обернувшийся жестокостью и иро-
нией.

Вайнрайхи с математической точностью очертили контуры мира, фантастической земли, где вам следует знать,
как будет на идише:

250. Какой (у вас) номер рейса?
1372. Помогите, мне нужно наложить жгут.
1379. Вот мои документы.
254. Могу я добраться на корабле/пароме до ____?

Пробел в последней фразе, невосполнимый пробел этот,
мучает и искушает меня. Куда бы я мог уплыть на корабле/пароме в компании заботливых попутчиков Уриэля
и Беатрис Вайнрайх, отчалив от каких берегов?

Я мечтал в двух вероятных направлениях. Во-первых,
это могла быть современная независимая держава, весьма
схожая с Государством Израиль — назовем его Государством Исроэль, — послевоенная родина, образованная во
времена нравственного кризиса, расположенная, возможно, но не обязательно, в Палестине. А может — на Аляске
или на Мадагаскаре. Наверное, здесь меньшинство сио-
нистского движения, выступавшее за утверждение идиша
в качестве еврейского государственного языка, возоблада-
ло над своими многочисленными оппонентами — поборни-
ками иврита. На идише печатают деньги, где основная единица — герцль, или доллар, или даже злотый. Футбольные

матчи комментируют на идише, банкоматы говорят на идише, идишские надписи на собачьих ошейниках. Публичные
дебаты, частные беседы, шутки и причитания — все это звучит не на ново-старом, отчасти искусственном языке вроде иврита, собранном из блоков небоскребе, который все
еще строится и где несколькими поколениями заселены
лишь самые нижние этажи, нет — это древний полуразру-
шенный дворец языка, в котором даже мельчайший кир-
пичик — словечко «ну» — способно выразить лукавство,
нежность, насмешку, любовь, несогласие, надежду, скепти-
цизм, скорбь, сладострастный порыв и подтвердить наихуд-
шие опасения.

Вероятные последствия этой смены официального языка «еврейской родины» — смены незначительной или фун-
даментальной, в зависимости от ваших взглядов на человеческий характер и его подоплеку, — трудно разложить по
полочкам. Не могу отвязаться от мысли, что, живя на
Ближнем Востоке, этот народ, говорящий на сугубо евро-
пейском языке, выпирал бы среди своих соседей даже
сильнее, чем нынешний Израиль. А вот интересно, евреи
средиземноморского Государства Исроэль обладали бы теми же возмутительными или восхитительными качествами, которые, справедливо или нет, повсеместно принято
считать классическими признаками личности сабры: грубость, занозистость, горластость, жесткость, нерелигиоз-
ность, упертость, хитрость и напористость? Жизнь в бес-
конечном состоянии войны или же сам иврит, а может,
что-то иное сделало юмор израильтян таким черным, таким колким, циничным, непереводимым? Видимо, такой
Исроэль, подобно своему сроднику из нашего мира, имеет
все шансы казаться пугающим и даже ужасным местом,
где, похоже, применимы следующие реплики из раздела
«Затруднения»:

109. Что здесь случилось?
110. Что мне делать?
112. Они меня беспокоят.
113. Уходите.
114. Я позову полицейского.

Представляю себе иной Исроэль, самую молодую страну на Североамериканском континенте, образованную на
бывшей территории Аляски во время Второй мировой войны в качестве зоны отселения для евреев из Европы. (Я читал, что Франклин Рузвельт какое-то, очень недолгое время
был близок к утверждению подобного плана.) Возможно,
после войны в этом Исроэле миллионы евреев-эмигрантов
из Польши, Румынии, Венгрии, Литвы, Австрии, Чехии и
Германии провели референдум и избрали независимость
в составе США. Получившееся в результате государство,
конечно же, существенным образом отличается от Израиля.
Это холодная северная земля, страна мехов, паприки, са-
моваров и долгих, восхитительных полярных дней летом.
На купленных нами почтовых марках красуются портреты
Вальтера Беньямина, Симона Дубнова, Януша Корчака и
сотен других неведомых нам евреев, чьему величию позволено расцвести пышным цветом лишь здесь, в этом мире.
Просто абсурдно было бы в этой стране говорить на иврите, этом наречии нарда и миндаля. Такой Исроэль — или,
может, стоило бы назвать его Алиэска — что-то вроде еврейской Швеции, социал-демократической, богатой ресурсами, благополучной, устройством и темпераментом куда
сильнее схожей со своей ближайшей соседкой — Канадой,
нежели с более раскрепощенным своим благодетелем далеко на юге. Конечно, не исключено, что существует некий
конфликт между Алиэской и США, длящийся все годы независимости. Какие-нибудь захваченные нефтяные место-
рождения, конфискованные рыболовецкие суда. Наверня-

ка не все коренные жители довольны последствиями гуманитарной политики Рузвельта и соглашений 1948 года. Скажем, недавно могли возникнуть некоторые проблемы с ассимиляцией евреев Квебека, бежавших от продолжающихся там сепаратистских боев.

Страна Вайнрайхов по природе своей — ностальгическая земля фантазий, кукольный театр с миниатюрными декорациями и мебелью, которую можно расставлять то так, то этак, с разрисованными задниками, на которых мельком разглядишь мерцающие контуры еврейской Охавы, а все горести и печали ее скрыты за сценой, спрятаны в механизмах на хорах, запечатаны под люками в половицах. Но печаль подкарауливает на каждой миле этого, иного пути, куда заманивают нас Вайнрайхи, возможно заманивают без всякого умысла, но во всех ужасных подробностях, которых требует серия «Скажите это...». Печаль водяными знаками проступает сквозь каждую открытку, марку, паспорт, она — привкус каждого блюда, тяжесть каждого чемодана. Ночь напролет завывает она в трубах старых гостиниц. Вайнрайхи возвращают нас домой, в «старую страну». В Европу.

В этой Европе миллионы неубитых евреев произвели на свет детей, и внуков, и правнуков, и прапраправнуков. Там по-прежнему остаются целые деревни, где говорят на идише, а в городах полным-полно тех, для кого идиш — язык кухни и семьи, театра, поэзии, школы. Удивительно, как много среди них моих родственников. Я могу поехать к ним в гости, как американские ирландцы навещают кузенов в каком-нибудь Голуэе или Корке, спать на их странных кроватях, есть их странную пищу и выглядеть точь-в-точь как они. Наверное, кто-то из кузенов сводит меня в тот дом, где родился отец моей матери, или в школу в Вильне, куда дед моего деда ходил вместе с мальчиком Аврамом Каганом. Что до моей родни, то хотя они, без сомнения, худо-бедно изъясняются по-английски, мне обязательно захочется ввернуть пару-тройку подходящих фраз на идише, по большей части чтобы восстановить и упрочить истончившуюся связь между нами. В этом мире, в отличие от нашего, идиш — не жестянка, подвешенная на проволоке, на другом конце которой второй жестянки нет и в помине. Здесь, несмотря на то что вполне обошелся бы и без них, я буду признателен Вайнрайхам за их труд. Кто знает, может, в какой-то глухой польской глубинке я буду вынужден посетить стоматолога, которому прокричу, отыскав нужный номер (1447): «*Eer TOOT meer VAY!*»[1]

На что похожа такая Европа, населенная двадцатью пятью, тридцатью, а то и тридцатью пятью миллионами евреев? Терпят ли их, презирают ли, игнорируют, а может, они совершенно неотличимы от прочих современных европейцев? На что похож мир, который никогда не нуждался в образовании Израиля, этой твердой песчинки в шарнире, соединяющем Африку и Азию?

Каково это — брать начало из земли, из мира, из культуры, которой больше не существует, из языка, который может умереть уже в этом поколении? Что за фраза мне понадобилась бы, чтобы обратиться к миллионам нерожденных призраков, к которым принадлежу и я?

И что мне теперь делать с этой книгой?

---

[1] У меня зуб болит (*идиш*).

Примечания

С. 19. *...аиду... именовавшему себя Эмануэлем Ласкером.* — Эмануэль Ласкер (1868–1941) — немецкий шахматист, второй чемпион мира (1894–1921), доктор философии и математики. Крупнейшие успехи Ласкера: победы в матчах на мировое первенство над В. Стейницем (1894, 1896–1897), Ф. Маршаллом (1907), З. Таррашем (1908), Д. М. Яновским (1909 и 1910), а также на турнирах в Нью-Йорке (1893, 1924), Петербурге (1895–1896, 1909, 1914), Нюрнберге (1896), Лондоне (1899), Париже (1900), Моравска-Остраве (1923). В 1934–1936 гг. жил в СССР, эмигрировав из фашистской Германии, и выступал как представитель СССР на международных турнирах.

Макс Нордау (Симха Меер (Симон Максимилиан) Зюдфельд; 1849–1923) — врач, писатель, политик и соучредитель Всемирной сионистской организации.

Это словечко «Блэкпул» частенько является Ландсману в ночных кошмарах. — Гостиница названа в честь английского города-курорта, но кошмарные ассоциации навевает скорее буквальный смысл словосочетания «black pool» *(англ.)* — «черный водоем».

С. 20. *...память о Всемирной выставке...* — Всемирная универсальная выставка (Экспо) является глобальной витриной для демонстрации научных открытий и достижений. Всемирная выставка — это событие мирового масштаба, сравнимое с Олимпийскими играми, за право проведения которого борются города и страны. Первая Всемирная универсальная выставка была проведена в 1851 г. в Лондоне.

С. 21. *...заменгофский лифт... табличках на языке эсперанто.* — Людвик Лазарь Заменгоф (1859–1917) — польский врачокулист, создатель языка эсперанто. Учился в Варшаве, Москве и Вене. В 1887 г. издал (под псевдонимом «D-ro Esperanto») проект искусственного вспомогательного международного языка, надеясь, что он послужит делу взаимопонимания между народами. Позднее опубликовал словари эсперанто, хрестоматии и отдельные издания своих оригинальных произведений и переводов на эсперанто мировой художественной классики.

С. 29. *Лумпия* — блюдо Юго-Восточной Азии, тонкие яичные блинчики или рисовая бумага с разнообразной начинкой.

С. 34. *...кошерной бойни на Житловски-авеню...* — Хаим Осипович Житловский (1865–1943) — российский политический деятель, участвовавший в социалистическом и еврейском территориалистском движениях, писатель, литературный критик и мыслитель. Пропагандист культуры и языка идиш, вице-президент конференции по идишу в Черновцах в 1908 г.

С. 37. *Люди нарекли его Элияху, потому что он появлялся там, где его меньше всего ждали...* — Элияху (Элия; в русской традиции Илья-пророк) — израильский пророк времен царя Ахава и его сына Ахазии (IX в. до н. э.), наиболее значительная фигура эпохи «устных пророков». Появление Элияху так же неожиданно, как и его чудесный конец, вознесение на небо, — событие совершенно уникальное во всей Библии.

С. 41–42. *...Саскачевана. / Саскатун...* — Саскачеван — степная провинция на юге центральной части Канады. Столица — город Реджайна, крупнейший город — Саскатун.

С. 45. *...«Триста шахматных партий» Зигберта Тарраша.* — Зигберт Тарраш (1862–1934) — один из крупнейших шахматистов и теоретиков шахмат в истории. Книга «Триста шахматных партий» была написана в 1895 г.

С. 47. *...Эшеровы сны...* — Мауриц Корнелис Эшер (1898–1972) — нидерландский художник-график. Известен прежде всего своими концептуальными литографиями, гравюрами на дереве и металле, в которых он мастерски исследовал пластические аспекты понятий бесконечности и симметрии, а также особенности психологического восприятия сложных трехмерных объектов, самый яркий представитель имп-арта. Эшера называли мастером оптических иллюзий.

С. 48. *Савелий Тартаковер* (1887–1956) — гроссмейстер, профессиональный шахматист, теоретик и литератор, по словам Ласкера, «Гомер шахматной игры». В конце 1920-х — начале 1930-х гг. он входил в восьмерку-девятку лучших шахматистов мира.

С. 49. *...министр внутренних дел Икес...* — Гарольд Леклер Икес (1874–1952) — американский политический деятель. При президентах Франклине Рузвельте и Гарри Трумэне занимал пост министра внутренних дел США в течение 13 лет, с 1933 по 1946 г. В 1938 г. выступил с предложением предоставить Аляску в качестве «убежища для еврейских беженцев из Германии и других европейских стран, где евреи подвергаются угнетению и преследованиям».

...в честь покойного Энтони Даймонда... — Энтони Джозеф Даймонд (1881–1953) — политик, член американской Демократической партии, который на протяжении долгих лет (1933–1945) являлся представителем от Аляски в палате представителей США. Выступал за государственную независимость Аляски.

С. 52. *Сьюард*, Уильям Генри (1801–1872) — американский государственный деятель, 24-й Государственный секретарь США в 1861–1869 гг., соратник Авраама Линкольна. С его именем связана покупка Аляски у Российской империи.

С. 66. *Бутылка Клейна* — это математическая неориентируемая поверхность, в которой неразличимы внутренняя и внешняя сторона; своего рода трехмерный аналог ленты Мёбиуса. Бутылка Клейна впервые была описана в 1882 г. немецким математиком Феликсом Клейном (Кляйном; 1849–1925).

КОИНТЕЛПРО («контрразведывательная программа») — секретная, зачастую незаконная программа ФБР по подавлению деятельности ряда политических и общественных организаций США. Официально действовала в 1956–1976 гг. В рамках программы сотрудники ФБР прослушивали телефонные переговоры, осуществляли различные провокации, совместно с полицией проводили незаконные аресты, распространяли дезинформацию.

С. 67. *Цвишенцуг* — промежуточный ход в шахматной партии, не предусмотренный в основной идее форсированного варианта или комбинации. Промежуточный ход соперника может нарушить предварительные расчеты, изменить планируемый ход

событий на шахматной доске, повлиять на оценку форсированного варианта, вызвать опровержение комбинации.

С. 86. ...«черный флаг»... — Черный флаг поднимался над
тюрьмой в день казни.

С. 88. ...«Внутренний канал»... — Внутренний канал — морской проход между островами северо-восточной части Тихого
океана вблизи юго-восточного побережья Аляски.

С. 90. ...улицы Бен Маймона. — Ребе Моше бен Маймон, или
Маймонид (1135–1204) — выдающийся еврейский философ, раввин, врач и разносторонний ученый, кодификатор законов Торы.
Духовный руководитель религиозного еврейства как своего поколения, так и последующих веков вплоть до нашего времени.

С. 95. Перец, Ицхок-Лейбуш (1852–1915) — классик еврейской литературы на идише, общественный деятель; жил в Польше.

С. 96. ...Хейфеца среди информаторов. — Аллюзия на знаме-
нитого скрипача Яшу Хейфеца (1901–1987).

С. 111. Эдельштат, Давид бен Моше (1866–1892) — еврейский поэт и публицист, один из общепризнанных классиков про-
летарской поэзии на идише.

В тысяча девятьсот восьмидесятом... Мелех Гайстик выиграл
в Санкт-Петербурге титул чемпиона мира, победив голландца
Яна Тиммана. — На самом деле чемпионом мира с 1975 по 1985 г.
был советский шахматист Анатолий Карпов (р. 1951). Ян Хенд-
рик Тимман (р. 1951) — нидерландский шахматист, гроссмейстер (1974), один из сильнейших западных шахматистов в середине 1980-х гг.

С. 119. Рауль Капабланка (Хосе Рауль Капабланка-и-Грау-
пера; 1888–1942) — кубинский шахматист, шахматный литератор,
дипломат, 3-й чемпион мира по шахматам (завоевал звание в матче с Ласкером в 1921 г.).

С. 138. ...на синем шмате мичиганской мощи с ревом подкатывает... — Автомобильная компания «Шевроле» (подразделе-
ние «Дженерал моторс») базируется в Детройте, штат Мичиган.

С. 152. Рингельблюм, Иммануэль (1900–1944) — еврейский
историк и общественный деятель, создатель архива исторических
свидетельств о Варшавском гетто и летописец его судьбы.

С. 156. ...убедил своего грозного отца год за годом играть роль
царицы Астинь во время Пуримшпиля. — Пуримшпиль — коми-

ческое представление на Пурим, в котором роли цариц Астинь и Есфирь обычно играют мужчины.

С. 161. *Ан-ский*, Семен Акимович (1863–1920) — еврейский писатель, поэт, драматург, публицист, этнограф, революционер, общественный и политический деятель.

С. 163. *...пел «Алейну»...* — «Алейну лешабеах» («На нас возложено восхвалять...») — молитва, которую читают по окончании каждой как ежедневной, так и субботней и праздничной службы и в начальных разделах дополнительных служб Рош ха-Шаны и Йом-Кипура.

С. 168–169. *...улицы Соломона Аша.* — Соломон Элиот Аш (1907–1996) — американский психолог, автор знаменитых экспериментов, посвященных конформности.

С. 179. *Баал-Шем-Тов* — Раби Исраэль бар Элиэзер Баал-Шем-Тов (1698–1760) — выдающийся мистик и праведник, основатель хасидского движения.

С. 181. *Хиршбейн*, Перец (1880–1948) — еврейский драматург, романист, поэт, переводчик и режиссер.

С. 185. *Ибн Эзра*, Авраам бен Меир (1089–1164) — средневековый наваррский (испанский) и еврейский ученый раввин-философ; занимался математикой, богословием, астрономией, астрологией и особенно библейской экзегетикой, также поэт и лингвист, знал многие восточные языки. Автор простого и ясного толкования в буквальном смысле почти всех книг Ветхого Завета. Автор сборника гимнов, песен, шуток и загадок. Один из основополагателей грамматики иврита. Среди математических достижений ему принадлежат вычисления и свойства биномиальных коэффициентов. Автор многих книг по астрономии и астрологии.

С. 189. *Халястре* («банда», «ватага» от польского «халястра») — группа еврейских поэтов-экспрессионистов и футуристов, сформировавшаяся в начале 1920-х гг. в Варшаве; название одноименного альманаха. Поэты писали на идише и придерживались в то время социалистических взглядов; лидерами были П. Маркиш, У. Ц. Гринберг и М. Равич. Название «Халястре» было дано Х. Цейтлином, редактором влиятельной ежедневной газеты «Дер момент», как презрительное прозвище людей, шокировавших публику вызывающим поведением и боровшихся против реализма в искусстве. Группа с гордостью приняла прозвище и сделала его названием своего альманаха.

С. 208. — *Он был презрен и умален пред людьми, — говорит или, скорее, цитирует Бина. — Муж скорбей, изведавший болезни.* — Цитируется ветхозаветное пророчество о приходе Мессии: «...нет в Нем ни вида, ни величия... который привлекал бы нас к Нему. Он был презрен и умален пред людьми, муж скорбей и изведавший болезни, и мы отвращали от Него лице свое; Он был презираем, и мы ни во что ставили Его. Но Он взял на Себя наши немощи и понес наши болезни; а мы думали, что Он был поражаем, наказуем и уничижен Богом. Но Он изъязвлен был за грехи наши и мучим за беззакония наши; наказание мира нашего было на Нем, и ранами Его мы исцелились» (Ис. 53: 2–5).

С. 211. *...под вымышленными именами, как то: Вильгельм Стейниц, Арон Нимцович и Ричард Рети.* — Вильгельм Стейниц (1836–1900) — австрийский и американский шахматист, первый официальный чемпион мира по шахматам (1886–1894); Арон Исаевич Нимцович (1886–1935) — один из крупнейших шахматистов и теоретиков шахмат в истории, претендент на мировое первенство 1920–1930-х гг., шахматный литератор, яркий представитель шахматного гипермодернизма; Рихард Рети (1889–1929) — чехословацкий шахматист, гроссмейстер, шахматный композитор и теоретик, журналист.

С. 236. *...роковой девятый день месяца ава.* — 9 ава — одна из самых траурных дат в еврейском календаре. По традиции день 9 ава считается датой разрушения как первого, так и второго Храма в Иерусалиме. В память об этом был установлен один из самых тяжелых еврейских постов: длится больше суток, и поститься в этот день должны почти все. Именно 9 ава происходили многие печальные события в еврейской истории — намек на то, что день поста 9 ава отмечен печатью траура свыше.

С. 240. *Мизмор* — еврейское название псалма «мизмор» обозначает пение с музыкой во славу Божию. Словом «мизмор» озаглавлены 57 из тех поэтических произведений, которые в числе 150 известны под общим названием псалмов, или псалтыри — сборника духовных песнопений народа израильского.

С. 251. *Берлеви*, Генрик (1894–1967) — живописец. Учился в Варшаве, Антверпене, Париже. Организовал корпорацию еврейских художников и выставки их работ в Польше. После Первой мировой войны уехал в Берлин, примкнул к художникам-авангардистам. В 1922 г. разработал принципы абстрактной живописи — «Механофактура» («Механическая живопись»).

С. 285. *Эррол Флинн* (Эррол Лесли Томсон Флинн; 1909–1959) — голливудский актер австралийского происхождения, кинозвезда и секс-символ 1930–1940-х гг. Прославился в амплуа отважных героев и благородных разбойников.

С. 288. *...лететь... из Перил-Стрейта...* — Топоним совпадает с названием пролива (тж. Пагубный пролив) между островом Ситка и островом Чичагова. Свое название пролив получил после того, как 8 июля 1799 г. на его берегу от отравления моллюсками умерло в течение двух часов 115 охотников; данный эпизод упоминается в дневниках главы Российско-американской торговой компании Александра Баранова и считается первым исторически зафиксированным случаем отравления паралитическим ядом сакситоксином.

С. 289. *АССОП* — автоматическая станция службы обеспечения полетов.

С. 295. *«Сессна»* — американский производитель самолетов — от малых двухместных до бизнес-джетов. Компания была основана в 1927 г. в Канзасе авиаконструктором и дизайнером Клайдом Верноном Сессной. Далее уточняется, что речь о «Сессне-206» — шестиместном самолете, выпускавшемся в 1964–1986 гг. и снова запущенном в производство с 1998 г., уже с турбовинтовым двигателем вместо поршневого.

С. 314. *...и горы скачут, словно барашки, и холмы подобны ягнятам.* — Ср.: «Что вы прыгаете, горы, как овны, и вы, холмы, как агнцы?» (Пс. 113: 6).

С. 320. *...полуавтоматический «интратек»...* — Имеется в виду Intratec TEC-9 (также TEC-DC9) — самозарядный пистолет со свободным затвором, разработанный в 1980-е гг. в Швеции для продажи в США; был очень популярен в преступном мире из-за возможности переделки для полностью автоматического огня. Для TEC-9 выпускались магазины на 10, 20, 32 и даже (сторонними производителями) на 50 патронов. В 1994–2004 гг. был запрещен к продаже.

С. 321. *...тридцать семь или тридцать восемь градусов по Фаренгейту...* — Примерно плюс три градуса по Цельсию.

С. 325. ...*Макс фон Сюдов, играя Эрвина Роммеля.* — Карл Адольф фон Сюдов по прозвищу Макс (р. 1929) — шведский актер ростом 1 м 94 см, известный, в частности, своей совместной работой с режиссером Ингмаром Бергманом; Эрвин Ойген Йоханнес Роммель (1891–1944) — немецкий генерал-фельдмаршал (1942) и командующий войсками Оси в Северной Африке.

С. 326. ...*успешно участвовал в Айдитароде — гонках на собачьих упряжках, придя девятым среди сорока семи финишировавших.* — Гонки, повторяющие маршрут экспедиции 1925 г., которая срочно доставила противодифтерийную сыворотку из Анкориджа в город Ном на берегу Берингова моря, проводятся с 1973 г., длина маршрута — 1868 км; каждый экипаж составляют 16 собак и один каюр. В гонке 2000 г. участвовал российский путешественник Федор Конюхов, финишировав последним, 68-м.

С. 329. *Сэл Минео* (Сальваторе Минео; 1939–1976) — американский актер театра и кино, дважды номинировавшийся на премию «Оскар», обладатель премии «Золотой глобус». Прославился ролями трудных подростков в фильмах «Бунтарь без причины» (1955) и «Гигант» (1956).

С. 332. *Свами* — почетный титул в индуизме; означает «владеющий собой», «свободный от чувств» *(санскр.)* и подчеркивает мастерство йога.

С. 336. *«Железная дева»* — якобы средневековое орудие смертной казни или пыток, представляющее собой сделанный из железа шкаф, внутренняя сторона которого усажена длинными острыми гвоздями.

С. 344. ...*полярный исследователь Пири... вознамерился покорить Землю Крокера, край высочайших вершин, которые он и его люди видели свисающими с неба в предыдущем путешествии.* — Земля Крокера — гипотетическая земля в Северном Ледовитом океане, расположенная к северо-западу от оконечности мыса Томаса Хаббарда. Название было предложено американским исследователем Робертом Пири во время посещения острова Элсмир в 1906 г. Стоя на западной оконечности острова и разглядывая в бинокль горизонт моря, путешественник сумел разглядеть снежные вершины некоего острова, который он предложил назвать в честь Джорджа Крокера, покойного члена Арктического клуба Пири.

Фата-моргана — редко встречающееся сложное оптическое явление в атмосфере, состоящее из нескольких форм миражей, при котором отдаленные объекты видны многократно и с разнообразными искажениями.

С. 345. *Собрание Божие* (Ассамблеи Бога) — христианская пятидесятническая церковь.

С. 349. *Его царствие заключено в скорлупу ореха.* — Аллюзия на: «Заключите меня в скорлупу ореха, и я буду чувствовать себя повелителем бесконечности» (У. Шекспир. Гамлет. Акт II, сц. 2. Перевод Б. Пастернака).

С. 350. *Рыжую телицу без порока.* — Числа, 19: 2.

С. 362. *Марсель Дюшан* (1887–1968) — французско-американский художник — дадаист и сюрреалист, а также видный шахматист.

С. 387. *— Я не слишком много знаю о Палестине...* ⟨...⟩ *Правда, жени моя из Накодочеса, а оттуда до Палестина миль сорок.* — Палестин (или Палестайн) — город в США, на востоке штата Техас, административный центр округа Андерсон.

С. 399. *Елеонская* (Гелеонская или Масли́чная) *гора* — возвышенность, тянущаяся с севера на юг против восточной стены Старого города Иерусалима по восточную сторону Кедронской долины.

С. 401. *Глатштейн*, Яков (1896–1971) — еврейский поэт, прозаик и литературный критик, писавший на идише.

С. 424. *Синко де Майо* (от *исп.* Cinco de mayo — пятое мая) — национальный праздник Мексики в честь победы мексиканских войск в битве при Пуэбле 5 мая 1862 г. Праздник также широко отмечается в США (Калифорния, Аризона, Нью-Мексико и Техас). Этот праздник иногда называют мексиканским аналогом Дня святого Патрика. Он отмечается блюдами мексиканской кухни, национальной музыкой и танцами.

Пиньята — мексиканская по происхождению полая игрушка довольно крупных размеров, изготовленная из папье-маше или легкой оберточной бумаги с орнаментом и украшениями. Своей формой пиньята воспроизводит фигуры животных (обычно лошадей) или геометрические фигуры, которые наполняются различными угощениями или сюрпризами для детей (конфеты, хлопушки, игрушки, конфетти, орехи и т. п.); на празднике пиньята подвешивается, и дети с завязанными глазами должны разбить ее палками.

С. 431. *«А кто соблазнит одного из малых сих, верующих в Меня, тому лучше было бы, если бы повесили ему жерновный камень на шею и бросили его в море».* — Мф. 18: 6.

С. 434. ...*«Сердца тьмы» Орсона Уэллса...* — В нашей реальности Орсон Уэллс так и не снял экранизацию повести Джозефа Конрада «Сердце тьмы», хотя и собирался (еще до «Гражданина Кейна», в конце 1930-х гг.).

С. 451. *Хуна* — город в зоне переписи населения Хуна-Ангун, штат Аляска, США.

С. 468. *Цветущая вагина О'Кифф на стене.* — Джорджия О'Кифф, тж. О'Киф (1887–1986) — знаменитая американская художница-модернистка, в 1970-х гг. ставшая иконой феминизма. Частый мотив ее творчества — огромные цветы (каллы, ирисы и т. д.), напоминающие детали человеческой анатомии.

Оскар Питерсон (1925–2007) — канадский джазовый пианист, композитор, руководитель трио, преподаватель и один из самых выдающихся пианистов — виртуозов джаза.

С. 482. *Братство «Ру́ки Исава» появилось в книге с любезного разрешения Джерома Чарина, его председателя и пожизненного президента.* — Братство «Руки Исава» (Hands of Esau Brotherhood) фигурирует в цикле из 12 постмодернистских детективов Джерома Чарина (р. 1937) о нью-йоркском полицейском Айзеке Зиделе. Первый роман цикла, «Голубые глаза», вышел в 1975 г., последний, «Зимнее предупреждение» — в 2017-м (в нем Зидель, уже побывавший мэром Нью-Йорка и вице-президентом США, становится президентом).

«Память, говори» (Speak, Memory) — англоязычная книга воспоминаний Владимира Набокова, выпущенная в 1951 г., а в окончательной расширенной версии — в 1966-м; русский вариант, вышедший в 1954 г. под названием «Другие берега», является не столько автопереводом, сколько самостоятельным произведением (по словам самого Набокова, «русская книга относится к английскому тексту, как прописные буквы к курсиву, или как относится к стилизованному профилю в упор глядящее лицо»).

С. 490. ...*Уриэля и Беатрис Вайнрайх...* — Уриэль Вайнрайх (1926–1967) — американский лингвист еврейского происхождения, один из основателей социолингвистики, известный своими работами в области контактной лингвистики, уделивший много внимания понятию интерференции.

С. 491. *«Довер букз»* (Dover Books, Dover Publications) — американское издательство, основанное в 1941 г. В основном публикует переиздания, книги, которые больше не публикуются их оригинальными издателями, часто — находящиеся в общественном достоянии.

С. 491–492. *Единственный экземпляр пылился в языковой секции, в самом низу алфавита. Точь-в-точь как книга из рассказа Борхеса — единственная в своем роде, необъяснимая, а может, и вообще фальшивая.* — Отсылка к рассказу Хорхе Луиса Борхеса «Тлён, Укбар, Орбис Терциус» (1940) об энциклопедии вымышленного мира и тайном обществе, цель которого — постепенно заменить этим вымышленным миром реальный мир.

С. 494. *На идише печатают деньги, где основная единица — герцль...* — Теодор Герцль (1860–1904) — еврейский общественный и политический деятель, журналист, писатель, доктор юриспруденции, основатель Всемирной сионистской организации, провозвестник еврейского государства и основоположник идеологии политического сионизма.

С. 495. *Сабра* (кактус) — термин, обозначающий евреев, которые родились на территории Израиля.

С. 496. *Вальтер Беньямин* (1892–1940) — немецкий философ, теоретик культуры, эстетики, литературный критик, эссеист и переводчик, один из самых влиятельных философов культуры XX в. Работы Беньямина лежат в основе современного понимания модернизма.

Симон Дубнов — Семен Маркович (Шимен Меерович) Дубнов (1860–1941) — российский еврейский историк, публицист и общественный деятель, один из классиков и создателей научной истории еврейского народа. Писал по-русски и на идише.

Януш Корчак (Эрш Хенрик Гольдшмит; 1878–1942) — выдающийся польский педагог, писатель, врач и общественный деятель. 8 августа 1942 г. вместе со своими воспитанниками из «Дома сирот» погиб в газовой камере в Треблинке.

С. 497. *Аврам Каган* (Абрам Сафранович; 1860–1951) — американский еврейский журналист, общественный деятель и писатель на идише. Основатель газеты «Форвертс» («Вперед»).

Елена Калявина

Содержание

Шейбон М.

Ш 39   Союз еврейских полисменов : роман / Майкл Шейбон ;
пер. с англ. Е. Калявиной. — М. : Иностранка, Азбука-Аттикус, 2019. — 512 с. — (Большой роман).

ISBN 978-5-389-12601-5

От лауреата Пулицеровской премии, автора международных бестселлеров «Потрясающие приключения Кавалера & Клея» и «Лунный
свет», — «альтернативная история независимого еврейского государства: вместо Палестины оно появляется на Аляске. Там говорят на
идише, изредка устраивают стычки с соседями-индейцами и ждут окончания 60-летнего срока, отмеренного США для обустройства евреев,
убежавших от нацистов в годы Второй мировой войны из Европы»
(Lenta.ru). И вот на фоне всеобщих апокалиптических ожиданий происходит как бы совершенно заурядное убийство: в дешевой гостинице
«Заменгоф», названной по имени изобретателя языка эсперанто, находят тело опустившегося, но некогда гениального шахматиста. За расследование берется Мейер Ландсман, детектив из группы «Б» отдела
убийств Главного управления полиции округа Ситка. Всему округу
осталось лишь несколько месяцев привычной жизни, а дальше — не-
известность, но Ландсмана в его стремлении к истине не остановят ни
препоны, чинимые собственным начальством, ни организованная пре-
ступность мессианского толка, ни махинации ФБР, ни возвращение
в Ситку бывшей Ландсмановой жены, успевшей окончить курсы повышения квалификации для женщин-детективов...

Роман публикуется в новом переводе.

УДК 821.111(73)
ББК 84(7Сое)-44

Литературно-художественное издание

МАЙКЛ ШЕЙБОН
СОЮЗ
ЕВРЕЙСКИХ ПОЛИСМЕНОВ

Редактор Александр Гузман
Художественный редактор Виктория Манацкова
Технический редактор Татьяна Тихомирова
Компьютерная верстка Ирины Варламовой
Корректоры Ирина Киселева, Светлана Федорова

Подписано в печать 18.01.2019. Формат издания 60 × 90 $^1/_{16}$.
Печать офсетная. Тираж 4000 экз. Усл. печ. л. 32. Заказ № 0913/19.

Знак информационной продукции
(Федеральный закон № 436-ФЗ от 29.12.2010 г.):   18+

ООО «Издательская Группа „Азбука-Аттикус“» —
обладатель товарного знака «Издательство Иностранка»
115093, г. Москва, ул. Павловская, д. 7, эт. 2, пом. III, ком. № 1
Филиал ООО «Издательская Группа „Азбука-Аттикус“» в Санкт-Петербурге
191123, г. Санкт-Петербург, Воскресенская наб., д. 12, лит. А

ЧП «Издательство „Махаон-Украина“»
Тел./факс: (044) 490-99-01. E-mail: sale@machaon.kiev.ua

Отпечатано в соответствии с предоставленными материалами
в ООО «ИПК Парето-Принт».
170546, Тверская область, Промышленная зона Боровлево-1, комплекс № 3А.
www.pareto-print.ru

ПО ВОПРОСАМ РАСПРОСТРАНЕНИЯ ОБРАЩАЙТЕСЬ:

В Москве: ООО «Издательская Группа „Азбука-Аттикус“»
Тел.: (495) 933-76-01, факс: (495) 933-76-19
E-mail: sales@atticus-group.ru; info@azbooka-m.ru

В Санкт-Петербурге: Филиал ООО «Издательская Группа „Азбука-Аттикус“»
Тел.: (812) 327-04-55, факс: (812) 327-01-60. E-mail: trade@azbooka.spb.ru

В Киеве: ЧП «Издательство „Махаон-Украина“»
Тел./факс: (044) 490-99-01. E-mail: sale@machaon.kiev.ua

Информация о новинках и планах на сайтах: www.azbooka.ru, www.atticus-group.ru

Информация по вопросам приема рукописей и творческого сотрудничества
размещена по адресу: www.azbooka.ru/new_authors/

Y-BRM-20636-01-R

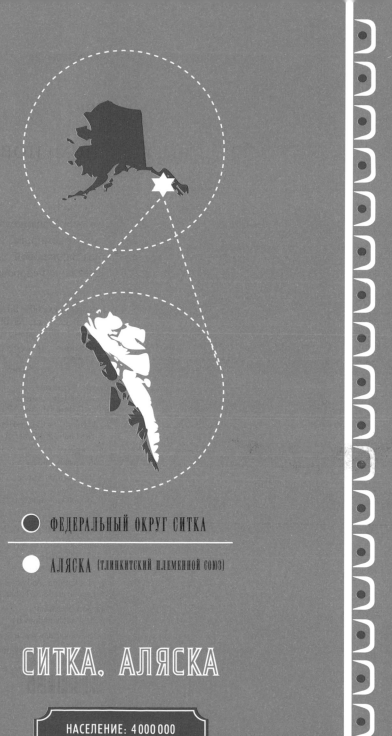

ФЕДЕРАЛЬНЫЙ ОКРУГ СИТКА

АЛЯСКА (ТЛИНКИТСКИЙ ПЛЕМЕННОЙ СОЮЗ)

СИТКА, АЛЯСКА

НАСЕЛЕНИЕ: 4 000 000

Prospect Heights Public Library
12 N Elm Street
Prospect Heights, IL 60070
www.phpl.info